森林・林業白書の刊行に当たって

農林水産大臣

江藤 拓

　森林は、水源や川の流域を通じて、農地や海につながっており、林業はもちろん農業や漁業とも結び付いています。また、森林が荒れると、台風などの災害時に川が氾濫し、その下流に暮らす方々も含め、国民の生命財産に影響を与えることになるため、森林の保全は決して人ごとではありません。

　伐期を迎えた木は利用し、再造林後は、苗木が草を被らないよう下草を刈る。そして足場の悪い急斜面でチェーンソーや重機を使った伐倒、集材・搬出作業など、山の仕事は重労働の連続です。こうした山元の方々による日々の再生産の取組はなくてはならないものであり、山元の方々にしっかりと利益が還元されるようにしていくことが、森林を将来にわたって守っていくために重要であると考えています。

　現在、我が国の森林は、戦後造成された人工林の過半が本格的な利用期を迎えています。木材価格は昭和55年をピークに長期的に低迷し、近年、横ばいで推移していますが、木材生産量が増加傾向にあるため、木材生産の産出額については増加傾向で推移しています。更なる林業の成長産業化と森林資源の適切な管理を実現するためには、国産材の安定供給体制の構築と木材需要の拡大を促進することが必要です。

　農林水産省では、昨年からスタートした森林環境譲与税も活用しつつ、森林経営管理法に基づき林業経営者への森林の経営管理の集積・集約を進めています。

　こうした中、今年5月には、森林組合法の改正を行いました。これは、地域の林業経営の重要な担い手である森林組合が、森林の経営管理の集積・集約、木材の販売等の強化に取り組むことができる仕組みを整備するものであり、これらを通じて、これまで以上に山元への一層の利益還元を進めることが期待されます。

　さらには、林業の生産性・安全性を飛躍的に向上させる林業イノベーションや、これまであまり木材が使われてこなかった中高層建築物の木造化・木質化などにも取り組んでおります。

　林業・木材産業の現場においても、新型コロナウイルス感染症の影響が及んでおりますが、現場の皆様の声をよく伺いながら、生産基盤をしっかりと守り、強化するよう、原木の一時保管や林業の雇用維持のための保育間伐等の支援を講じるなど全力で取り組んでまいります。

　今回の白書では、森林経営管理制度や森林環境譲与税、林業イノベーション等について詳しく紹介するほか、特集テーマに「持続可能な開発目標（SDGs）に貢献する森林・林業・木材産業」を取り上げています。

　この白書が、多くの国民の皆様に広く活用され、我が国の森林・林業・木材産業の役割や重要性についての御理解を深めていただける一助となれば幸甚です。

　皆様の御理解とお力添えを賜りますよう、よろしくお願い申し上げます。

令和2年6月

令和元年度
森林及び林業の動向

第201回国会（常会）提出

注：本報告に掲載した我が国の地図は、必ずしも、我が国の領土を包括的に示すものではない。

事例一覧

目 次

第Ⅴ章

コラム一覧

第2部 令和元年度 森林及び林業施策

第1部

森林及び林業の動向

森林は、国土の保全、水源の涵養、地球温暖化の防止、木材の生産等の多面的機能を持つ。近年、台風による大きな山地災害、風害等、極めて大規模な災害が頻発しており、森林の有する山地災害防止機能により人々の生活を守ることの重要性が増している。この機能を持続的に発揮させるためにも、森林を適切に整備・保全し、健全な森林を維持することが必要となっている。

また、我が国の森林は、これまでの先人の努力等により、戦後造林された人工林を中心に蓄積量が増加している。この豊富な森林資源を「伐って、使って、植える」という形で循環利用することを通じ、林業の成長産業化と森林の適切な管理を両立していくことが求められている。

この両立のため、林野庁は、施業の集約化、意欲と能力のある林業経営者の育成、木材の安定供給の確保、効率的なサプライチェーンの構築、これまで木材があまり使われてこなかった中高層建築物の木造化・木質化、高付加価値木材製品の輸出等、川上から川下までの取組に対して総合的な支援を進めている。また、労働人口が減少する中、林業を若者にとって魅力のある選ばれる産業にしていくため、生産性の向上や労働安全対策の強化に向け、スマート林業の推進や自動化機械の開発、セルロースナノファイバーや改質リグニンといった木質系新素材の開発等の「林業イノベーション」に取り組んでいる。

さらに、令和元(2019)年度には、森林経営管理制度の運用と森林環境譲与税の譲与が始まった。これにより、市町村や都道府県が森林環境譲与税を、間伐や人材育成、木材利用等に活用することで、森林の整備を一層推進することが期待される。

本年度報告する「森林及び林業の動向」は、こうした動きも踏まえ、この一年間における森林・林業の動向や主要施策への取組状況を中心に、森林・林業に対する国民の皆様の関心と理解を深めていただくことを狙いとして作成した。

冒頭の特集では、「持続可能な開発目標(SDGs)に貢献する森林・林業・木材産業」をテーマに、我が国におけるSDGsと森林・林業・木材産業の関係性を整理しつつ、様々な経済主体において広がりつつある林業・木材関係者との協働の動きを、企業に対するアンケート結果も含め、広く紹介するとともに、関係者の今後の課題・役割について記述した。

令和元(2019)年度の動きを紹介するトピックスにおいては、「森林経営管理制度、森林環境譲与税のスタート及び国有林野管理経営法の改正」、「東京オリンピック・パラリンピック競技会場等における木材利用」、「中高層建築物等の木造化・木質化に向けた動き」、「スマート林業のフル活用を始めとした「林業イノベーション」の推進」、「令和元年房総半島台風、令和元年東日本台風による森林被害や山地災害等への対応」等を紹介した。

第Ⅰ章以降の各章においては、森林の整備・保全、林業と山村(中山間地域)、木材需給・利用と木材産業、国有林野の管理経営、東日本大震災からの復興について主な動向を記述した。

持続可能な開発目標（SDGs）に貢献する森林・林業・木材産業

地球環境や社会・経済の持続性への危機意識を背景として、我が国においても、持続可能な開発目標（SDGs）への関心が高まりをみせている。こうした中、これまで林業や木材産業との関わりが薄かった個人・企業を含め、様々な経済主体による、林業・木材産業関係者との協働や森林空間の活用等に取り組む動きが広がりをみせている。

本章では、こうした広がりを受け、我が国におけるSDGsと森林・林業・木材産業との関係性を整理するとともに、様々な主体の多様な森林との関わりや取組を、森林の整備、森林資源の活用、森林空間の利用という分類を行った上で紹介していく。加えて、SDGsの達成に向けて、森林・林業・木材産業関係者が今後どのような役割を果たしていくべきかについて記載する。

SUSTAINABLE DEVELOPMENT GOALS

１．持続可能な開発目標（SDGs）と森林

　気候変動、自然災害といった課題が、経済成長や社会問題にも波及している中で、持続可能な開発目標（Sustainable Development Goals: SDGs。以下「SDGs」という。）への関心が社会全体で高まっている。森林は、SDGsの目標15の中に「持続可能な森林の経営」と掲げられているほか、様々な目標に関連しており、森林分野においても様々な取組が広がっている。

　本節では、特集の導入として、SDGsに関わる動向、森林・林業・木材産業とSDGsの関わり等について記述する。

（１）SDGsに高まる関心

（SDGsとは）

　経済発展や技術開発により、人間の生活は豊かで便利なものとなった。一方で、この大量生産や大量消費に支えられる生活は、天然資源に依存し、地球環境に大きな負荷を与えてきた。温室効果ガスは気候変動をもたらし、世界中で深刻な影響を与えつつある。人間活動に起因する大気・水の汚染により、健康が脅かされる事態も起きている。さらに、鉱物・エネルギー資源の無計画な消費は、途上国の紛争の一因となっている。グローバル経済の下、一国の経済危機が他国に連鎖するのと同様、気候変動、自然災害、感染症といった課題も連鎖して発生し、経済成長や社会問題にも様々に影響していく。

　このような複合的な問題に対して世界全体で取り組む必要があるとの考えから、平成27（2015）年9月の国連サミットにおいて令和12（2030）年までの国際社会共通の目標として「持続可能な開発のための2030アジェンダ」（以下「2030アジェンダ」という。）が採択され、その中でSDGsが示された。

　2030アジェンダでは、「誰一人取り残さない」ことを前文で掲げており、SDGsの前身で、2001

年に策定されたミレニアム開発目標（MDGs）は開発途上国を中心とした目標であったが、SDGsは先進国を含む全ての国が対象となっている。また、政府や国際機関だけでなく、市民社会、企業等全ての人々の参画を重要視している。

　SDGsは、我が国を含めた世界全体の目標であり、17の目標、169のターゲットから構成されている。SDGsは、経済、社会及び環境の三側面を不可分なものとして調和させ、持続可能な世界を実現するための統合的取組である。

（SDGsへの関心の広がり）

　政府や国際機関は自らSDGsに取り組むとともに、市民社会や企業の参画を促しており、地球環境や社会・経済の持続性への危機意識を背景に、市民や企業の間でもSDGsへの関心が高まっている。

　世界経済フォーラムが毎年実施しているグローバルリスク[*1]に関する意識調査では、10年前は経済的なリスクが上位を占めていたが、近年は大量破壊兵器に加え、「気候変動の緩和や適応への失敗」や「異常気象」等の環境関係のリスクが上位を占めている[*2]。

　環境関係のリスクが企業の成長にも大きな影響を及ぼすという意識は、投資の世界において気候変動等の長期的なリスクマネジメントを重視する動きの高まりへとつながっており、従来の財務情報に加え、環境（Environment）、社会（Social）、企業統治（Governance）を判断材料とするESG投資が拡大している。世界全体のESG投資額は2016年から2018年までの2年間で34%増加し、30兆6,830億ドルとなった[*3]。

　このため、企業においてもESG投資への対応や環境問題への危機意識等から具体的な行動を取る動きが始まっている。例えば、事業活動で使う電力の全量を再生可能エネルギーで賄うことを目指す「RE100」は、その参加企業が世界で増加しており、米国のアップルやグーグルなど、既にこの目標を達成している企業も存在する[*4]。

---

*1　発生した場合、今後10年間で複数の国又は産業に著しい悪影響を及ぼす可能性のある不確実な事象又は状況。
*2　世界経済フォーラム「グローバルリスク報告書2019」
*3　The Global Sustainable Investment Alliance "2018 Global Sustainable Investment Review"
*4　令和元（2019）年12月2日付け日経新聞25面

コラム　SDGsの目標とターゲット

　SDGsでは、17の目標の下に169のターゲットがある。それぞれの目標とターゲットは相互に関連しており、1つの行動が複数の課題を統合的に解決することや、目標同士がトレードオフの関係となる場合もある。例えば、持続可能な森林経営は、目標6、13、15など様々な目標に貢献する。一方、飢餓（目標2）を解決するためといって森林を乱開発することは避けなければならない（目標15）。このように、SDGsの推進に当たっては、相乗効果の増大やトレードオフの最小化を図ることが重要である。

　また、平成29（2017）年には、SDGsの進捗度を知るためのターゲットごとの指標が採択されており、各国政府は、この指標又は各国独自の指標を基にSDGsの達成に向けたフォローアップを実施している。

1 貧困をなくそう	あらゆる場所のあらゆる形態の貧困を終わらせる	10 人や国の不平等をなくそう	各国内及び各国間の不平等を是正する
2 飢餓をゼロに	飢餓を終わらせ、食料安全保障及び栄養改善を実現し、持続可能な農業を推進する	11 住み続けられるまちづくりを	包摂的で安全かつ強靱（レジリエント）で持続可能な都市及び人間居住を実現する
3 すべての人に健康と福祉を	あらゆる年齢のすべての人々の健康的な生活を確保し、福祉を促進する	12 つくる責任つかう責任	持続可能な生産消費形態を確保する
4 質の高い教育をみんなに	すべての人に包摂的かつ公正な質の高い教育を確保し、生涯学習の機会を促進する	13 気候変動に具体的な対策を	気候変動及びその影響を軽減するための緊急対策を講じる
5 ジェンダー平等を実現しよう	ジェンダー平等を達成し、すべての女性及び女児の能力強化を行う	14 海の豊かさを守ろう	持続可能な開発のために海洋・海洋資源を保全し、持続可能な形で利用する
6 安全な水とトイレを世界中に	すべての人々の水と衛生の利用可能性と持続可能な管理を確保する	15 陸の豊かさも守ろう	陸域生態系の保護、回復、持続可能な利用の推進、持続可能な森林の経営、砂漠化への対処、並びに土地の劣化の阻止・回復及び生物多様性の損失を阻止する
7 エネルギーをみんなにそしてクリーンに	すべての人々の、安価かつ信頼できる持続可能な近代的エネルギーへのアクセスを確保する	16 平和と公正をすべての人に	持続可能な開発のための平和で包摂的な社会を促進し、すべての人々に司法へのアクセスを提供し、あらゆるレベルにおいて効果的で説明責任のある包摂的な制度を構築する
8 働きがいも経済成長も	包摂的かつ持続可能な経済成長及びすべての人々の完全かつ生産的な雇用と働きがいのある人間らしい雇用（ディーセント・ワーク）を促進する	17 パートナーシップで目標を達成しよう	持続可能な開発のための実施手段を強化し、グローバル・パートナーシップを活性化する
9 産業と技術革新の基盤をつくろう	強靱（レジリエント）なインフラ構築、包摂的かつ持続可能な産業化の促進及びイノベーションの推進を図る		

（外務省　仮訳）

また、海洋生物のプラスチックごみ摂取への危惧等を契機として、脱プラスチックの動きも世界的に広がっており、令和7（2025）年までにプラスチック使用量を半減すると宣言した世界的企業も出ている[*5]。

このような動きは日本企業にも広がってきており、環境・社会への配慮はリスク回避のために重要という認識に加え、新たなビジネスチャンスにつながるとも期待されている。例えば、一般社団法人日本経済団体連合会は、平成29（2017）年に企業行動憲章を改定し、持続可能な社会の実現が企業の発展の基盤であるとし、会員企業に対しSociety5.0[*6]の実現を通じたSDGsの達成に向けた行動を促している。

SDGsは、新しい概念ではあるが、日本の「三方良し」（「売り手良し」「買い手良し」「世間良し」）の考え方に近いとも言われており、日本企業の考え方とも親和性が高い[*7]。

SDGsでは全ての人々の参画を促しているが、個人の動きが社会を変える動きも見られるようになってきている。スウェーデンの高校生が火付け役となった気候変動対策を訴える動きは、今後の地球環境の持続性により敏感と言われる若い世代を中心として世界中に広まり、令和元（2019）年9月20〜27日のデモでは、185か国で660万人以上が参加（主催団体発表）した[*8]。また、欧州では、なるべく飛行機を使わないという考えが広がりつつあり、この対策として鉄道会社と連携し鉄道での移動を提供する欧州の航空会社も出てきている[*9]。

（2）森林・林業・木材産業とSDGsとの関係

（世界の森林とSDGs）

SDGsのうち、森林に関するものとしては、目標15に「持続可能な森林の経営」が掲げられていることに加え、このほかの目標においても森林に関係する項目がみられる。

森林は、世界の陸地面積の約30%を占め、そこには陸域の生物種の約80%が生息し、生物多様性の保全に大きく貢献している[*10]。このことは、将来の遺伝子資源の利用を確かなものにし、生物資源の保続性や森林景観の持続性を高めるという実用的な意味を持つ[*11]。さらに、森林は土壌を保全し（目標15）、水を育み（目標6）、炭素を貯蔵する（目標13）。

しかし、世界の森林は、熱帯林等を中心に農地への転用等を原因として減少・劣化を続けており、森林の保全が世界中で喫緊の課題となっている。また、開発途上国を始めとする地域では、森林減少・劣化は貧困問題等と不可分の関係にあり、持続可能な森林経営を推進することは、人々の生活に関わるSDGsの目標と密接に関連している。

例えば、世界では先住民を含む16億人が森林に生計を依存している[*12]。生計の多くを森林に依存する人々にとって、森林の喪失は貧困（目標1）や飢餓（目標2）の問題に直結する。また、低所得国での森林伐採の9割は薪炭材としての利用を目的としており、この面でも森林の保全と利用の持続性が確保されれば、持続可能なエネルギーへのアクセスを実現することにつながる（目標7）。

一方で、様々な国で地域住民が森林資源を利用する際の権利が保障されていないなど公平性の観点で課題があり（目標10）、貧困等の問題が一層深刻化していると指摘されている。また、薪炭材や非木質林産物の採集は主として女性が担っていることが多いが、森林の開発等の際に意思決定に参加できていないなどジェンダーの観点からも課題が生じている（目標5）。

---

*5　令和元（2019）年12月2日付け日経新聞23面
*6　情報社会（Society 4.0）に続く、仮想空間と現実空間を高度に融合させたシステムにより、経済発展と社会的課題の解決を両立する、人間中心の社会（Society）。
*7　経済産業省（2019）SDGs経営ガイド：10
*8　令和元（2019）年9月28日付け時事ドットコムニュース
*9　令和元（2019）年12月18日付け日経新聞夕刊1面
*10　国連森林戦略計画2017-2030
*11　日本学術会議答申「地球環境・人間生活にかかわる農業及び森林の多面的な機能の評価について」（平成13（2001）年）
*12　Agrawal A. et al. "Economic Contributions of Forests"（国連森林フォーラム第10回会合（2013年）背景報告書）

このような開発途上国の森林をめぐる問題は、我が国とも密接に関連している。我が国の生活や産業は、開発途上国を含む海外からの輸入に多くを依存している。開発途上国で生産される農林産物の中には、違法性が指摘される木材や、パーム油、大豆、肉牛のように商品の生産に伴い森林減少が生じていると指摘されているものもある。このため「持続可能な生産消費形態」（目標12）の実現に当たっては、国内の森林と併せ、海外の森林の持続可能性についても考慮することが重要となる。

森林は貧困など様々な課題に関連していることが認識されてきたが、SDGsに則って森林の役割を整理することで、森林と社会的諸課題との関係が、具体的な目標として改めて明らかとなり、先進国を含め民間企業等の多様なステークホルダー（関係者）が開発途上国における森林の保全と利用に協力して取り組むことが求められている。

このような観点も踏まえて、平成29（2017）年4月には、SDGsを含む2030アジェンダを始めとする国際的な目標等に対し、森林分野の貢献を促進することを目的に掲げた「国連森林戦略計画2017-2030」（United Nations Strategic Plan for Forests 2017-2030。以下「UNSPF」という。）が国連総会で採択された。UNSPFでは、2030年までに達成すべき「世界森林目標」とその下に更に詳細なターゲットを掲げ、そこにはそれぞれの世界森林目標がとりわけ寄与するSDGsのターゲット等が記されている（資料 特-1）。

（我が国の森林を取り巻く現状）

我が国においても、その自然的・社会的・経済的な条件及び現況に照らすと、森林及び森林の恵みを活用する林業・木材産業の営みを通じ、上記のような主に開発途上国を念頭に置いたものに加えて異なる角度からもSDGsに貢献していく可能性が開けている。

まず、自然的な条件及び現況からみると、世界の森林面積が減少する中、我が国の森林面積は、過去半世紀にわたりほぼ横ばいで推移し、その蓄積量は、天然林、人工林とも年々増加している。このうち、森林の4割を占める人工林の半数が、一般的な主伐期である50年生を超え、本格的な利用期を迎えている。持続的な森林の利用とは、森林の成長量や蓄積を踏まえた伐採を行い、森林の適切な更新と整備により再生産を進めていくことであるが、我が国においては、この充実した森林資源の持続的な利用により、SDGsに貢献していくことができる状況となっている。

また、我が国は、その位置、地形、地質、気象等

資料 特-1 世界森林目標とSDGs

世界森林目標	とりわけ寄与するSDGs
1．保護、再生、植林、再造林を含め、持続可能な森林経営を通じて、世界の森林減少を反転させるとともに、森林劣化を防止し、気候変動に対処する世界の取組に貢献するための努力を強化する。	目標6、12、13、14、15
2．森林に依存する人々の生計向上を含め、森林を基盤とする経済的、社会的、環境的な便益を強化する。	目標1、2、4、5、6、8、9、12、15
3．世界全体の保護された森林面積やその他の持続可能な森林経営がなされた森林の面積、持続的な経営がなされた森林から得られた林産物の比率を顕著に増加させる。	目標7、12、14、15
4．持続可能な森林経営の実施のための、大幅に増加された、新規や追加的な資金をあらゆる財源から動員するとともに、科学技術分野の協力やパートナーシップを強化する。	目標12、15、17
5．国連森林措置（UNFI）等を通じ、持続可能な森林経営を実施するためのガバナンスの枠組を促進するとともに、森林の2030アジェンダへの貢献を強化する。	目標1、2、5、15、16、17
6．国連システム内や森林に関する協調パートナーシップ（CPF）加盟組織間、セクター間、関連のステークホルダー間等、あらゆるレベルにおいて、森林の課題に関し、協力、連携、一貫性及び相乗効果を強化する。	目標17

注：6つの世界森林目標の下に、更に詳細な26のターゲットが設定されている。UNSPFには、各世界森林目標がとりわけ寄与するSDGsのターゲットが記されているが、本表では簡略化のためSDGsの目標のみを記載。
資料：国連森林戦略計画2017-2030を基に林野庁作成。

の自然的条件から、台風、豪雨、豪雪等による災害が発生しやすい国土となっている[13]。特に、戦中・戦後の森林の大量伐採の結果、我が国の戦後の森林は大きく荒廃し、各地で台風等による大規模な山地災害や水害が発生した。このため、木材生産という観点だけではなく、国土の保全や水源の涵養等の公益的機能の発揮という観点から、林業・木材産業とともに幅広い国民の参加を得て森林整備に取り組み、その回復が図られてきた。国民の森林に期待する働きとしても、一貫して「災害防止」がその最上位近くを占めており[14]、我が国の森林が山地災害の防止や土壌保全という機能を発揮してきていることへの理解も広がっている。今後も、森林を適切に整備・保全し、健全な状態に維持していくことで、地域の安全・安心の確保に貢献していくことが期待される。

　この森林を取り巻く社会的・経済的な条件及び現況について見ると、第一に、人口減少が挙げられる。森林が所在し、林業が営まれる山村地域で過疎化が進行してきたが、平成20（2008）年以降は、我が国の人口そのものが減少局面に入っている。今後100年間で我が国の人口は100年前の水準に戻っていくとの推計もあり、このままでは山村地域が衰退し、我が国の社会全体の持続性にも影を落とす懸念もある（資料 特－2）。

　このため、地域の活力の維持を目指し地方創生に関わる様々な取組が行われており、移住者を増やしている事例もみられる[15]。その際、地域資源の一つである森林の積極的な活用を図ることは、林業・木材産業での働く場の確保等による地域の経済循環の面でも、大きな役割を果たし得るものと考えられる。

　第二としては、人々の意識が生活の質（QOL）の向上を求める方向へ変化していることが挙げられる。木材を利用した空間で過ごすことに温かみや安らぎを覚えるとの声は、こうした意識の一面を反映するものと考えられる。また、都市部の住民には、森林の持つリフレッシュ効果等に期待する声があり、教育、健康、観光等の分野で森林空間を利用す

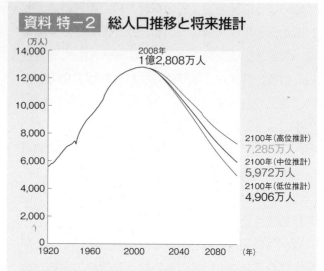

資料 特－2　総人口推移と将来推計

資料：総務省「人口推計」、国立社会保障・人口問題研究所「日本の将来推計人口（平成29年推計）」

る新しい動きが出てきていることもその表れと言える。

（我が国における森林・林業・木材産業とSDGsの関係性）

　我が国における森林・林業・木材産業とSDGsの関係性について改めて整理すると、まず、天然林を含め国土の3分の2を占める森林の多面的機能が、SDGsの様々な目標達成に貢献している。そして、森林の利用が林業・木材産業を中心にして経済的・社会的な効果を生んでおり、SDGsの様々な目標達成に寄与している。ここで大切なことは、森林の利用により生み出される便益が森林の整備・保全に還元されるという大きな循環につながっていくという側面であり、SDGsで重視されている環境・経済・社会の諸課題への統合的取組の表れともいえる。この循環には、再造林や合法性が確認された木材の利用等を通じ、森林が健全に維持されることが前提であり、林業・木材産業関係者の働きが要となる役割を担っている。

　具体的なSDGsの目標と関連付けながら整理を試みると、次のとおりである（資料 特－3）。なお、SDGsは、その性格上、それぞれの取組を行っている主体の意図が尊重されるべきものであり、以下の記述に限定されるものではないことに留意が必要で

---

[13]　内閣府「平成25年版防災白書」
[14]　詳しくは、第Ⅰ章第1節（1）56ページを参照。
[15]　内閣官房まち・ひと・しごと創生本部事務局「移住・定住施策の好事例集（第1弾）」（平成29（2017）年）

8 ── 令和元年度森林及び林業の動向

ある。

　まず、様々な生物を育む森林そのものが目標15に関連している。持続可能な経営の下にある森林は、水を育み（目標6）、豊かな海を作り（目標14）、二酸化炭素を貯め込み気候変動を緩和し（目標13）、山地災害の防止にも貢献する（目標11）。

　持続可能な森林経営の下で木材を生産し、利用することは、持続可能な生産・消費形態の確保を謳う目標12に直結するとともに、現在、林業・木材産業の成長産業化に向けて進められている施業の低コスト化等の技術革新は、目標9のイノベーションの一部を担う動きと言える。また、素材生産や木材製品製造の現場では、他の日本の産業と同様に労働力不足の問題が顕在化しており、従業員の定着のため適切な労働環境の整備（目標8）や、女性参画の促進（目標5）が重要となっている。

　木材利用については、上記のとおり目標12に直結するほか、建築等で利用する場合には炭素の貯蔵につながるとともに、他の材料に比べて製造や加工に要するエネルギーが少ない（目標7、13）という特徴を有している。また、木質バイオマスとしてエネルギー利用をしていくことは、再生可能エネルギーとして目標7（持続可能なエネルギー）に直結し、それにより枯渇性の化石燃料の使用を減らせることから目標13（気候変動対策）に貢献する。さらに、化石燃料由来のプラスチック等の代替に向けて木材を原料とする製品づくりの技術開発が進んでおり（目標9）、これを具現化していくことは、海洋環境の保全を促進する（目標14）こととなる。

　また、きのこ、ジビエ等の森の恵みの活用を含め、森林資源を活用する取組は、持続的な形の食料生産（目標2）、山村地域での雇用の創出（目標8）及び地域活性化（目標11）に貢献することが期待される。

　森林環境教育・木育（目標4）及び健康増進（目標3）に森林空間を活用する取組は、観光での活用を含め、新たな産業（目標12）による雇用創出（目標8）や都市と農村との交流による地域活性化（目標11）にもつながると期待される。森林セラピー基地や森林セラピーロード[16]はそれらの重要な取組として挙げられるものであり、またそれらを企業の研修等で活用することにより企業の労働環境の改善（目標8）にも貢献することになる。

　さらに、これらの木材、森の恵み、森林空間の利用等による便益が森林の整備・保全にも還元されると、目標15の「森林の持続可能な経営」が推進されることになり、好循環が生まれることになる。

　SDGsの目標17では、効果的な公的、官民、市民社会のパートナーシップが奨励されている。我が国においても、林業・木材産業関係者を中心に企業、個人、行政等が連携して森林の持続可能性の確保に取り組んでいる。

特集

---

*16　森林セラピー及びセラピーロードは、特定非営利活動法人森林セラピーソサエティの登録商標。森林セラピーロードとは、生理・心理実験によって癒やしの効果が実証され、森林セラピーに適した道として認定された道。森林セラピー基地とは、森林セラピーロードが2本以上あり、健康増進やリラックスを目的とした包括的なプログラムを提供している地域。

資料 特−3　我が国の森林の循環利用とSDGs との関係

 我が国の森林の循環利用と SDGs との関係

注１：アイコンの下の文言は、我が国の森林の循環利用との関わりにおいて期待される主な効果等を記載したものであり、各ゴールの
　　　解説ではない。
　２：このほか、ゴール１は森林に依存する人々の極度の貧困の撲滅、ゴール10は森林を利用する権利の保障、ゴール16は持続可能
　　　な森林経営を実施するためのガバナンスの枠組みの促進等に関連する。
　３：これからの様々な取組により、ここに記載していない効果も含め、更にSDGsへの寄与が広がることが期待される。

コラム 森林と関係するSDGsのターゲット

SDGsには、17の目標の下に169のターゲットがあり、森林・林業・木材産業に関連する様々なターゲットが含まれている。

例えば、目標6の下のターゲット6.6では、「森林」の記述がある。目標11の中には、森林の直接的な記載はないが、例えば、11.4で「自然遺産の保護」、11.5で「水関連災害」、11.aで「都市部、都市部周辺部及び農村部間の良好なつながり」等の記載がある。

また、目標17の下の17.17ではパートナーシップが奨励されており、森林に関わる取組に際しても様々な関係者が連携していくことが重要と考えられる。

個人や企業が取組を行う際には、関連する目標及びターゲットを把握するとともに、他の関連する目標やターゲットの重み付けも考えながら行うことが重要と考えられる。

表 森林に関わるターゲットの例

6.6	2020年までに、山地、森林、湿地、河川、帯水層、湖沼などの水に関連する生態系の保護・回復を行う。
11.4	世界の文化遺産及び自然遺産の保護・保全の努力を強化する。
11.5	2030年までに、貧困層及び脆弱な立場にある人々の保護に焦点をあてながら、水関連災害などの災害による死者や被災者数を大幅に削減し、世界の国内総生産比で直接的経済損失を大幅に減らす。
11.a	各国・地域規模の開発計画の強化を通じて、経済、社会、環境面における都市部、都市周辺部及び農村部間の良好なつながりを支援する。
17.17	さまざまなパートナーシップの経験や資源戦略を基にした、効果的な公的、官民、市民社会のパートナーシップを奨励・推進する。

2. 多様化する森林との関わり

　森林は、その自然条件や地域の実情に合った形で適切に整備・保全されることで、SDGsの様々な目標に貢献する。環境問題や地域活性化など持続可能性への関心の高まりから、林業・木材産業に加え、様々な主体による森林との多様な関わり方が広がりつつあり、これが森林の整備・保全や地域活性化にもつながっている。このことは、市民や企業の参画やパートナーシップを奨励するSDGsの精神とも合致している。

　本節では、これらの森林との多様な関わりについて、森林の整備、森林資源の利用、森林空間の利用という分類を行った上で、関わり方の類型ごとに関係するSDGsの目標のアイコンを提示しながら、事例を中心に紹介する。

（1）森林の整備に関わる取組

　森林は、その多面的機能の発揮を通じ、目標15を中心にSDGsの様々な目的に貢献している。また、森林は、様々な生物が生育し、土壌を保全し（目標15）、水を育み（目標6）、豊かな海を作り（目標14）、気候変動対策に貢献し（目標13）、山地災害を防止する（目標11）。

　このように、森林が多面的機能を持つことについては、国民の間にも理解が広がりつつあり、現在、様々な主体が森林の整備にも関わるようになっている。

（ア）様々な主体による森林づくり活動
（森林づくり活動の増加）

　森林の整備は主に森林所有者や林業経営体が主体となって実施している[17]が、森林保全や地球温暖化等の環境問題への関心の高まり等から、非営利団体（NPO）や企業等の多様な主体による森林づくり

活動が広がっている。

　森林づくり活動を実施している団体や企業の数は、この10年で増加している[18]。団体の活動としては、里山林等の身近な森林の整備・保全や森林環境教育に関するものが多い。また、企業の取組としては、職員に加え顧客や地域住民と一緒になって行う森林整備活動や、森林環境教育、森林づくり活動を行うNPOへの支援等がある。これらの活動の目的としては、社会貢献に加え、地域との交流を挙げる企業も多い[19]。

　具体的には、森林が水を育むことに着目し、水を原料とする飲料メーカーが森林整備を行う事例として、サントリーホールディングス株式会社では、「工場で汲み上げている地下水の2倍以上の水を森で育む」という目標を掲げ、令和元（2019）年時点で、この目標の達成に必要な約1万2千haの水源の森を守っている。この活動は、商品生産の持続可能性を守るための活動として位置付けられており、企業のブランド価値向上にも役立っている（事例 特−1）。

　また、JX石油開発株式会社は、中条油業所（新潟県胎内市）周辺の海岸林の保全に取り組んでいる[20]。この地域では、海岸林が風、飛砂及び飛塩から住民の生活を守ってきた。しかし、松くい虫の被害による海岸林の荒廃が見られるようになったことから、平成10（1998）年から、社員のボランティア活動により松林の再生に取り組んできた。平成23（2011）年には、ボランティア活動を発展させる形で、胎内市や中村浜地区と協定を結び「JX中条の森」を開設し、社員やその家族に加え、住民にも参加してもらいながら、アカマツやクロマツの植栽、保育作業を実施している。

　宮城県気仙沼市では、「森は海の恋人」というスローガンを掲げて、漁業関係者が中心となった森づくり活動を続けている[21]。この活動は、昭和40年

---

*17　森林保有の現状、林業経営体の動向について詳しくは、第Ⅱ章第1節（2）111-117ページを参照。
*18　団体数は平成18（2006）年から平成30（2018）年で1.8倍に、企業による森林づくりの実施箇所数は平成20（2008）年から平成30（2018）年で1.8倍に増加（詳しくは、第Ⅰ章第2節（2）74ページを参照）。
*19　企業の取組の目的について詳しくは、特集第3節の資料 特−21（32ページ）を参照。
*20　JX石油開発株式会社プレスリリース「新潟県胎内市において森林保全ボランティア「JX中条の森づくり活動」を実施」（令和元（2019）年9月25日付け）
*21　NPO法人森は海の恋人ホームページ

代から昭和50年代にかけて、気仙沼湾で赤潮が発生し、赤潮プランクトンを吸って赤くなったカキが廃棄処分を受けたことから始まったものである。この際、川によって運ばれる森の養分がカキの餌となる植物プランクトンを育んでいることなど、海における森林の重要性が認識された。毎年6月に植樹祭が実施されており、これまでに約3万本の落葉広葉樹の植樹が行われている。

社有林等で、絶滅危惧種等の保全に取り組む企業もある。国内各地に社有林を所有する王子グループは、絶滅危惧種の魚類（イトウ）や鳥類（ヤイロチョウ）の保護活動を公益法人等と協力して実施している[22]。日本製紙株式会社は、公益法人と協働して鳥類（シマフクロウ）の生息地の保全と事業の両立に取り組む[23]とともに、西表島の国有林において、林野庁及びNPO法人のそれぞれと協働し、緊急対策外来種に指定されている植物（アメリカハマグルマ）の駆除活動を行っている。

また、このような民間企業による森林づくり活動は海外にも広がっている。楽器メーカーであるヤマハ株式会社は、自社製品に係る持続可能な原料の調達等を目指し、開発途上国での森林保全や整備を行っている（事例 特－2）。

（募金・資金提供による森林づくり、林業への寄与）

このような直接的な森林づくり活動への参画に加え、募金や資金提供を通じて企業や個人が森林づくりを支援する動きもみられる。例えば、昭和25（1950）年に始まった「緑の募金」には、平成30（2018）年に総額21億円の寄附金が寄せられ、森林の整備・保全等に活用されている[24]。

また、企業が基金を設立するなどして、個々の森林組合やNPO等に直接支援する例もあり、森林の整備・保全活動に対しての寄附に加え、森林整備を担う人材育成への支援を行う例もみられる。岩手県の釜石地方森林組合は、バークレイズグループから支援を受け、「釜石・大槌バークレイズ林業スクール」を平成27（2015）年から令和元（2019）年まで開講した[25]。このスクールでは、地域の森林を総合的に

事例 特－1 **飲料メーカーによる100年後を見据えた森づくり**

サントリーホールディングス株式会社では、「水と生きる」という言葉を社会との約束に掲げて、平成15（2003）年から「サントリー天然水の森」の整備を始め、令和2（2020）年3月末現在、全国21か所約1万2千haの森林において間伐や植林等の森林整備に取り組んでいる。活動の背景には、主力商品であるビール・清涼飲料・ウイスキー等の生産に用いる地下水の安全・安心や持続性を守るためには、「水の製造所」である森の健全性を確保したいとの考えがあり、会社の基幹事業として位置付けられている。

森林整備に当たっては、どうすれば水源涵養機能の向上や生物多様性保全に寄与するかを明らかにするため、水文、地質、気象、植生や動物の生態等を専門家とともに調査している。これを踏まえて、森林ごとに100年先の目指すべき森の姿を定めた後、年度ごとの施業計画を策定している。

その施業は地元の森林組合や林業事業体に委託しており、森林・林業に関するノウハウを共有する機会を作り、地元の森林技術者の育成にも寄与している。

また、同社は、森林内で小学生向けの環境教育を実施する、森林整備により生産した間伐材を会社の施設の床材やテーブル等で活用するなど、多様な主体と連携し、森林整備から木材利用までを一体とした取組を行っている。

サントリー関連施設での木材利用

＊22　王子ホールディングス株式会社（2019）王子グループ統合報告書2019: 74
＊23　日本製紙株式会社（2019）日本製紙グループCSR情報2019: 37
＊24　詳しくは、第Ⅰ章第2節（2）76-77ページを参照。
＊25　釜石地方森林組合ホームページ「釜石・大槌バークレイズ林業スクール」

特集

デザインできる人材を育成する観点から、マーケティングやIT等もカリキュラムに組み込まれている。このため、近隣地域の林業関係者のスキルアップのみならず、受講後に林業団体・企業にU・Iターンしたり、林業関係のNPO法人を設立したりする者もみられるなど、森林整備の人材育成に広く寄与している。

さらに、企業活動により排出される二酸化炭素を埋め合わせるため、森林経営活動等による吸収量をクレジットとして購入する取組も、間接的な森林づくり活動として行われている*26。

（イ）他分野の企業と林業との協働

SDGsでは、パートナーシップや協働による問題解決のアプローチを推奨しているが、自社の得意分野を活かして、林業分野の労働力不足や効率化等の課題解決に関わる企業も出てきている。

（他業種の技術・知見を活かした取組）

林業機械の開発や森林資源情報の把握の分野において、他業種の技術・知見が活用されつつある。

例えば、レーザ計測等による森林資源情報の把握については、測量関連企業やIT関連企業が技術開発を行っており、地上型のレーザ計測システムについても、ロボットやITの技術を持つ企業が開発し、実用化している。

また、林業機械メーカーであるイワフジ工業株式会社においても、AIの開発を行っている企業と協力して、架線集材作業を自動で行う機械など作業の安全性確保や効率化に資する機械の開発を進めている。

産学官が連携してプロジェクトを実施している例もあり、長野県の北信州森林組合では、信州大学、長野県、アジア航測株式会社等とともに、平成28（2016）年12月に産学官連携コンソーシアムを立ち上げ、情報通信技術（以下「ICT」という。）を活用したスマート林業の推進と普及に取り組んでい

事例 特－2　希少木材を持続的に利用するための、タンザニアでの森林保全活動

東アフリカを主要産地とする「アフリカン・ブラックウッド（通称グラナディラ）」という木は、高密度で硬く、音響的に優れた特性を持つ。このため、クラリネット、オーボエ等の木管楽器の材料として使用されてきたが、近年その資源量が減少しており、その生産の持続性が懸念されている。

ヤマハ株式会社は、この希少な木材を持続的に利用していくため、アフリカ東部のタンザニアで、FSC認証森林を管理運営している現地NGOと協力しながらアフリカン・ブラックウッドの資源量及び立地環境を調査し、楽器に適した良質材育成のための森林管理技術の開発等を行い、ノウハウを伝達している。さらに、地域社会が自発的に森林管理を行うことが重要と考え、木材調達及び植林事業により資源の有効活用及び保全を両立させ、現地住民の雇用創出・生計向上に寄与している。

このような活動により、アフリカン・ブラックウッドを中心とした森林の持続的管理体制の構築を図り、木管楽器の原料の安定的な調達を目指している。

（左）植林（中央）アフリカン・ブラックウッド（右）アフリカン・ブラックウッドで作られたクラリネット
（写真提供：ヤマハ株式会社）

---

*26　詳しくは、第Ⅰ章第2節（2）77ページを参照。

る。具体的には、森林所有者及び境界データが入ったGISを基に、航空レーザ計測、ドローン等のICT技術で取得した様々なデータを組み合わせ、収穫計画等の実務に応用している。このような取組の結果、採材計画の作成時間が従来の3分の1に短縮され、森林所有者への利益還元につながるなどの成果をあげている[27]。

また、石川県は、平成26（2014）年2月にコマツと石川県森林組合連合会との3者協定を締結し、森林資源調査でのドローンの活用や、伐木造材時に丸太の材積等を自動計測するIoTハーベスタの活用等の検証を進めている。また、空中写真から作成した3D画像を境界の確認に用いることにより、確認作業にかかる日数の削減を目指している。

林野庁においても、令和元（2019）年度、林業人材とICTなど異分野の人材がチームを作って造林分野の課題解決のためのビジネスプランを競う課題解決型事業共創プログラム「Sustainable Forest Action」を実施した。このプログラムでは、参加チームが約2か月間、新たなビジネスモデルの検討を行った上で、発表会において優秀と認められたチームに対し、プロトタイプ開発や実証等の事業化へ向けた更なる活動を支援している[28]。

（林業コンサルタント）

森林資源が充実し伐採量が増加する一方、高齢化により熟練の林業従事者が退職していく中で、経営を効率化し生産性を上げることは重要であり、自社の強みを活かし、この観点からコンサルティングのニーズを開拓している企業もある。

住友林業株式会社は、自ら手掛ける森林経営で培った経験とノウハウを活用し、市町村や民間企業に対して、ICTの導入支援や森林整備計画の作成、地域材のサプライチェーン構築等のコンサルティングを行っている。林業・木材産業に特化したコンサルタント企業も活動しており、例えば株式会社古川ちいきの総合研究所は、立地・規模・ブランドの視点で地域資源を分析し、市町村の林業を活かしたビジョンの策定、林業・木材産業に関わる企業（事業体）の経営力の向上、人材育成、採用・定着、商品開発、独自販路の開拓等の支援をしている。

（2）森林資源の利用に関わる取組

SDGsの目標12（持続可能な生産消費形態）に関連し、持続可能な材料として、木材を始めとした森林資源利用の取組の裾野も広がりつつある。

木材・紙は、天然由来であり、化石燃料由来のプラスチック等の代替材料としても用いられ、新たな素材の開発も進展している（目標9）。また、建築で用いられる場合は炭素の貯蔵や建築資材の製造及び加工時の二酸化炭素の排出削減により地球温暖化の防止にも貢献する（目標7、13）。

さらに、適切に管理された森林から産出された資源を使うことは、森林整備（目標15）及び地域活性化（目標11）にも貢献している。

（ア）建築物における木材利用の拡大

木造率が高い低層住宅に加えて、従来木材があまり利用されてこなかった低層非住宅建築物及び中高層建築物においても、近年、木造化・木質化及び木製家具の導入に取り組む事例がみられる。これらの事例においては、木材を単に一つの建築材料として捉えるのではなく、様々なSDGsに関わるような観点を持ちつつ木材の利用が進められている事例が多い。

（利用者にとって良好な空間づくりを重視した取組）

木材は、コンクリート等に比べて温かみがあり、暮らしやすさ、親しみやすさを感じる人も多く[29]、商業施設や医療・福祉施設等に木材を取り入れる動きが高まっている。

株式会社コメダが展開する全国約850店のコメダ珈琲店では、木造店舗が多く、内外装も含め木材

---

*27　林野庁（2019）平成30年度スマート林業構築普及展開事業事例集: 3.
*28　詳しくは、第Ⅱ章第1節（4）の事例Ⅱ－4（137ページ）を参照。
*29　関連する研究成果として、木材の手触りが他の無機質素材の手触りよりも高いリラックス効果を示すことが明らかにされている。（国立研究開発法人森林研究・整備機構（2018）季刊森林総研42号: 16-17.（【研究の森から】木材の生理的リラックス効果 – 香り・手触り・足触りから））

を目に見えるところに利用することで来客者に温かみを感じられる「くつろぎ空間」を実現している。また、老朽化した木製のテーブルや間仕切りは表面を削ることで再生させ、廃棄物の発生の抑制にも取り組んでいる。

東京都の社会福祉法人聖風会は、木の持つ風合い及び温もりによる居心地の良さに期待し、2階から5階までの住居階を木造とした老人ホーム「花畑あすか苑」を東京都足立区に開設した。聖風会では、他の建築資材に比べて比較的クッション性の高い木材を床に用いることは、入居者が転倒した際の怪我の低減にもつながるとしている[30]。

企業等のオフィスは、これまで無機質な空間である場合が多かったが、健康経営や働き方改革の流れの中で、オフィス環境を人にやさしいものに作り替える動きが出てきている。例えば、IT企業の株式会社ドリーム・アーツは、エンジニア及びデザイナーがクリエイティブに仕事ができるよう、東京本社及び広島本社の机・椅子・棚を木製とした[31]（資料特-4）。同社では、これらは社員の評判も良くリクルーティングにも効果が出ているとしている。

三井ホームコンポーネント株式会社は、木材を用いた「スマート倉庫」の販売を平成29（2017）年9月に開始した（資料 特-5）。断熱材を充填した

ガルバリウム鋼板の屋根と合わせ、熱を伝えにくい木造とすることで、夏場の直射日光による作業効率の低下を防ぐことを期待している[32]。

（森林整備・地域活性化を重視した取組）

木材自体の良さに加え、木材の利用が森林の整備・保全及び地域活性化につながる点を重視して木材の導入に踏み出す例もみられる。

日本マクドナルド株式会社では、持続可能な社会を実現するため、新規出店及び改装時に木造建築への切り替えや外装での木材の利用を進めることを決定し、令和元（2019）年12月、京都府京都市で、国産木材を外装材として活用した第一号店となる五条桂店の営業を開始した[33]。五条桂店では、京都市

資料 特-5　**木材を用いた倉庫**

三井ホームコンポーネント株式会社「スマート倉庫」

資料 特-4　**オフィスでの木製家具の導入例**

株式会社ドリーム・アーツ東京本社

資料 特-6　**店舗外装への木材利用例**

マクドナルド五条桂店

---

*30　一般社団法人木を活かす建築推進協議会（2017）平成28年度環境・ストック活用推進事業（サステナブル建築物等先導事業（木造先導型）に係る評価）報告書　木造化・木質化を進めて木のまちをつくろう　採択プロジェクトの内容（事例集）その1：176-185.

*31　ウッドソリューションネットワーク（2018）MOKU LOVE DESIGN 木質空間デザイン・アプローチブック：11.

*32　三井ホームコンポーネント株式会社平成30（2018）年10月3日付けニュースリリース

*33　日本マクドナルド株式会社令和元（2019）年12月16日付けニュースリリース

の街並みに合わせて木のぬくもりを感じさせるデザインとしている（資料 特－6）。

不動産賃貸を主な事業とするヒューリック株式会社も、森林資源の循環や地方創生に貢献する観点から木造化の取組を開始している。東京都中央区に、木と鉄骨を組み合わせた12階建てハイブリット構造の商業テナントビルを建設しており、令和3（2021）年度の竣工を予定している。このビルでは、天井にCLT[34]（直交集成板）、柱及び梁に耐火集成材を用い、仕上げとして木材を見せるほか、外装材にも木材を使用する計画となっている。なお、同社では、木材利用が集客やテナント誘致につながることも期待している[35]。

木造の非住宅建築物等は、地域の工務店が活躍できる分野としても関心が高まっている。例えば、有限会社建築工房悠山想（福岡県朝倉市）は、伝統構法を基本とし、地域材を使用しつつ、地元の大工・左官等の職人を活用して住宅を建設しており、令和元（2019）年6月、同県うきは市の企業の木造事務所を60～80年生のスギを用いて建設した[36]。

地域の事業者が連携して木材利用に取り組む例もある。平成30（2018）年12月に建設した日光市役所庁舎では、日光森林組合、地元の製材業者、建築会社等25団体が連携し、外装や壁、天井等の一部に地域で生産されたSGEC認証材[37]を利用することにより、プロジェクト認証[38]を取得した。

様々な地域に展開するホテルでは、環境負荷低減や地域貢献の一環として地域の木材を利用する例がみられる。例えばスーパーホテル宮崎天然温泉では、宮崎県諸塚村のFSC認証材[39]をエントランスやラウンジの家具等に用いている。

（建設時の環境負荷・コスト低減を重視した取組）

木材は鉄、コンクリート等の資材に比べて製造及び加工時のエネルギーが少ないことから、木材利用は二酸化炭素排出量の削減につながる[40]。また、他の資材と比べ軽量な木材の使用により基礎を簡素化し、コスト縮減や工期短縮を実現できる可能性がある。このような観点から木造化・木質化に取り組んでいる例もある。

大東建託株式会社は、令和元（2019）年10月から、CLTを用いた木造4階建ての集合住宅を販売している[41]。同社では、同規模の鉄筋コンクリート造と比較して、温室効果ガスの排出量が15％減少したほか、炭素貯蔵量が120CO_2トンに上っていると試算している。また、工期も約半分に短縮されており、独自開発の金物や壁パネル等の技術により、現場作業の省人化も可能となっている（資料 特－7）。

コンビニエンスストアでも、建設時の二酸化炭素排出量が小さく、解体時も産業廃棄物が削減できることや、日々の光熱費の低減も期待できることから、木造店舗を建設する取組がみられる。例えば、ミニストップでは、令和2（2020）年2月末までに、FSC

資料 特－7　CLTを用いた木造4階建ての集合住宅

大東建託株式会社CLT賃貸住宅外観イメージ

---

*34　「Cross Laminated Timber」の略。詳しくは、第Ⅲ章第3節(9)210-212ページを参照。

*35　株式会社 日経BP「日経アーキテクチャ」令和元(2019)年10月号: 70-73.

*36　一般社団法人JBN・全国工務店協会(2019)地域工務店の中大規模木造建築事例集: 37.

*37　森林認証の一つであるSGEC認証を受けた森林から産出され、分別管理された木材。

*38　森林認証のうち加工流通に関する認証形式の一つで、個々の事業体を認証するのではなく、建設・製造されるプロジェクト（建築物等）そのものを認証する仕組み。

*39　森林認証の一つであるFSC認証を受けた森林から産出され、分別管理された木材。

*40　木材利用の地球温暖化への貢献について詳しくは、第Ⅲ章第2節(1)174-175ページを参照。

*41　この集合住宅によるCLT普及の取組により、「令和元年度地球温暖化防止活動環境大臣表彰（技術開発・製品化部門）」を受賞している。

特集

認証材を活用した店舗を延べ284店建設している。これらの店舗は分解・組み直しが可能な設計とされてきたことから、閉店した店舗の木材を利用するリユース店舗も試行的に建設されている。

（木材利用の可能性を拡大する技術開発）

このように、様々な形で木造化・木質化が進みつつある背景には、防耐火基準の合理化や技術開発の進展があり、着工数はまだ少ないものの、中高層の施設で木造化・木質化の取組が始まっている。

三菱地所株式会社は、株式会社竹中工務店の設計と施工により、平成31（2019）年２月に、宮城県仙台市に木造及び鉄骨造を組み合わせた10階建ての集合住宅を竣工した。鋼材と木材の双方の特性を活かし、工期短縮や軽量化を図っており、CLTを活用した中高層建築物の木造化のモデルとなる建物となっている。

これまでの５階建て以上の木造建築物は、基本的に鉄骨造や鉄筋コンクリート造との混構造であったが、平成30（2018）年３月に新潟県新潟市において、山形県の株式会社シェルターが国土交通大臣認定を取得した木質耐火部材による、５階建ての純木造集合住宅が建設された。この部材は、令和３（2021）年着工予定の玉川大学の９階建ての純木造学生寮にも採用される予定である。さらに、株式会

社大林組は、11階建ての純木造の研修施設の建設を計画しており、梁・柱・床の木質耐火部材の使用に加え、地震に対応できる工法を開発し、令和２（2020）年３月に着工した。

今後も新しい技術により木造化・木質化が進展し、SDGsの達成に寄与していくことが望まれる。

（イ）プラスチック・金属等の代替材料

木材は、建築分野以外でも紙など様々な形で利用されてきたが、海洋動物のプラスチックごみ摂取の危惧等が世界的に報じられたことを契機として、ストローに象徴されるプラスチック製品の代替品として木製品・紙製品の活用が注目を集めている。また、木材の主成分を原料とした新たなバイオマス素材（セルロースナノファイバー（以下「CNF」という。）及び改質リグニン）等の開発も進展しており、それぞれの素材の特徴を活かした製品の開発が進んでいる。化石燃料由来のプラスチックについては、我々の生活に利便性等の恩恵をもたらしているが、不適正な処理により、世界全体で陸上から海洋へ年間数百万トンを超えるプラスチックごみの流出があると推計され、現状のままでは2050年までに、海にいる全ての魚類の重量を上回るプラスチッ

事例 特－3　住宅会社による「木のストロー」の普及

木造注文住宅を手がける株式会社アキュラホーム（東京都新宿区）では、カンナ削りの「木のストロー」の普及に取り組んでいる。

このストローは、平成30年7月豪雨の被害をきっかけに、間伐材の活用により持続的な森林保全に貢献するとともに、海洋プラスチック問題解決の一助となることを目指して開発され、平成31（2019）年1月にザ・キャピトルホテル 東急で導入された。同年6月のG20大阪サミットでは、地球規模の環境課題の解決に貢献するものとして1,000本が提供された。

同年11月には、横浜市、ヨコハマSDGsデザインセンターと連携して、市が保有する水源林の間伐材を原材料として、市内の障がい者が製作した「木のストロー」を、店舗・飲食店等で提供する新たなプロジェクトを開始した。この取組は、森林保全及び環境課題の解決に加えて、障がい者の雇用機会、働きがいの創出及び木材の地産地消の推進といった点で、SDGsが目指す、経済、社会及び環境の課題の統合的解決につながるものとして期待されている。

木のストロー

クごみが海洋環境に流出すると予測されている[42]。このため政府は、「3R[43]＋Renewable（再生可能資源への代替）」を基本原則とし、ワンウェイプラスチックの使用削減やプラスチック代替品開発・利用の促進等の戦略を定めた「プラスチック資源循環戦略」を令和元（2019）年5月に策定しており、これと並行して企業も様々な取組を進めている。

（木製品・紙製品の利用）

株式会社リンガーハットは、国内全店舗でプラスチック製ストローの提供を平成31（2019）年1月に停止し、紙ストローを導入した[44]。また、スターバックス コーヒー ジャパン 株式会社では、令和2（2020）年に全店でFSC認証紙を用いた紙ストローを導入することとしている[45]。

これらの動きに対応し、製紙会社各社では、耐久性に優れた紙ストローの開発を行っている。さらに、株式会社アキュラホームでは、間伐材を含む国産材を原料とした木のストローを企画開発、生産している（事例 特-3）。

大阪では、間伐材から作った和紙を細かく裁断した上でねじり合わせた糸を用いた織物の開発・生産が、繊維企業の連携により進められ、スーツやハンカチ等に用いられている[46]。

飲料缶の代わりに紙製容器を使うことも可能であり、凸版印刷株式会社は、「カートカン」の名称で、間伐材を含む国産材を利用した紙製飲料容器を開発、普及している[47]。

（新たなバイオマス素材の開発）

木材の主成分[48]が原料であるバイオマス素材は、化石燃料を原料としたプラスチックや金属の代替となるとともに、それらに比べて生産・廃棄時の環境負荷を低減することが可能である。バイオマス由来の代表的な新素材であるCNF[49]及び改質リグニン[50]は、高付加価値製品への展開が期待されており、これまでにそれぞれ自動車の内外装部品に使用された試作車が公表されている（資料 特-8）。こ

資料 特-8　CNFを部材に使用した試作車

画像提供：環境省NCVプロジェクト（代表:京都大学）

資料 特-9　国内で販売されているCNFを使用した商品

商品	特徴
ボールペン	なめらかな書き味
大人用紙おむつ	超強力消臭
スピーカー、ヘッドホン	広帯域再生等
トイレ用掃除シート	細かい汚れをキャッチ
化粧品	保湿性とサラッとした感触
ランニングシューズ	軽量性と耐久性
卓球ラケット	弾き出す力を生み出す
テニスラケット	減振効果を向上
どら焼き	ふわっと、しっとり
生コンクリート圧送用先行剤	圧送速度に順応した潤滑層の形成
漆喰	微細なひび割れを防ぐ
木の器	経年劣化を防ぐ（塗料）

資料：ナノセルロースフォーラム及び各企業の発表資料等を基に林野庁作成。

---

*42　「THE NEW PLASTICS ECONOMY: RETHINKING THE FUTURE OF PLASTICS」（エレン・マッカーサー財団、2016年）
*43　3R（スリーアール）とは、リデュース（Reduce）、リユース（Reuse）、リサイクル（Recycle）の3つのR（アール）の総称。
*44　株式会社リンガーハット平成31（2019）年1月11日付けお知らせ
*45　スターバックス コーヒー ジャパン 株式会社令和元（2019）年11月26日付けプレスリリース
*46　株式会社和紙の布ホームページ
*47　凸版印刷株式会社ホームページ「カートカン」
*48　木材の主成分とは、セルロース（40～50%）、ヘミセルロース（20～25%）及びリグニン（25～35%）の三成分。
*49　「Cellulose Nano Fiber」の略称。セルロースの繊維をナノ（10億分の1）メートルレベルまでほぐしたもので、軽量ながら高強度の素材。
*50　改質リグニンは、化粧品等の成分として使用される安全性の高い素材であるポリエチレングリコールによりリグニンを改質した、耐熱性等の機能と加工性を併せ持つ素材。

れらの新素材は、高強度かつ軽量という特徴を有しており、自動車の軽量化や燃費向上につながっている。

CNFは、軽量ながら高強度、優れた増粘性、保湿性、保水性など多様な特性があることから、様々な企業が製品開発を進めており、文具のインクや運動靴など身近な商品が販売されてきている（資料 特－9）。

令和元（2019）年10月には、株式会社ラ・ルースから食洗機対応の木製食器が発売された。この食器には、スギを原料としたCNFを配合することにより木材の変色抑制効果のある塗料が使用された。このように、耐久性の向上など木製品の機能を高めることができれば、プラスチック製品から木製品への代替が更に進むことが期待される。

改質リグニンは、幅広い製品に使用され、高い性能が求められるエンジニアリングプラスチックの代替材としても活用できることから、自動車の内装材・外装材、電子基板向けフィルムなど様々な試作品が開発されている（資料 特－10）。令和元（2019）年にオオアサ電子株式会社が、振動板に改質リグニンを使用したスピーカーを発売した。改質リグニンを加えることで振動板の強度が上がり、軽量化と良好な応答性を実現し、また吸湿性が低いため劣化しにくいという特性があるとしている。

平成31（2019）年4月には、改質リグニンの事業化に向けて関係者の情報交換と連携・協力を促進する地域リグニン資源開発ネットワーク（リグニンネットワーク）が発足し、令和2（2020）年1月現在、80社が参加している。

また、スギから抽出した新素材である改質リグニンは、端材や鋸屑からも製造でき、製造過程で使用する薬品及び装置の安全性が高く、製造に要する熱源も木質ボイラーからの蒸気で賄えるため、製材工場の隣接地等に立地させることで、中山間地域の活性化にも寄与するものである。

このほか、木材、樹脂等の複合材料についての取組も多く、例えばトヨタ車体株式会社は、スギ間伐材から製造した強化繊維を従来からのガラス繊維等の代わりに利用した樹脂複合材料を開発した。この樹脂複合材料は、強度・耐熱性を維持したまま軽量化にも寄与するとして、ワイヤーハーネスプロテク

資料 特－10　改質リグニンの製品展開の可能性

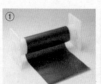
① 改質リグニン―粘土ハイブリッド膜

② タッチセンサー用改質リグニンフレキシブル基板

③ 改質リグニン電子基板

④ 改質リグニン外・内装材（繊維強化剤）搭載車両

⑤ 3Dプリンター用生分解性改質リグニンフィラメントと3Dプリンター造形物

⑥ 銅箔塗装改質リグニンハイブリッド膜

⑦ 改質リグニンジョイントシート配管シール材（ガスケット）

⑧ 改質リグニン繊維強化材自動車用ドアトリム

⑨ 改質リグニン／パルプコンポジット射出成型品

⑩ 改質リグニン系コンクリート用化学混和剤（AE減水剤）

①、②、③、⑥：産総研
④：森林総研、産総研、（株）宮城化成、（株）光岡自動車
⑤：ネオマテリア（株）、森林総研
⑦：ジャパンマテックス（株）
⑧：（株）宮城化成
⑨：トクラス（株）、森林総研
⑩：森林総研

　写真④はボンネットやドアトリム、アームレスト等の部材に改質リグニンが使用された自動車。平成30（2018）年10月に実車搭載試験の開始が公表され、実使用上の問題点の抽出など試験が進められている。
＜改質リグニンの特徴＞
　・熱による加工が可能で、一度固めてしまうと高い耐熱性を発揮
　・異なる材料を結びつける力が強く、様々な複合材料の素材として使える可能性
　・リグニンを取り出す際の条件を変えることで、硬さ・柔らかさの調整が可能

ター[51]等の自動車部品として採用されている[52]。

（ウ）木質バイオマスエネルギー

昭和30年代後半の「エネルギー革命」までは、薪や炭が日常生活における燃料として広く活用されていた。紙製品及び木材製品がプラスチックや金属に代わって再び活用される動きが広がっているのと同様に、エネルギー利用の分野においても、石炭・石油等の化石燃料に代わり、カーボン・ニュートラルな再生可能エネルギーとして、木質バイオマスを再び利用する動きが広がってきている。

（バイオマスエネルギーによる二酸化炭素排出量の削減）

二酸化炭素排出による地球温暖化を抑えるため、国際的な企業が事業活動で使う電力の全量を再生可能エネルギーで賄うことを目指す「RE100[53]」の取組が広がり、日本では、その地方公共団体や中小企業版と言える「再エネ100宣言 RE Action[54]」が令和元（2019）年10月に開始された。再生可能エネルギーで電力全てを賄うためには、他社から再生可能エネルギーを購入する方法等もあるが、設備投資を行い、自ら発電する方法もある。

木材産業の中では、木材乾燥の熱源として端材等が燃料として用いられているが、最近は、公共施設、一般家庭、農業、食料品製造業及び化学工業においても、化石燃料に代えて、木質バイオマスを活用する動きが広がっている。

コマツ粟津工場（石川県小松市）は、新組立工場の電力購入量を90％以上削減するという目標を掲げ、平成26（2014）年、建設機械組立工場を建て替える際に、木質バイオマスを燃料とするコジェネレーション（熱電併給）システムを導入し、翌年に稼働を開始した。このシステムは、木質バイオマスボイラーで製造した蒸気から圧縮空気・電気・冷温水をつくり、工場内の動力・照明・冷暖房等に利用するものであり、石川県の加賀地域の森林組合から調達される年間7,000トンの木材チップを用いることで、最大約1,400MWh/年の購入電力削減と約800kL/年の重油使用量の削減を可能とし、年間最大約3,000トンの二酸化炭素排出量の削減が可能となったと見積もられている[55]（資料 特−11）。

また、株式会社白松の浜御塩工房竹敷（長崎県対馬市）では、燃料費の削減等を目的として、木質バイオマスボイラーを導入し、製造した蒸気を製塩に用いている。導入に際しては、安定的な燃料供給のため、地元の森林組合、製材所及び株式会社白松の3者で協議会を設立している。年間のチップ消費量は4,000〜5,000㎥であり、これによる燃料費の削減効果は、重油と比較して生産量当たり平均20〜30％（重油の高騰時には約50％）、金額にして年間

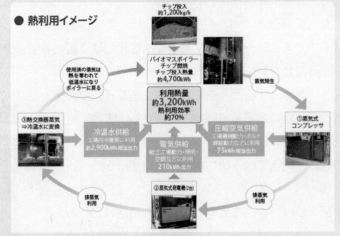

資料 特−11　コマツ粟津工場のコジェネレーションシステムの例

資料：一般社団法人日本木質バイオマスエネルギー協会編「木質バイオマスによる産業用等熱利用をお考えの方へ導入ガイドブック」

---

*51　自動車の車内配線に用いられている、ワイヤーハーネス部の保護カバーとして使われる部品。

*52　TABWD®（タブウッド）

*53　使用電力を100％再生可能エネルギーにすることを目指す企業が参加する枠組みであり、英国の非営利団体The Climate GroupがCDPとのパートナーシップのもと平成26（2014）年に開始。日本では、平成29（2017）年から、日本気候リーダーズ・パートナーシップ（JCLP）が地域パートナーとして、日本企業の参加を支援している。

*54　使用電力を100％再生可能エネルギーにする宣言を表明した、地方公共団体・教育機関・医療機関等や年間消費電力量10GWh未満の企業が参加する枠組みであり、グリーン購入ネットワーク、イクレイ日本、公益財団法人地球環境戦略研究機関及び日本気候リーダーズ・パートナーシップにより発足。

*55　一般社団法人日本木質バイオマスエネルギー協会編「木質バイオマスによる産業用等熱利用をお考えの方へ導入ガイドブック」

300〜700万円と見積もっている*56。

（地域活性化への貢献）

　木質バイオマスエネルギーは、他の再生可能エネルギーである太陽光及び風力とは異なり、燃料となる木材等の集荷・加工といった作業が継続的に必要となってくる。特に地域の未利用資源を活用する場合には、資源の安定供給体制の確保が重要となる。

　木質バイオマスを用いた発電・熱利用においては、森林組合や素材生産業者等と発電事業者が協定を結ぶなど安定供給と地域貢献の両立を図る動きや、地方公共団体が大きな役割を果たしながら木質バイオマス利用を導入する動きもある。

　岡山県真庭市では、官民が連携して木質バイオマスの利用に取り組んでいる。市内の集成材工場から発生するおが粉から木質ペレットを製造するとともに、公共施設、農業用ハウス等に木質バイオマスボイラーの導入を推進したほか、バイオマスの集積場を設置して安定供給体制を整えた上で、平成27（2015）年からは、未利用材約9万トン、製材端材約5.8万トンを利用する木質バイオマス発電所を稼働させている。今後、更に木質バイオマス等の利用や省エネを進めることで同市のエネルギー自給率100％の達成を目指すとしている。

　富山県南砺市では、平成27（2015）年から木質バイオマスエネルギーによる地域活性化に取り組んでいる。公共施設に木質ペレットボイラー及び薪ボイラーを導入するとともに、素材生産業者、製材業者、工務店等が事業協同組合を設立し、未利用材等を活用して薪及び木質ペレットを製造している。このほか、同市では一般住宅や民間事業所へのペレット・薪ストーブの導入も支援しており、製造した薪・木質ペレットはこの燃料としても利用されている。

　集荷場に木材を持ち込んだ人から一定額で木材を買い取ることで、地域住民による森林整備と集荷を促す「木の駅」等の取組も各地で行われている。広島県北広島町では、NPO法人西中国山地自然史研究会が中心となり、平成27（2015）年から「せどやま市場」に集荷した木材を町内の温泉宿泊施設の薪ボイラーに用いる仕組みを構築した。木材は地域通貨により買い取り、地域内の経済循環に役立たせている*57。

（熱利用によるエネルギー利用効率の向上）

　再生可能エネルギーの固定価格買取制度（以下「FIT制度」という。）により木質バイオマス発電が広がっているが、発電のエネルギー変換効率は約30％と低い。このため、経済面・環境面の両面から、発電に加え熱利用を併用することで効率を高める取組がみられる。また、農業など他の産業での熱利用を進める取組もみられ、地域活性化にも貢献する取組となっている例もある。

　株式会社グリーン発電大分（大分県日田市）の天瀬発電所（発電出力5,700kW）は、平成25（2013）年に木質バイオマス発電の運転を開始したが、農業と林業の架け橋となることをビジョンに掲げ、平成28（2016）年9月、発電所に隣接するイチゴのハウスに温排水を供給する取組を開始している。

　また、岐阜県高山市の温浴施設「四十八滝温泉しぶきの湯　遊湯館」では、飛騨高山グリーンヒート合同会社が平成29（2017）年4月に165kWのガス化発電設備を導入し、FIT制度による売電に加え、温熱を温浴施設に販売している。

　秋田県北秋田市の道の駅「たかのす」では、ボルター秋田株式会社が40kWのガス化発電設備「Volter40」を導入し、FIT制度による売電と足湯

資料 特−12　小型バイオマス発電所

道の駅「たかのす」の発電所（40kW）

---

*56　一般社団法人日本木質バイオマスエネルギー協会編「木質バイオマスによる産業用等熱利用をお考えの方へ導入ガイドブック」
*57　林野庁（2017）木質バイオマス熱利用・熱電併給事例集: 21-22.

への温水供給を行っている*58（資料 特－12）。

（エ）きのこ・漆・ジビエ等

きのこ、山菜、たけのこ等の山の恵みを活用して地域の活性化を図っていこうとする取組も、多様な主体の参画を得る形で広がりをみせている。

（森林整備と一体となった特用林産物生産の取組）

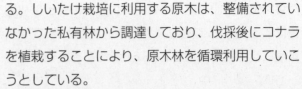

文化財等の修復需要の高まりにより、漆の需要が増加している。岩手県は全国の漆生産量の約7割を生産しており、同県二戸市では漆の増産に向け、地域おこし協力隊制度の活用による人材育成や企業と連携したウルシ林づくりに取り組んでいる。同市では平成29（2017）年9月に岩手銀行とウルシ林づくりに関わる協定を結んだことを皮切りに、地元の民間企業・団体とも協定を結んでおり、各企業はウルシ林の整備及び管理・保全活動を行っている。令和元（2019）年11月には地元の小中学生等200人以上が参加してウルシの植樹祭が行われた。

また、整備されず荒廃した竹林が増加し、不法投棄、里山林への竹の侵入等が問題となっている中、竹林の新たな産物として、収穫時期が過ぎた穂先たけのこを、多くを輸入に頼っているメンマの代替品等として利用するとともに、竹林整備を進める取組が広がっている。福岡県糸島市の市民団体である糸島コミュニティ事業研究会では穂先たけのこの加工方法を検討し、平成26（2014）年度から穂先たけのこの加工を開始し、現在は市内のメンマ製造会社、農業法人等も穂先たけのこを活用している。また、平成29（2017）年度には、この取組に賛同する全国の団体とともに「純国産メンマプロジェクト」を立ち上げ、穂先たけのこの活用の普及にも努めている。

特用林産物の生産額の8割以上を占めるきのこについても、地域で協議会を作り、森林整備を行いながら生産に取り組む事例がみられる。奈良県野迫川村では、平成28（2016）年度に野迫川村きのこ協議会が発足し、しいたけの原木栽培に取り組んでい

る。しいたけ栽培に利用する原木は、整備されていなかった私有林から調達しており、伐採後にコナラを植栽することにより、原木林を循環利用していこうとしている。

一方、地域活性化を目指し、これまで未利用だった森林内の樹木の枝葉から、精油を製造・販売する取組が各地で試みられている。原料となる枝葉等の収集や消費者に対する認知度がまだ低いこともあり、小規模の生産者が多いが、ヒノキ、スギ、クロモジ等の国産精油の普及に向け、平成29（2017）年11月には一般社団法人日本産天然精油連絡協議会が設立され、日本産天然精油の品質向上に向けた活動に取り組んでいる（資料 特－13）。

（鳥獣被害対策にも貢献するジビエの利用）

シカ等による森林被害*59及び農作物被害は、深刻な状況にある。被害の低減のためには、被害防除と併せて捕獲を進めることが重要であり、シカやイノシシの捕獲が全国各地で進められている。捕獲されたシカやイノシシは、そのほとんどが埋設及び焼却により処分されているが、ジビエとして利用することで、中山間地域の所得向上や、捕獲意欲の向上による鳥獣被害の軽減につながることが期待されている。ジビエは地元の食材として農泊・観光等での利用に加え、外食や小売等で利用されており、特にシカ肉は低カロリーかつ高栄養価の食材として、アスリート食としても期待されている。

資料 特－13　アロマハンドトリートメント実演

みどりとふれあうフェスティバル

---

*58　一般社団法人日本木質バイオマスエネルギー協会編（2018）地域ではじめる木質バイオマス熱利用,日刊工業新聞社: 53.
*59　野生鳥獣による森林被害について詳しくは、第Ⅰ章第3節（4）85-87ページを参照。

食肉処理施設で処理された野生鳥獣のジビエ利用量は年々増加しており、平成30（2018）年度は前年度に比べ約2割増の1,887トンであった（資料 特－14）。

高知県梼原町のNPO法人ゆすはら西では、梼原町と連携しジビエの利活用を行っている。ジビエを重要な地域資源と位置付け、「ジビエグルメ」のまちづくりを目標に活動しており、県内外40店舗のレストラン及び小売店にジビエを供給している。NPO法人ゆすはら西は、安定供給のため、長野トヨタ自動車株式会社が開発した、捕獲現場近くでの一次処理や運搬に使用する移動式解体処理車（ジビエカー）を活用し、町内全域からの搬入体制を整備しており、食肉処理施設は国産ジビエ認証制度[60]による認証を取得し安全面にも配慮している。

また、一般社団法人日本フードサービス協会では、農林水産省の全国ジビエプロモーション事業を活用し、全国の外食店等が参加してハンバーガー、ロースト等様々なジビエメニューを提供する全国ジビエフェアを平成30（2018）年度から開始している。

（林福連携の取組）

こうした取組の中で、林業と福祉が連携して、障がい者が林業分野に参画する「林福連携」の取組も各地でみられる。

乾しいたけの加工及び販売を手がける宮崎県高千穂町の株式会社杉本商店は、障がい者の就労支援を行う日之影町社会福祉施設「フラワーパークのぞみ工房」と連携して、平成30（2018）年3月から共同でしいたけの生産に取り組んでいる。同商店では生産者の高齢化による人手不足に悩んでおり、また、同工房では利用者である障がい者の収入増につながるとしており、双方にメリットがある状態となっている[61]。さらに、同工房は、令和2（2020）年2月から別の生産者の植菌作業を請け負っており、取組を拡大させている（資料 特－15）。

島根県海士町の社会福祉法人だんだんが運営する障がい者福祉サービス事業所「さくらの家」では、平成16（2004）年からクロモジの枝と葉からお茶を製造している。山でのクロモジ採集や乾燥・分別・パック詰め等の作業は、障がい者個々人の得意分野に合わせて分担されている。クロモジ茶は、海士町で伝統的に飲まれていたお茶であり、島の特産品としても販売されている[62]。

さらに、林福連携については、林業の現場や木材

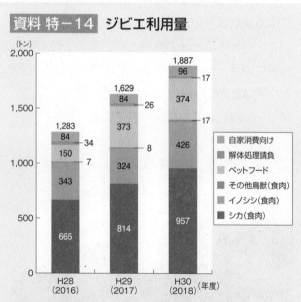

資料 特－14　ジビエ利用量

（トン）

凡例：
- 自家消費向け
- 解体処理請負
- ペットフード
- その他鳥獣（食肉）
- イノシシ（食肉）
- シカ（食肉）

年度	シカ（食肉）	イノシシ（食肉）	その他鳥獣（食肉）	ペットフード	解体処理請負	自家消費向け	合計
H28（2016）	665	343	7	150	34	84	1,283
H29（2017）	814	324	8	373	26	84	1,629
H30（2018）	957	426	17	374	17	96	1,887

注：「解体処理請負」は、食肉処理施設が解体処理のみを請け負って依頼者へ渡した量。「自家消費向け」は、食肉処理施設の従業員やその家族で消費した量等。
資料：農林水産省「野生鳥獣資源利用実態調査」

資料 特－15　林福連携によるしいたけ生産

種菌の植付作業の様子

[60]　厚生労働省が定める「野生鳥獣肉の衛生管理に関する指針（ガイドライン）」に基づく衛生管理の遵守や、流通のための規格・表示の統一を図る食肉処理施設を認証する制度。認証された食肉処理施設は、生産したジビエ製品等に認証マークを表示して安全性をアピールすることができる。

[61]　平成30（2018）年3月27日付け宮崎日日新聞ウェブ版

[62]　障がい者の情報メディアMedia116ホームページ「離島のＢ型作業所が地場産業「ふくぎ茶」を生み出した～やりがいのある仕事が仲間に起こした変化とは？～」

産業でも取組がみられる。例えば、有限会社堀木材（大分県竹田市）では、人手を必要とする造林・育林作業のうち、アクセスの良い平坦な場所での作業を社会福祉法人やまなみ福祉会に依頼している[63]。また、木材製品の製造では、木のストローを生産する株式会社アキュラホーム（事例 特－3）や大判で極薄のつき板を製作する株式会社ビッグウィル[64]等でも障がい者が製品の製造に携わる取組が進められている。

（3）森林空間の利用に関わる取組

近年、国民の生活スタイルが「モノ消費からコト消費へ」、「経済的な豊かさから心の豊かさの重視へ」と変化するとともに、企業経営においても「働き方改革」や「健康経営」等が求められている。また、自然環境を活かした保育・教育へのニーズも高まっている。こうした変化・ニーズへの対応方法の一つとして、観光・レジャー、健康、教育等を目的として森林空間を利用する新たな動きが広がっている[65]。このことは、SDGsの目標3（健康）、目標4（教育）に加え、雇用創出や労働環境の改善（目標8）や持続可能な産業の発展（目標9、12）に貢献するものである。

また、多様化する国民の新たなニーズに対応した森林空間利用が広がれば、都市と農村の交流が進み（目標11）、森林の持つ様々な価値の理解が促進され、森林の整備・保全への協力・支援（目標15）にもつながっていくことも考えられる。

（ア）観光・レジャー

森林内でのレジャーは、従来は登山やハイキングが中心であったが、最近はアスレチックやツリーハウスの設置といったことも行われるようになってきている。

このような中、地域内の関係者が協力し、林業体験や森林散策等のプログラムを組み、観光客を誘致する取組も出てきている。

（森林を活用したアウトドアパーク）

まず、大規模な開発をせず、森林をそのまま活用した自然共生型のアウトドアパークが各地で整備されている。有限会社パシフィックネットワークは、フォレストアドベンチャー等のアウトドアパークを全国で35か所以上整備しており、年間約50万人が同施設で森林でのアスレチック等を楽しんでいる（事例 特－4）。

また、福井県池田町では、平成28（2016）年に森林を丸ごとテーマパークにした体験型施設「ツリーピクニックアドベンチャーいけだ」を開業し、森林内のアスレチックに加え、川下り、カフェやコテージでの宿泊、自然体験等を提供しており、年間3万7,000人が来場し、約1億3,000万円を売り上げている。池田町では、森と木を活かした地域づくりをしており、移住者も平成27（2015）年からの3年間で50名ほどとなっている。

野外の未舗装の道を走るトレイルランニングの大会が各地で開催されているが、群馬県神流町では、平成21（2009）年から神流マウンテンラン＆ウォークが開催されており、多くの地域住民がボランティアとして大会の準備・運営に関わってきた結果、地域の一大イベントとなっている。大会の前夜祭や民泊を通じランナーと住民の間に絆が生まれ、定期的に交流するケースもみられるようになってきている。

森林空間をマウンテンバイクのコースとして利用する例もみられる。山梨県南アルプス市で活動する南アルプスマウンテンバイク愛好会では、森林内のマウンテンバイクで使うコースの整備を行うとともに、森林を有する地域社会との交流等を目指し、登山道の整備や山林管理のための巡視路の整備、祭りや清掃活動など地域行事の手伝い等を実施している[66]。こうした動きの中で、山村集落への移住者も生まれている。

（森林・林業体験を組み合わせた観光プログラム）

ホテル等の宿泊施設が独自に森林体験プログラムを提供する例もみられる。星野グループの「星野リ

＊63　北海道（2019）地方創生推進交付金 障がい者の多様な社会参加促進事業委託業務報告書: 23-54.
＊64　令和元（2019）年5月15日付け林政ニュース604号: 10-14.
＊65　森林空間の利用に関する「森林サービス産業」検討委員会等の林野庁の取組については、第Ⅱ章第3節（2）151-152ページを参照。
＊66　山梨県自転車活用推進計画

ゾート　リジナーレ八ヶ岳」では、森林散策、乗馬、マウンテンバイク、夜の昆虫観察や動物観察など様々な森林体験プログラムを提供するとともに、宿泊客の子供を短時間預かる「託児所」において、森を舞台に子供の感性を育む「森いく」を実施している。

農山漁村で古民家等を活用した宿泊施設に滞在してその土地の魅力を味わう農山漁村滞在型旅行（農泊）も、全国で推進されている。森林・林業の活用例として、岐阜県中津川市の加子母森林組合では、地域の観光・農業関係者と協力し、観光客の増加を目指した取組を行っている。ここでは、例えば、地域の観光スポットである地歌舞伎の芝居小屋「かしも明治座」での隈取[67]体験、農業の収穫体験に加え、森林分野からも林業体験やマイ箸づくりといった体験プログラムの商品化を行い、滞在して楽しめる仕掛けを作っている。

（イ）健康

生活習慣病等の疾病予防・健康づくりのために森林空間を利活用する動きも各地で出てきている。さらに企業及び医療保険者が、森林を研修や保養で使い、従業員の意欲向上、チームワーク強化や健康増進に役立てる取組も拡大している。

人生百年時代を迎える中、様々なライフステージにおいて森林空間を利活用するこうした取組は、健康寿命の延伸と医療費及び介護費の抑制につながる可能性がある。また、明るく整備された森林で活動することは、ストレスの軽減及び心身のリラックスにつながることが科学的にも明らかにされつつある。長野県信濃町では、癒しの森事業として森林セラピーロードの整備や、利用者の要望に合わせた森林セラピープログラムの提供が進められている。町は30社を超える都市部の企業等と協定を締結し、企業に社員のための健康増進のツール等を提供している（事例 特－5）。この取組については、地域経済効果が少なくないことも報告されている[68]。

ドイツの健康保養地（クアオルト）に倣った取組も

事例 特－4　フォレストアドベンチャー

「フォレストアドベンチャー」は自然共生型のアウトドアパークであり、大規模な開発をせず、森林をそのまま活用したパークづくりを最大の特徴としている。

例えば、山梨県小菅村では、森林を含む地域資源を活用した村の活性化に取り組んでおり、その一環として平成25（2013）年に「フォレストアドベンチャー・こすげ」をオープンしている。

また、山梨県鳴沢村においては、平成18（2006）年に最初のフォレストアドベンチャーが開設された結果、放置されていたカラマツ林の有効活用につながっている。神奈川県小田原市では、森林所有者が林業に加えて多角的に森林を経営するための一環としてフォレストアドベンチャーを設置している。

このようなフォレストアドベンチャーの取組は、林産物とは異なる森林活用のモデルとして期待される。

森林を活用したアウトドアパーク

里山を見渡せるロングジップスライド

＊67　歌舞伎独特の化粧法。

＊68　横山らは、平成23（2011）～27（2015）年度の癒しの森事業を対象に森林セラピー事業の経済波及効果について、総合誘発効果を約3億972万円、付加価値誘発効果を約1億5,937億円、税収効果を約282万円と算出（横山新樹ほか（2018）森林セラピー事業の経済波及効果, 林業経済, 70（11）: 1-20.）。

各地で始まっている。温泉地である山形県上山市では、市民の健康増進や交流人口の拡大を目的に、健康の3大要素である、運動（クアオルト健康ウォーキング）、栄養（健康に配慮した食事）及び休養（温泉）に着目した取組を実施している。クアオルト健康ウォーキングでは、コースとして森林を活用しており、ガイドと共に適切な運動負荷で歩くことができるようになっている。また、宿泊型の保健指導プログラムも実施するなど都市部の企業の健康づくりに協力するとともに、年末年始を除く毎日、ウォーキングプログラムを提供し、市民の健康づくりにも役立てている（資料 特－16）。

資料 特－16 クアオルト健康ウォーキング

森林内のウォーキングの様子（上山市）

上山市と包括連携協定を結んでいる太陽生命保険株式会社では、従業員の健康づくりに上山市のプログラムを役立てるとともに、株式会社日本クアオルト研究所が主催するクアオルト健康ウォーキングアワードへの協賛を通し、受賞した地方公共団体の取組を支援することで、地域の健康づくりと街づくりに貢献している。

（ウ）教育

（乳幼児への自然保育）

友達との外遊びや自然と触れ合う機会が減少する中、戸外で幼児同士が関わり合ったり、自然との触れ合いを経験したりすることが重要と考えられており、特に地方への移住希望者の中には自然環境を活かした保育・教育に魅力を感じる家庭が多い[69]。

このようなニーズを受け、乳幼児期の子供に自然体験の機会を提供する「森のようちえん」等の自然保育を行う活動がみられるようになってきている。

自然保育は、保育園や幼稚園で行われているものに加え、託児所、自主保育、自然学校等で行われるものもあり、また、保護者の自主的な活動から発展した例もある（事例 特－6）。

さらに、長野県、鳥取県及び広島県では、幼児教

事例 特－5 社有林を活用した社員研修により離職率が低下

電子機器メーカーのTDKラムダ株式会社は、平成19（2007）年に長野県信濃町と協定を締結し、翌年から、信濃町に保有する社有林を活用し、新入社員研修等を実施している。研修は、ビジネスマナー等の座学に加え、森林整備や森林セラピー体験等の野外活動から構成されている。

同社では、平成17（2005）年から平成19（2007）年までの期間には、入社後3年以内の離職率が12％であったものの、社有林や森林セラピーを活用した社員研修の開始後の平成20（2008）年から平成26（2014）年までの期間には1％にまで減少している。

離職率が改善した原因として、同期の絆が深まったこと、森林整備等を通じ協働作業の重要性を認識したこと、森林セラピーによりストレス発散方法を身につけたこと等が挙げられている。

資料：日経BP環境経営フォーラム「グリーンエコノミー時代を拓く－森で経済を作る」（平成24（2012）年）

研修時の間伐材搬出

＊69　株式会社NTTデータ経営研究所「都市地域に暮らす子育て家族の生活環境・移住意向調査」（平成28（2016）年）

育の質の向上と移住促進等を見据えて、「森と自然を活用した保育・幼児教育」に関わる独自の認証・認定制度を創設している。また、毎年、開催地を変えて「森のようちえん全国交流フォーラム」が開催されており、実践者や関心のある人同士の情報交換や相談に役立てられている。

（小学生への森林環境教育や自然体験）

小学生に対しても様々な森林環境教育が行われている。例えば、学校林[70]を保有する小中高等学校は、全国の6.8%に相当する約2,500校あり、「総合的な学習の時間」等で、植栽、下刈り、枝打ち等の体験や、植物観察、森林の機能の学習等が行われている[71]。

学校林を持たない学校においても、姉妹都市の市町村内の森林や、国有林、少年自然の家等を活用し、森林環境教育を実施している例がある。さらに、社有林を活用し、子供向けに自然体験プログラムを提供している企業も多い。例えば、九州電力株式会社と一般財団法人九電みらい財団では、令和元（2019）年度、社有林を含む九州各地の森で年間40回程度、延べ1万1千人以上を対象にして、間伐体験や木登り、木の枝のフォークづくり等の体験型環境学習イベントを開催している。

（エ）ワーケーション

テレワーク[72]を活用し、普段の職場から離れ、リゾート地等の環境の良い地方で仕事を行うワーケーションの取組が広がりつつある。ワーケーションには、会社員やフリーランスの個人が休暇を活用し急ぎの仕事のみテレワークで対応するものや、企業が研修等を組み合わせるものがあり、仕事を続けたまま、休息や自己研鑽を実現できる可能性がある。企業側にとっては生産性向上、また、受入地域側にとっては地域活性化につながると期待されている。

和歌山県は全国に先駆けて平成29（2017）年からワーケーションに取り組んでおり、様々な企業が参画している。例えば、富士通株式会社は、若手職員が中心となって2泊3日のワーケーション合宿を和歌山県<ruby>白浜町<rt>しらはまちょう</rt></ruby>で行い、この間、森林内を通る熊野古道の散策や修繕活動、林業の現場の視察等を行いつつ、グループディスカッションやテレワークによる遠隔業務も実施している。

また、株式会社セールスフォース・ドットコムで

事例 特-6　母親・父親たちが立ち上げた森のようちえん

鳥取県<ruby>智頭町<rt>ちづちょう</rt></ruby>では、地域の保護者たちが平成21（2009）年に森のようちえん「まるたんぼう」を開園した。開園に当たっては、現在、代表を務める西村氏を中心に他県の事例を調べたり、実際に子供たちと森へ出かける「お散歩会」を開催したりするなど、約2年の準備を行っている。

「まるたんぼう」は、鎮守の森や渓谷など町内の14か所の森林をフィールドとしつつ、拠点となる古民家を活用し、週に1度、昼食の調理や藍染め等のモノづくりも行っている。

最低限の決まりはあるものの、森の中でのびのびと感性を存分に使って欲しいという考えから、園児の自主性を尊重した見守る保育を実施しており、この中で園児たちは判断力や協調性、自分のことは自分でする習慣を身に付けている。

移住者を始め入園希望が多いため、平成25（2013）年に2園目も開園しており、現在、森に囲まれた智頭町の特徴を生かした保育が両園で実施されている。

---

*70　　学校が保有する森林（契約等によるものを含む。）であり、児童及び生徒の教育や学校の基本財産造成等を目的に設置されたもの。
*71　　公益社団法人国土緑化推進機構「学校林現況調査報告書（平成28年調査）」（平成30（2018）年3月）
*72　　ICTを利用し、時間や場所を有効に活用できる柔軟な働き方。

は、和歌山県白浜町にサテライトオフィスを開設し、3か月交代で約10名が働いている。海や森という豊かな自然環境に恵まれており、また、通勤のストレスがない健康的な働き方が可能なことなどから、東京オフィスに比べて生産性が20%程度向上したとしている[73]。

　他県でも、先述した長野県信濃町では令和元(2019)年5月に貸切型のリモートワーク施設「信濃町ノマドワークセンター」がオープンするなど、取組が始まっている。

　さらに、令和元(2019)年11月には、企業へのPRや体験イベント開催等を連携して行いワーケーションを推進するため、和歌山県と長野県が中心となり、7道県と58市町村が参加して「ワーケーション自治体協議会」が設立され、令和2(2020)年3月末時点で84団体(10道県74市町村)が参加している。

＊73　天野宏(2018)ワーケーション：和歌山県から提案する新しい働き方と地方創生の形, Estrela, 6月号:2-13、フォレストサポーターズホームページ「美しい森林づくりレポート「CSV経営・健康経営時代の「企業×森林」フォーラムⅡ　〜"企業・医療保険者×農山村地域"で実現する、SDGs時代の健康づくり・森づくり〜」」(平成30(2018)年9月)

3. 企業の森林に関わる意向と活動内容

（企業への森林・木材利用に関わるアンケート調査）

　前節で紹介したような森林・木材の利用に係る様々な取組の広がりを把握することを目的に、林野庁は、令和元（2019）年11月に、国内企業を対象として、SDGsと森林・木材利用に関わるWebアンケートを実施した[74]。この結果、中小企業から大企業まで、業種は製造業を中心に卸売・小売業、建設業、サービス業など幅広い業種の企業から392の回答を得ることができた（資料 特－17）。回答企業の約半数は従業員300人以上と規模が大きな企業の割合が高く、また、そもそもSDGsや森林及び木材利用に関心が高い企業が回答したとも考えられるが、森林・木材利用に関する取組に対する企業の考え及び傾向を知ることができる。

　このアンケートの結果から、SDGsを経営戦略等に組み込んでいる企業が約半数、特に従業員が1,000人を超える企業では4分の3を超えるなど、企業のSDGsへの取組が経営の中心に組み込まれ始めている様子がうかがえた（資料 特－18）。一般社団法人グローバル・コンパクト・ネットワーク・ジャパン及び公益財団法人地球環境戦略研究機関が平成30（2018）年度に行った企業・団体向けの調査においても、SDGsが「経営陣に定着している」とした回答が59%、「従業員にも定着している」とした回答が17%となっており、今回のアンケートも、これに近い数字となっている[75]。一方、中小企業におけるSDGsの認知度は低いと考えられている[76]が、今回回答した従業員が20人以下の企業の33%が経営戦略等に組み込んでいると回答している。

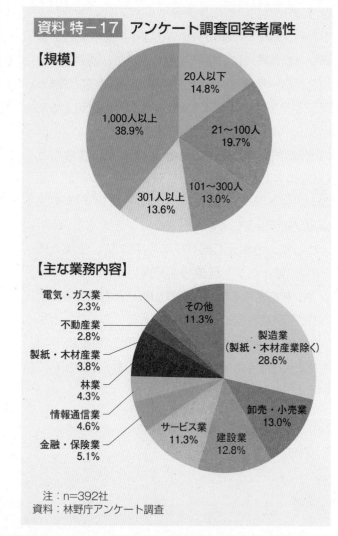

資料 特－17　アンケート調査回答者属性

【規模】

- 20人以下 14.8%
- 21～100人 19.7%
- 101～300人 13.0%
- 301人以上 13.6%
- 1,000人以上 38.9%

【主な業務内容】

- 電気・ガス業 2.3%
- 不動産業 2.8%
- 製紙・木材産業 3.8%
- 林業 4.3%
- 情報通信業 4.6%
- 金融・保険業 5.1%
- サービス業 11.3%
- 建設業 12.8%
- 卸売・小売業 13.0%
- 製造業（製紙・木材産業除く）28.6%
- その他 11.3%

注：n=392社
資料：林野庁アンケート調査

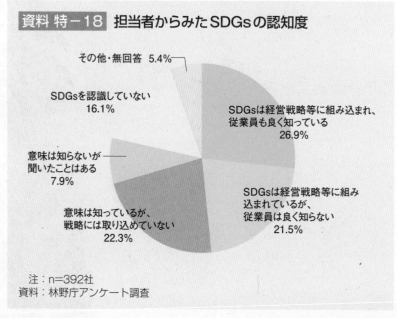

資料 特－18　担当者からみたSDGsの認知度

- その他・無回答 5.4%
- SDGsを認識していない 16.1%
- 意味は知らないが聞いたことはある 7.9%
- 意味は知っているが、戦略には取り込めていない 22.3%
- SDGsは経営戦略等に組み込まれ、従業員も良く知っている 26.9%
- SDGsは経営戦略等に組み込まれているが、従業員は良く知らない 21.5%

注：n=392社
資料：林野庁アンケート調査

---

*74　令和元（2019）年11月から令和2（2020）年1月にかけて林野庁Facebook、一般社団法人日本経済団体連合会、公益社団法人経済同友会、日本商工会議所、一般社団法人日本プロジェクト産業協議会（JAPIC）及び公益社団法人国土緑化推進機構を通じた周知により実施。有効回答数は392。

*75　公益財団法人地球環境戦略研究機関（2019）主流化に向かうSDGsとビジネス～日本における企業・団体の取組現場から～: 7.

*76　関東経済産業局、一般財団法人日本立地センター「中小企業のSDGs認知度・実態等調査」（平成30（2018）年）

森林・林業・木材利用に関わる活動を現在実施又は実施予定の企業は、247社と全回答の6割を超えた。その活動内容は、「森林の整備・保全」が半数以上を占めており、「子供・地域住民・市民向けイベント」、「林業分野への技術提案・販売」、「木育など木材利用の普及・啓発」、「森林に関わるNPO等への支援・寄附」と続いている。また、木育等も含めて木材利用に関わる活動を実施している企業は、60.3%あった（資料 特－19）。

森林・林業・木材利用に関わる活動の開始時期についてみると、平成12（2000）年以前から開始した企業が27.9%である一方、2000年代後半以降に開始した企業が半分程度あり、最近になって森林・林業・木材利用に関わる取組を始める企業が増えている様子がうかがえた（資料 特－20）。

期待する効果（主な目的）としては、「社会貢献」が74.9%と多く、「地域との交流」が47.4%で続いた。期待に対応し、活動内容は、森林整備に加え、イベント、木育等の地域住民と関わる取組が多いことがうかがえる。一方で、平成28（2016）年以降に活動を開始した企業においては、「社会貢献」が55.6%と回答者全体より少なく、「新規顧客開拓」が51.2%、「事業領域の拡大」が46.3%と多い。社会全体でSDGsへの関心が高まる中、社会貢献的な性格が強かった従来のCSR（企業の社会的責任）活動としてだけではなく、事業活動を通じて森林・林業に貢献しようという企業のインセンティブが高まっていると考えられる。

実際の効果も、期待する効果と同様の傾向であったが、特に「地域との交流」は期待よりも効果の方が上回った。これは、森林整備等の別の目的で始めた取組が、結果的に地域との交流に結びついたものがあるためと考えられる。また、売上向上に結びついたとする企業も25.9%と一定数存在した（資料 特－21）。

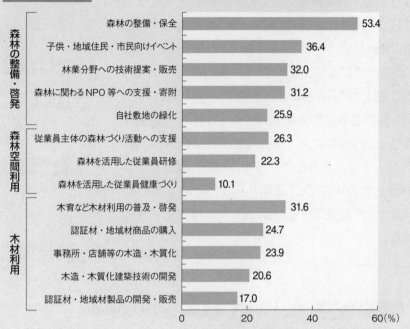

資料 特－19　森林・林業・木材利用に関わる活動内容

森林の整備・啓発
- 森林の整備・保全　53.4
- 子供・地域住民・市民向けイベント　36.4
- 林業分野への技術提案・販売　32.0
- 森林に関わるNPO等への支援・寄附　31.2
- 自社敷地の緑化　25.9

森林空間利用
- 従業員主体の森林づくり活動への支援　26.3
- 森林を活用した従業員研修　22.3
- 森林を活用した従業員健康づくり　10.1

木材利用
- 木育など木材利用の普及・啓発　31.6
- 認証材・地域材商品の購入　24.7
- 事務所・店舗等の木造・木質化　23.9
- 木造・木質化建築技術の開発　20.6
- 認証材・地域材製品の開発・販売　17.0

注：n=現在活動を実施、又は実施予定の企業247社、複数回答可
資料：林野庁アンケート調査

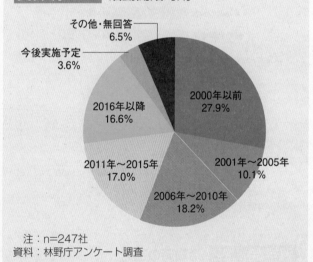

資料 特－20　活動開始時期

- その他・無回答　6.5%
- 今後実施予定　3.6%
- 2016年以降　16.6%
- 2011年～2015年　17.0%
- 2006年～2010年　18.2%
- 2001年～2005年　10.1%
- 2000年以前　27.9%

注：n=247社
資料：林野庁アンケート調査

活動に際しての苦労に関する質問への回答は、「予算確保」が最も多く、次に「社内での説明・理解」や「社外の参加者集め・広報」が続いた（資料 特－22）。

森林・林業・木材利用に関わる活動を拡大していくための条件整備としては、「森林に関わる企業側のメリットについての情報」が58.8%と半数以上を占め、具体的には予算確保や社内での説明、参加者集めの材料となる情報を必要としている企業が多

いと考えられる。また、「企業との連携に積極的な森林組合・林業事業体等の紹介」が43.5%に上っており、地方公共団体を始めとする「つなぐ」主体の取組が重要と考えられる(資料 特−23)。

　活動の予定がない企業についてみると、その理由としては「関心がない」、「利益につながらない」という回答を挙げた企業は少なく、むしろ、「活動するきっかけがない」という回答が7割を占めた(資料 特−24)。何らかのきっかけがあれば取組を始める企業は一定数あると考えられ、そのためには、林業・木材産業関係者からの後押しが重要と考えられる。

資料 特−23　取組拡大に必要と考える条件整備

森林に関わる企業側のメリットについての情報　58.8
企業との連携に積極的な森林組合・林業事業体等の紹介　43.5
新規事業を開拓するための林業・木材産業の状況についての情報　35.8
森林に関わる際の相談窓口　24.0
国産材を販売する企業・森林組合・市場等の情報　23.5
その他　7.7

注：n=392社、複数回答可
資料：林野庁アンケート調査

資料 特−21　活動を実施する主な目的及び効果

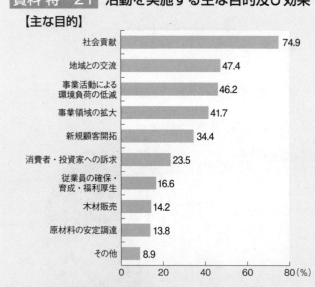

【主な目的】

社会貢献　74.9
地域との交流　47.4
事業活動による環境負荷の低減　46.2
事業領域の拡大　41.7
新規顧客開拓　34.4
消費者・投資家への訴求　23.5
従業員の確保・育成・福利厚生　16.6
木材販売　14.2
原材料の安定調達　13.8
その他　8.9

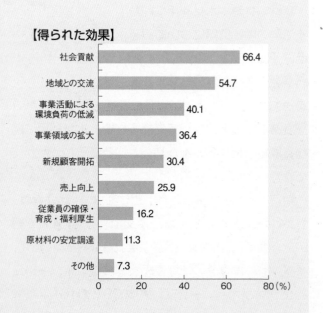

【得られた効果】

社会貢献　66.4
地域との交流　54.7
事業活動による環境負荷の低減　40.1
事業領域の拡大　36.4
新規顧客開拓　30.4
売上向上　25.9
従業員の確保・育成・福利厚生　16.2
原材料の安定調達　11.3
その他　7.3

注：n=247社、複数回答可
資料：林野庁アンケート調査

資料 特−22　活動時の苦労

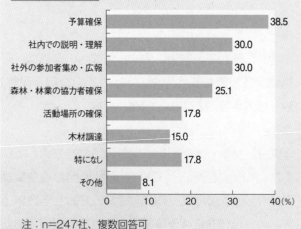

予算確保　38.5
社内での説明・理解　30.0
社外の参加者集め・広報　30.0
森林・林業の協力者確保　25.1
活動場所の確保　17.8
木材調達　15.0
特になし　17.8
その他　8.1

注：n=247社、複数回答可
資料：林野庁アンケート調査

資料 特−24　活動予定がない理由

活動するきっかけがない　70.1
活動するための場所がない　22.2
利益につながらない　13.9
関心がない　11.8
社会的意義が分からない　5.6
その他　15.3

注：n=活動予定がない企業144社、複数回答可
資料：林野庁アンケート調査

4. 今後の課題と関係者の役割

　ここまで見てきたとおり、様々な主体による森林・木材の利用に係る取組が広がってきている。このことは、森林の多面的機能の発揮や地域活性化を始め、SDGsにつながるものである。今後、こうした流れを拡充し、SDGsの達成に向けた動きを後押ししていくためには、森林に関わる様々な関係者がより一層の努力と連携を重ね、それぞれの役割を果たしていく必要がある。

　以下では、本章のまとめとして、林業・木材産業の課題と、教育研究機関、地方公共団体、政府を含む関係者の役割を整理する。

（1）SDGsからみた林業・木材産業の役割と課題

　様々な企業・団体又は個人が森林整備、森林資源、森林空間に関わる取組に関心を持つに至ったとしても、これを実行に移し、森林の多面的機能を十全に発揮させるためには、森林整備や木材生産を担う林業・木材産業関係者の行動が不可欠である。

　根幹となる持続可能な森林経営では、経済面に加え、環境面及び社会面からも持続可能であることが求められる。逆に言えば、SDGsの観点から経営を見直すことは、林業・木材産業の持続性にもつながるものである。

（ア）持続可能な森林経営

　森林に関連するSDGsの達成に向けて森林の機能を十全に発揮していくためには、適切な整備が行われ、健全な森林として維持されていくことが前提となる。すなわち、先人たちの多大な努力により充実してきた我が国の森林資源が、将来にわたり、国民各層から期待される機能を発揮できるよう、取り組んでいかねばならない。

　このため、計画的な間伐、主伐後の再造林等の森林整備を進めるとともに、森林整備に当たっては渓畔林の保全等の環境面に配慮していくことが重要である。

　森林を管理する権限と責務は、一義的にはその所有者にあり、これまで森林所有者自ら、又は森林組合等の民間事業者への委託により、森林整備等が進められてきたところである。一方で、森林所有者自らが経営管理を行うことができない場合もあり、平成31（2019）年4月に施行された森林経営管理法[77]では、森林所有者に適切な経営管理を促すために、その責務を明確化するとともに、自ら経営管理を行えない場合は、所有者の意向を踏まえて、市町村が経営管理の委託を受けることや林業経営者に再委託を行うことができるよう措置した[78]。

　林業経営体には、森林の経営管理の受託や木材の販売等で収入を得ながら、適切な森林整備を行うことが求められる。

　しかしながら、近年主伐が増加傾向で推移する中、伐採後に再造林されていない箇所が発生している。この要因の一つとして、現在の山元立木価格が伐採後の造林・育林コストを賄える水準になく、森林所有者が再造林の意欲を失っているということが挙げられる。山元への利益還元に向け、これまでも森林施業や流通の合理化、木材の需要拡大に向けた様々な取組が行われてきたが、さらに施業の集約化、主伐と造林を一体的な工程で行ういわゆる一貫作業の拡大、初期成長が早いエリートツリーの普及を通じた育林コストの低減、流通構造改革等の取組を加速していく必要がある。

　また、再造林に関心のない森林所有者への働き掛けも大切となる。これに関し、和歌山県田辺市にある株式会社中川は、主伐を行う業者と森林所有者の仲介も行いつつ、再造林に積極的に取り組んでおり、時間をかけて森林所有者との関係性を築き、再造林に同意してもらうという取組を続けている（事例 特-7）。

　木材産業や木材を利用する側が、再造林が行われていない箇所が発生している現状への危機感を共有し、自らの問題として認識した上で、森林所有者や林業経営体等と連携した取組を進めていく事例もみられるようになってきている。佐賀県伊万里市の株式会社伊万里木材市場は、平成20（2008）年から、

立木購入の際に、主伐後の植林・下刈りを5年間請け負う取組を行っており、平成29（2017）年からは、間伐も含め40〜50年にわたって山づくりを引き受けていく仕組みも構築している[*79]。また、大分県玖珠町に合板工場を新設した新栄合板工業株式会社は、令和元（2019）年11月に大分県森林再生機構及び県と協定を締結し、ヒノキの造林や苗木生産への助成体制を構築した[*80]。また、東京都世田谷区を本社とする伊佐ホームズ株式会社は、埼玉県の秩父（ちちぶ）地域の林業経営体や製造工場等と連携して流通の効率化を図り、植栽費用を考慮した価格で丸太を購入する仕組みを構築し、この仕組みを管理、普及する森林パートナーズ株式会社を設立し、福岡県を始め他地域にも取組を広げている[*81]。

（イ）合法性や持続可能性に配慮した木材の調達

SDGsへの関心の高まりは、製品やサービスを利用する側において、それが持続可能性に配慮した方法で自分の手元に届いたものであるか、環境収奪的に生産されたものではないかとの問題意識の

高まりにもつながっている。建築物を例にとると、建築物に利用された木材を含む原材料が合法的なものであるかどうかについて、施工業者のみならず、建築物の発注者側でも問う動きが生じ始めている。

木材の合法性を担保するに当たっては、平成29（2017）年5月に施行された「合法伐採木材等の流通及び利用の促進に関する法律[*82]」（「クリーンウッド法」）に基づく合法性の確認や木材関連事業者の登録を推進することが重要である（登録を受けた木材関連事業者は、「登録木材関連事業者」の名称を用いることができる。）。

本章第2節[*83]で紹介した仙台市の10階建ての集合住宅の建築に当たっては、顔の見える形で、合法的に生産された産地の確かな木材を使用するため、大分県の田島山業株式会社等の木材から、登録木材関連事業者である山佐木材株式会社がCLTへ加工し、床材や強度の求められる耐震壁として活用した。

同じく登録木材関連事業者である家具メーカーの株式会社ワイス・ワイスは、合法性を確認し、トレーサビリティにこだわった家具を販売している。この

事例 特－7　造林事業体による森林づくりのコーディネート

造林事業体である株式会社中川（和歌山県田辺市（たなべ））は、植栽・下刈り等の作業を単に請け負うだけでなく、伐採する区域や残材の処理方法等について連携する素材生産業者とあらかじめ取り決め、また、伐採後の造林方法について所有者に提案して合意を得るなど森林づくりのコーディネートに力を入れている。

造林について関心を示さない森林所有者もいるが、例えばドングリ拾いに誘い、ドングリが苗木に育った時点で「トトロの森を作りましょう」という形で植栽を勧めるなど、ストーリー性をもった説明で造林につなげている。

現場職員の1日の現場作業は6時間で、超過勤務は一切させないこととしており、効率的な作業ができるよう、苗木運搬用の袋を特注する、様々な植栽器具を試すなどの工夫をしている。また、給与や休日、福利厚生の充実に努めており、平成28（2016）年の創業以降、正社員の退職者は1人も出ておらず、移住者も6名雇用するなど、地元にも貢献している。

資料：林野庁「林野」令和元（2019）年11月号：4.

下刈りの状況確認等にドローンを活用

[*79]　平成29（2017）年8月23日付け林政ニュース：11-14.
[*80]　令和元（2019）年12月4日付け林政ニュース：17-18.
[*81]　令和元（2019）年8月28日付け林政ニュース：11-14.
[*82]　「合法伐採木材等の流通及び利用の促進に関する法律」（平成28年法律第48号）
[*83]　特集第2節（2）18ページ参照。

会社は、従来、海外産の木材を使用した家具を製作・販売していたが、海外産木材に係る合法性の現地確認に手間もコストも必要となるため、国産材の使用へと切替えを行った。現在では、林業経営体及び木材加工業者とも信頼関係を構築し、宮崎県諸塚村のFSC認証を取得した森林から生産された木材など、産地の分かる国産材を中心とした家具ブランドを展開している。

また、東京オリンピック・パラリンピック競技大会の会場等については、それぞれの整備主体が定めている調達基準により森林認証材等の合法性や持続可能性に配慮した木材が使用されている。

SDGsの考え方が浸透するに従い、このような合法伐採木材や森林認証材等を求める傾向は今後も更に強くなっていくものと考えられ、適切な供給体制の構築が求められている。

（ウ）林業従事者の安全確保

林業従事者は長期にわたって減少を続けており、生産年齢人口（15歳～64歳）の減少が見込まれる中で、必要な森林整備を担う人材を確保していくためには、林業経営者が収益力を向上させることに加え、労働安全を始めとした労働環境の改善を進め

ていくことが更に重要となっている。

特に安全面については、林業は労働災害の発生率が全産業の中で最も高く、災害の発生度合いを表す死傷年千人率も全産業2.3に対し22.4となっていることから、災害が多い伐倒作業を中心として、安全確保に向けた対応が急務である。

このため、国においても、平成31（2019）年2月の労働安全衛生規則等関連法令の見直しにより、かかり木処理作業における危険防止など、安全対策の充実強化を図っている。また、チェーンソーでの伐倒を避けることができる高性能林業機械の導入も進めてきた。

林業の現場においては、これまでも現場作業に従事する者に対して各種の研修を行ってきたほか、林業経営者に対して労働安全の専門家による安全診断が行われてきた。近年は、伐倒作業を反復練習する研修や、現場の環境を再現する機材を用いた研修等により技術向上が図られている。例えば、東京大学農学生命科学研究科農学特定研究員[84]の飛田京子氏は、チェーンソーによる伐倒作業について、数値による明示的・客観的な評価手法を用いて反復練習を行う研修を全国各地で実施している（事例 特ー

事例 特ー8　チェーンソーの伐倒作業の研修

東京大学農学生命科学研究科農学特定研究員（令和2（2020）年2月から一般社団法人林業技能教育研究所所長）の飛田京子氏は、数値による明示的・客観的な評価手法を導入した「チェーンソーワーク研修」を全国各地で実施している。

例えば、垂直に立てた丸太に受け口と追い口を作り伐倒方向や受け口等を計測する、回転計や水平器を活用してチェーンソーの構え方や一定の回転数を保ちながら丸太を切るなど、作業に欠かせない正しい感覚を身につける練習が行われている。研修の最後には受け口等の精度を競うコンテストを行い、研修の成果を確認することも行われている。

研修生からは、測定し記録することで、具体的に何が悪いか分かりやすく改善できると好評である。

林業従事者がこのような反復練習を行うことにより、技能を向上させていくことが期待される。

---

*84　令和2（2020）年2月から一般社団法人林業技能教育研究所所長。

8）。また、北海道札幌市の株式会社森林環境リアライズは、チェーンソーの伐倒作業での災害をバーチャルリアリティの仮想空間で体験できるシミュレーターを開発し、安全に関する研修で活用されている。

また、秋田県由利本荘市の株式会社藤興業は、重大な事故の原因となる「かかり木」を発生させないため、伐倒方向をレーザ光線で表示し、伐倒方向を確認しながら正確な受け口を作る装置を開発した。

今後とも、研修や機材の開発・活用により、労働安全対策の充実や強化が進んでいくことが期待される。

（エ）女性参画

性別にかかわらず、それぞれの意欲に応じて働きやすい社会の構築が求められている中、林業の女性従事者については、かつて植付け等の育林作業に多く従事していたものの、平成27（2015）年には2,750人となり、女性比率は6.1％となっている。こうした中においても、機械化の進展等を背景に、伐木・造材・集材に携わる女性従事者数は近年増加

してきており[85]、女性が従事する環境の整備も進められている。

林業分野においては、事務、管理者を含む林業就業者全体での女性比率が14.3％と、全産業における女性労働者比率43.9％や、第一次産業全体の38.9％と比較すると低位にあることからしても、林業分野において女性が活躍する余地はまだまだあるものと考えられる。多様な人材が活躍することで、経済活動の創造性が増し、生産性の向上へとつながることが期待されるほか、女性従事者を迎え入れることが男性を含めた林業従事者全体の作業環境改善の契機となる面もあり、ひいては、定着率の向上にもつながることも期待される。

植林から間伐までの作業を行う北海道浦幌町の北村林業株式会社では、女性を含め若い従業員が多く、現在、4名の女性職員が働いている。軽トラックに乗せた移動トイレも導入しているほか、作業の効率化及び労働災害防止を目的として高性能林業機械の導入も積極的に進めるなど、女性を含む従業員全体を大切にする姿勢がうかがえる（事例 特－9）。

全国に621ある森林組合において女性理事は33

事例 特－9　女性や若者に配慮し、女性の雇用を促進した林業会社

北村林業株式会社（北海道浦幌町）は、若者が大切にしている仕事観や働き方を積極的に取り入れることに努め、例えば、林業機械の導入や土曜日の休業日の増加等を行っている。

北村社長は、「女性が働けない産業に未来はない」と語り、軽トラックに載せた移動トイレを導入するなど女性にも配慮した職場環境の充実に努め、女性雇用を積極的に進めている。この結果、従業員26名のうち4名が女性となっており、ハーベスタ等の重機を使用し現場で働いている。また、北村林業では、兼業・副業を許可しており、従業員は月給制と日給制の選択が可能となっている。従業員の中には、いずれ自分でカフェをもって兼業したいと考えている人もいる。

北村社長は、若者の定着率を高めるため、新人教育の際、なぜ木を伐るのか、林業がなぜ必要なのか時間をかけて説明している。このように、地域にとって林業が欠かせない仕事であるという意義を伝えるようにしてから数年、離職者はいない。

今後も従業員の声を聞きながら時代に合わせた機材や働き方を導入し、女性を含めた若手従業員が定着していく好循環が期待される。

資料：くらしごとホームページ「林業の新しいカタチを見つめる若き社長。北村林業（株）」（平成31（2019）年3月15日）

太陽光パネルを付けた移動用トイレ

---

*85　総務省「平成27年国勢調査」

名と少ないが、この中でも代表理事となっている例もあり、今後、更に女性の参画が増えることが期待される[86]。

（2）森林・林業・木材産業を支える関係者の役割

林業・木材産業関係者に加え、様々な企業や個人が森林に関わることで、林業・木材産業の課題の解決にもつながり、森林の様々な機能が発揮され、SDGsに貢献していくこととなる。

また、地方公共団体や国は、行政の立場から林業・木材産業を含め、企業や個人の取組が活性化するように後押ししていくことが重要である。

（ア）企業・個人の役割

（企業の関わり方）

一般社団法人日本経済団体連合会は、平成29（2017）年に企業行動憲章を改定して会員企業にSDGsの達成に向けた行動を促しており、経営理念にSDGsの考え方を取り入れる企業が増えている。一方で、中小企業においては、そのような動きはま

だ途上にあると言われている[87]。まずはSDGsを知り、SDGsの観点から事業のあり方を見直してみることが大切である。

日本全体の人口が減少していく中、どのように地域を維持していくかが大きな課題となっているが、森林が重要な地域資源となっている地域では、森林を活用することで、環境・経済・社会の各方面での好ましい流れに目に見える形でつながっていくことも期待される。

例えば、地域で連携して住宅や店舗、家具等に木材を使うことで、林業、木材産業、工務店を始めとする様々な地元企業に経済的な好影響の連鎖が生まれ、ひいては地域社会にも貢献する[88]。様々な森林サービス産業も、地域の企業や団体、関係者が都市とのつながりも活かしながら協力して実行している例が多い。

（個人の関わり方）

SDGsでは、私たち一人一人の行動が社会に与える影響を重要視している。SDGsに関わる第一歩として「知る」ことが重要であり、森林に関しても「知

コラム　**企業向けのSDGsの導入指南書「SDG Compass（コンパス）」**

平成27（2015）年に、GRI（Global Reporting Initiative）、国連グローバル・コンパクト（UNGC）、持続可能な開発のための世界経済人会議（WBCSD）の3団体が共同で作成した、企業向けのSDGsの導入指南書である「SDG Compass」が公表された。

この中では、企業がSDGsに取り組みやすいように、具体的に5つのステップを提示している。

（1）SDGsを理解する：第1ステップは、SDGsを理解することである。

（2）優先課題を決定する：バリューチェーン全体を通して、SDGsに関する正と負の影響を評価し、これに基づき、優先的に取り組む課題を決定する。

（3）目標を設定する：具体的な目標を設定することで、企業全体で優先的事項の共有を促進し、対外的にも持続可能な開発に関わる明確な情報発信が可能となる。

（4）経営へ統合する：目標への取組に向けて、中核的な事業等に持続可能性を統合し、企業内の全ての機能にSDGsを組み込む。

（5）報告とコミュニケーション：国際的に認識された基準や（2）で整理された優先課題を活用し、持続可能な開発に関する情報開示を行うことができる。効果的な報告は、ステークホルダー（関係者）とのコミュニケーションに加え、信頼を醸成し価値創造を促進する。

資料：GRIほか「SDG Compass：SDGsの企業行動指針－SDGsを企業はどう活用するか－」（平成27（2015）年（日本語版平成28（2016）年））

---

*86　林野庁「平成29年度森林組合統計」

*87　関東経済産業局、一般財団法人日本立地センター「中小企業のSDGs認知度・実態等調査」（平成30（2018）年10月）

*88　例えば、樋熊らは、埼玉県の幼稚園・保育園が地域材で建設された例で県内での生産誘発額を35,101千円（加工・流通が全て県内で完結した場合は44,900千円）と試算している（樋熊悠宇至ほか（2019）公共建築物への地域材利用による経済波及効果. 日林誌, 101: 115-121.）。

る、体験する」という中で、様々な関わり方へと広がっていく。

　例えば、観光やレジャーで森林地域に行く、木製の食器や家具を使うなど、楽しみながらできることから始めていくことで、森林及び木材の良さを体感することもできる。また、森林・林業・木材利用に関連するイベントに参加してみる、又は地域の一員としてボランティア活動で森林整備をしてみるといった関わり方もある。

　さらに、仕事として森林・林業・木材産業に関わることで、その期待される役割を果たす側に回ることもありうる。今回取り上げた中でも、都市部の職場での木材利用もあれば、緑の雇用や地域おこし協力隊[*89]等の制度を活用し、移住し新しい働き方を見つけている例もある。

　それぞれの方法で、より多くの人が森林・林業・木材産業や木材利用に関わっていくことが、我が国の森林や社会の持続性を高めることにつながっていく。

　このような様々な関わり方を後押しし広めていくためにも、森林・木材利用の意義、SDGsとの関係性等の普及を図ることが重要であり、林野庁を始めとする森林・林業・木材産業関係者は情報発信に努める必要がある。

（イ）大学等の教育研究機関の役割

　教育研究機関は、これまでも森林の多面的機能の発揮や林業・木材産業の発展に向けて試験研究を行うとともに、人材育成や産学連携を含む活動を実施して社会に貢献してきた。本章で述べてきたようなSDGsに関わる新たな動きを促進する際にも、教育研究機関の役割が重要であり、産官との連携を強めながら試験研究と教育の双方においてその役割を果たすことが期待されている。

　森林を活用した地域活性化の取組が様々な地域で行われているが、地域の木材の使用や森林サービス産業による経済的及び社会的貢献を明らかにするには、教育研究機関の有する分析能力や人材育成の力が欠かせない。大学等で更に試験研究を進めるとと

もに、定性的・定量的な手法を駆使して社会ニーズに応えていくことが期待される。その中では、例えば地方公共団体レベルで経済波及効果を簡易に分析する手法の開発等が求められている。

　森林空間及び木材の利用を進める際には、人間の健康及び活動に及ぼす効果を定量的に示すことが有利となることがある。これに関しては、森林レクリエーションや住空間における木質材料の利用が生理・心理面に及ぼす効果について研究が進められており、今後、更に健康面の効果を明確にするための研究が期待される。

　また、木造建築について知見のある設計者が不足していると言われており、こうした人材の育成も期待される。東京大学大学院農学生命科学研究科では、建築や木材産業に携わる社会人を対象とした修士課程として木造建築コースを開設している。本コースでは、木造建築の設計・施工に関する講義が充実しており、木材の特性を活かした木造建築物を設計できる建築家や木材技術者の育成を目指している。このような取組を含め、教育研究機関には、企業・地方公共団体等にSDGsへの意識向上やその実践を企画提案できる人材の育成が期待される。

（ウ）地方公共団体の役割

　SDGsでは経済、社会、環境の諸課題に統合的に取り組むことが重要となるが、森林が重要な資源である地域も多い中、森林・林業・木材産業を中心とした取組を進める地域も多い。SDGsではパートナーシップが重要視されているが、森林・林業・木材産業に関わる取組においても、地域の様々な関係者が協力して取り組む体制の構築が大切な要素となる。その際、市町村や都道府県がまちづくりの計画や補助事業、地域内外でのつながりづくり等を通し、その動きを上手く先導、支援している例も多い。移住者や企業の受入れにも地域での受け皿づくりが重要であり、こうした面を含め、地方公共団体が多様な主体の結節点としての役割をこれまで以上に果たすことが期待される。

　例えば、北海道下川町（しもかわちょう）は、森林を中心とした町づ

---

*89　過疎地域等の条件不利地域で、地方公共団体が都市住民を受け入れ、「地域おこし協力隊員」として委嘱し、地域おこしの支援等の「地域協力活動」に従事してもらいながら、その地域への定住・定着を図る取組。

くりに取り組むことを通じ、環境、経済、社会の課題を統合的に解決しようとしている。具体的には、ICTを用い、伐採・造林から木材加工・流通までの連携、森林バイオマスによる地域熱供給といった森林総合産業の構築、高齢化した集落の再生等に取り組んでいる。これらの取組の結果、移住者が増え、近年は転入者が転出者を上回る年も出ている。

また、岡山県西粟倉村は、「百年の森林構想」として森林を中心とした地域づくりを行っており、その結果、若者が移住し、幾つものベンチャー企業が生まれ、転入者が転出者を上回るようになっている*90。村では、森林所有者から森林を預かり、森林の長期施業管理を行う一方、この森林から生まれた木材を家具や内装材として加工する第三セクターを設立した。村民が立ち上げた企業に加え、村の理念に共感した移住者が集まり、森林関連以外の起業も増えている（事例 特−10）。

（エ）政府の役割
（政府全体の取組）

我が国においては、SDGsを推進するため、平成28（2016）年5月、内閣総理大臣を本部長とする「SDGs推進本部」を設置し、同年12月に「持続可能な開発目標（SDGs）実施指針」（以下「実施指針」という。）を決定した。これ以降、この実施指針に基づき国内外の施策を推進することとされ、平成29（2017）年12月に具体的な施策を記載した「SDGsアクションプラン」を策定し、森林関係についても、林業の成長産業化と森林の多面的機能の発揮に向け、森林・林業・木材産業に関わる様々な施策が記載された。その後、SDGsアクションプランは定期

事例 特−10 **森林を中心とした村づくりにより、起業・移住者が増加する西粟倉村**

岡山県西粟倉村は、村の面積の約93％を森林が占める山村である。西粟倉村では、平成18（2006）年以降、村内に35のベンチャー企業が生まれており、令和2（2020）年3月現在、1,443名の人口に対し、移住者とその子供がその1割を占めるまでになっている。

ベンチャー企業の第一号は、平成18（2006）年に村の若者が設立した、素材生産と木工品を手がける株式会社木の里工房木薫である。こうした動きも受け、村では「百年の森林構想」を平成20（2008）年に打ち出し、村全体で森林の整備や間伐材の利用を進め、手入れされた美しい森を作ることに力を入れ始めた。

そのための森林整備については、村が森林所有者と長期施業管理契約を締結し、所有者から森林を預かった上で、百年の森林事業の専門組織である株式会社百森へ管理・経営を再委託することで実施している。間伐に用いる林業機械の購入には、1口5万円から出資を募った「共有の森ファンド」が活用されている。このファンドの出資者に対しては、村の応援団になってもらうよう、村へのツアー等も行われた。

間伐材の利用に向けては、平成21（2009）年に、家具や内装材として加工する株式会社西粟倉・森の学校を第三セクターとして設立した。森の学校は、一般消費者が気軽に日本の森で育った木材を暮らしに取り入れられるように商品開発に力を入れており、女性でも簡単に敷き詰めることができる床板（ユカハリ・タイル）等をこれまでに開発・販売している。

このような森林を中心とした村づくりという理念に共感した移住者により、木工品製造等の起業が続いているほか、平成27（2015）年には起業支援等の事業を行うエーゼロ株式会社が設立される等、森林関連以外の起業も増えている。今後も森林を中心に様々な取組が続くことが期待される。

西粟倉村内のベンチャー企業による木工品

---

*90　平成22（2010）年〜平成27（2015）年の社会増減率は1.17％。

資料 特−25　SDGsに貢献する森林・林業施策

的に更新されるとともに、実施指針についても令和元（2019）年12月に見直しが行われ、今後も４年ごとに見直しを行うこととしている。

SDGsでは各ステークホルダーの取組が重要であり、広報・啓発を重視している。そのため、平成29（2017）年12月から「ジャパンSDGsアワード」を、また、平成30（2018）年６月から「SDGs未来都市」及び「自治体SDGsモデル事業」をそれぞれ選定し、SDGsの具体的な活動の「見える化」及び後押しに努めてきた。「ジャパンSDGsアワード」の第１回「SDGs推進本部長（内閣総理大臣）表彰」には北海道下川町^{しもかわちょう}が選定され、「SDGs未来都市」としては平成30（2018）年と令和元（2019）年に合わせて60都市が選定されており、その中には、本章で紹介した下川町^{しもかわちょう}や岡山県真庭市^{まにわ}、西粟倉村^{にしあわくらそん}のほか、未利用の間伐材等を活用して熱や発電利用に取

り組む熊本県小国町^{おぐにまち}等の森林を活用する市町村も含まれている。

また、経済産業省や環境省など各省において、企業がSDGsに取り組むためのガイドを作成しているほか^{*91}、国土交通省においても、地方公共団体向けのガイドラインを作成している^{*92}。

（森林・林業・木材産業分野における施策）

林野庁は、森林の多面的機能を持続的に発揮させ、循環型資源である木材を将来にわたって供給するため、SDGsアクションプラン等も踏まえ、SDGsの様々な目標に関わる施策を実行している（資料 特−25）。

民有林については、森林整備を支援するとともに、適切な森林の整備・保全を進め、過度の伐採が行われないよう、森林計画制度や保安林制度を整備しており、森林の伐採や開発についても規制している（詳

---

*91　経済産業省「SDGs経営ガイド」、環境省「すべての企業が持続的に発展するために−持続可能な開発目標（SDGs）活用ガイド」
*92　国土交通省「私たちのまちにとってのSDGs（持続可能な開発目標）−導入のためのガイドライン−」

細については、第Ⅰ章（56-60、78-79ページ）参照）。

また、令和元（2019）年度から森林経営管理制度が始まったところであり、森林環境譲与税も活用しつつ市町村が主体となった森林整備等を推進している（詳細については、トピックス1（44-45ページ）、第Ⅰ章（60-67ページ）参照）。

頻発する豪雨等に対しては、森林整備に加え、治山施設の設置等の治山対策により、森林の持つ山地災害防止機能が発揮されるよう努めている（詳細については、第Ⅰ章（79-83ページ）参照）。

持続可能な森林の経営を確立するためには森林整備の低コスト化が重要であり、林道や作業道等の路網の整備等を進めている。また、新技術も活用したイノベーションの取組が重要であり、ICTを活用したスマート林業、早生樹等の利用拡大、自動化機械や木質系新素材の開発も推進している（詳細については、トピックス4（48-49ページ）、第Ⅱ章（124-140ページ）参照）。

林業労働力の確保に向けては、「緑の雇用」等による新規就業者の確保・育成を支援していることに加えて、女性の参入支援を実施している（詳細については、第Ⅱ章（117-124ページ）参照）。

木材の利用の拡大に向けては、需要を喚起するとともに、これまで木材が使われていなかった分野で木材を利用していくための技術開発も必要であることから、例えば、中高層建築物における木材利用拡大を目的としたCLT（直交集成板）や木質耐火部材の技術開発や、様々な製品への展開が期待されている改質リグニン等への技術開発を支援している（詳細については、第Ⅲ章（169-213ページ）参照）。

また、世界自然遺産等の森林の保護・管理も推進している。さらに、気候変動対策については、森林整備の推進やバイオマスエネルギーの利用に加え、森林吸収量の算定に必要なデータの収集・分析[93]等を行っている（詳細については、第Ⅰ章（83-85、99-102ページ）参照）。

我が国の森林面積の約3割を占める国有林においても森林の公益的機能が発揮されることを重視し、森林の整備・保全に努めている。また、民有林とも連携した効率的な施業や、低コスト化に向けた技術の実証・普及、木材の安定供給など、林業・木材産業の成長産業化に貢献する取組も推進している（詳細については第Ⅳ章（215-237ページ）参照）。

また、森林の多面的機能は広く国民が享受しており、この機能を維持するための森林整備には、木材の販売費用等に加え、国及び地方公共団体の予算や寄附等を通じ、社会全体で負担されている。今後も森林整備を続けていくためには、国民全体の理解が重要であり、民間の様々な関係者と連携し、国民参加による森林づくりや木材利用の促進、森林・木材利用への理解の促進に努めている（詳細については、第Ⅰ章（73-77ページ）、第Ⅲ章（174-197ページ）参照）。

さらに、世界における持続可能な森林経営の推進及びSDGsの実現を図るため、海外の森林に対しても、我が国は技術協力や資金協力を通じた二国間協力、ITTOやFAO等国際専門機関への資金拠出や人材の派遣、国際対話等の多国間協力、持続可能な森林経営の実現に向けた研究・調査等、我が国の知見や人材を活用した開発途上地域への森林分野での協力を実施している（詳細については、第Ⅰ章（92-105ページ）参照）。

*93　森林吸収源インベントリ情報整備事業

トピックス

トピックス

1．森林経営管理制度、森林環境譲与税のスタート及び国有林野管理経営法の改正

　国内の森林は、戦後、高度経済成長期にかけて植栽された人工林が大きく育ち、木材として利用可能な時期を迎え、「伐って、使って、植える」という森林を循環的に利用していく新たな時代に突入しました。

　このような中、林業の成長産業化の実現と森林資源の適正な管理の両立を図っていくことを目指し、平成31（2019）年4月1日に「森林経営管理法[*1]」が施行され、森林経営管理制度がスタートしました。

　森林経営管理制度は、経営や管理が適切に行われていない森林について、市町村が仲介役となり森林所有者と「林業経営者[*2]」をつなぐ仕組みを構築し、林業経営に適した森林の経営管理を林業経営者に集積・集約化するとともに、林業経営に適さない森林については、市町村が自ら経営管理を行っていくものです。また、平成31（2019）年3月には、「森林環境税及び森林環境譲与税に関する法律[*3]」が成立し、森林整備等の新たな財源として、同年9月より全ての市町村と都道府県に対する森林環境譲与税の譲与が始まりました。さらに、近年、自然災害による甚大な被害が発生しており、災害防止等の観点からも森林整備の推進が喫緊の課題となっていること等を踏まえ、令和2（2020）年度から令和6（2024）年度の各年度における森林環境譲与税の譲与額を前倒しで増額することとなりました。森林経営管理制度と併せて、森林環境譲与税を活用することで、これまで手を入れることができなかった森林の整備等が進展することが期待されます。

　森林経営管理制度の初年度にあたる令和元（2019）年度から、森林の経営管理の状況や今後の意向を森林所有者に確認する意向調査の実施を中心に、各地で地域の実情に応じた取組が展開されつつあります。令和元（2019）年6月には、埼玉県秩父市が全国初となる経営管理権集積計画（2件、3.88ha）を公告し、市が森林所有者から森林の経営管理を行う権利（経営管理権）を取得しました。既に、林業経営に適した森林については林業経営者への再委託（経営管理実施権の設定）が行われ、林業経営に適さない森林については森林環境譲与税を活用した森林整備が行われています。また、秩父地域では、秩父市が中心となって、1市4町（秩父市、横瀬町、皆野町、長瀞町、小鹿野町）、県、森林組合、木材協同組合等からなる「秩父地域森林林業活性化協議会」を活用し、森林経営管理制度に係る取組等を進めています。

秩父地域における森林経営管理制度の推進体制

集約化推進室の設置（秩父市）

---

*1　「森林経営管理法」（平成30年法律第35号）。森林経営管理法について詳しくは、第Ⅰ章第1節（3）60-64ページ参照。
*2　「森林経営管理法」第37条第2項の規定に基づき、経営管理実施権の設定を受けた者。
*3　「森林環境税及び森林環境譲与税に関する法律」（平成31年法律第3号）。森林環境税及び森林環境譲与税について詳しくは、第Ⅰ章第1節（3）65-67ページ参照。

このほかの市町村においても、森林環境譲与税を活用した森林整備が始まっています。兵庫県養父市では、森林組合と連携し、経営管理の委託を希望する森林所有者から申出をしてもらうことで、市が経営管理権を取得し、森林環境譲与税を使った間伐に新たに取り組んでいます。和歌山県かつらぎ町では、独自の補助制度を創設し、木材搬出が困難な森林での間伐や災害等で不通となった作業道の復旧等について支援することで、間伐等を進めています。

また、都道府県においても、森林環境譲与税を活用した市町村支援等に取り組んでいます。島根県では、新たに「森林経営推進センター」を設立し、県内市町村における森林整備に係る技術的な業務を効率的にサポートしています。

林野庁では、森林経営管理制度や森林環境譲与税を活用した森林整備等が円滑に進むよう、取組の中心を担っていく市町村の実施体制の確保に向け、地域林政アドバイザー制度の活用による林業技術者の確保や、実務研修の実施による林務担当者の育成等を通じて、市町村の支援に取り組んでいます。

森林環境譲与税を活用した森林整備
（和歌山県かつらぎ町）

さらに、森林経営管理制度の要となる林業経営者の育成を後押しする新たな仕組みとして、令和元（2019）年6月5日に「国有林野の管理経営に関する法律等の一部を改正する法律＊4」が成立し、令和2（2020）年4月から施行されることとなり、国有林野の一定区域において、木材需要者と連携した上で、一定期間・安定的に樹木を採取できる「樹木採取権制度」が創設されました。

樹木採取権の設定を受けた者（樹木採取権者）は、樹木採取区として指定された国有林野に生育している樹木を、一定期間、安定的に採取することが可能となり、長期的な事業の見通しを立てられることで、計画的な雇用や林業機械の導入が進展し、経営基盤の強化につながることが期待されています。また、樹木の採取跡地における植栽については、従来どおり国が確実に実施しますが、採取と植栽を一体的に行うことが効率的であるため、樹木採取権者が伐採と併せて植栽の作業を行う仕組みとしています。

民有林における森林経営管理制度及び森林環境譲与税に加えて、国有林における樹木採取権制度を活用しながら、森林整備が適切に進展するよう林野庁としても後押ししていきます。

国有林野の管理経営に関する法律等の一部を改正する法律の概要

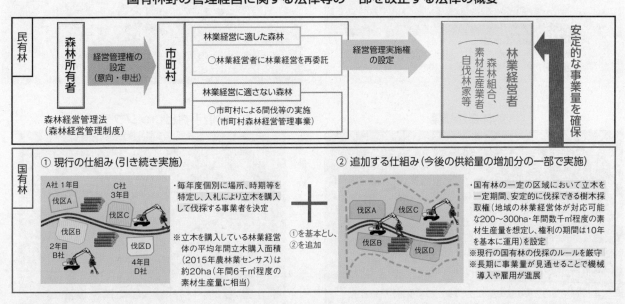

＊4　「国有林野の管理経営に関する法律等の一部を改正する法律」（令和元年法律第31号）

トピックス

2. 東京オリンピック・パラリンピック競技会場等における木材利用

　東京オリンピック・パラリンピック競技大会に向けて建設された競技会場等では、全国各地から調達された木材がふんだんに利用されていますので、御紹介します。

　本大会のメインスタジアムとなる国立競技場は、「杜のスタジアム」というコンセプトの下、約2,000㎥の木材が使われ、観客席に大きく張り出した屋根構造に鉄骨と木材を組み合わせたハイブリッド構造を用いることで、観客席からも木材が見えるように造られています。また、スタジアムの周囲の軒庇には、全国47都道府県から調達したスギ（沖縄県はリュウキュウマツ）が使われています。

　メディアを通じて多くの人の目に触れる選手村ビレッジプラザは、日本の伝統・文化が感じられるよう木材の利用をコンセプトにし、約1,300㎥の木材が使われています。「日本の木材活用リレー　〜みんなで作る選手村ビレッジプラザ〜」の呼びかけに応じて、63の地方公共団体から提供された木材は、大会終了後に各地に返却され、レガシーとして公共施設などで活用される予定です。

　体操競技等の会場となる有明体操競技場では、アーチ状の屋根の大梁にカラマツ、観客席や外装の庇にスギを使うことにより、木の香りに包まれた大空間を構成し、新設の施設の中で最も多い約2,300㎥の木材が使用されています。

　また、これらの競技会場等については、それぞれの整備主体が定める調達基準により、森林認証材等の合法性や持続可能性に配慮した木材が使用されています。

　本大会は、日本の木の文化の素晴らしさやその技術力を国内外に発信し、木材利用の機運を醸成するまたとない機会であるとともに、持続可能な森林経営や森林認証材への理解を進める契機になることが期待されています。

国立競技場 （写真提供：独立行政法人日本スポーツ振興センター）

スタジアム周囲の軒庇には、全国47都道府県から調達した木材を使用（最上部は木調のアルミ材）

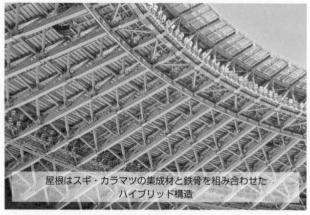

屋根はスギ・カラマツの集成材と鉄骨を組み合わせたハイブリッド構造

有明体操競技場

全長約90mのアーチ状の屋根の大梁にカラマツ約1,500m³が、観客席や外装の庇にスギが約800㎥使われている

Photo by Tokyo 2020 / Uta MUKUO

選手村ビレッジプラザ

63の地方公共団体から提供された地域材により、「日本の伝統文化が感じられる木造」をコンセプトに建設

トピックス

3．中高層建築物等の木造化・木質化に向けた動き

　日本の人工林が利用期を迎えており、木材の利用を促進し、「伐って、使って、植える」という資源の循環利用を進めることが重要となってきています。また、国連において持続可能な開発目標（SDGs）が採択され、我が国も含め世界各国でこれに向けた取組が進められるなど、持続可能な社会の実現が求められる中で、環境にやさしい素材として木材が改めて注目されています。このような中、我が国においても、森林・林業・木材産業関係者のみならず、建築物の施主など需要者側にも、木材利用に対する気運が高まってきています。

　林野庁では、平成31（2019）年2月から、建設事業者、設計事業者や実際にこれらの建築物の施主となる企業が一堂に会した「ウッド・チェンジ・ネットワーク」を開催し、木材利用に関する課題の特定や解決方法を協議・検討することで、民間分野での木材利用を広げていく新たな取組を進めています。また、令和元（2019）年5月には、森林・林業・木材産業関係団体や建設業関係団体等からなる「森林を活かす都市の木造化推進協議会」が設立され、これまで木材があまり使われてこなかった都市部の木造化・木質化に向けた意見交換等が行われています。さらに、令和元（2019）年11月には、公益社団法人経済同友会が中心となって、44の各地経済同友会、41都道府県、48市町村、153の企業・団体、35の森林組合が参加し、国産材の利用拡大を目指すネットワーク組織「木材利用推進全国会議」が設立されました。

　政府においても、「パリ協定に基づく成長戦略としての長期戦略」（令和元（2019）年6月11日閣議決定）や「バイオ戦略2019」（令和元（2019）年6月11日統合イノベーション戦略推進会議決定）の中で、建築物への木材利用を明確に位置付けしつつ、関連する取組を進めているところです。

　このような社会的な気運の高まりもあり、全国各地で木造の中高層建築物等の事例も増えてきており、都市部でも3〜5階建ての事務所ビルや商業施設が木造で建設されているほか、積極的に木質化に取り組む動きもみられます。令和2（2020）年2月には、木質部材を柱や床等の構造部分に使用した12階建ての共同住宅も建設されました。

　林野庁としても、優良事例の普及展開や設計者への支援、供給者側と需要者側のネットワークの構築への支援等を通じて、ますます中高層建築物等への更なる木材利用の拡大に向けて後押ししていきます。

allée de JINGUMAE
（東京都渋谷区）
（令和元年度木材利用優良施設
コンクール受賞施設）

建物の一部を木造化した12階建て共同住宅
「FLATS WOODS 木場」（東京都江東区）
（写真提供：株式会社竹中工務店 設計部）

神田明神文化交流館EDOCCO
（東京都千代田区）
（ウッドデザイン賞2019特別賞受賞施設）

４．スマート林業のフル活用を始めとした「林業イノベーション」の推進

　我が国における人口減少・少子高齢化の急速な進展は、これまで世界的にも前例がないものであり、我が国の経済・社会が直面する最大の壁となっています。特に、林業が営まれている山村地域では、若年層を中心に人口の流出が著しく、過疎化や高齢化が更に進み、所有者が不明な森林の増加や林業労働力の不足といった問題が顕在化しています。山村地域に人が住み続け、森林を育てることができるよう、林業の成長産業化を図ることが重要です。しかし、日本の厳しい地形条件、夏場の下刈りなどに起因する「きつい・危険・高コスト」の３Ｋ林業といった現状や、記憶・経験に頼る作業が多いことなど、労働生産性の低さや労働災害発生率の高さといった林業特有の課題が生じています。

　このような状況の中、政府は、「経済財政運営と改革の基本方針2019〜『令和』新時代：『Society 5.0』への挑戦〜」（令和元（2019）年６月21日閣議決定）において、課題先進国として課題解決のモデルを提供し、世界をリードしていくよう、具体的な施策を含めた先端技術の活用に取り組むこととしています。また、林野庁では、同年12月に林業イノベーション現場実装推進プログラムを策定しました。これらに基づき、林業・木材産業の成長産業化に向けた、セルロースナノファイバー（CNF）の研究開発、高精度な資源情報を活用した森林管理、AIを組み込んだ自動化機械の開発、情報通信技術（以下「ICT」という。）による木材の生産管理等によるスマート林業等の「林業イノベーション」を推進することとしています。

　林野庁では、平成30（2018）年度からICT等の先進的な技術を現場レベルで活用する実践的取組を支援し、各実践地域の３年間の事業計画に基づいて、スマート林業の構築を推進しています。各実践地域においては、航空レーザ計測等による森林資源や森林境界の把握、路網設計支援ソフトの導入、スマートフォンを活用した木材検収システムの活用、ICT生産管理システムの開発、クラウドを活用した需給マッチング支援システムの構築等の様々な取組が進められています。これらのICTを活用した地域の取組を引き続き支援し成果の普及を図るとともに、リモートセンシング技術を活用した造林手法の実践や、国有林のフィールドを活用した先進的な技術の実証・導入を図ります。また、造林から収穫までを一代で可能とし造林投資の早期回収が期待できる、成長に優れた早生樹やエリートツリーの利用拡大、生産性や安全性の向上を目指す伐採等の無人化・自動化に向けた機械の開発や、林業の枠を超え、化石燃料由来のプラスチックを代替できる改質リグニンなど木材の新たな需要を創出する木質系新素材の開発等を推進します。

　スマート林業のフル活用を始めとする、これらの「林業イノベーション」の取組を通じ、デジタル管理・ICTを駆使した林業、安全で高効率な自動化機械による林業、造林コストが低く収穫サイクルが短い林業を定着させることを目指します。将来的には、スマート林業等の導入による林業収益性の飛躍的な向上や、自動化機械により伐採等の危険な作業を根絶することで、３Ｋ林業のイメージを払拭し、林業を若者や女性にとって魅力ある産業にしていきます。

林業イノベーションの展開方向

伐採・搬出、造林及び木材利用の課題に対応して、技術開発、データ環境整備及び実証・普及を一体的に進める

Point1 デジタル化した森林情報の活用

- レーザ計測、ドローン等を使用し、資源・境界情報をデジタル化
- 路網を効率的に整備・管理

航空レーザ計測

境界情報管理

ICT 生産管理の推進 Point2

- 木材の生産管理に IT を導入
- 木材生産の進捗管理を効率的に運営

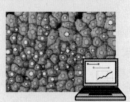
IT資源情報管理

IT生産進捗管理

Point4 早生樹等の利用拡大

林業の時間軸を変える
早く育てて収穫できる林業の実現

エリートツリー、コウヨウザンなどの早生樹の活用

主伐
間伐
間伐
地拵
植栽
下刈

Point3

林業機械の自動化

- 伐採・搬出を自動化し、生産性をアップ
- 自動化により危険な作業を根絶

自動伐採

自動運搬

先進的造林技術の導入・実践

- 一貫作業、低密度植栽、ドローン等で、省力化・軽労化し、コストも削減
- 夏場の過酷な下刈り作業から解放

ドローン荷役

コンテナ苗

歩行アシスト

Point5 木質系新素材の開発・普及

- 従来の木材利用に加え、改質リグニン、セルロースナノファイバー等の新たな利用を推進
- プラスチック代替製品として身近に利用

改質リグニン

ボンネットなどに
改質リグニンを利用

収益性の飛躍的向上
３Ｋ林業のイメージを払拭

林業を若者や女性にとって魅力ある産業へ

トピックス

5．令和元年房総半島台風、令和元年東日本台風による森林被害や山地災害等への対応

　令和元（2019）年度は、9月の「令和元年房総半島台風（台風第15号）」、10月の「令和元年東日本台風（台風第19号）」等により、東日本を中心に広い範囲で記録的な強風や大雨に見舞われました。被害は38都道府県に及び、特に人的被害は、死者102名、行方不明者3名を数えました。

　これらの台風は林野関係でも大きな被害をもたらし、「令和元年房総半島台風」では、千葉県千葉市で最大瞬間風速57.5m／秒を観測するなど、強風により千葉県を中心に風倒による森林被害639haが発生し、これを含めた林野関係被害額[*5]は約39億円になりました。このほか、送配電線沿いの樹木が倒れたこと等による長期停電も発生しました。

　また、「令和元年東日本台風」等では、東北、関東甲信越地域を中心に記録的な豪雨となり、各地で山崩れ等の山地災害が多数発生し、林道施設も大きな被害を受けました。林野関係の被害は林地荒廃1,256か所、林道施設等1万886か所となり、林野関係被害額は約805億円と甚大な被害が発生しました。

　これらの台風による災害への対応として、林野庁では災害発生直後から、大規模な被害が発生した各地域において、被災県等と合同でのヘリコプターによる被害調査を延べ35回実施するとともに、現地に災害対策現地情報連絡員（リエゾン）・災害復旧支援のための技術系職員（MAFF-SAT）として延べ803人を派遣し、被災地における被害状況の把握や災害復旧に向けた調査・設計等の技術的支援を行いました。特に被害の大きかった宮城県に対しては、県からの要請を受け、民有林の災害復旧事業に向けた支援を実施するため、東北森林管理局を中心に職員を派遣しました。また、被災された農林漁業者の経営再建に向けた総合的な対策である「農林水産関係被害への支援対策」として、治山事業や森林整備事業による被災山林の早期復旧や、木材加工流通施設や特用林産振興施設等の復旧支援を行うとともに、被災した各都県や市町村へ復旧に向けた情報提供を行いました。

　今後とも、林野庁では、被災箇所の早期復旧を進めるとともに、事前防災・減災に向けた治山対策や森林整備を推進し、地域の安全・安心の確保に貢献する「緑の国土強靱化」に取り組んでまいります。

令和元年房総半島台風による被災状況

強風による倒木

千葉県山武市

林野庁職員による技術的支援

林道被害状況の調査

宮城県登米市

令和元年東日本台風による被災状況

大雨による無数の山崩れ

宮城県丸森町

異常な降雨による舗装路面の洗掘

静岡県富士市

[*5]　林野関係被害額は、林地荒廃（山崩れ等）や森林被害（風倒木等）とともに、治山施設や林道施設、木材加工・流通施設、特用林産施設等、施設災害の金額の合計。

トピックス

6.「農林水産祭」における天皇杯等三賞の授与

　林業・木材産業の活性化に向けて、全国で様々な先進的な取組がみられます。このうち、特に内容が優れていて、広く社会の賞賛に値するものについては、毎年、秋に開催される「農林水産祭」において、天皇杯等三賞が授与されています。ここでは、令和元（2019）年度の受賞者（林産部門）を紹介します。

天皇杯　　　　　　出品財：技術・ほ場（苗ほ）

谷口 洋一郎 氏　**谷口 希子** 氏　　北海道川上郡標茶町（かわかみ）（しべちゃちょう）

　谷口氏は、有限会社谷口山林種苗農園の代表取締役として、北海道の造林樹種であるカラマツ、トドマツを中心に年間70万本の規模の生産を行い、釧路管内の約7割を占める苗木の生産を行っています。苗畑を標茶町と弟子屈町（てしかがちょう）に有し、気候が違う各々の苗畑で樹種や季節に合わせて苗を移動させ床替えすることで気象害を防止するなど、地域に適した育苗を実践しています。また、新たな造林樹種として期待されるクリーンラーチ[*6]の苗木の生産を早期に行い、平成30（2018）年からは地域に適した品種育成のため、採種園を造成しました。同種苗農園の就労者は約6割が女性で、女性が働きやすい環境整備を図りながら、「地元の種を地元で植えて、地元の森を育てる」という夢に向けて挑戦を続けています。

内閣総理大臣賞　　　　　出品財：産物（きのこ類）

芳賀 隆 氏　**芳賀 幸子** 氏　　岩手県下閉伊郡山田町（しもへい）（やまだまち）

　芳賀氏は、東京電力福島第一原子力発電所事故の影響からの産地回復を目標に、栽培管理を徹底し、安全・安心な乾しいたけ生産に取り組んでいます。露地栽培とハウス栽培を組み合わせた、気象条件に左右されにくい独自のしいたけ栽培技術を確立し、冬期はハウス栽培を活用して品質の高い乾しいたけを生産しています。さらに、幸子夫人は、道の駅やデパート等で、消費者と対面で栽培方法や品質の良さ等を丁寧に説明し、販路拡大に努めています。原発事故に伴うほだ木の廃棄や風評被害等の影響を受けながらも、生産の回復と経営の向上に取り組み、全国規模の品評会で連続して賞を受賞するなど、しいたけ産地の再生や地域の活性化のモデルとしてさらなる活躍が期待されています。

日本農林漁業振興会会長賞　　出品財：経営（林業経営）

須藤 義朗 氏　　栃木県大田原市（おおたわら）

　須藤氏は、約200年前に林業経営を始めた先祖から数えて5代目に当たり、所有山林の集約化や路網整備を先祖代々積極的に行ってきました。長尺材や大径材の出荷とともに、葉枯材（はがらしざい）[*7]のような高付加価値材の生産を行っており、木目が均一で赤みが美しく、優良材と評価される「八溝材」（やみぞざい）のブランド力の向上に貢献しています。さらに、大田原市森林組合の代表理事組合長として地域をけん引し、高効率作業システムの構築や人材育成に力を入れ、森林組合の経営改善にも取り組んできました。現在も次世代を育てる地域林業の指導者として、地元の高校生や小学生に対する体験イベントの継続的な実施等を行っています。

---

*6　グイマツ精英樹とカラマツ精英樹の交配品種で、成長が良く、野ネズミ食害に強い。
*7　伐倒後、枝葉を付けたまま一定期間林内に残置して天然乾燥させた木材。

富山県黒部市

森林の整備・保全

　森林の有する多面的機能を持続的に発揮していくためには、間伐、伐採後の再造林等の森林整備を推進するとともに、保安林の計画的な配備、治山対策、野生鳥獣被害対策等により森林の適切な管理及び保全を推進する必要がある。また、国際的課題への対応として、持続可能な森林経営の推進、地球温暖化対策等が進められている。

　本章では、森林の適正な整備・保全の推進、森林整備及び森林保全の動向や、森林に関する国際的な取組について記述する。

1. 森林の適正な整備・保全の推進

　森林は、国土の保全、水源の涵養、地球温暖化の防止、木材を始めとする林産物の供給等の多面的機能を有しており、国民生活及び国民経済に大きく貢献している。このような機能を持続的に発揮していくためには、森林の適正な整備・保全を推進する必要がある。

　以下では、我が国の森林の状況や森林の有する多面的機能を紹介した上で、森林の適正な整備・保全のための制度、研究・技術開発及び普及の体制等について記述する。

（1）我が国の森林の状況と多面的機能

（我が国の森林の状況）

　我が国の森林面積はほぼ横ばいで推移しており、平成29（2017）年3月末現在で2,505万haであり、国土面積3,780万ha[*1]のうち約3分の2が森林となっている。

　我が国の森林面積のうち約4割に相当する1,020万haは人工林で、終戦直後や高度経済成長期に伐採跡地に造林されたものが多くを占めており、その半数が一般的な主伐期である50年生を超え、本格的な利用期を迎えている（資料Ⅰ-1）。人工林の主要樹種の面積構成比は、スギが44%、ヒノキが25%、カラマツが10%、マツ類（アカマツ、クロマツ、リュウキュウマツ）が8%、トドマツが8%、広葉樹が3%となっている。

　我が国の森林蓄積は人工林を中心に年々増加してきており、平成29（2017）年3月末現在で約52億㎥となっている。このうち人工林が約33億㎥と約6割を占める（資料Ⅰ-2）。

　所有形態別にみると、森林面積の57%が私有林、12%が公有林、31%が国有林となっている（資料Ⅰ-3）。また、人工林に占める私有林の割合は、総人工林面積の65%、総人工林蓄積の72%と、その大半を占めている。

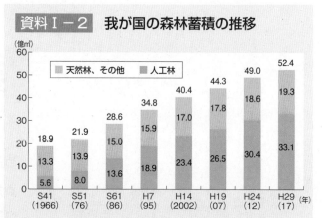

資料Ⅰ-2　我が国の森林蓄積の推移

注：1966年は1966年度、1976〜2017年は各年3月31日現在の数値。
資料：林野庁「森林資源の現況」

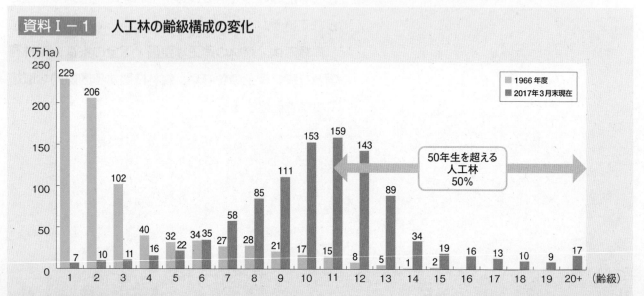

資料Ⅰ-1　人工林の齢級構成の変化

注：齢級は、林齢を5年の幅でくくった単位。苗木を植栽した年を1年生として、1〜5年生を「1齢級」と数える。
資料：林野庁「森林資源の現況」（平成29（2017）年3月31日現在）、林野庁「日本の森林資源」（昭和43（1968）年4月）

*1　国土地理院「令和元年全国都道府県市区町村別面積調」（令和元（2019）年10月1日現在）による。

（森林の多面的機能）

　我が国の森林は、様々な働きを通じて国民生活の安定向上と国民経済の健全な発展に寄与しており、これらの働きは「森林の有する多面的機能*2」と呼ばれている（資料Ⅰ-4）。

　森林は、樹冠により降水を遮断するとともに、表土が下草、低木等の植生や落葉落枝により覆われることで、雨水等による土壌の侵食や流出を防ぐ。また、樹木の根が土砂や岩石等を固定することで、土砂の崩壊を防いでいる（山地災害防止機能／土壌保全機能）。

　森林は、降水を樹冠や下層植生で受け止め、その一部を蒸発させた後、土壌に蓄える。森林の土壌は、隙間に水を蓄え、徐々に地中深く浸透させて地下水として涵養するとともに、時間をかけて河川へ送り出しており、これにより洪水を緩和するとともに、水質を浄化している（水源涵養機能）。

　二酸化炭素は主要な温室効果ガスであり、人間活動によるこれらの排出が地球温暖化の支配的な要因となっている。森林の樹木は、大気中の二酸化炭素を吸収し、炭素を貯蔵することにより、地球温暖化防止にも貢献している（地球環境保全機能）。具体的には、36～40年生のスギ約510本分の１年間の吸収量は、平成29（2017）年度における家庭からの１世帯当たりの年間排出量約4,480kgに相当すると試算される（資料Ⅰ-5）。

　また、森林は木材やきのこ等の林産物を産出し（木材等生産機能）、史跡や名勝等と一体となって文化的価値のある景観や歴史的風致を構成したり、文化財等に必要な用材等を供給したりする（文化機能）。自然環境の保全も森林が有する重要な機能で

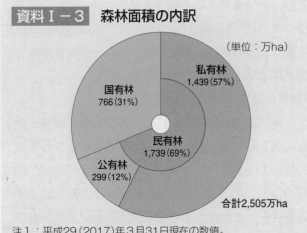

資料Ⅰ-3　森林面積の内訳

（単位：万ha）

私有林 1,439（57%）
国有林 766（31%）
民有林 1,739（69%）
公有林 299（12%）

合計2,505万ha

注１：平成29（2017）年３月31日現在の数値。
　２：計の不一致は四捨五入による。
資料：林野庁「森林資源の現況」

資料Ⅰ-4　森林の有する多面的機能

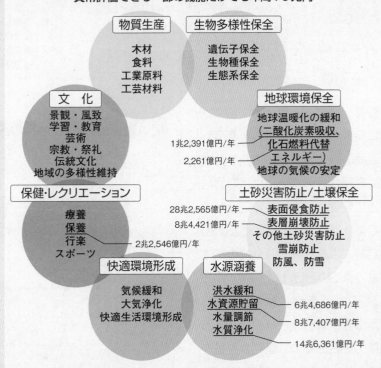

貨幣評価できる一部の機能だけでも年間70兆円

物質生産
木材
食料
工業原料
工芸材料

生物多様性保全
遺伝子保全
生物種保全
生態系保全

文化
景観・風致
学習・教育
芸術
宗教・祭礼
伝統文化
地域の多様性維持

地球環境保全
地球温暖化の緩和
（二酸化炭素吸収、
化石燃料代替
エネルギー）
地球の気候の安定
1兆2,391億円/年
2,261億円/年

保健・レクリエーション
療養
保養
行楽
スポーツ

土砂災害防止/土壌保全
表面侵食防止　28兆2,565億円/年
表層崩壊防止　8兆4,421億円/年
その他土砂災害防止
雪崩防止
防風、防雪

2兆2,546億円/年

快適環境形成
気候緩和
大気浄化
快適生活環境形成

水源涵養
洪水緩和
水資源貯留　6兆4,686億円/年
水量調節
水質浄化　8兆7,407億円/年

14兆6,361億円/年

注１：貨幣評価額は、機能によって評価方法が異なっている。また、評価されている機能は、多面的機能全体のうち一部の機能にすぎない。
　２：いずれの評価方法も、「森林がないと仮定した場合と現存する森林を比較する」など一定の仮定の範囲においての数字であり、少なくともこの程度には見積もられるといった試算の範疇を出ない数字であるなど、その適用に当たっては細心の注意が必要である。
　３：物質生産機能については、物質を森林生態系から取り出す必要があり、一時的にせよ環境保全機能等を損なうおそれがあることから、答申では評価されていない。
　４：貨幣評価額は、評価時の貨幣価値による表記である。
　５：国内の森林について評価している。
資料：日本学術会議答申「地球環境・人間生活にかかわる農業及び森林の多面的な機能の評価について」及び同関連付属資料（平成13（2001）年11月）

*2　森林の多面的機能について詳しくは、「平成25年度森林及び林業の動向」第Ⅰ章第１節（1）-（2）9-18ページを参照。

あり、希少種を含む多様な生物の生育・生息の場を提供する（生物多様性保全機能）。このほか森林には、快適な環境の形成、保健・レクリエーション活動の場となるなど様々な機能がある。

（森林の働きに対する国民の期待）

内閣府が令和元（2019）年に実施した「森林と生活に関する世論調査」において、森林の有する多面的機能のうち森林に期待する働きについて国民[3]に尋ねたところ、「山崩れや洪水などの災害を防止する働き」、「二酸化炭素を吸収することにより、地球温暖化防止に貢献する働き」、「水資源を蓄える働き」と回答した者の割合が高かった（資料Ⅰ－6）。

これらの期待に応えるよう、森林・林業施策は今後も、情勢の変化に応じた見直しを重ねつつ、森林計画制度の下で総合的かつ計画的に推進されていくこととなる。

（2）森林の適正な整備・保全のための森林計画制度

（「森林・林業基本計画」で森林・林業施策の基本的な方向を明示）

森林の有する多面的機能を持続的に発揮させるためには、森林を適正に整備し、保全することが重要であり、我が国では国、都道府県、市町村による森林計画制度の下で推進されている（資料Ⅰ－7）。

政府は、「森林・林業基本法」に基づき、森林及び林業に関する施策の総合的かつ計画的な推進を図るため、「森林・林業基本計画」を策定し、おおむね5年ごとに見直すこととされている[4]。直近では平成28（2016）年5月に変更が行われた。現行の基本計画は、本格的な利用期を迎えた森林資源を活かし、CLTや耐火部材等の開発・普及等による新たな木材需

資料Ⅰ－5　家庭からの二酸化炭素排出量とスギの二酸化炭素吸収量

約510本

吸収

CO_2 CO_2 CO_2 CO_2 CO_2 CO_2

自動車・暖房・給湯・照明・家電製品等からの排出

家庭からの二酸化炭素排出量（2017年度）は、1世帯当たり年間約4,480kg。

注：適切に手入れされている36～40年生のスギ人工林1haに1,000本の立木があると仮定した場合。
資料：温室効果ガスインベントリオフィス
　　　全国地球温暖化防止活動推進センターホームページ
　　　（http://www.jccca.org/）より

資料Ⅰ－6　森林に期待する役割の変遷

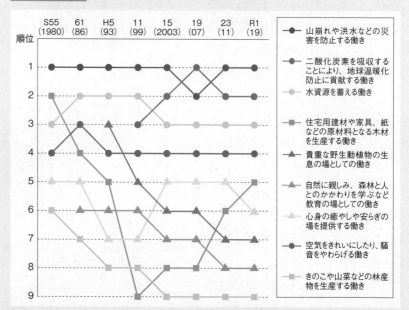

凡例：
- 山崩れや洪水などの災害を防止する働き
- 二酸化炭素を吸収することにより、地球温暖化防止に貢献する働き
- 水資源を蓄える働き
- 住宅用建材や家具、紙などの原材料となる木材を生産する働き
- 貴重な野生動植物の生息の場としての働き
- 自然に親しみ、森林と人とのかかわりを学ぶなど教育の場としての働き
- 心身の癒やしや安らぎの場を提供する働き
- 空気をきれいにしたり、騒音をやわらげる働き
- きのこや山菜などの林産物を生産する働き

注1：回答は、選択肢の中から3つを選ぶ複数回答である。
　2：選択肢は、特にない、わからない、その他を除き記載している。
資料：総理府「森林・林業に関する世論調査」（昭和55（1980）年）、「みどりと木に関する世論調査」（昭和61（1986）年）、「森林とみどりに関する世論調査」（平成5（1993）年）、「森林と生活に関する世論調査」（平成11（1999）年）、内閣府「森林と生活に関する世論調査」（平成15（2003）年、平成19（2007）年、平成23（2011）年、令和元（2019）年）を基に林野庁作成。

---

[3]　調査対象は、原則日本国籍を有する者3,000人。
[4]　「森林・林業基本法」（昭和39年法律第161号）第11条

要の創出と、主伐と再造林対策の強化や面的なまとまりをもった森林経営の促進等による国産材の安定供給体制の構築を進め、林業・木材産業の成長産業化を図るとともに、これらの取組等を通じて、地方創生への寄与を図るほか、地球温暖化防止等の公益的な機能の発揮を図る取組を推進することとしている。

また、同計画では、森林の整備・保全や林業・木材産業等の事業活動等の指針とするため、「森林の有する多面的機能の発揮」と「林産物の供給及び利用」に関する目標を設定している。

「森林の有する多面的機能の発揮」の目標としては、5年後、10年後及び20年後の目標とする森林の状態を提示しており、傾斜や林地生産力といった

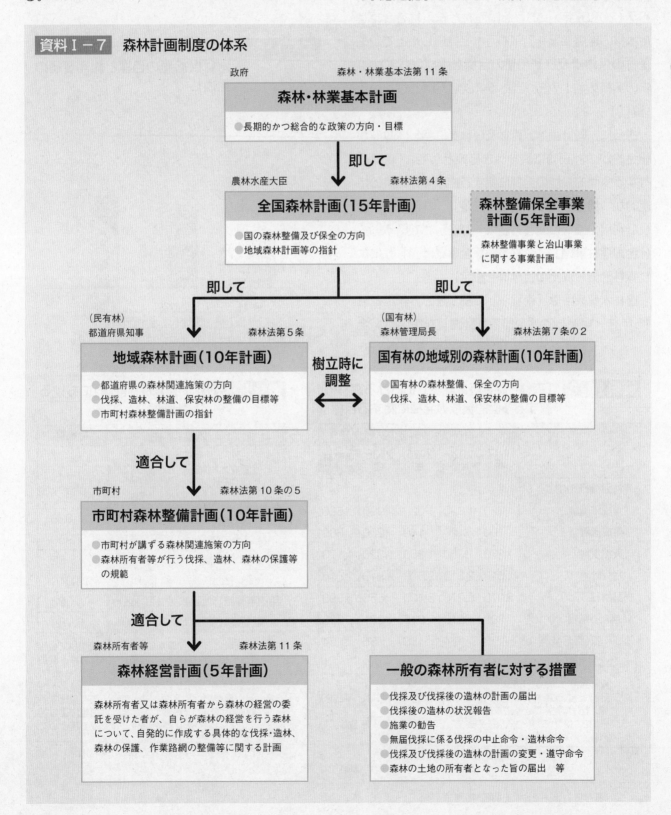

資料Ⅰ－7　森林計画制度の体系

政府　　　　　　　　　森林・林業基本法第11条
森林・林業基本計画
● 長期的かつ総合的な政策の方向・目標

即して

農林水産大臣　　　　　　森林法第4条
全国森林計画（15年計画）
● 国の森林整備及び保全の方向
● 地域森林計画等の指針

森林整備保全事業計画（5年計画）
森林整備事業と治山事業に関する事業計画

即して　　　　　　　　　　　　　即して

（民有林）
都道府県知事　　　　森林法第5条
地域森林計画（10年計画）
● 都道府県の森林関連施策の方向
● 伐採、造林、林道、保安林の整備の目標等
● 市町村森林整備計画の指針

樹立時に調整

（国有林）
森林管理局長　　　　森林法第7条の2
国有林の地域別の森林計画（10年計画）
● 国有林の森林整備、保全の方向
● 伐採、造林、林道、保安林の整備の目標等

適合して

市町村　　　　　　　森林法第10条の5
市町村森林整備計画（10年計画）
● 市町村が講ずる森林関連施策の方向
● 森林所有者等が行う伐採、造林、森林の保護等の規範

適合して

森林所有者等　　　　森林法第11条
森林経営計画（5年計画）
森林所有者又は森林所有者から森林の経営の委託を受けた者が、自らが森林の経営を行う森林について、自発的に作成する具体的な伐採・造林、森林の保護、作業路網の整備等に関する計画

一般の森林所有者に対する措置
● 伐採及び伐採後の造林の計画の届出
● 伐採後の造林の状況報告
● 施業の勧告
● 無届伐採に係る伐採の中止命令・造林命令
● 伐採及び伐採後の造林の計画の変更・遵守命令
● 森林の土地の所有者となった旨の届出　等

自然条件や集落等からの距離といった社会的条件の良い森林については、育成単層林として整備を進めるとともに、急斜面の森林又は林地生産力の低い育成単層林等については、公益的機能の一層の発揮を図るため、自然条件等を踏まえつつ育成複層林への誘導を推進することとしている（資料Ⅰ－8）。「林産物の供給及び利用」の目標としては、10年後（令和7（2025）年）における国産材と輸入材を合わせた木材の総需要量を7,900万㎥と見通した上で、国産材の供給量及び利用量の目標を平成26（2014）年の実績の約1.7倍に当たる4,000万㎥としている（資料Ⅰ－9）。

さらに、同計画は、森林及び林業に関し、政府が総合的かつ計画的に講ずべき施策として、「森林の有する多面的機能の発揮に関する施策」、「林業の持続的かつ健全な発展に関する施策」、「林産物の供給及び利用の確保に関する施策」等を定めている。（「全国森林計画」・「森林整備保全事業計画」等により森林整備・保全の目標等を設定）

農林水産大臣は「森林法」に基づき、5年ごとに15年を一期として「全国森林計画」を策定し、全国の森林を対象として、森林の整備及び保全の目標、伐採立木材積、造林面積等の計画量、施業の基準等を示すこととされている[5]。同計画は、「森林・林業基本計画」に即して策定され、都道府県知事が立てる「地域森林計画」等の指針となるものである。

平成30（2018）年10月には、令和元（2019）年度から令和15（2033）年度の15年間を計画期間と

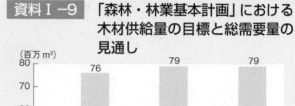

資料Ⅰ－9　「森林・林業基本計画」における木材供給量の目標と総需要量の見通し

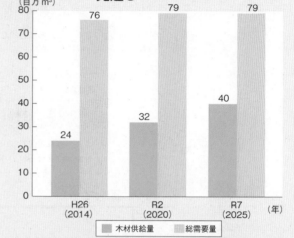

（百万㎥）

	H26（2014）	R2（2020）	R7（2025）
木材供給量	24	32	40
総需要量	76	79	79

資料：「森林・林業基本計画」（平成28（2016）年5月）

資料Ⅰ－8　「森林・林業基本計画」における森林の有する多面的機能の発揮に関する目標

	平成27（2015）年	目標とする森林の状態			（参考）指向する森林の状態
		2020年	2025年	2035年	
森林面積（万ha）					
育成単層林	1,030	1,020	1,020	990	660
育成複層林	100	120	140	200	680
天然生林	1,380	1,360	1,350	1,320	1,170
合　計	2,510	2,510	2,510	2,510	2,510
総蓄積（百万㎥）	5,070	5,270	5,400	5,550	5,590
ha当たり蓄積（㎥/ha）	202	210	215	221	223
総成長量（百万㎥/年）	70	64	58	55	54
ha当たり成長量（㎥/ha年）	2.8	2.5	2.3	2.2	2.1

注1：森林面積は、10万ha単位で四捨五入している。
　2：目標とする森林の状態及び指向する森林の状態は、平成27（2015）年を基準として算出している。
　3：平成27（2015）年の値は、平成27（2015）年4月1日の数値である。
資料：「森林・林業基本計画」（平成28（2016）年5月）

資料Ⅰ－10　「全国森林計画」における計画量

区分		計画量
伐採立木材積（百万㎥）	主　伐	377
	間　伐	444
	計	822
造林面積（千ha）	人工造林	1,028
	天然更新	958
林道開設量　（千km）		62
保安林面積　（千ha）		13,010
治山事業施行地区数（百地区）		323
間伐面積（参考）（千ha）		6,784

注1：計画量のうち、「保安林面積」は計画期末（令和15（2033）年度末）の面積。それ以外は、計画期間（平成31（2019）年4月1日～令和16（2034）年3月31日）の総量。
　2：治山事業施行地区数とは、治山事業を実施する箇所について、尾根や沢などの地形等により区分される森林の区域を単位として取りまとめた上、計上したものである。
資料：「全国森林計画」（平成30（2018）年10月）

[5]　「森林法」（昭和26年法律第249号）第4条

する新たな「全国森林計画」が策定された。

　新たな「全国森林計画」では、森林の有する機能ごとの森林整備及び保全の基本方針を提示し、伐採、造林等の基準や林道等の開設の考え方を明らかにするとともに、新たに、①森林の経営管理の集積・集約化を進める森林経営管理制度の活用や、②平成29（2017）年7月の九州北部豪雨の流木災害を踏まえた流木対策の推進、③花粉症対策に資する苗木の供給拡大を踏まえた花粉発生源対策の強化、④平成29（2017）年7月に取りまとめられた報告書「「地域内エコシステム」の構築に向けて」を踏まえた木質バイオマス利用の推進を位置付けた。また、広域的な流域（44流域）ごとに定めている森林整備及び保全の目標並びに伐採立木材積や造林面積等の計画量について、森林・林業基本計画に示されている目標等の考え方に即し、新たな計画期間に見合う量が計上されている（資料Ⅰ－10）。

　また、農林水産大臣は「森林法」に基づき、「全国森林計画」に掲げる森林の整備及び保全の目標の計画的かつ着実な達成に資するため、「全国森林計画」の作成と併せて、5年ごとに「森林整備保全事業計画*6」を策定することとされている*7。

　令和元（2019）年5月には、令和元（2019）年度から令和5（2023）年度までの5年間を計画期間とする新たな計画を策定した。

　同計画では、森林整備保全事業の成果をより分かりやすく国民に示す観点から、4つの事業目標とこれに対応する成果指標を示している。今回の策定においては、事業目標の1つである「持続的な森林経営の推進」の成果指標として新たに「森林資源の再造成の推進」を設定し、主伐後の人工造林の着実な実施と併せ、人工造林コストの低減を図る取組により、持続的な森林経営を推進することとしている（資料Ⅰ－11）。

　さらに、平成26（2014）年に策定された「林野庁インフラ長寿命化計画」により、森林の整備・保全を適切に進めるための基盤となる治山施設及び林道施設の維持管理・更新等を着実に推進することとされている。

資料Ⅰ－11　森林整備保全事業計画の成果指標について

事業目標		新たな成果指標
安全で安心な暮らしを支える国土の形成への寄与	【国土を守り水を育む豊かな森林の整備及び保全】	水源涵養機能維持増進森林等に区分された育成林のうち、土壌を保持する能力や水を育む能力が良好に保たれていると考えられる森林の割合　【65%→約75%】
	【山崩れ等の復旧と予防】	周辺の森林の山地災害防止機能等が適切に発揮された集落の数　【約56.2千集落→約58.6千集落】
	【飛砂害、風害、潮害等の防備】	海岸防災林や防風林などの保全等　【延長約9千km】
生物多様性保全等のニーズに応える多様な森林への誘導	【複層林化の推進】	育成複層林に誘導することとされている育成単層林のうち、誘導した森林の割合　【1.9%→2.9%】
	【育成単層林の齢級構成の偏りの改善】	伐期の多様化による育成単層林の齢級構成の偏りの改善度合い　【26%（現状を0%、令和14(2032)年時点を100%とする）】
持続的な森林経営の推進	【森林資源の循環利用の促進】	木材の安定的かつ効率的な供給に資することが可能となる育成林の資源量　【約3億8千万㎥の増加】
	【森林資源の再造成の推進】	全国森林計画に基づき試算した令和4(2022)年時点の育成単層林における1齢級面積の達成　【100%】
		人工造林のコスト低減を図る取組の面積割合　【22%→44%】
山村地域の活力創造への寄与	【森林資源を活用した地域づくりの推進】	資源量に応じ、森林資源を積極的に利用している都道府県の数　【47都道府県】

資料：「森林整備保全事業計画」（令和元（2019）年5月）

*6　森林の有する多面的機能が持続的に発揮されるよう施業方法を適切に選択し、多様な森林の整備を行う「森林整備事業」と国土の保全、水源の涵養等の森林の有する公益的機能の確保が特に必要な保安林等において治山施設の設置や機能の低下した森林の整備等を行う「治山事業」に関する計画。

*7　「森林法」第4条

（「地域森林計画」・「市町村森林整備計画」等で地域に即した森林整備を計画）

　都道府県知事と森林管理局長は、「森林法」に基づき、全国158の森林計画区（流域）ごとに、「地域森林計画[8]」と「国有林の地域別の森林計画[9]」を立てることとされている。これらの計画では、「全国森林計画」に即しつつ、地域の特性を踏まえながら、森林の整備及び保全の目標並びに森林の区域（ゾーニング）及び伐採等の施業方法の考え方を提示している。

　また、市町村長は、「森林法」に基づき、「地域森林計画」に適合して「市町村森林整備計画」を立てることとされている[10]。同計画は、地域に最も密着した地方公共団体である市町村が、地域の森林の整備等に関する長期の構想とその構想を実現するための森林の施業や保護に関する規範を森林所有者等に対して示した上で、「全国森林計画」と「地域森林計画」で示された森林の機能の考え方等を踏まえながら、各市町村が主体的に設定した森林の取扱いの違いに基づく区域（ゾーニング）や路網の計画を図示している。

（3）森林経営管理制度及び森林環境税

（ア）森林経営管理制度

（a）制度について

　平成30（2018）年5月、森林経営管理法[11]が成立し、平成31（2019）年4月から施行された。同法により、森林の適切な経営管理について森林所有者の責務を明確化するとともに、経営管理が行われていない森林について、その経営管理を林業経営者や市町村に委ねる「森林経営管理制度[12]」が措置された。

　森林の経営管理は、これまで森林所有者が自ら実施し、又は森林所有者が民間事業者等に経営委託して実施されてきたが、同制度は、経営管理が行われていない森林について、市町村が主体となって経営管理を図るといった、従来の制度とは大きく異なる仕組みとなっている。

（制度導入の背景）

　国内の私有林人工林のうち、森林経営計画が策定されていないなど経営管理が担保されていることが確認できない森林は、全体の約3分の2となってい

資料Ⅰ-12　森林経営管理制度の概要

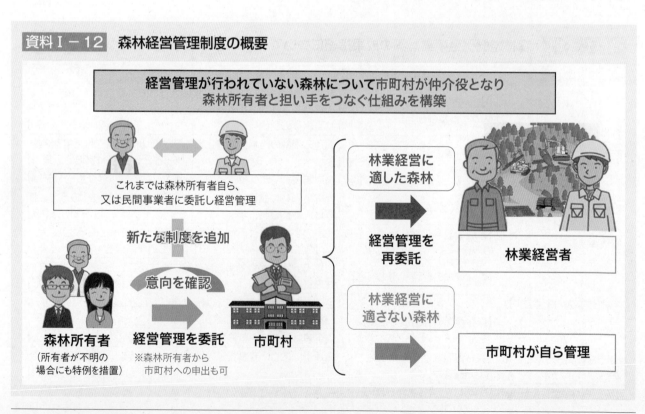

---

*8　　「森林法」第5条
*9　　「森林法」第7条の2
*10　　「森林法」第10条の5
*11　　「森林経営管理法」（平成30年法律第35号）
*12　　森林経営管理制度の構築に向けた考え方等については「平成29年度森林及び林業の動向」第Ⅰ章（13-36ページ）を参照。

る。加えて、我が国の私有林では、所有者が不明な森林[13]や、森林が所在している地域に居住していない不在村者が所有する森林の存在が課題となっており[14]、このような森林では境界の明確化も進まず、森林の経営管理に支障を生じさせる事態も発生する等[15]、これらの課題への対応が必要となっている。

一方で、素材生産業者を対象に行った調査では、7割が規模拡大の意向を有していると回答するなど、経営管理が不十分な森林の担い手となり得る者が存在することが示されている。

このような状況を背景として、森林所有者自らが森林の経営管理を実施できない場合に、市町村が仲介役となり森林所有者と林業経営者をつなぎ、併せて所有者不明森林等にも対応する仕組みとして、「森林経営管理制度」が導入された（資料Ⅰ－12）。

（制度の仕組みと目指す森林の姿）

「森林経営管理制度」においては、手入れの行き届いていない森林について、市町村が森林所有者から経営管理の委託（経営管理権の設定）を受け、林業経営に適した森林は地域の林業経営者に再委託（経営管理実施権の設定）するとともに、林業経営に適さない森林は市町村が公的に管理（市町村森林経営管理事業）をすることとしている。あわせて、所有者の一部又は全部が不明で手入れ不足となっている森林においても、所有者の探索や公告等の一定の手続を経た上で市町村に経営管理権を設定する特例が措置されており、所有者不明森林等においても適正な整備が推進されていくことが期待されている。

同制度等を通じて、林業経営に適した森林については、森林の経営管理の集積・集約化、路網整備を進めて、林業的利用を積極的に展開するとともに、林業経営に適さない森林については、管理コストの低い自然に近い森林へ誘導していくこととしている（資料Ⅰ－13）。

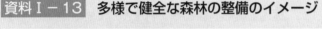

資料Ⅰ－13　多様で健全な森林の整備のイメージ

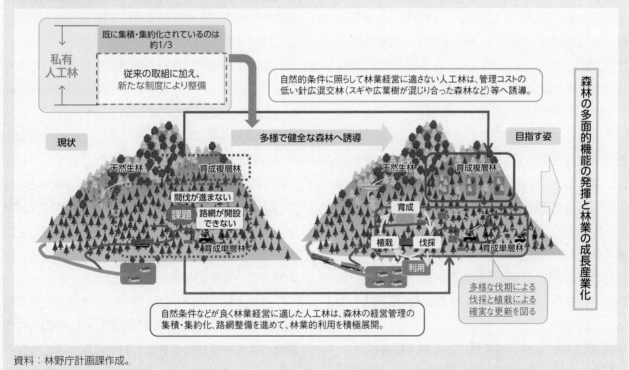

資料：林野庁計画課作成。

---

*13　平成29（2017）年度に地籍調査を実施した地区における土地の所有者等について国土交通省が集計した調査結果「国土審議会土地政策分科会企画部会国土調査のあり方に関する検討小委員会第8回資料」によると、不動産登記簿により所有者の所在が判明しなかった林地の割合は、筆数ベースでは28%となっている。

*14　農林水産省「2005年農林業センサス」によると、森林の所在する市町村に居住していない、又は事業所を置いていない者（不在村者）の所有する森林が私有林面積の約4分の1を占めるようになっている。なお、平成22（2010）年以降、この統計項目は把握していない。

*15　林野庁が市町村を対象に行ったアンケート結果では、83%の市町村が管内の人工林（民有林）について「手入れ不足が目につく」又は「全般的に手入れが遅れている」と回答。

（制度により期待される効果）

　森林経営管理制度の活用により、間伐手遅れ林の解消や伐採後の再造林等[16]を促進し、森林の経営管理が行われるようにすることで、森林の多面的機能の維持・発揮が図られる。

　また、これまで活用されてこなかった森林が経済ベースで活用され、地域経済が活性化するほか、地域の林業経営者が長期かつ一括して市町村から経営管理実施権の設定を受けることにより経営や雇用の安定・拡大につながるなどのメリットが期待される。

（制度活用の出発点は経営管理意向調査）

　市町村への経営管理権の設定は、森林所有者に対し、経営管理の現況や今後の見通しを確認する意向調査を踏まえて行われる。市町村は、経営管理が行われていない森林や、その所有者情報等を林地台帳等により把握し、地域の実情に応じた長期的な計画を立てた上で、地域の関係者と連携しつつ意向調査を実施する。

　ここで、森林所有者から市町村に森林の経営管理を委託する希望があった場合に、市町村が森林所有者との合意の下で経営管理の内容等に関する計画（経営管理権集積計画）を定め、公告することにより、経営管理権が設定されることとなる。

　また、森林所有者が経営管理を行う意向を有している場合には、市町村はこれまでと同様に森林所有者による経営管理（森林所有者自らが民間事業者に経営委託する場合を含む。）を支援し、その経営管理の状況を適宜確認することとなる。

　令和元（2019）年度は制度の開始年度であるが、多くの市町村で意向調査の準備や意向調査に取り組んでおり、更に経営管理権集積計画の作成に取り組む市町村もみられるなど、各地で取組が展開されつつある（事例Ⅰ－1）。

（再委託を受けた林業経営者による林業経営）

　都道府県は、経営管理実施権の設定を受けることを希望する民間事業者の公募・公表を行う。この都道府県が公表する民間事業者については、①森林所有者及び林業従事者の所得向上につながる高い生産性や収益性を有するなど効率的かつ安定的な林業経営の実現を目指す、②経営管理を確実に行うに足りる経理的な基礎を有すると認められるといった条件が求められる。

　令和2（2020）年3月31日時点で46都道府県で公募が開始され、44都道府県においては公表済みとなっている。

　今後、市町村は都道府県が公表した民間事業者の中から、地域の実情に合わせて委託先の選定を行い、経営管理実施権の設定を行うこととしている。

　林野庁では、経営管理の集積・集約化が見込まれる地域を中心とした路網整備や高性能林業機械の導入等により、こうした意欲と能力のある林業経営者の育成を図っている。

（ｂ）制度の推進体制の構築

　森林経営管理制度においては市町村が中心的役割を果たすこととなる一方で、1,000ha以上の私有林人工林を有する市町村においても、そのうち林務を専門に担当する職員が不在の市町村が約1割存在し、森林・林業に関する専門知識が不足しているなど、同制度の運用や森林環境譲与税を活用した森林整備等による更なる森林・林業施策の展開に向けた体制の構築が課題となっている。

（市町村の体制整備）

　多くの市町村における林務担当職員の不足や林業に関する知見・ノウハウの不足に対応する方法として、①外部人材の活用（雇用）、②外部への委託（アウトソーシング）、③地域の関係者との連携、④近隣の市町村との連携、⑤都道府県による支援等、各地域で様々な取組が進められている。

　①外部人材の活用（雇用）については、林務担当職員が不足する中、その解決方法として、専門的な知見を有する林業技術者を市町村で雇用することが考えられる。このため、平成29（2017）年度に「地域林政アドバイザー[17]」制度が措置され、市町村や都道府県が、森林・林業に関して知識や経験を有す

---

[16]　再委託を受けた林業経営者は、主伐を行う場合、伐採後の植栽及び保育に要すると見込まれる額を木材の販売収益の中から留保し、計画的かつ確実な植栽及び保育を実施することとされている。

[17]　森林・林業に関して知識や経験を有する者を市町村が雇用することを通じて、森林・林業行政の体制支援を図る制度。平成29（2017）年度に創設され、市町村がこれに要する経費については、特別交付税の算定の対象となっている。なお、平成30（2018）年度から都道府県が雇用する場合も対象となった。

る者を雇用し、又はそのような技術者が所属する法人等に業務を委託する場合に、特別交付税が措置されており、同制度を活用している市町村もある。ま

た、都道府県で技術者を雇用し、管内の市町村に巡回指導する事例もみられる。

②外部への委託（アウトソーシング）については、

事例Ⅰ-1　地域に応じた森林経営管理制度の取組

秩父地域（埼玉県）～近隣市町村と連携して制度を運営～

集約化分科会関連の打合せ

秩父地域1市4町（秩父市、横瀬町、皆野町、長瀞町、小鹿野町）では、秩父市を除く自治体には林業専門部署がないことから、1市4町で連携して制度を運営することとし、以前からあった「秩父地域森林林業活性化協議会」内に「集約化分科会」を新たに設置、森林施業プランナーを推進員として2名配置した。分科会には、地域の木材産業や林業関係者等にも参画を呼びかけ、意見交換しながら推進する体制を整備した。

平成30（2018）年度から、推進員を中心に各市町の森林簿、林地台帳等を活用しながら意向調査の準備を進め、令和元（2019）年度は意向調査（約2,142ha、1,065名）を実施。また、6月には全国初となる経営管理権集積計画（2件、3.88ha）を公告し、経営管理権を取得。一件は民間事業者へ再委託、もう一件は市が自ら発注して実施している。

大館市（秋田県）～専門員の雇用による市直営での制度の運用～

森林所有者向け座談会

大館市では、新たに専門員を4名雇用し、市の直営により様々な取組を進めている。

令和元（2019）年度は、制度の周知を図るため、市の広報に紹介ページを設けるほか、市内12の公民館単位で森林所有者向けの座談会を開催。その後、意向調査（約181ha、88名）を実施し、経営管理権集積計画（31件、69ha）を公告した。

さらに、同市では、制度の実施に伴う業務等を委託する組織として大館市森林整備公社（仮称）の設立準備を進めており、公社では、意向調査や境界確定業務、集積計画の策定、市町村森林経営管理事業業務の委託・実施を行うことを目指している。

御船町（熊本県）～地域林政アドバイザーを活用した取組の推進～

境界確認の様子

御船町では、地域の森林や森林所有者に精通している技術者（元森林組合職員）を地域林政アドバイザーとして雇用し、森林経営管理制度等に取り組んでいる。

令和元（2019）年度は、比較的森林・林業に対する関心が高い地域かつ町内所有者を対象とし、集落を単位とした座談会や戸別訪問により説明を行った後、意向調査票を直接手渡しながら初年度は約204ha分の調査を実施した。

また、同町では、森林の地籍調査が行われていないこともあり、意向調査と併せて、地区の森林に精通した地元の協力者も雇用しつつ、森林所有者と現地と境界の確認を行っており、調査面積の9割以上に当たる189haについて境界を明確化した。

令和2（2020）年4月を目標に集積計画を策定し、地域住民の安全・安心のために町による森林整備を実施する予定である。

徳島県・美馬市・つるぎ町　～地域連携による新たな組織を立ち上げ～

ドローンによる森林計測

徳島県の現地機関と美馬市、つるぎ町の3者は、市町村が実施する森林経営管理制度全般の業務を受託する団体「やましごと工房」を新たに立ち上げた。設立に当たっては、同制度から新たに生まれる森林施業を担う地域の林業事業者との独立性を保つため、林業関係団体等を構成員としない団体とした。

令和元（2019）年度は、両市町で約1,500人・約3,500haの意向調査を実施したほか、次年度以降に取り組む経営管理権集積計画策定に向け、ドローンを活用した森林計測システムの運用を図るなど、スマート林業の実現にも積極的に取り組んでいる。

今後は、法人化や業務の全国展開も視野に、森林経営管理制度に積極的に取り組んでいくこととしている。

制度に係る事務の一部を森林組合や森林・林業に携わる第3セクター等の民間事業者に委託することで、業務を効率的に進めることが考えられる。委託の範囲については、例えば森林所有者への意向調査は森林所有者情報を有する市町村が行い、調査結果を踏まえた個別の森林所有者との協議は、森林所有者と接する機会の多い民間事業者に委託するなど、市町村や民間事業者の各々の得意分野が発揮されるよう委託の範囲を決定することが重要となる。

③地域の関係者との連携については、市町村が中心となり、森林・林業関係者と新たな組織を設置したり、地域住民と連携し、地域の合意形成を図るなどの工夫もみられる。

④近隣の市町村との連携については、隣接市町村や流域の市町村等で構成した協議会*18を活用し、複数の市町村が共同で意向調査や境界確認等の事務処理を進める体制を整えた地域もある。

⑤都道府県による支援については、森林経営管理制度を進めるため、都道府県が新たな組織の設立や既存組織の活用等により、市町村の事務の一部を担うケースや、民間団体等に支援業務を委託する取組

もみられる。このように、自治体ごとの実情に応じて様々な手法により体制整備を進めていくことが重要である。

（市町村への制度周知、研修の取組）

林野庁では制度の開始に当たり、市町村等の支援を行う新たな専門部署を設置するとともに、市町村等を対象とした、全国各地の制度説明会等への職員の派遣、制度の取組状況の情報発信等、制度の周知を行ってきた。さらに、森林技術総合研修所においては、制度に対応した市町村職員向けの実務研修を実施し、森林・林業の知識を有する人材の育成を支援している。また、国有林野事業においても、林業経営者等に対する国有林野事業の受注機会の拡大への配慮を含む育成支援のほか、市町村に対する技術的支援や林業経営者に関する情報提供により、森林経営管理制度の実施に積極的に貢献することとしている。

このほか、都道府県においても、林業大学校等を活用した市町村職員向けの研修の実施、マニュアル・ガイドラインの作成等の取組が進められている。

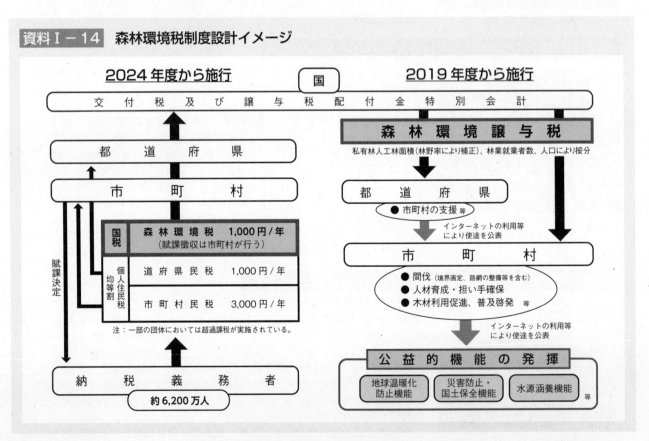

資料Ⅰ-14　森林環境税制度設計イメージ

2024年度から施行　　国　　2019年度から施行

交　付　税　及　び　譲　与　税　配　付　金　特　別　会　計

都　道　府　県

市　町　村

国税	森林環境税　1,000円/年 （賦課徴収は市町村が行う）	
個人住民税均等割	道府県民税	1,000円/年
	市町村民税	3,000円/年

注：一部の団体においては超過課税が実施されている。

賦課決定

納　税　義　務　者

約6,200万人

森　林　環　境　譲　与　税

私有林人工林面積（林野率により補正）、林業就業者数、人口により按分

都　道　府　県

● 市町村の支援 等

インターネットの利用等により使途を公表

市　町　村

● 間伐（境界画定、路網の整備等を含む）
● 人材育成・担い手確保
● 木材利用促進、普及啓発 等

インターネットの利用等により使途を公表

公　益　的　機　能　の　発　揮

地球温暖化防止機能　　災害防止・国土保全機能　　水源涵養機能　等

*18　「地方自治法」（昭和22年法律第67号）第252条の2の2に基づく協議会。

（イ）森林環境税

（森林環境税の創設）

　平成31（2019）年3月に「森林環境税及び森林環境譲与税に関する法律[19]」が成立した。これにより、「森林環境税[20]」（令和6（2024）年度から課税）及び「森林環境譲与税」（令和元（2019）年度から譲与）が創設された。

（森林環境税創設の趣旨）

　森林の有する公益的機能は、地球温暖化防止のみならず、国土の保全や水源の涵養等、国民に広く恩恵を与えるものであり、適切な森林の整備等を進めていくことは、我が国の国土や国民の生命を守ることにつながる一方で、所有者や境界が分からない森林の増加、担い手の不足等が大きな課題となっている。

　このような現状の下、平成30（2018）年5月に成立した森林経営管理法を踏まえ、パリ協定の枠組みの下における我が国の温室効果ガス排出削減目標の達成[21]や災害防止等を図るための森林整備等に必要な地方財源を安定的に確保する観点から、森林環境税が創設された。

（森林環境税・森林環境譲与税の仕組み）

　「森林環境税」は、令和6（2024）年度から個人住民税均等割の枠組みを用いて、国税として1人年額1,000円を市町村が賦課徴収することとされている。

　また、「森林環境譲与税」は、喫緊の課題である森林整備に対応するため、「森林経営管理制度」の導入時期も踏まえ、交付税及び譲与税配付金特別会計における借入金を原資に、令和元（2019）年度から譲与が開始され、市町村や都道府県に対して、私有林人工林面積、林業就業者数及び人口による客観的な基準で按分して譲与されているところである（資料Ⅰ－14、15）。なお、災害防止・国土保全機能強化等の観点から、森林整備を一層促進するため

資料Ⅰ－15　森林環境譲与税の譲与額、譲与割合

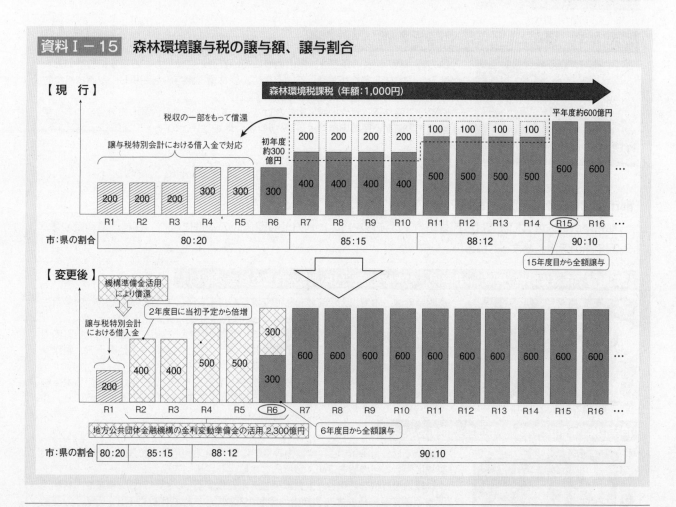

＊19　「森林環境税及び森林環境譲与税に関する法律」（平成31年法律第3号）

＊20　森林環境税の創設に係る経緯等については「平成29年度森林及び林業の動向」トピックス1（2-3ページ）を参照。

＊21　地球温暖化対策について詳しくは、第Ⅰ章第4節（2）99-102ページを参照。

事例Ⅰ-2　森林環境譲与税を活用した取組

森林を有する地方公共団体の取組

　森林を多く有している地方公共団体では、森林環境譲与税を活用した間伐や路網の整備等の取組が動き始めている。

養父市（兵庫県）〜森林経営管理制度を活用した間伐の実施〜

森林経営管理制度を活用した間伐

　養父市（林野率84%）では、森林組合と連携し、森林経営管理制度に基づく経営管理権集積計画の作成を希望する森林所有者42名の意向を取りまとめ、森林面積計127haについて経営管理権集積計画を作成した。このうち、令和元（2019）年度は、約87haについて、森林環境譲与税を活用し間伐まで進めた。
　令和2（2020）年度以降は、集落単位での説明会や意向調査を進め、森林経営管理制度を活用した森林整備を加速させていく予定である。

千早赤阪村（大阪府）〜森林の適切な経営管理を目的とした路網の補修〜

路網の修復状況

　千早赤阪村（林野率81%）では、これまで十分な管理ができていなかった路網の補修を進めるため、森林環境譲与税を活用した路網の補修材料費を補助する事業を開始した。補修材料費の補助とすることで、限られた予算内で多くの路網の補修につながるように配慮した。
　令和2（2020）年度以降は、この補修された路網を活用しながら森林整備等の取組を進めていく予定である。

いの町（高知県）〜地域住民との連携による里山整備の推進〜

里山整備の状況

　いの町（林野率90%）では、里山地域において適正な管理がなされずに竹林の拡大が進み、里山林の多くが荒廃しているため、森林環境譲与税を活用し、放置された竹林から広葉樹等に林種転換を図る事業を創設した。
　町では、森林所有者や地域に働きかけを行ったり、地域の合意形成を図りつつ、里山整備を実施する民間事業者と、森林所有者や地域住民とのマッチングも行っている。

都市部の地方公共団体の取組

　都市部の地方公共団体では、流域単位又は流域を超えた地方公共団体間の連携により、森林環境教育や木材利用への活用も始まっている。

愛知県豊明市×長野県上松町 〜新生児への木材製品配付による木材普及啓発の取組〜

合同記者会見の様子

　豊明市では、木曽川上下流域として交流を続けている上松町の木製品を市内の新生児に贈る取組を令和元（2019）年8月から開始した。
　豊明市の出生者数分の木製品の製作について豊明市が上松町に依頼し、上松町内の3者の木工事業者が分担して上松町産木材を使った製品を製作する仕組みで、製作費は豊明市の森林環境譲与税を活用している。
　豊明市では、この取組を市の広報誌等を通じて市民にPRし、小さい頃から木に触れることによって、森林の大切さを考える機会にしてもらいたいとしている。

神奈川県川崎市 〜木材利用促進に関する取組〜

区役所の木質化の状況

　川崎市では、「川崎市公共建築物等における木材の利用促進に関する方針」に公共建築物に関する目標値を定め、積極的な木質化を実施している。
　森林環境譲与税を活用し、公共建築物を木質化するリノベーション事業や木材利用に関する事業者の情報共有や技術力の向上を図る「木材利用促進フォーラム」の運営など、誰もが木の良さを身近に感じられる「都市の森」の実現に向けた取組を行っていく。

に、令和2（2020）年3月に「森林環境税及び森林環境譲与税に関する法律」等の一部が改正され、令和2（2020）年度から令和6（2024）年度までの各年度における森林環境譲与税について、地方公共団体金融機構の公庫債権金利変動準備金を活用し、交付税及び譲与税配付金特別会計における譲与税財源の借入れを行わないこととした上で、森林環境譲与税の譲与額を前倒しで増額することとなった。（資料I－15）。

（森林環境譲与税の使途とその公表）

　森林環境譲与税は、市町村においては、間伐や人材育成・担い手の確保、木材利用の促進や普及啓発等の「森林整備及びその促進に関する費用」に充てることとされている。また、都道府県においては「森林整備を実施する市町村の支援等に関する費用」に充てることとされている。本税により、山村地域のこれまで手入れが十分に行われてこなかった森林の整備が進展するとともに、都市部の市区等における木材需要を創出し山村地域で生産された木材を利用することや、山村地域との交流を通じた森林整備に取り組むことで、都市住民の森林・林業に対する理解の醸成や、山村の振興等につながることが期待される（事例I－2）。

　なお、適正な使途に用いられることが担保されるように森林環境譲与税の使途については、市町村等は、インターネットの利用等により使途を公表しなければならないこととされている。

（4）研究・技術開発の推進[*22]

（研究・技術開発のための戦略）

　林野庁は、森林・林業・木材産業分野の課題解決に向けて、研究・技術開発における対応方向及び研究・技術開発を推進するために一体的に取り組む事項を明確にすることを目的として、「森林・林業・木材産業分野の研究・技術開発戦略」を策定している。

　同戦略は、平成28（2016）年の「森林・林業基本計画」の変更、同年の「地球温暖化対策計画」の策定等の情勢変化を受け、政策課題を的確に捉え、

長期的展望に立って、更に研究・技術開発を推進するために、平成29（2017）年3月に改定された。

　同戦略を踏まえて、国や国立研究開発法人森林研究・整備機構、都道府県、大学、民間企業等が連携しながら、研究・技術開発を実施している。

（成果をあげるべき研究・技術開発の取組）

　「森林・林業・木材産業分野の研究・技術開発戦略」では、おおむね今後5年間に実施し、成果をあげるべき取組が明確化されている。

　現在、「森林・林業基本計画」に示された対応方向に沿って、新たに情報通信技術（ICT）等を活用したものとして、森林資源把握の手法の高度化に向けた多様な森林情報を統合し解析する技術、効果的かつ効率的に捕獲と防除を行うための野生鳥獣の監視・捕獲技術、林業経営体の生産性や経営力向上に向けた生産管理手法等の開発を進めている。さらに、新たな木材需要創出のためのCLTの低コスト製造法や、内装材・外構材等の付加価値の高い非構造用部材の開発、家具等への利用を念頭に置いた早生広葉樹の栽培・利用技術の開発等といった新たな分野の研究も進めている。

（5）普及の推進

（林業普及指導事業の実施）

　新たな技術のうち、その有効性が実証されたものについては、森林所有者や林業経営体、市町村の担当者に対して積極的に普及を進めていく必要がある。そのような中にあって、都道府県が「林業普及指導員」を設置し、森林所有者等に対して森林施業技術の指導及び情報提供等を行う「林業普及指導事業」を活用して、関係者への普及を推進していくことが有効である。

　林業普及指導事業は、都道府県が本庁や地方事務所等に「林業普及指導員」を配置して、試験研究機関による研究成果の現地実証等を行うとともに、関係機関等との連携の下、森林所有者等に対する森林施業技術の指導及び情報提供、林業経営者等の育成及び確保、地域全体での森林整備や木材利用の推進等を行うものである。平成31（2019）年4月現在、

[*22]　ここでは主に研究・技術開発の体制の概要を記述し、具体的な技術等については、各章ごとの項目を参照。

全国で1,283人が林業普及指導員として活動している。

（森林総合監理士（フォレスター）を育成）

　林野庁では、森林・林業に関する専門的かつ高度な知識及び技術並びに現場経験を有し、長期的・広域的な視点に立って地域の森林づくりの全体像を示すとともに、「市町村森林整備計画」の策定等の市町村行政を技術的に支援し、施業集約化を担う「森林施業プランナー」等に対し指導・助言を行う人材として、「森林総合監理士（フォレスター）」の育成を進めている。

　森林総合監理士には、森林調査、育林、森林保護、路網、作業システム、木材販売及び流通、関係法令、諸制度等に対する知識等に基づき、地域の森林・林業の姿を描く能力や、地域の関係者の合意を形成していくための行動力、コミュニケーション能力が必要とされている。このため、林野庁は、平成26（2014）年度から森林総合監理士の登録・公開を行うとともに、森林総合監理士を目指す若手技術者の育成を図るための研修や、森林総合監理士の技術水準の向上を図るための継続教育等を行っている。令和2（2020）年3月末現在で、都道府県職員や国有林野事業の職員を中心とした1,397名が森林総合監理士として登録されている。

2. 森林整備の動向

国土の保全、水源の涵養、地球温暖化の防止、木材を始めとする林産物の供給等の森林の有する多面的機能が将来にわたって十分に発揮されるようにするためには、森林所有者や林業関係者に加え、国、地方公共団体、NPO（民間非営利組織）や企業等の幅広い関係者が連携して、森林資源の適切な利用を進めつつ、主伐後の再造林や間伐等の森林整備を適正に進める必要がある。

以下では、森林整備の推進状況、社会全体で支える森林づくり活動について記述する。

（1）森林整備の推進状況

（森林整備による健全な森林づくりの必要性）

森林の有する多面的機能の持続的発揮に向け、森林資源の適切な利用を進めつつ、主伐後の再造林や間伐等を着実に行う必要がある。また、自然条件等に応じて、複層林化[*23]、長伐期化[*24]、針広混交林化や広葉樹林化[*25]を推進するなど、多様で健全な森林へ誘導することも必要となっている。

特に山地災害防止機能や土壌保全機能が発揮されるためには、樹木の樹冠や下層植生が発達するとともに、樹木の根系が深く広く発達した森林である必要がある（資料Ⅰ−16）。このような機能を持つ森林は、人工林の場合、植栽、保育、間伐等の森林整備を適切に行うことによって形成され、維持される。間伐による森林の多面的機能向上については、これまで研究により明らかにされてきたが、近年の研究成果においても、間伐を適切に行った林分は、無間伐の場合と比べて立木の間隔が広がることにより、根の広がりが促進されることや、間伐によって林内の光環境が改善し、下層植生が発達することにより表面侵食による土壌流出を低減すること等が報告さ

れている[*26]。

平成30（2018）年に改定された「国土強靱化基本計画」（平成30（2018）年12月14日閣議決定）の推進方針では、森林の整備・保全等を通じた防災・減災対策を推進することとしている。また、林業生産活動を持続させ、森林を適切に保全管理することを通じて、国土保全機能を適切に発揮させるとともに、地域で生産される木材の積極的な利用及び土木・建築分野におけるCLT（直交集成板）[*27]等の木材を利用するための工法の開発・普及等を進めることとしている。

（森林整備の実施状況）

このため、我が国では、「森林法」に基づく森林計画制度等により計画的かつ適切な森林整備を推進している[*28]。

また、地球温暖化対策として、我が国は、令和2（2020）年度における温室効果ガス削減目標を平成17（2005）年度総排出量比3.8%減以上としており、森林吸収源対策により約3,800万CO_2トン（2.7%）以上の吸収量を確保することとしている。この森林吸収量の目標を達成するため、「森林の間

資料Ⅰ−16 山地災害防止機能／土壌保全機能を有する森林のイメージ

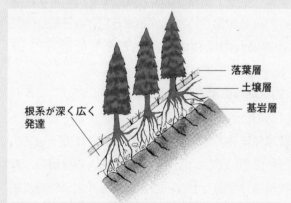

資料：一般社団法人全国林業改良普及協会「森林のセミナー
No2　くらしと森林」を一部改編。

[*23] 針葉樹一斉人工林を帯状、群状等に択伐し、その跡地に人工更新等により複数の樹冠層を有する森林を造成すること。
[*24] 従来の単層林施業が40〜50年程度で主伐（皆伐）することを目的としていることが多いのに対し、これのおおむね2倍に相当する林齢まで森林を育成し主伐を行うこと。
[*25] 針葉樹一斉人工林を帯状、群状等に択伐し、その跡地に広葉樹を天然更新等により生育させることにより、針葉樹と広葉樹が混在する針広混交林や広葉樹林にすること。
[*26] 藤堂千景ほか（2015）間伐がスギの最大引き倒し抵抗モーメントにもたらす影響、宇都木玄ほか（2007）人工林施業に伴うトドマツ人工林内下層植生現存量の変化、恩田裕一（2008）人工林荒廃と水・土砂流出の実態, 岩波書店: 139-140. ほか
[*27] 「Cross Laminated Timber」の略。詳しくは、第Ⅲ章第3節（9）210-212ページを参照。
[*28] 森林計画制度については、第Ⅰ章第1節（2）56-60ページを参照。

伐等の実施の促進に関する特別措置法*29」(以下「間伐等特措法」という。)に基づき農林水産大臣が定める「特定間伐等及び特定母樹の増殖の実施の促進に関する基本指針」では、平成25(2013)年度から令和2(2020)年度までの8年間において、年平均52万haの間伐を実施することとしている*30。

このような中、林野庁では、森林所有者等による主伐後の再造林や間伐等の森林施業や路網整備に対して、「森林整備事業」により支援を行っている。この中では、「森林経営計画*31」の作成者等が施業の集約化や路網整備等を通じて低コスト化を図りつつ計画的に実施する施業に対し、支援を行っているほか、所有者の自助努力によっては適正な整備が期待できない急傾斜地等の条件不利地において、市町村等が森林所有者と協定を締結して実施する施業等に対し支援を行っている。

また、国有林野事業では、間伐の適切な実施や針広混交林化、モザイク状に配置された森林への誘導等、多様な森林整備を推進している*32。

平成30(2018)年度の主な森林整備の実施状況は、近年の主伐面積が推計値で年約7～8万haとなっている*33中、人工造林の面積が3.0万haであり、このうち複層林の造成を目的として樹下に苗木を植栽する樹下植栽は0.5万haであった。また、保育等の森林施業を行った面積は51万haであり、このうち間伐の面積は37万haであった(資料Ⅰ－17)。

(公的な関与による森林整備の状況)

ダムの上流域等の水源地域に所在する水源涵養上重要な保安林のうち、水源涵養機能等が低下している箇所においては、国立研究開発法人森林研究・整備機構森林整備センターが実施する「水源林造成事業」により水源を涵養するための森林の造成が行われている。同事業は、土地所有者、造林者及び国立

研究開発法人森林研究・整備機構の3者が分収造林契約*34を締結して、土地所有者が土地の提供を、造林者が植栽、植栽木の保育及び造林地の管理を、同機構が植栽や保育に要する費用の負担と技術の指導を行うものである。同事業により、平成30(2018)年度末までに全国では約48万haの水源林が造成・管理されている*35。

また、森林所有者による整備が進みにくい地域においては、都道府県によって設立された法人である林業公社が、分収方式による造林を推進してきた。林業公社はこれまで、全国で約40万haの森林を造成し、森林の有する多面的機能の発揮や、雇用の創出等に重要な役割を果たしてきた。平成31(2019)年3月末現在、24都県に26の林業公社が設置されており、これらの公社が管理する分収林は、全国で約31万ha(民有林の約2%)となっている。林業公社の経営は、個々の林業公社により差があるものの、木材価格の長期的な下落等の社会情勢の変化や森林造成に要した借入金の累増等により、総じて厳しい状況にあり、経営健全化が必要となっている。

このため、林業公社に対しては、林野庁の補助事業により、収益性の向上に資する分収比率の見直し等の取組や、森林の有する多面的機能の発揮の観点

資料Ⅰ－17　森林整備の実施状況(平成30(2018)年度)

(単位：万ha)

	作業種	民有林	国有林	計
更新	人工造林	2.2	0.9	3.0
	うち樹下植栽	0.2	0.3	0.5
保育等の森林施業		36	15	51
	うち間伐	27	10	37

注1：間伐実績は、森林吸収源対策の実績として把握した数値である。
　2：計の不一致は四捨五入による。
資料：林野庁整備課、業務課調べ。

---

*29　「森林の間伐等の実施の促進に関する特別措置法」(平成20年法律第32号)
*30　地球温暖化対策については、第Ⅰ章第4節(2)99-102ページを参照。
*31　森林経営計画については、第Ⅱ章第1節(4)126ページを参照。
*32　国有林野事業の具体的取組については、第Ⅳ章(217-218ページ)を参照。
*33　林野庁「森林・林業統計要覧」
*34　一定の割合による収益の分収を条件として、「分収林特別措置法」(昭和33年法律第57号)に基づき、造林地所有者、造林者及び造林費負担者のうちの3者又はいずれか2者が当事者となって締結する契約。
*35　国立研究開発法人森林研究・整備機構森林整備センターホームページ「水源林造成事業　分収造林契約実績」

から行う森林整備等に支援を行っているほか、金融措置や地方財政措置による支援も講じられている。各林業公社は、このような支援等も活用しつつ、経営改善に取り組んでいる。

このほか、「治山事業」により、森林所有者等の責めに帰することができない原因により荒廃し、機能が低下した保安林の整備が行われている*36。

(災害による風倒木被害への対応)

平成30（2018）年の台風第21号や、令和元（2019）年の令和元年房総半島台風の強風による風倒木被害が発生している。風倒木による影響は森林にとどまらず、鉄道、道路や送配電線等のインフラ施設沿いの樹木が倒れ、交通網の遮断や停電等により市民生活に大きな影響を与えた事例も発生した（事例Ⅰ－3）。

被害を受けた森林の復旧に向けては、森林災害復旧事業や森林整備事業により、被害木の処理やその後の植栽等への支援を行っている。

一般に、形状比*37が高い樹木や樹冠長率*38が低い樹木が風害を受けやすいとされており、風倒木被害を防止するためには、適切に間伐を行い、森林の生長に応じて樹木の形状比や樹冠長率を適切に維持することが重要である。一方、インフラ施設周辺の森林は、林地が分断され、高性能林業機械の乗り入れが難しいこと等により森林整備が進みにくい傾向が見られることから、適切な森林整備を行うことを通じて、倒木等の被害の未然防止につなげていく取組を進めることとしている。

また、風倒木被害等の自然災害に対しては、森林所有者自らに備えてもらう観点から、災害に備える森林保険への加入促進を進めることとしている。

事例Ⅰ－3 **台風による風倒被害を受けた森林の再生に向けて**

平成30（2018）年9月の台風第21号により、京都府京都市では、252haの森林で風倒木被害が発生した。倒木は道路、線路沿いや民家裏でも発生し、叡山電車が約2ヶ月間の長期運休を余儀なくされるなど、市民生活に大きな影響があった。

風倒木被害地への対応として、市民生活への影響を考慮し、道路、民家等に近接する箇所のうち、土砂流出が懸念される箇所について優先して倒木処理を進めることとし、令和2（2020）年1月末時点で70haに着手（うち22ha完了）している。

京都市は、今後同様の被害を繰り返さないため、令和元（2019）年11月に「針葉樹人工林の風倒木被害地における森林再生の指針（平成30年台風21号被害）」を策定している。この指針では、風倒木被害地について、地域生態系に配慮した適地適木の考え方の下で防災的機能を持つ森林へと誘導するとともに、林業としての経済性も追求することを基本理念として、①広葉樹を中心とした多様な樹種からなる森林への誘導、②針葉樹人工林の適正な保育の推進、③道路沿い等への中低木植栽の3点を再生方針として掲げ、森林再生に取り組むとしている。

叡山電車線路沿いの被害地（京都市左京区）

公道沿いの被害地（京都市北区）

---

*36 治山事業については、第Ⅰ章第3節（2）79-83ページを参照。
*37 樹木の形状を示す指標で、樹木の高さをその樹木の直径で割った値。
*38 林木の形態を表す指標で、樹高に対する樹冠（枝葉部分）の長さの割合。

（適正な森林施業の確保等のための措置）

我が国では、適切な森林整備の実施を確保するため、「森林法」に基づき、「市町村森林整備計画」で伐採、造林、保育等の森林整備の標準的な方法を示しており、森林所有者等が森林を伐採する場合には、市町村長にあらかじめ伐採及び伐採後の造林の計画等を記載した届出書を提出することとされている[39]。また、市町村が伐採後の森林の状況を把握しやすくし、指導・監督を通じた再造林を確保するため、同法に基づき、森林所有者等は、市町村長へ伐採後の造林の状況を報告することとされている[40]（以下「伐採届出制度」という）。

今般、届出書の偽造等により、森林所有者に無断で森林の伐採が行われる事案が発生しており、林野庁において都道府県調査を行ったところ、市町村又は都道府県に無断伐採に関する情報や相談等がなされた件数は、平成30（2018）年1月から12月までの間に78件あった。林野庁では、無断伐採の未然防止を図るため、平成31（2019）年3月から、①伐採届における届出内容の確認の徹底、②森林経営管理制度等を活用した優良業者の育成及び悪質業者の排除、③合法伐採木材の流通の徹底といった対策を進めている。

（優良種苗の安定供給）

現在、戦後造林された人工林を中心に本格的な利用期を迎えており、今後、主伐の増加が見込まれる中、主伐後の再造林に必要な苗木の安定的な供給を図ることが一層重要になっている。

我が国における山行苗木[41]の生産量は、平成25（2013）年の約56百万本を底に増加に転じており、平成30（2018）年度は約60百万本となっているが、このうち約2割をコ

ンテナ苗[42]が占めるようになるなど、今後の森林施業の在り方を見据えた苗木の安定供給が進められている（資料Ⅰ-18）。

生産された苗木のうち、針葉樹ではスギが約21百万本、ヒノキが約6百万本、カラマツが約15百万本、マツ類が約3百万本となっており、広葉樹では約5百万本となっている。また、苗木生産事業者数は、全国で約810となっている[43]。苗木の需給については、地域ごとに過不足が生ずる場合もあることから、必要量の確保のため、林業用種苗需給連絡協議会等を活用し、地域間での需給情報の共有等が行われている。

（花粉発生源対策）

近年では、国民の3割が罹患し[44]国民病ともいわれる花粉症[45]への対策が課題となっている。このため、関係省庁が連携して、発症や症状悪化の原因究明、予防方法や治療方法の研究、花粉飛散量の予測、花粉の発生源対策等により、総合的な花粉症対策を進めている。

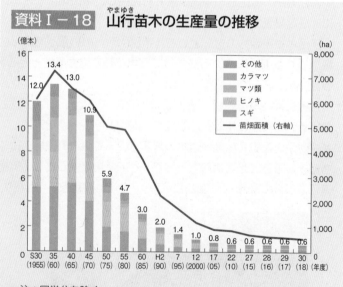

資料Ⅰ-18　山行苗木の生産量の推移

注：国営分を除く。
資料：林野庁「森林・林業統計要覧」

---

[39]　「森林法」第10条の8第1項
[40]　「森林法」第10条の8第2項
[41]　その年の造林に用いる苗木。
[42]　コンテナ苗について詳しくは、第Ⅱ章第1節（4）134ページを参照。
[43]　林野庁整備課調べ。
[44]　馬場廣太郎, 中江公裕（2008）鼻アレルギーの全国疫学調査　2008（1998年との比較）―耳鼻咽喉科およびその家族を対象として―, Progress in Medicine, 28（8）：145-156.
[45]　花粉に対して起こるアレルギー反応で、体の免疫反応が花粉に対して過剰に作用して、くしゃみや鼻水等を引き起こす疾患であるが、その発症メカニズムについては、大気汚染や食生活等の生活習慣の変化による影響も指摘されており、十分には解明されていない。

林野庁では、①花粉を飛散させるスギ人工林等の伐採・利用、②花粉症対策に資する苗木[46]による植替えや広葉樹の導入、③スギ花粉の発生を抑える技術の実用化の「3本の"斧"」による花粉発生源対策に取り組んできている。

花粉症対策に資する苗木の生産拡大に向けては、少花粉スギ等の種子を短期間で効率的に生産する「ミニチュア採種園」や苗木生産施設の整備、コンテナ苗生産技術の普及等に取り組んでいる。その結果、平成30（2018）年度のスギの花粉症対策に資する苗木の生産量は約1,097万本（スギ苗木全体の約5割）に増加した（資料I−19）。引き続き、同苗木の需要及び生産の拡大を推進することとしている。

また、スギ花粉の発生を抑える技術の実用化については、自然界に生育しスギ雄花を枯らす菌類を活用したスギ花粉飛散防止剤が開発され、その抑制効果が証明された。現在、実用化に向けて、スギ林への効果的な散布方法の確立や薬剤散布による生態系への影響調査等を進めている[47]。さらに、これらの取組に加えて、毎年春の花粉飛散予測に必要なスギ雄花の着花量調査や、ヒノキ雄花の観測技術の開発も進めている。

平成30（2018）年4月に改正された「スギ花粉発生源対策推進方針」[48]では、スギ苗木の年間生産量に占めるスギの花粉症対策に資する苗木の割合を令和14（2032）年度までに約7割に増加させる目標や、森林資源の循環利用のサイクルの確立といった林業の成長産業化に向けた取組を通じてスギ花粉発生源対策を推進することなどが盛り込まれている。

（2）社会全体で支える森林づくり

（ア）国民参加の森林づくりと国民的理解の促進
（「全国植樹祭」・「全国育樹祭」を開催）

国土緑化運動の中心的な行事である「全国植樹祭」が、天皇皇后両陛下の御臨席を仰いで毎年春に開催

されている。令和元（2019）年6月には、「第70回全国植樹祭」が愛知県の愛知県森林公園で「木に託す もり・まち・人の あす・未来」を大会テーマに開催された（資料I−20）。令和3（2021）年には、新型コロナウイルス感染症の感染の拡大傾向を踏まえて延期された「第71回全国植樹祭」が島根県で開催される予定である。

「全国育樹祭」は、皇族殿下によるお手入れや参加者による育樹活動等を通じて、森を守り育てることの大切さについて国民の理解を深めることを目的として毎年秋に開催されている。第1回の全国育樹

資料I−19 スギの花粉症対策苗木の生産量の推移

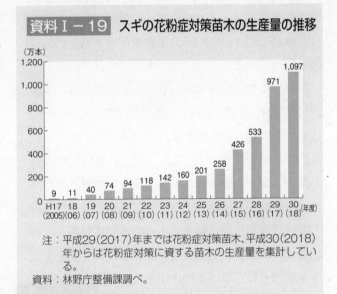

（万本）

年度	生産量
H17(2005)	9
18(06)	11
19(07)	40
20(08)	74
21(09)	94
22(10)	118
23(11)	142
24(12)	160
25(13)	201
26(14)	258
27(15)	426
28(16)	533
29(17)	971
30(18)	1,097

注：平成29（2017）年までは花粉症対策苗木、平成30（2018）年からは花粉症対策に資する苗木の生産量を集計している。
資料：林野庁整備課調べ。

資料I−20 全国植樹祭での両陛下のお手植えの様子

（写真提供：愛知県）

---

*46　花粉症対策品種（ほとんど、又は、全く花粉を作らない品種）の苗木及び間伐等特措法第2条第2項に規定する特定母樹から採取された種穂から生産された苗木。
*47　菌類を用いたスギ花粉飛散防止剤の開発については、「平成28年度森林及び林業の動向」第I章第2節（4）30ページを参照。
*48　国、都道府県、市町村、森林・林業関係者等が一体となってスギ花粉発生源対策に取り組むことが重要であるとの観点から、技術的助言等を林野庁が取りまとめたもの。

祭は、昭和52（1977）年9月に大分県で開催され、令和元（2019）年12月には、「第43回全国育樹祭」が沖縄県の平和創造の森公園で、「うけつごう　豊かな緑と　みんなの笑顔」をテーマに開催された。同育樹祭では、「第44回全国植樹祭」（平成5（1993）年開催）で天皇皇后両陛下がお手植えされたリュウキュウマツ、フクギを秋篠宮皇嗣同妃両殿下がお手入れされた。令和2（2020）年10月には、「第44回全国育樹祭」が北海道で開催される予定である。

（多様な主体による森林づくり活動が拡大）

環境問題等への関心の高まりから、NPOや企業等の多様な主体により森林づくり活動が行われており、林野庁では、これらの活動を促進するための支援を行っている。

森林づくり活動を実施している団体の数は、平成30（2018）年度は3,303団体であり、平成12（2000）年度の約6倍となっている（資料Ⅰ-21）。各団体の活動目的としては、「里山林等身近な森林の整備・保全」や「森林環境教育」を挙げる団体が多い。森林づくり活動においては、チェーンソー等の機械を使用した活動を行っている団体も多く、参加者やスタッフ、活動資金の確保に次いで安全の確保を課題として挙げる団体が多くなっている[49]。

また、CSR（企業の社会的責任）活動の一環等として、企業による森林づくり活動も行われている。近年は民有林を中心に活動の実施箇所数が伸びてきており、平成30（2018）年度の実施箇所数は1,728か所であった（資料Ⅰ-22）。具体的な活動としては、顧客、地域住民、NPO等との協働による森林づくり活動、基金や財団を通じた森林再生活動に対する支援、企業の所有森林を活用した

地域貢献等が行われているほか、森林所有者との協定締結による森林整備の取組も行われるなど、各企業の性格を活かしながら、地域の課題等の解決に向けた役割を果たしている。

こうした森林づくり活動を含め、企業が適正な森林整備に積極的に関わろうとする取組は、持続可能な開発目標（SDGs）の多くに森林が関連していること[50]に加え、国際的な企業評価・格付けの取組の

資料Ⅰ-21　森林づくり活動を実施している団体の数の推移

（団体数）

注：平成27年度調査より都道府県等から把握している団体から、実態の把握ができない、休止等が判明した団体を除いている。

資料：林野庁補助事業「森林づくり活動についての実態調査　平成27・30年調査集計結果」（平成24（2012）年度までは政府統計調査として実施）

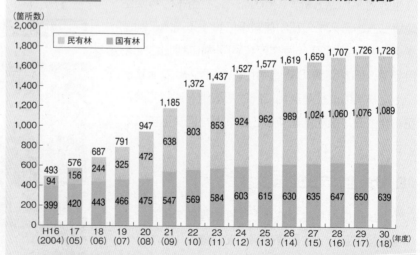

資料Ⅰ-22　企業による森林づくり活動の実施箇所数の推移

（箇所数）

■民有林　■国有林

注：国有林の数値については、「法人の森林」の契約数及び「社会貢献の森」制度による協定箇所数。

資料：林野庁森林利用課調べ。

---

[49]　林野庁補助事業「森林づくり活動についての実態調査　平成30年調査集計結果」（平成31（2019）年3月）。ボランティア活動における安全確保に向けた取組事例については、「平成29年度森林及び林業の動向」第Ⅱ章第2節（2）の事例Ⅱ-1（49ページ）を参照。

[50]　SDGsと森林について詳しくは、特集（3-41ページ）を参照。

中で世界規模でのESG投資[51]の流れに森林減少リスクが関連付けられる状況となっていること、森林減少のみならず森林劣化への対応も重要であること等が指摘されている中において[52]、企業価値の向上に直結する可能性を有する状況となっている。

（幅広い分野の関係者との連携）

幅広い分野の関係者の参画による森林づくり活動として、平成19（2007）年から「美しい森林（もり）づくり推進国民運動」が進められている。同運動では、経済団体、教育団体、環境団体、NPO等により構成される「美しい森林（もり）づくり全国推進会議」が、里山整備、森林環境教育、生物多様性保全等に取り組んでいる。同運動の一環として平成20（2008）年に開始された「フォレスト・サポーターズ」制度は、個人や企業等が日常の生活や業務の中で自発的に森林整備や木材利用に取り組む仕組みであり、登録数は令和元（2019）年12月末時点で約6.8万件となっている。また、近年では、経済界において、林業の成長産業化を通じた地方創生への期待が高まっており、林業成長産業化の推進のため、川上から川下に至る様々な取組が行われている[53]。

（森林環境教育を推進）

現代社会では、人々が日常生活の中で森林や林業に接する機会が少なくなっている。このため、森林内での様々な体験活動等を通じて、森林と人々の生活や環境との関係についての理解と関心を深める「森林環境教育」の取組が進められている。森林や林業の役割を理解し、社会全体で森林を持続的に保全しつつ利用していくことは持続可能な社会の構築に寄与し得るものであることから、「持続可能な開発のための教育（ESD）[54]」の考え方を取り入れながら森林環境教育に取り組む事例もみられる。

森林環境教育の例として、学校林[55]の活用による活動が挙げられる。学校林を保有する小中高等学校は、全国の6.8％に相当する約2,500校で、学校林の合計面積は全国で約1万7千haとなっている。学校林は「総合的な学習の時間」等で利用されており、植栽、下刈り、枝打ち等の体験や、植物観察、森林の機能の学習等が行われている[56]。こうした学校林等の身近な森林を活用した森林環境教育の活動の輪を広げていくことを目的に「学校の森・子どもサミット[57]」が開催されている。令和元（2019）年は長野県で、教員による小学校で取り組んできた総合学習などの事例発表、有識者、来場者とで森林環境教育を考えるトークセッションや学校の森ミニコンサート等が行われた。

このほか、森林環境教育の取組としては、「緑の少年団」による活動がある。緑の少年団は、次代を担う子供たちが、緑と親しみ、緑を愛し、緑を守り育てる活動を通じて、ふるさとを愛し、人を愛する心豊かな人間に育っていくことを目的とした団体である。令和2（2020）年1月現在、全国で3,225団体、約33万人が加入して学校教育や社会教育と連携し、森林の整備活動等を行っている[58]。

また、「聞き書き甲子園[59]」は、全国の高校生が、造林手（ぞうりんしゅ）、炭焼き職人、漆塗り職人、漁師等の「名手・

---

[51] 環境（Environment）、社会（Social）、ガバナンス（Governance）の3つの要素に対する企業の取組状況に基づいて投資対象企業を選別する投資手法。

[52] 詳しくは、「平成29年度森林及び林業の動向」第Ⅱ章第4節（1）のコラム（73ページ）を参照。

[53] 企業による様々な取組について詳しくは、特集第2節12-29ページを参照。

[54] 環境、貧困等の様々な地球規模の課題を自らの課題として捉え、自分にできることを考え、身近なところから取り組むことにより、課題解決につながる価値観や行動を生み出し、持続可能な社会の創造を目指す学習や活動のこと。ESDは「Education for Sustainable Development」の略。

[55] 学校が保有する森林（契約等によるものを含む。）であり、児童及び生徒の教育や学校の基本財産造成等を目的に設置されたもの。

[56] 公益社団法人国土緑化推進機構「学校林現況調査報告書（平成28年調査）」（平成30（2018）年3月）

[57] 平成19（2007）年度から平成25（2013）年度まで、学校林や「遊々の森」における活動を広げることを目的として開催されてきた「「学校林・遊々の森」全国子どもサミット」の後継行事であり、平成26（2014）年度から、林野庁、関係団体、NPO、地方公共団体、地元教育委員会等で構成される実行委員会の主催により開催。

[58] 公益社団法人国土緑化推進機構ホームページ「緑の少年団」

[59] 林野庁、水産庁、文部科学省、環境省、関係団体及びNPOで構成される実行委員会の主催により実施されている取組。平成14（2002）年度から「森の聞き書き甲子園」として始められ、平成23（2011）年度からは「海・川の聞き書き甲子園」と統合し、「聞き書き甲子園」として実施。

名人」を訪ね、一対一の対話を「聞き書き*60」して、知恵、技術、考え方、生き方等を学ぶ活動である。森林・林業分野では、令和元（2019）年の第18回までに約1,800人の高校生が参加し、高校生の作成した記録はホームページ上で公開され、森林・林業分野の伝統技術や山村の生活を伝達する役割も果たしている。

　林野庁においては、林野図書資料館が森林の魅力や役割・林業の大切さについて、分かりやすく表現した「漫画・イラスト」を作成し、地方公共団体の図書館等と連携して、企画展示等を実施している（資料Ⅰ-23）。また、漫画やイラストをホームページで公開し、誰でも自由に使用できるようにしたことで、各森林管理局や林業団体等においても、これらを活用し、地域の小中学校や住民を対象として森林環境教育が行われている。

（イ）森林整備等の社会的コスト負担

（森林整備等を主な目的とした地方公共団体独自の住民税の超過課税の取組）

　平成31（2019）年4月現在、37の府県において、森林整備等を目的とした住民税の超過課税により、地域の実情に即した課題に対応するために必要な財源確保の取組が行われており、全37府県で森林整備・保全に活用されているほか、各府県の実情に即して木材利用促進、普及啓発、人材育成等に幅広く活用されている。なお、関係府県においては、超過課税の期限や見直し時期も踏まえつつ、必要に応じて国の森林環境税導入後の超過課税の取組が検討されており、地域独自の取組と国の森林環境税がそれぞれの役割分担の下で効果的に活用され、森林整備等が一層進むことが期待される（資料Ⅰ-24）。

（「緑の募金」により森林づくり活動を支援）

　「緑の募金」は、「緑の募金に

よる森林整備等の推進に関する法律*61」に基づき、森林整備等の推進に用いることを目的に行う寄附金の募集である。昭和25（1950）年に、戦後の荒廃した国土を緑化することを目的に「緑の羽根募金」として始まり、現在では、公益社団法人国土緑化推進機構と各都道府県の緑化推進委員会が実施主体となり、春と秋の年2回、「家庭募金」、「職場募金」、「企業募金」、「街頭募金」等が行われている。平成30（2018）年には、総額約21億円の寄附金が寄せられた。

　寄附金は、①水源林の整備や里山林の手入れ等、市民生活にとって重要な森林の整備及び保全、②苗木の配布や植樹祭の開催、森林ボランティアの指導

資料Ⅰ-23　森林環境教育の企画展示

写真提供：日比谷図書文化館

資料Ⅰ-24　地方公共団体による森林整備等を主な目的とした住民税の超過課税の取組状況

【導入済み（37府県）】

北海道・東北地方	関東地方	中部地方	近畿地方	中国地方	四国地方	九州地方
岩手県 宮城県 秋田県 山形県 福島県	茨城県 栃木県 群馬県 神奈川県	富山県 石川県 山梨県 長野県 岐阜県 静岡県 愛知県	三重県 滋賀県 京都府 大阪府 兵庫県 奈良県 和歌山県	鳥取県 島根県 岡山県 広島県 山口県	愛媛県 高知県	福岡県 佐賀県 長崎県 熊本県 大分県 宮崎県 鹿児島県

【主な使途（令和元（2019）年度）】

	森林整備・保全	普及啓発	木材利用促進	森林環境学習	人材育成
府県数	37	35	24	22	8

資料：林野庁森林利用課調べ。

*60　話し手の言葉を録音し、一字一句全てを書き起こした後、一つの文章にまとめる手法。

*61　「緑の募金による森林整備等の推進に関する法律」（平成7年法律第88号）

者の育成等の緑化の推進、③熱帯林の再生や砂漠化の防止等の国際協力に活用されているほか、東日本大震災等の災害からの復興のため、被災地における緑化活動や木製品提供等に対する支援にも活用されている[62]。

（森林関連分野のクレジット化の取組）

　農林水産省、経済産業省及び環境省は、地方への資金の還流を促し、地球温暖化対策と地域経済の振興の両立を図るため、平成25（2013）年から「J-クレジット制度」を運営している。同制度は、温室効果ガスの排出削減量や吸収量をクレジットとして国が認証するものである。クレジットを購入する者は、入手したクレジットを地球温暖化対策の推進に関する法律（平成10年法律第117号）に基づく報告やカーボン・オフセット[63]等に利用することができる。森林分野の方法論として森林経営活動と植林活動が承認されており、令和2（2020）年3月現在で33件が登録されているほか、旧制度[64]から48件のプロジェクトが移行されている。また、再生可能エネルギー分野の方法論として木質バイオマス固形燃料により化石燃料又は系統電力を代替する活動も承認されており、63件が登録されているほか、旧制度から85件のプロジェクトが移行されている。

　「J-クレジット制度」のほかにも、地方公共団体や民間団体など多様な主体によって、森林の二酸化炭素吸収量を認証する取組が行われている。

---

*62　緑の募金ホームページ「災害復興支援」
*63　日常生活や企業等の活動で発生するCO$_2$（＝カーボン）を、森林による吸収や省エネ設備への更新により創出された他の場所の削減分で埋め合わせ（＝オフセット）する取組。
*64　「国内クレジット制度」と「J-VER制度」であり、この2つを統合して「J-クレジット制度」が開始された。

3. 森林保全の動向

　森林は、山地災害の防止、水源の涵養、生物多様性の保全等の公益的機能を有しており、その適正な利用を確保するとともに、自然災害、病虫獣害等から適切に保全することにより、これらの機能の維持及び増進を図ることが重要である。

　以下では、保安林等の管理及び保全、治山対策の展開、森林における生物多様性の保全、森林被害対策の推進について記述する。

（1）保安林等の管理及び保全

（保安林制度）

　公益的機能の発揮が特に要請される森林については、農林水産大臣又は都道府県知事が「森林法」に基づき「保安林」に指定して、立木の伐採や土地の形質の変更等を規制している[65]。保安林には、「水源かん養保安林」を始めとする17種類の保安林がある（事例Ⅰ-4）。平成30（2018）年度には、新たに約2.7万haが保安林に指定され、同年度末で、全国の森林面積の49%、国土面積の32%に当たる1,221万ha[66]の森林が保安林に指定されている（資料Ⅰ-25）。特に近年は、短期間強雨の発生頻度が増加傾向にあるなど、今後、山地災害発生リスクが一層高まることが懸念されていることも踏まえ、「土砂流出防備保安林」、「土砂崩壊防備保安林」等の適正な配備を進めることとしている。

　また、「京都議定書」の下で天然生林の森林吸収量を算入する条件として、保安林を含む法令等に基づく保護措置及び保全措置が講じられている必要がある。このため、適切な保安林の管理及び保全は、森林吸収源対策を推進する観点からも重要である。なお、パリ協定の下でも同様の対策を進めることとしている。

（林地開発許可制度）

　保安林以外の森林についても、工場用地や農用地の造成、土石の採掘等を行うに当たっては、森林の有する多面的機能が損なわれないよう適正に行うこ

とが必要である。

　このため「森林法」では、保安林以外の民有林について、森林の土地の適正な利用を確保することを目的とする林地開発許可制度が設けられている。同制度では、森林において一定規模を超える開発を行う場合には、都道府県知事の許可が必要とされている[67]。

　山地災害発生リスクの高まりを踏まえ、林野庁は、林地開発許可制度の厳正な運用を徹底するよう都道府県に通知するなど、森林の公益的機能の確保等の観点から、森林の開発行為に対して、適切な対応に取り組んでいる。

　平成30（2018）年度には、3,532haについて林地開発の許可が行われた。このうち、工場・事業用

資料Ⅰ-25　保安林の種類別面積

森林法第25条第1項	保安林種別	面　積（ha）	
		指定面積	実面積
1号	水源かん養保安林	9,223,965	9,223,965
2号	土砂流出防備保安林	2,601,853	2,530,220
3号	土砂崩壊防備保安林	59,912	59,484
4号	飛砂防備保安林	16,167	16,146
5号	防風保安林	56,169	56,024
	水害防備保安林	633	612
	潮害防備保安林	13,877	12,215
	干害防備保安林	126,174	99,826
	防雪保安林	31	31
	防霧保安林	61,693	61,466
6号	なだれ防止保安林	19,171	16,579
	落石防止保安林	2,503	2,470
7号	防火保安林	400	312
8号	魚つき保安林	60,049	27,045
9号	航行目標保安林	1,106	319
10号	保健保安林	704,071	92,592
11号	風致保安林	28,044	14,273
合　計		12,975,819	12,213,578
森林面積に対する比率(%)		－	48.8
国土面積に対する比率(%)		－	32.3

注1：平成31（2019）年3月31日現在の数値。
　2：実面積とは、それぞれの種別における指定面積から、上位の種別に兼種指定された面積を除いた面積を表す。
資料：林野庁治山課調べ。

*65　「森林法」第25条から第40条まで。
*66　それぞれの種別における「指定面積」から、上位の種別に重複して指定された兼種保安林の面積を除いた「実面積」の合計。
*67　「森林法」第10条の2

78 —— 令和元年度森林及び林業の動向

地及び農用地の造成が2,526ha、土石の採掘が669ha等となっている*68。

また、「再生可能エネルギーの固定価格買取制度（FIT制度）」が、平成24（2012）年7月に導入されて以降、太陽光発電施設の設置を目的とした林地開発許可等の案件が増加している。太陽光発電施設には、斜面にそのまま設置可能であるなどの他の開発目的とは異なる特殊性が見受けられることから、林野庁は、令和元（2019）年6月から9月にかけて有識者による検討会を開催し、同検討会で取りまとめた報告書*69を踏まえ、同年12月に太陽光発電に係る林地開発許可の基準の整備を行った。

（2）治山対策の展開

（山地災害等への迅速な対応）

我が国の国土は、地形が急峻かつ地質がぜい弱であることに加え、前線や台風に伴う豪雨や地震等の自然現象が頻発することから、毎年、各地で多くの山地災害が発生している。

令和元（2019）年9月には「令和元年房総半島台風（台風第15号）*70」により、千葉県を始めとした関東地方で倒木による森林被害や山地災害が発生し、その被害額は4県で約26億円の被害をもたらした。

また、同年10月には「令和元年東日本台風（台風第19号）*70」等により、東北、関東甲信越地域を中心に広域で記録的な豪雨が観測され、宮城県を始め各地で山崩れが多発し、山地災害により19都県で約451億円と甚大な被害が発生した。

これらの台風や豪雨等により、令和元（2019）年の山地災害による被害は約644億円に及んだ（資料I−26）。なお、近年では平成30（2018）年に「平成30年7月豪雨」を始めとする約2,068億円、平成29（2017）年には「平成29年7月九州北部豪雨」

事例I−4 江戸時代から地域に愛され、地域を守る保安林（福岡県における事例）

福岡県を流れる矢部川の中流部、みやま市瀬高町（せたかまち）にある中之島（なかのしま）公園内では、約7haのクスノキ林が「水害防備保安林」として大正時代から指定されている。その始まりは、江戸時代に当時の柳河藩（やながわはん）から治水工事の命を受けた田尻惣助（たじりそうすけ）らが、堤防の大改修を行った際に、堤防をより丈夫なものとするため、堤防上にクスノキとタケを植えたものである。現在では、河川堤防上のクスノキ群として国の天然記念物にも指定されており、約300年にわたって水害を防備する役割を果たしつつ、近年は散策や河川での釣り、水遊び等に利用され、市民の憩いの場となっている。

平成24（2012）年7月の九州北部豪雨では、この保安林が上流からの流木を捕捉する効果を発揮したこともあり、地域住民と市が親しみを込めて、未来に引き継いでいくシンボルとして、クスノキ林そのものをキャラクターに見立てることにした。今後も中之島公園だけにとどまらず、地域のシンボルとして様々な活動が展開される予定である。このように、保安林は、人々の安全・安心な暮らしを守りながら、地域住民に愛される森林となっている。

保安林のクスノキ林

クスノキ林をキャラクター化した「矢部川くすべぇ」

---

*68　林野庁治山課調べ。平成29（2017）年度以前については、林野庁「森林・林業統計要覧」を参照。
*69　太陽光発電に係る林地開発許可基準の在り方に関する検討会報告書（令和元（2019）年9月）
*70　気象庁プレスリリース「令和元年に顕著な災害をもたらした台風の名称について」（令和2（2020）年2月19日付け）

を始めとする約634億円の山地災害による被害が発生するなど、日本各地で甚大な被害が引き起こされた。

林野庁では、山地災害が発生した場合には、初動時の迅速な対応に努めるとともに、二次災害の防止や早期復旧に向けた災害復旧事業等の実施等に取り組んでいる。特に、大規模な災害が発生した場合には、地方公共団体への職員派遣や、被災都道府県等と連携したヘリコプターによる上空からの被害状況調査等の支援も行っている[71]。

なお、令和元年房総半島台風により千葉県で発生した倒木による森林被害、令和元年東日本台風により宮城県、神奈川県で発生した山地災害については、それぞれ学識経験者による緊急調査を実施し、調査結果を公表した。

（近年の山地災害を踏まえた治山対策）

また、「平成30年7月豪雨」の被災箇所では、特にマサ土等のぜい弱な地質地帯における土石流、山腹崩壊や、花崗岩地帯におけるコアストーン等の巨石の流下等により、下流域に甚大な被害が発生した[72]。これらの被災箇所では、令和元（2019）年12月末時点で、94地区で工事が完了し、181地区で災害復旧事業等を実施中である。

さらに、過去に例のないような大規模かつ集中的な山地災害が発生した「平成30年北海道胆振東部地震」の被災箇所については、令和元（2019）年12月末時点で、5地区で工事が完了し、48地区で災害復旧事業等を実施中である（資料Ⅰ－27）。

（治山事業の実施）

国及び都道府県は、安全で安心して暮らせる国土づくり、豊かな水を育む森林づくりを推進するため、「森林整備保全事業計画」に基づき、山地災害の防止、水源の涵養、生活環境の保全等の森林の持つ公益的機能の確保が特に必要な保安林等において、治山施設の設置や機能の低下した森林の整備等を行う治

山事業を実施している。

治山事業は、「森林法」で規定される保安施設事業と、「地すべり等防止法[73]」で規定される地すべり防止工事に関する事業に大別される。保安施設事業では、山腹斜面の安定化や荒廃した渓流の復旧整備等のため、治山施設の設置や治山ダムの嵩上げ等

資料Ⅰ－26	山地災害の発生状況（令和元（2019）年）	
区　分	被害箇所数	被害額（百万円）
豪雨災害	192	4,490
地すべり災害	7	1,074
梅雨前線豪雨災害	168	4,064
令和元年房総半島台風	64	2,474
令和元年東日本台風等	1,442	45,111
その他災害	143	7,143
合計	2,016	64,356

注1：山地災害は、林地荒廃と治山施設の被害を指す。
　2：令和元年東日本台風等災害には台風第21号による災害を含む。
　3：その他災害は、融雪、波浪、落石、台風等によるもの。
資料：林野庁治山課調べ。

資料Ⅰ－27　近年の災害の復旧状況

平成30年7月豪雨の災害復旧状況（愛媛県）

平成30年胆振東部地震の災害復旧状況（北海道）

---

[71]　山地災害の対応について、トピックス5（50ページ）も参照。

[72]　林野庁プレスリリース「「平成30年7月豪雨を踏まえた治山対策検討チーム」中間取りまとめについて」（平成30（2018）年11月13日付け）及び「平成30年度森林及び林業の動向」第Ⅱ章第3節（2）のコラム（82ページ）を参照。

[73]　「地すべり等防止法」（昭和33年法律第30号）

の機能強化、森林の整備等を行っている。例えば、治山ダムを設置して荒廃した渓流を復旧する「渓間工」、崩壊した斜面の安定を図り森林を再生する「山腹工」等を実施しているほか、火山地域においても荒廃地の復旧整備等を実施している（事例Ⅰ－5）。また、地すべり防止工事では、地すべりの発生因子を除去・軽減する「抑制工」や地すべりを直接抑える「抑止工」を実施している。

これらに加え、地域における避難体制の整備等のソフト対策と連携した取組として、山地災害危険地区[*74]に関する情報を地域住民に提供するとともに、

土石流、泥流、地すべり等の発生を監視・観測する機器や雨量計等の整備を行っている。

近年、短時間の大雨が増加傾向にあることに加え、気候変動により大雨の発生頻度が更に増加するおそれが高いことが指摘されており[*75]、今後、山地災害の発生リスクが一層高まることが懸念されている。また、近年の災害では、山腹崩壊等に伴う流木災害が顕在化しているなど、山地災害の発生形態も多様化している。

このような中、平成26（2014）年に策定され、平成30（2018）年に改定された「国土強靱化基本

コラム 令和元（2019）年度の山地災害等に対する学識経験者による緊急調査結果の概要

日本国内で観測される短時間の大雨の発生回数は長期的に増加傾向にあり、毎年のように各地で甚大な山地災害をもたらしている。令和元（2019）年には、令和元年房総半島台風（台風第15号）や令和元年東日本台風（台風第19号）に際して、倒木による森林被害や山腹崩壊等の山地災害が発生したことから、林野庁ではこれらの災害の発生原因や特徴、今後の対策等を検討するため、学識経験者による緊急調査をそれぞれ実施した。

同年9月の「令和元年房総半島台風」については、千葉県内の多くの地点で観測史上1位の最大瞬間風速を観測する記録的な暴風となったことから、県内各地で大規模な倒木が発生した。森林被害の状況を調査したところ、人工林や天然林、樹種等にかかわらず風倒被害が発生していることや、比較的平坦な地形に小規模な被害地が広範囲に散在するという被害の特徴を確認した。また、中長期的には、リモートセンシング技術も活用して被害地分布等の状況を広域的に明らかにすること等が必要との結果が示された。

また、同年10月の「令和元年東日本台風」については、山腹崩壊等が多発した宮城県及び神奈川県で山地災害の調査を実施したところ、短時間の記録的な豪雨により斜面上部の火山灰土などで地下水位が上昇したことにより、立木の根系の及ぶ範囲より深いところで崩壊が発生したことが推定された。今後、人家、道路等に近接して不安定土砂が堆積している箇所では、優先的な治山対策の実施の検討等が必要との結果が報告された。

資料：台風第15号の森林被害等の学識経験者による緊急調査（令和元（2019）年10月11日）、令和元年台風第19号に伴い丸森町及び相模原市で発生した山地災害の学識経験者による現地調査結果（令和元（2019）年12月10日）

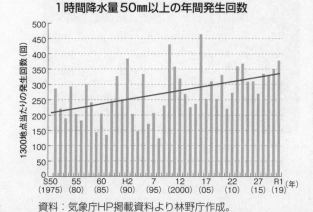

1時間降水量50mm以上の年間発生回数

資料：気象庁HP掲載資料より林野庁作成。

令和元年房総半島台風被害の現地調査状況

[*74] 平成29（2017）年3月末現在、全国で合計19.4万か所が調査・把握され、市町村へ周知されている。
[*75] 気候変動に関する政府間パネル（IPCC）第5次評価報告書統合報告書（2014年11月）による。

計画」では、国土強靱化の推進方針として、山地災害対策の強化等が位置付けられており、内閣府の中央防災会議の下に設置された「総合的な土砂災害対策検討ワーキンググループ」が平成27（2015）年に取りまとめた報告では、山地災害による被害を未然に防止・軽減する事前防災・減災対策に向けた治山対策を推進していく必要があるとされている。これらの状況を踏まえて、山地災害危険地区の的確な把握、土砂流出防備保安林等の配備、ぜい弱な地質地帯における山腹崩壊等対策や巨石・流木対策、荒廃森林の整備、海岸防災林の整備等を推進するなど、総合的な治山対策により地域の安全・安心の確保を図ることとしている。

（海岸防災林の整備）

　我が国の海岸線の全長は約3.5万kmに及んでお

り、潮害、季節風等による飛砂や風害等の被害を防ぐため、先人たちは、潮風等に耐性があり、根張りが良く、高く成長するマツ類を主体とする海岸防災林を造成してきた。これらの海岸防災林は、地域の暮らしと産業の保全に重要な役割を果たしているほか、白砂青松の美しい景観を提供するなど人々の憩いの場ともなっている。

　このような中、東日本大震災で海岸防災林が一定の津波被害の軽減効果を発揮したことが確認されたことを踏まえ、平成24（2012）年に中央防災会議が決定した報告等の中で、海岸防災林の整備は、津波に対するハード・ソフト施策を組み合わせた「多重防御」の一つとして位置付けられた[*76]。

　これらの報告や「東日本大震災に係る海岸防災林の再生に関する検討会」が示した方針[*77]を踏まえ、

事例Ⅰ－5　令和元（2019）年10月の三重県の豪雨における治山施設の効果

　令和元（2019）年10月18日から19日にかけて、低気圧や前線の影響等により、三重県南部を中心に記録的な大雨となった。

　この大雨により、三重県南部では、床上浸水や土砂崩れが発生するなどの大きな被害が発生した。

　三重県紀北町矢口浦地区でも、山腹崩壊が発生したが、三重県が整備した治山ダム（昭和62（1987）年度施工）が、渓流の荒廃を防止し、渓床や山脚[注1]を固定するとともに、渓床勾配を緩和[注2]していたことにより崩壊土砂や流木が堆積し、下流への土砂や流木の流出が抑制された。これらの結果、当該地区を山地災害から保全することができた。

注1：山の斜面の裾。
　2：治山ダムの上流側に土砂が堆積し、渓流の傾斜が緩やかになること。

治山ダム（昭和62（1987）年度施工）による流木の流出等の抑制効果（三重県紀北町）

＊76　中央防災会議防災対策推進検討会議「防災対策推進検討会議最終報告」（平成24（2012）年7月31日）、中央防災会議防災対策推進検討会議南海トラフ巨大地震対策検討ワーキンググループ「南海トラフ巨大地震対策について（最終報告）」（平成25（2013）年5月28日）、中央防災会議防災対策推進検討会議津波避難対策検討ワーキンググループ「津波避難対策検討ワーキンググループ報告」（平成24（2012）年7月18日）

＊77　林野庁プレスリリース「今後における海岸防災林の再生について」（平成24（2012）年2月1日付け）

林野庁では都道府県等と連携しつつ、地域の実情、生態系保全の必要性等を考慮しながら、東日本大震災により被災した海岸防災林の復旧・再生を進めてきた。これらの事業における生育基盤盛土造成により得られた知見等も活かしつつ、津波で根返りしにくい海岸防災林の造成や、飛砂害、風害及び潮害の防備等を目的とした海岸防災林の整備・保全を全国で進めている*78。

(防災・減災、国土強靱化に向けた取組)

平成30（2018）年に改定された「国土強靱化基本計画」では、事前防災・減災のための山地災害対策を強化すると位置付けられている。

また、平成30（2018）年に発生した一連の激甚な災害を受けて、各省庁により重要インフラの緊急点検が実施され、「防災・減災、国土強靱化のための3か年緊急対策」（平成30（2018）年12月14日閣議決定）が取りまとめられた。

林野庁では、治山分野及び森林分野において、山腹の崩壊状況、森林の荒廃状況、林道法面の状況等の緊急点検を実施し、3年以内に早急な対策が必要と判明した地区において、治山施設の設置、海岸防災林の整備、森林造成、間伐、林道改良等を実施するとともに、平成29（2017）年の九州北部豪雨災害を踏まえ、平成29（2017）年から着手している「流木災害防止緊急治山対策プロジェクト」の加速化を含めた緊急対策を実施している。

さらに、令和元（2019）年に発生した、令和元年房総半島台風及び令和元年東日本台風等による山地災害や送配電線等の重要インフラ周辺の風倒木被害等も踏まえた治山対策、森林整備対策も進めており、今後もこうした「災害に強い森林づくり」を通じた国土強靱化の取組を推進することとしている。

（3）森林における生物多様性の保全

(生物多様性保全の取組を強化)

我が国の国土の約3分の2を占める森林は、人工林から原生的な天然林まで多様な構成になっており、多様な野生生物種が生育・生息する場となっている。

平成24（2012）年に閣議決定した「生物多様性国家戦略2012-2020」は、「生物多様性条約第10回締約国会議（COP10）*79」で採択された「戦略計画2011-2020（愛知目標）」の達成に向けた我が国のロードマップであり、令和2（2020）年度までの間に重点的に取り組むべき施策の大きな方向性として5つの基本戦略を掲げている。また、我が国における国別目標や目標達成のための具体的施策を示しており、森林関連の具体的施策も含まれている（資料Ⅰ-28）。

林野庁では、同戦略を踏まえて、生物多様性の保全を含む森林の多面的機能を総合的かつ持続的に発揮させていくため、適切な間伐等の実施や多様な森林づくりを推進している。例えば、森林施業等の実施に際して生物多様性保全への配慮を推進している

資料Ⅰ-28 「生物多様性国家戦略2012-2020」（平成24（2012）年9月閣議決定）の概要

【基本戦略】

○	生物多様性を社会に浸透させる
○	地域における人と自然の関係を見直し、再構築する
○	森・里・川・海のつながりを確保する
○	地球規模の視野を持って行動する
○	科学的基盤を強化し、政策に結びつける

【森林関連の主な具体的施策】

○	森林・林業の再生に向けた適切で効率的な森林の整備及び保全、更新を確保するなどの多様な森林づくりを推進
○	国有林野における「保護林」や「緑の回廊」を通じ原生的な森林生態系や希少な生物が生育・生息する森林を保全・管理
○	防護柵等の設置、捕獲による個体数調整、防除技術の開発や生育・被害状況の調査などの総合的な鳥獣被害対策を推進
○	多様な森林づくり等について考慮するなど、生物多様性に配慮して海岸防災林を再生

資料：「生物多様性国家戦略2012-2020」（平成24（2012）年9月）

---

*78 東日本大震災により被災した海岸防災林の再生については、第Ⅴ章第1節（2）241-243ページも参照。
*79 生物多様性に関する国際的な議論については、第Ⅰ章第4節（3）102-103ページを参照。

ほか、「森林・山村多面的機能発揮対策交付金*80」により、手入れをすることによって生物多様性が維持されてきた集落周辺の里山林について、地域の住民が協力して行う保全・整備の取組に対して支援している。また、国有林野においては、原生的な森林生態系を有する森林や希少な野生生物の生育・生息の場となる森林である「保護林*81」や、これらを中心としたネットワークを形成して野生生物の移動経路となる「緑の回廊*82」において、モニタリング調査等を行いながら適切な保全・管理を推進するとともに、我が国における森林の生物多様性保全に関する取組の情報発信等に取り組んでいる。

このほか、農林水産省では、植樹等をきっかけに、生物多様性に関する理解が進展するよう、環境省や国土交通省及び国連生物多様性の10年日本委員会（UNDB-J）と連携して、「グリーンウェイブ*83」への参加を広く国民に呼び掛けている。平成30（2018）年には、「オフィシャル・パートナー制度」を創設して「国連生物多様性の10年」の最終年である令和2（2020）年に向けた活動促進を図り、令和元（2019）年には、国内各地で約2万人が参加した*84。

（我が国の森林を世界遺産等に登録）

「世界遺産」は、ユネスコ（UNESCO*85）総会で採択された「世界の文化遺産及び自然遺産の保護に関する条約」（以下「世界遺産条約」という。）に基づいて、記念工作物、建造物群、遺跡、自然地域等で顕著な普遍的価値を有するものを一覧表に記載し保護・保存する制度で、「文化遺産」、「自然遺産」及び文化と自然の「複合遺産」の3つがある。

我が国の世界自然遺産として、平成5（1993）年に「白神山地」（青森県及び秋田県）と「屋久島」（鹿

児島県）、平成17（2005）年に「知床」（北海道）、平成23（2011）年に「小笠原諸島」（東京都）が世界遺産一覧表に記載されており、これらの陸域の9割以上が国有林野となっている。

林野庁では、これらの世界自然遺産の国有林野を厳格に保護・管理するとともに、在来樹木を植栽して外来樹木の侵入を抑制する手法の開発や周辺民有林における森林生態系の保全に配慮した管理手法の検討を進めている。また、世界自然遺産が所在する地方公共団体では、国等と連携し、外来種対策を推進しているほか、モニタリング調査を実施し、自然環境の現状及び変化状況を把握している。

政府は、平成31（2019）年2月に、「奄美大島、徳之島、沖縄島北部及び西表島」（鹿児島県及び沖縄県）を自然遺産として世界遺産一覧表へ記載するための推薦書をユネスコへ再提出した。これを受け、令和元（2019）年10月に審査のための国際自然保護連合（IUCN*86）による調査が実施された。

このほか、国有林野が所在する世界文化遺産として、「富士山－信仰の対象と芸術の源泉」（山梨県及び静岡県）や、「長崎と天草地方の潜伏キリシタン関連遺産」の構成資産の一つである「平戸の聖地と集落（春日集落と安満岳）」（長崎県）等が世界遺産一覧表に記載されており、林野庁ではこれらの国有林野の厳格な保護・管理等を行っている。

世界遺産のほか、ユネスコでは「人間と生物圏（MAB*87）計画」における一事業として、「生物圏保存地域（Biosphere Reserves）」（国内呼称「ユネスコエコパーク」）の登録を実施している。ユネスコエコパークは、生態系の保全と持続可能な利活用の調和（自然と人間社会の共生）を目的として、「保全機能（生物多様性の保全）」、「経済と社会の発展」、

---

*80　「森林・山村多面的機能発揮対策交付金」については、第Ⅱ章第3節（2）150-151ページを参照。

*81　保護林については、第Ⅳ章第2節（1）219-220ページを参照。

*82　緑の回廊については、第Ⅳ章第2節（1）219-221ページを参照。

*83　生物多様性条約事務局が提唱したもので、世界各国の青少年や子供たちが「国際生物多様性の日（5月22日）」に植樹等を行う活動であり、この行動が時間とともに地球上で広がっていく様子から「緑の波（グリーンウェイブ）」と呼んでいる。

*84　農林水産省等プレスリリース「国連生物多様性の10年「グリーンウェイブ2019」の実施結果及びオフィシャルパートナーの募集について」（令和元（2019）年11月22日付け）

*85　「United Nations Educational, Scientific and Cultural Organization（国際連合教育科学文化機関）」の略。

*86　「International Union for Conservation of Nature and Natural Resources」の略。ユネスコ世界遺産委員会の諮問機関となっている。

*87　「Man and the Biosphere」の略。

「学術的研究支援」の3つの機能を有する地域を登録するものである。我が国では令和元（2019）年に新たに登録された「甲武信」（埼玉県、東京都、山梨県及び長野県）を含め、10件が登録されている（資料Ⅰ－29）。

林野庁では、これらの世界文化遺産、ユネスコエコパークの国有林野の厳格な保護・管理等を行っている[88]。

（4）森林被害対策の推進

（野生鳥獣による被害の状況）

近年、野生鳥獣による森林被害面積は減少傾向にはあるものの、森林被害は依然として深刻な状況にある。平成30（2018）年度の野生鳥獣による森林被害面積は、全国で約5,900haとなっており、このうち、シカによる被害が約7割を占めている（資料Ⅰ－30）。

シカによる被害が深刻となっている背景として、個体数の増加や分布域の拡大が挙げられる。

令和元（2019）年11月に公表された環境省によるシカの個体数の推定結果によると、北海道を除くシカの個体数[89]の推定値（中央値）は、平成元（1989）年頃から平成26（2014）年までは一貫して増加傾向にあったが、近年捕獲の取組を強化してきたこともあり、3年連続で若干の減少傾向であることが明らかになった[90]。しかしながら、直近の平成29（2017）年度末の個体数の推定値は約244万頭[91]で、平成元（1989）年の約8倍となっており、高い水準で推移している。

シカの分布域は、昭和53（1978）年度から平成

資料Ⅰ－29　我が国のユネスコエコパーク

白山火山（©白山市）

白山
（富山県、石川県、福井県、岐阜県）

志賀高原
（群馬県、長野県）

志賀高原（©山ノ内町）

祖母・傾・大崩
（大分県、宮崎県）

祖母山（©高野弘之）

綾
（宮崎県）

只見
（福島県）

みなかみ
（群馬県、新潟県）

甲武信
（埼玉県、山梨県、長野県、東京都）

利根川のラフティング（©みなかみ町）

屋久島・
口永良部島
（鹿児島県）

大台ヶ原・大峯山
・大杉谷
（三重県、奈良県）

南アルプス
（山梨県、長野県、静岡県）

縄文杉（©屋久島町）　　照葉樹林（©綾町）　　大杉谷峡谷シシ淵（©大台町）　　甲斐駒ケ岳と水田（©南アルプス市）　　西沢渓谷（©山梨市）　　ブナ天然林（©只見町）

資料：文部科学省資料を基に林野庁森林利用課作成。

*88　国有林野での取組について詳しくは、第Ⅳ章第2節（1）221ページを参照。
*89　北海道については、北海道庁が独自に個体数を推定しており、平成29（2017）年度において約66万頭と推定。
*90　環境省プレスリリース「全国のニホンジカ及びイノシシの個体数推定等の結果について（令和元年度）」（令和元（2019）年11月1日付け）。
*91　推定値には、220〜273万頭（50%信用区間）、192〜329万頭（90%信用区間）といった幅がある。信用区間とは、それぞれの確率で真の値が含まれる範囲を指す。

26（2014）年度までの36年間で約2.5倍に拡大した[92]（資料Ⅰ-31）。さらに、環境省が作成した密度分布図によると、平成26（2014）年度時点で関東山地から八ヶ岳、南アルプスにかけての地域や近畿北部、九州で生息密度が高い状態であると推定されている[93]。また、東北地方の日本海側や茨城県北部など、近年シカが生息していなかった地域におけるシカ目撃情報が増えており、これらの地域への定着が懸念されている。

シカによる被害は、造林地の植栽木の枝葉や樹皮が被食されることにより、生長の阻害や枯死等が発生しているほか、立木の樹皮が剥がされることにより、立木の枯損や木材としての価値の低下等が発生している。

また、シカの密度が著しく高い地域の森林では、シカの食害によって、シカの口が届く高さ約2m以下の枝葉や下層植生がほとんど消失している場合や、シカの食害を受けにくい植物のみが生育している場合があり[94]、このような被害箇所では、下層植生の消失や単一化、踏み付けによる土壌流出等により、森林の有する多面的機能への影響が懸念されている。

資料Ⅰ-31　ニホンジカ分布域

資料：環境省「ニホンジカ全国生息分布メッシュ比較図」

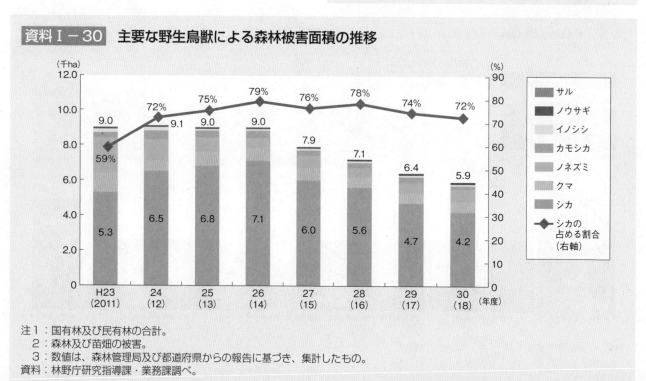

資料Ⅰ-30　主要な野生鳥獣による森林被害面積の推移

注１：国有林及び民有林の合計。
　２：森林及び苗畑の被害。
　３：数値は、森林管理局及び都道府県からの報告に基づき、集計したもの。
資料：林野庁研究指導課・業務課調べ。

[92]　環境省プレスリリース「改正鳥獣法に基づく指定管理鳥獣捕獲等事業の推進に向けたニホンジカ及びイノシシの生息状況等緊急調査事業の結果について」（平成27（2015）年4月28日付け）
[93]　環境省プレスリリース「改正鳥獣法に基づく指定管理鳥獣捕獲等事業の推進に向けた全国のニホンジカの密度分布図の作成について」（平成27（2015）年10月9日付け）
[94]　農林水産省（2007）野生鳥獣被害防止マニュアル －イノシシ、シカ、サル（実践編）－：40-41.

その他の野生鳥獣による被害としては、ノネズミは、植栽木の樹皮及び地下の根の食害により、植栽木を枯死させることがあり、特に北海道のエゾヤチネズミは、数年おきに大発生し、大きな被害を引き起こしている。クマは、立木の樹皮を剥ぐことにより、立木の枯損や木材としての価値の低下等の被害を引き起こしている。

（野生鳥獣被害対策を実施）

　野生鳥獣による森林被害対策として、被害の防除や、被害をもたらす野生鳥獣を適正な頭数に管理する個体群管理等が行われている。

　被害の防除としては、造林地等へのシカ等の野生鳥獣の侵入を防ぐ防護柵や、立木を剥皮被害から守る防護テープ、苗木を食害から守る食害防止チューブ*95の設置等のほか、新たな防除技術の開発等も行われている*96。

　個体群管理としては、各地域の国有林、地方公共団体、鳥獣被害対策協議会等によりシカ等の計画的な捕獲や捕獲技術者の養成等が行われているほか、わなや銃器による捕獲等についての技術開発も進められている*97。環境省と農林水産省は、平成25（2013）年に「抜本的な鳥獣捕獲強化対策」を取りまとめ、捕獲目標を設定（ニホンジカ、イノシシについて、令和5（2023）年度までに個体数を半減）するとともに、その達成に向けた捕獲事業の強化、捕獲事業従事者の育成・確保等を推進することとした。シカ、イノシシの捕獲頭数は増加傾向にあり、平成29（2017）年には、シカ61万頭、イノシシ55万頭が捕獲されている*98ものの、半減目標達成に向けては今後更なる捕獲強化が必要である。

　森林におけるシカ等鳥獣被害対策を強化するため、平成28（2016）年には、「森林法」が改正され、「市町村森林整備計画」等において、鳥獣害を防止するための措置を実施すべき森林の区域（鳥獣害防止森林区域）を獣種別に設定し、「森林経営計画」において区域内の人工植栽を計画する場合には、鳥獣害対策の記載を必須とするなど、区域を明確にした

上で鳥獣害防止対策を推進することとされた。平成31（2019）年4月現在で、全国の市町村森林整備計画を策定している市町村の約5割において、当該区域が設定されている。

　また、森林整備事業により、森林所有者等による間伐等の施業と一体となった防護柵等の被害防止施設の整備等に対する支援や、囲いわな等による鳥獣の誘引捕獲に対する支援を行っている（資料Ⅰ－32）。さらに、シカによる被害が深刻な地域でのモデル的な捕獲等の実施や捕獲ノウハウの普及、シカの侵入が危惧される地域等での監視体制の強化等の取組を行っている（事例Ⅰ－6）。

　国有林においても、国有林及び周辺地域における農林業被害の軽減・防止へ貢献するため、森林管理

資料Ⅰ－32　野生鳥獣被害対策の例

防護柵による侵入防止

箱わなによる捕獲

＊95　植栽木をポリエチレン製等のチューブで囲い込むことにより食害を防止する方法。
＊96　「平成28年度森林及び林業の動向」第Ⅰ章第2節（1）19ページを参照。
＊97　「平成28年度森林及び林業の動向」第Ⅰ章第2節（1）18-19ページを参照。
＊98　環境省調べ。シカの捕獲頭数は、北海道のエゾシカを含む数値。

署等が実施するシカの生息・分布調査等の結果を地域の協議会に提供し共有を図るとともに、防護柵の設置、被害箇所の回復措置、シカの捕獲や効果的な被害対策手法の実証等に取り組んでいる[*99]。

このほか、野生鳥獣の生息環境管理の取組として、例えば、農業被害がある地域においては、イノシシ等が出没しにくい環境（緩衝帯）をつくるため、林縁部の藪の刈り払い、農地に隣接した森林の間伐等を行うとともに、地域や野生鳥獣の特性に応じて針広混交林や広葉樹林を育成し生息環境を整備するなど、野生鳥獣との棲み分けを図る取組が行われている。

令和元（2019）年には、日本学術会議が環境省からの審議依頼に対し、「人口縮小社会における野生動物管理のあり方」として、地域の自治体と連携した持続的な利用のための望ましい野生動物管理や、地域に根ざした専門職人材の育成等について提言を取りまとめた。

（「松くい虫被害」は我が国最大の森林病害虫被害）

「松くい虫被害」は、体長約1mmの外来種である「マツノザイセンチュウ（*Bursaphelenchus xylophilus*）」が、在来種のマツノマダラカミキリ等に運ばれてマツ類の樹体内に侵入することにより、マツ類を枯死させる現象（マツ材線虫病）である[*100]。

事例Ⅰ－6　林業事業体によるシカ捕獲の取組

　徳島県の山間部のうちシカが高密度で生息する地域では、植栽時に防護柵やツリーシェルターによる防除を行っているが、柵内へのシカの侵入などにより植栽木の被害は抑えきれない状況にあった。

　このような地域で被害を抑えるには、植栽地のシカ密度を低減させる必要があり、集落から離れた林業地では、現場に通う林業事業体が施業と併せて捕獲を実施することが合理的であるため、徳島県西部地域においては、コンテナ苗の通年植栽を実施する事業体が研究機関等と連携した体制をつくり、植栽地内での捕獲に自ら取り組むこととした。

　捕獲方法は、国立研究開発法人森林研究・整備機構と共同作成した、狩猟未経験者向けマニュアルに基づき、軽量で移設が簡易なネット式囲いわなを用い、メール送信機能付きセンサーカメラ等のICT機器を活用してリアルタイムでわなの状況を監視し、見回りの負担を軽減した。

　この取組により、平成28（2016）年度から平成30（2018）年度までに、100ha程度の植栽地で累計111頭の捕獲に成功している。植栽地では事業開始時より植栽木の健全度[注]が上昇するなどの効果がみられた。

　また、現地見学会や講習会等で得られた成果を普及したところ、捕獲に取り組みたいという事業体も出てきており、現場に応じて林業事業体と地元猟友会が連携するなどの体制整備によるシカ捕獲の取組を今後も進めていくこととしている。

注：調査時点で生存かつシカ被害の痕跡が確認できない植栽木を「健全」とする。

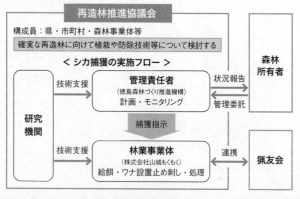

徳島県西部地域の実施体制の例

林業事業体による囲いわなの設置の様子

＊99　国有林野での取組について詳しくは、第Ⅳ章第2節（1）221-222ページを参照。

＊100　「松くい虫」は、「森林病害虫等防除法」（昭和25年法律第53号）により、「森林病害虫等」に指定されている。

我が国の松くい虫被害は、明治38（1905）年頃に長崎県で初めて発生し[101]、その後、全国的に広がった。これまでに、北海道を除く46都府県で被害が確認されている。

平成30（2018）年度の松くい虫被害量（材積）は約35万㎥で、昭和54（1979）年度のピーク時の7分の1程度となったが、依然として我が国最大の森林病害虫被害である（資料Ⅰ-33）。被害は全国的には減少傾向にあるものの、都県単位での増加や、新たな被害地の発生もみられ、継続的な対策と監視が必要となっている[102]。

松くい虫被害の拡大を防止するため、林野庁では都府県と連携しながら、公益的機能の高いマツ林等を対象として、薬剤散布や樹幹注入等の予防と被害木の伐倒くん蒸等の駆除を併せて実施している。また、その周辺のマツ林等を対象として、公益的機能の高いマツ林への感染源を除去するなどの観点から、広葉樹等への樹種転換による保護樹林帯の造成等を実施している[103]。地域によっては必要な予防対策を実施できなかったため急激に被害が拡大した例もあり、引き続き被害拡大防止対策が重要となっている。

特に、平成30（2018）年10月には、青森県において従来被害がなかった太平洋側で新たに被害木が確認された。早期かつ適切な防除の結果、被害の拡大はみられなかったものの、引き続き、同県と連携した被害の抑制に取り組む必要がある。

今なお全国的に松くい虫被害が続く中、マツノザイセンチュウに対して抵抗性を有する品種の開発も進められてきた。国立研究開発法人森林研究・整備機構森林総合研究所林木育種センターは、昭和53（1978）年度から、松くい虫被害の激害地で生き残ったマツの中から抵抗性候補木を選木して抵抗性を検定することにより、平成30（2018）年度までに494種の抵抗性品種を開発してきた[104]。各府県では、これらの品種を用いた採種園が造成されており、平成30（2018）年度には、これら採種園から採取された種子から約268万本の抵抗性マツの苗木が生産された[105]。

また、松くい虫被害木の処理については、伐倒木

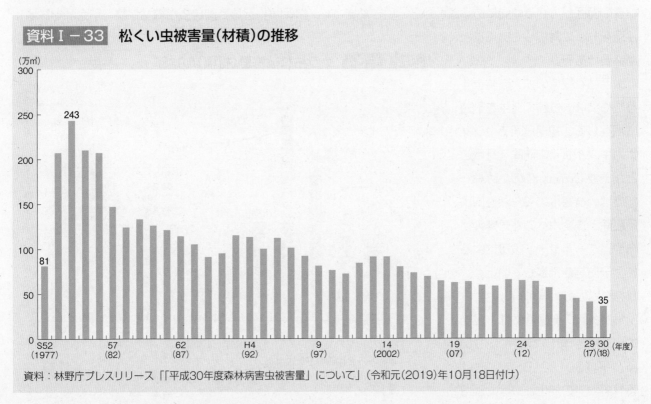

資料Ⅰ-33 松くい虫被害量（材積）の推移

（万㎥）

資料：林野庁プレスリリース「「平成30年度森林病害虫被害量」について」（令和元（2019）年10月18日付け）

---

*101　矢野宗幹（1913）長崎県下松樹枯死原因調査. 山林公報, (4):付録1-14.
*102　林野庁プレスリリース「「平成30年度森林病害虫被害量」について」（令和元（2019）年10月18日付け）
*103　林野庁ホームページ「松くい虫被害」
*104　林野庁研究指導課調べ。
*105　林野庁整備課調べ。

をチップ化する方法等もあり、被害木の有効活用の観点から、製紙用やバイオマス燃料用として利用されている例もみられる。

（ナラ枯れ被害の状況）

「ナラ枯れ」は、体長５㎜程度の甲虫である「カシノナガキクイムシ（*Platypus quercivorus*）」がナラやカシ類等の幹に侵入し、「ナラ菌（*Raffaelea quercivora*）」が樹体内に持ち込まれることにより、ナラやカシ類の樹木が集団的に枯死する現象（ブナ科樹木萎凋病）である[106]。文献で確認できる最古のナラ枯れ被害は、昭和初期（1930年代）に発生した宮崎県と鹿児島県での被害である[107]。平成30（2018）年度のナラ枯れの被害量（材積）は約４万５千㎥で、平成29（2017）年度から半減し、平成22（2010）年度のピーク時の７分の１程度となった。一方、近年でも新たに被害が確認された地域があり、平成30（2018）年度に被害が確認されたのは32府県となっている[108]（資料Ⅰ－34）。なお、令和元（2019）年度においても、前年度被害報告のされなかった７都県から被害報告があるなど、被害の範囲が広がる傾向にあることから、引き続き注意をもって対応していくことが必要である。

ナラ枯れ被害の拡大を防止するためには、被害の発生を迅速に把握して、初期段階でカシノナガキクイムシの防除を行うことが重要である。このため林野庁では、被害木のくん蒸等による駆除、健全木への粘着剤の塗布やビニールシート被覆による侵入予防等を推進している。

（林野火災は減少傾向）

林野火災の発生件数は、長期的には減少傾向で推移している。平成30（2018）年における林野火災の発生件数は1,363件、焼損面積は約606haであった（資料Ⅰ－35）。

林野火災は、冬から春までに集中して発生しており、ほとんどは不注意な火の取扱い等の人為的な原因によるものである。林野庁は、昭和44（1969）年度から、入山者が増加する春を中心に、消防庁と連携して「全国山火事予防運動」を行っている。同運動では、入山者や森林所有者等の防火意識を高めるため、都道府県や市町村等へ、全国から募集し選定された山火事予防運動ポスターの配布等を通じ、普及啓発活動が行われている[109]。

（森林保険制度）

森林保険は、森林所有者を被保険者として、火災、気象災及び噴火災により森林に発生した損害を塡補する総合的な保険である。森林所有者自らが災害に備える唯一のセーフティネットであるとともに、林業経営の安定と被災後の再造林の促進に必要不可欠な制度である。契約面積は、平成30（2018）年度末時点で約65万２千haと減少傾向で推移しており、本制度の一層の普及が必要となっている。

本制度は、平成26（2014）年度までは「森林国営保険」として国自らが森林保険特別会計を設置し

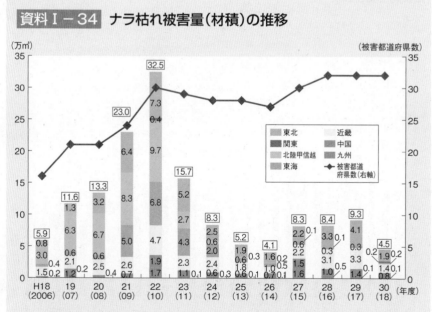

資料Ⅰ－34　ナラ枯れ被害量（材積）の推移

注：計の不一致は四捨五入による。
資料：林野庁プレスリリース「「平成30年度森林病害虫被害量」について」（令和元（2019）年10月18日付け）

---

*106　カシノナガキクイムシを含むせん孔虫類は、「森林病害虫等防除法」により、「森林病害虫等」に指定されている。

*107　伊藤進一郎，山田利博（1998）ナラ類集団枯損被害の分布と拡大（表－１）．日本林学会誌，Vol.80: 229-232.

*108　林野庁プレスリリース「「平成30年度森林病害虫被害量」について」（令和元（2019）年10月18日付け）

*109　林野庁プレスリリース「令和２年全国山火事予防運動の実施について」（令和２（2020）年2月21日付け）

て運営してきたが、平成27（2015）年度から国立
研究開発法人森林研究・整備機構森林保険セン
ター[110]が実施している[111]。

　森林保険制度に基づく保険金支払総額は、平成
30（2018）年度には7億円であった（資料Ⅰ−36）。

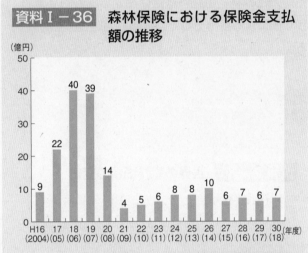

資料Ⅰ−36 森林保険における保険金支払
額の推移

（億円）

資料：平成26（2014）年までは、林野庁「森林国営保険事業統
　　　計書」、平成27（2015）年以降は、国立研究開発法人森
　　　林研究・整備機構（平成27（2015）年は、国立研究開発
　　　法人森林総合研究所）「事業報告書」。

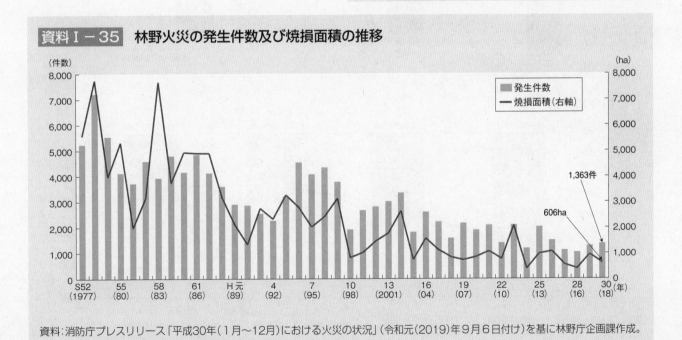

資料Ⅰ−35 林野火災の発生件数及び焼損面積の推移

資料：消防庁プレスリリース「平成30年（1月〜12月）における火災の状況」（令和元（2019）年9月6日付け）を基に林野庁企画課作成。

＊110　移管された平成27（2015）年4月1日時点は、国立研究開発法人森林総合研究所。
＊111　森林国営保険の移管について詳しくは、「平成26年度森林及び林業の動向」第Ⅱ章第3節（4）のコラム（80ページ）を参照。

4. 国際的な取組の推進

　森林は、気候変動の緩和、生物多様性の保全、土壌や水の保全、自然災害リスクの軽減、木材、食料、燃料、飼料の供給等、人類の生存に不可欠な財やサービスを提供しているが、農地への転用等に起因する減少・劣化の影響が懸念されており、持続可能な森林経営の推進や地球温暖化防止に向けた国際的な取組が進められている。

　以下では、持続可能な森林経営の推進、地球温暖化対策と森林、生物多様性に関する国際的な議論、我が国による森林分野での国際協力について記述する。

（1）持続可能な森林経営の推進

（世界の森林の減少傾向が鈍化）

　国際連合食糧農業機関（FAO[*112]）の「世界森林資源評価2015[*113]」によると、2015年の世界の森林面積は40億haであり、世界の陸地面積の31%を占めている。

　世界の森林面積は、2010年から2015年までの5年間に、中国やオーストラリアを始め、植林等により森林面積を大幅に増加させた国がある一方、ブラジルやインドネシア等において熱帯林等が減少したことにより、全体として年平均で331万ha減少している。地域別にみると、アフリカと南米でそれぞれ年平均200万ha以上減少している一方、アジア等では森林面積は増加している（資料Ⅰ-37）。熱帯地域で起こっている近年の森林減少の約8割が

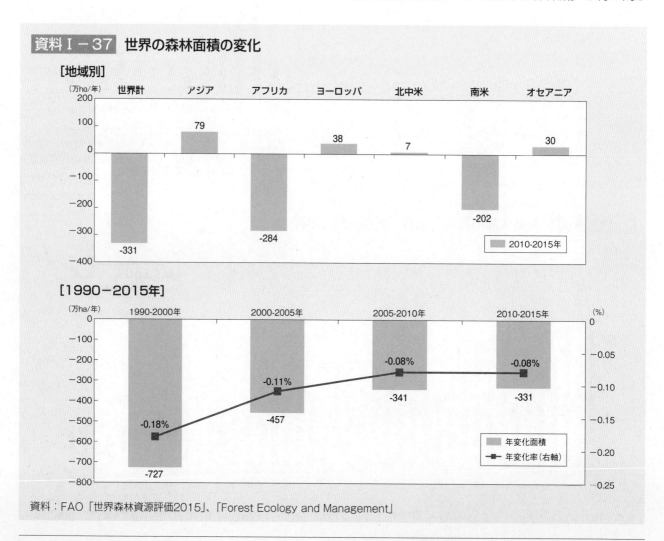

資料Ⅰ-37　世界の森林面積の変化

[地域別]

[1990-2015年]

資料：FAO「世界森林資源評価2015」、「Forest Ecology and Management」

---

*112　「Food and Agriculture Organization of the United Nations」の略。同機関の概要については、第Ⅰ章第4節（4）104-105ページを参照。

*113　FAO（2015）Global Forest Resources Assessment 2015

農地への転用に起因し、他方、温帯や冷温帯地域では耕作地や放牧地の減少に伴って森林面積が増加傾向にあるなど、森林面積と農地面積の増減には負の相関がみられる[114]（資料Ⅰ-38）。

また、世界の森林面積の減少率[115]は、1990-2000年期の年平均0.18%から、2010-2015年期の年平均0.08%に半減しており（資料Ⅰ-37）、他の土地利用への転用速度が減少したことなどにより、森林面積の減少は減速傾向にあるが、2019年8月頃に生じたブラジルを始めとするアマゾン地域における大規模な熱帯雨林の火災など、各地で生じた森林火災の被害が世界的に注目された。

（国連における「持続可能な森林経営」に関する議論）

持続可能な森林経営の推進に向けては、1992年の「国連環境開発会議（UNCED[116]）」（以下「地球サミット」という。）において「森林原則声明[117]」が採択されて以降、国連の場で政府間対話が継続的に開催されている（資料Ⅰ-39）。2001年以降は、経済社会理事会の下に設置された「国連森林フォーラム（UNFF[118]）」において、各国政府、国際機関等が森林問題の解決策を議論している。

2015年に開催された「UNFF第11回会合

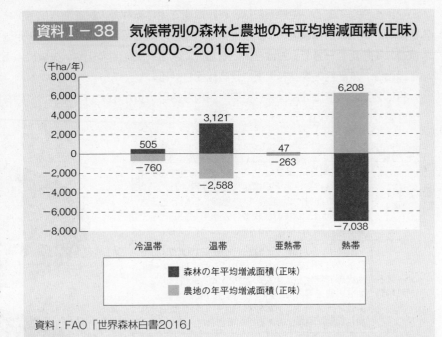

資料Ⅰ-38 気候帯別の森林と農地の年平均増減面積（正味）（2000～2010年）

（千ha/年）

冷温帯：505、-760
温帯：3,121、-2,588
亜熱帯：47、-263
熱帯：6,208、-7,038

■ 森林の年平均増減面積（正味）
■ 農地の年平均増減面積（正味）

資料：FAO「世界森林白書2016」

資料Ⅰ-39 国連における持続可能な森林経営に関する政府間対話の概要

年	会 議 名	概 要
1992	国連環境開発会議（UNCED、地球サミット）	・アジェンダ21（森林減少対策等）の採択 ・森林原則声明の採択
1995～1997	森林に関する政府間パネル（IPF）会合	・IPF行動提案取りまとめ
1997～2000	森林に関する政府間フォーラム（IFF）会合	・IFF行動提案取りまとめ
2001～	国連森林フォーラム（UNFF）会合	・「森林に関する協調パートナーシップ（CPF）」の設置 ・「全てのタイプの森林に関する法的拘束力を伴わない文書（NLBI）」の採択
2015	国連森林フォーラム第11回会合（UNFF11）及び閣僚級会合	・閣僚宣言を採択 ・「2015年以降の森林に関する国際的な枠組」の採択
2017	国連森林フォーラム特別会合	・「国連森林戦略計画（UNSPF）2017-2030」の採択 ・「4ヶ年作業計画2017-2020」の採択

資料：林野庁計画課作成。

---

[114] FAO「世界森林白書2016（State of the World's Forests 2016）」。世界森林白書は、2年に1度FAOが公表する世界の森林に関する動向報告であり、2016年は土地利用の変化について特集。

[115] 森林面積に対する減少面積の割合。

[116] 「United Nations Conference on Environment and Development」の略。

[117] 正式名称は「Non-legally binding authoritative statement of principles for a global consensus on the management, conservation and sustainable development of all types of forests（全ての種類の森林の経営、保全及び持続可能な開発に関する世界的合意のための法的拘束力のない権威ある原則声明）」。世界の全ての森林における持続可能な経営のための原則を示したものであり、森林に関する初めての世界的な合意である。

[118] 「United Nations Forum on Forests」の略。

コラム　世界各地における大規模林野火災

　FAO「世界森林資源評価2015」によると、2010年には世界で約6,500万haの森林で火災による撹乱（かくらん）が生じた。森林や草地等における林野火災の原因は、落雷等の自然現象や、野焼きからの延焼や失火など人為によるものを含め様々である。生態系には、一定周期で生じる林野火災を前提に維持されてきた種で構成されるものも存在する。また、自然環境を草原など特定の遷移段階に留めておくための野焼きや、伝統的かつ持続的な焼畑等が行われてきた。一方で、急激な人口増加等による火災の頻発化や、失火による大規模化等によりバランスが崩れた場合は、広範囲の森林を荒廃させる側面もある。

　特に2019年度には、世界各地で大規模な林野火災が相次いで発生し、森林生態系への被害や、気候変動への悪影響が懸念されている。

主な地域	概　　要
アマゾン地域	2019年8月頃には、ブラジルを中心とするアマゾン地域における大規模な火災が注目された。火災発生地が林内の道路沿いに集中していることから（資料1）、森林の放牧地への転用を目的とした畜産農家等による野焼きが原因とされている。
オーストラリア	2019年9月頃から2020年初頭にかけて、オーストラリアにおける林野火災が注目された。特に南東部で発生した火災の大規模化は生態系にも多大な影響を与えた。「インド洋ダイポール現象」によるオーストラリアの乾燥やそれに伴う高温化に加え、地球温暖化の影響が指摘された。
北方林	北極圏周辺（シベリア、グリーンランド、アラスカ、カナダ等）では、泥炭層に延焼する泥炭火災が急増していることが報告された。高緯度地域では温暖化がより急速に進行しており、高温と乾燥により火災が生じやすい状況が生じている（資料2）。
インドネシア等	インドネシアでは、森林への火入れにより、火災が地中の泥炭層に延焼する泥炭火災が発生している。泥炭層の火災は地中に貯蔵された大量の二酸化炭素を排出することから、地球温暖化への一層の影響が懸念されている。
カリフォルニア（米国）	カリフォルニア等米国西海岸地域は毎年約50万haほどの林野火災が発生しているが、2018年、2019年には規模が数倍に拡大した。自然発火に加え、送電線からの火花等が一部の大規模火災の原因とされており（資料3）、住宅地等にも影響が出た。
アフリカ	アフリカでは、小規模農家による焼畑が多数行われている。こうした野焼きは、整地や害虫防除等を安価に行う方法として伝統的に行われてきた。一方、焼畑は件数では世界の林野火災の原因の約70%を占めるという報告もあり、急激な人口増加に起因して休閑期間の短縮化が進んでおり、土壌や植生等への影響が懸念されている。

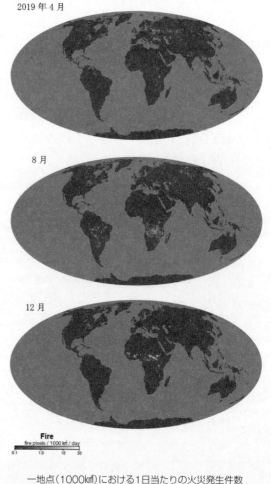

2019年4月

8月

12月

Fire
fire pixels / 1000 km² / day
0.1　1　10　30

一地点（1000km²）における1日当たりの火災発生件数
（赤→黄→白色順に件数増加。個々の火災規模を表すものではない）

図：2019年の火災発生状況
画像：NASA

　　注：日本国内の林野火災の状況については、第Ⅰ章第3節（4）90ページを参照。
資料1：NASAホームページ「Uptick in Amazon Fire Activity 2019」
資料2：世界気象機関ホームページ「Unprecedented wildfires in the Arctic」
資料3：California Department of Forestry and Fire Protection　プレスリリース「CAL FIRE Investigators Determine Cause of the Camp Fire」（2019年5月15日）

（UNFF11）」では、「森林に関する国際的な枠組（IAF）[119]」を強化し2030年まで延長するとともに、2007年のUNFF7で採択された「全てのタイプの森林に関する法的拘束力を伴わない文書（NLBI）[120]」を「国連森林措置[121]」に改称して2030年まで延長することなどが決定された。

2017年に開催された「UNFF特別会合」においては、「国連森林戦略計画2017−2030（UNSPF[122]）」が採択され、2030年までに達成すべき6の世界森林目標及び全世界の森林面積を3％増加させるなどの26のターゲットが定められた。同計画は、同年4月に国連総会において採択された。

UNFF12以降の会合については、実施・技術助言のセッションと、政策対話・協調等のセッションを毎年交互に開催することとされている。2017年に開催されたUNFF12では、貧困削減、ジェンダーの公平、食料安全保障等の議題に関し、森林セクターが果たすべき貢献の在り方について幅広い議論が行われた。

2018年に開催されたUNFF13では、UNSPF等の実施体制について議論されたほか、森林と関わりの深いSDGsのゴール（SDG15を含む6つのSDGs）[123]の達成に向けた森林の貢献が議長サマリーとして取りまとめられ、同年7月の「持続可能な開発に関するハイレベル政治フォーラム（HLPF[124]）2018」会合に提出された。

2019年5月に開催されたUNFF14では、SDGsのうち温暖化、教育、雇用分野が特にクローズアップされ、SDGsの達成に向けた森林分野の貢献について議論された。

（アジア太平洋地域における「持続可能な森林経営」に関する議論）

2019年6月に韓国（仁川）において「第28回FAOアジア太平洋林業委員会（APFC28[125]）」及び「FAOアジア太平洋林業週間2019（APFW2019[126]）」が開催され、平和構築や福祉拡大における森林の重要性や森林のランドスケープ再生など、域内の森林に関する幅広い議論が行われた。また、林野庁は国際協力機構（JICA）とともにサイドイベントを開催し、森林生態系を活用した山地災害防止への取組に関する議論を行い、途上国における取組推進の意義やその重要性等に関する議論を喚起した。

「アジア太平洋経済協力（APEC[127]）林業担当大臣会合」は、第4回会合が2017年に開催され、各エコノミー[128]は、2020年までに域内で森林面積を少なくとも2,000万ha増加させるという目標に貢献するなど、8の目指すべき活動を盛り込んだ「第4回APEC林業閣僚会議のソウル声明」を採択した[129]。

また、我が国は、中国、韓国、インドとの間で森林・林業分野に関する二国間・三国間の定期対話を行っている。そのうち、インドとの間では、2015年に締結した「森林及び林業分野の協力覚書」に基づき2018年7月に策定したロードマップの進捗状況に関する第1回目の作業部会評価会合を2019年5月に開催した。同会合では、ロードマップに基づ

---

*119 UNFF及びそのメンバー国、「森林に関する協調パートナーシップ」、森林の資金動員戦略の策定を支援する「世界森林資金促進ネットワーク」及びUNFF信託基金から構成される。IAFは「International Arrangement on Forests」の略。

*120 森林に関する4つの世界的な目標（（ア）森林の減少傾向の反転、（イ）森林由来の経済的・社会的・環境的便益の強化、（ウ）保護された森林及び持続可能な森林経営がなされた森林面積の大幅な増加と同森林からの生産物の増加、（エ）持続可能な森林経営のためのODAの減少傾向の反転）を掲げた上で、持続可能な森林経営の推進のために各国が講ずべき国内政策や措置、国際協力等を包括的に記述した文書。NLBIは「Non-Legally Binding Instrument on all types of forests」の略。

*121 「United Nations Forest Instrument」の日本語訳。

*122 「United Nations Strategic Plan for Forests 2017-2030」の略。

*123 SDGsと森林については、特集（3-41ページ）も参照。

*124 「High Level Political Forum on Sustainable Development」の略。

*125 「The twenty-eighth session of the Asia-Pacific Forestry Commission」の略。

*126 「Asia-Pacific Forestry Week 2019」の略。

*127 「Asia Pacific Economic Cooperation」の略。

*128 APECに参加する国・地域をエコノミー（economy）という。現在、オーストラリア、ブルネイ、カナダ、チリ、中国、中国香港、インドネシア、日本、韓国、マレーシア、メキシコ、ニュージーランド、パプアニューギニア、ペルー、フィリピン、ロシア、シンガポール、チャイニーズ・タイペイ、タイ、アメリカ、ベトナムの21エコノミーが参加。

*129 APECホームページ「2017 APEC Meeting of Ministers Responsible for Forestry」

き、両国の関心事項のうち、①持続可能な森林経営（森林認証）、②森林資源の有効利用、③研究の3点について、両国の担当者等から発表を行うとともに、意見交換及び現地視察を通じて、これらの共通課題に対する理解を深めた。

（持続可能な森林経営の「基準・指標」）

「地球サミット」以降、持続可能な森林経営の進展を評価するため、国際的な「基準・指標*130」の作成及び評価が進められている。現在、熱帯木材生産国を対象とした「国際熱帯木材機関（ITTO*131）基準・指標」、欧州諸国による「フォレスト・ヨーロッパ」、我が国を含む環太平洋地域の温帯林・亜寒帯林諸国による「モントリオール・プロセス」など、世界の各地域において取組が進められている。

「モントリオール・プロセス」には、カナダ、米国、ロシア、我が国等の12か国*132が参加し、共通の「基準・指標」に基づき各国の森林経営の持続可能性の評価及び公表に取り組んでいる。現在の「基準・指標」は、2008年に指標の一部見直しが行われ、7基準54指標から構成されている（資料Ⅰ－40）。

2019年10月に熊本で開催した「モントリオール・プロセス国際シンポジウム」及び「モントリオール・プロセス作業部会第28回会合」では、基準・指標の活用方法等について議論を行った。国際シンポジウムでは、SDGsや国連森林戦略計画などに掲げられている地球規模の課題に森林が貢献する際の「基準・指標」の役割や今後の展望について一般参加者を交えて議論した。

（違法伐採対策に関する国際的な枠組み）

森林の違法な伐採は、地球規模の環境保全や持続可能な森林経営を著しく阻害する要因の一つであることから、国際的な枠組みでの違法伐採に対処する取組及び合法伐採木材の貿易を促進する取組が進められている*133。

我が国はITTOに対して、熱帯木材生産国等における伐採事業者等への技術普及、政府の林業担当職員の能力向上と住民の森林経営への参加のための技術支援等に資金拠出を行っている。

APECでは2011年に「違法伐採及び関連する貿易専門家グループ（EGILAT*134）」が設立され、我が国は当初からこれに参加している。EGILATでは、違法伐採対策及び合法伐採木材の貿易の推進に関する情報・取組の共有や意見交換、関係者の能力開発等について、APECエコノミーが協力して取り組んでいる。

2019年度のEGILATは、2019年8月にチリのプエルトバラス、2020年2月にマレーシアのプトラジャヤで開催され、民間企業の取組を促進するこ

資料Ⅰ－40　モントリオール・プロセスの7基準54指標（2008年）

基準	指標数	概要
1 生物多様性の保全	9	森林生態系タイプごとの森林面積、森林に分布する自生種の数等
2 森林生態系の生産力の維持	5	木材生産に利用可能な森林の面積や蓄積、植林面積等
3 森林生態系の健全性と活力の維持	2	通常の範囲を超えて病虫害・森林火災等の影響を受けた森林の面積等
4 土壌及び水資源の保全・維持	5	土壌や水資源の保全を目的に指定や管理がなされている森林の面積等
5 地球的炭素循環への寄与	3	森林生態系の炭素蓄積量、その動態変化等
6 長期的・多面的な社会・経済的便益の維持増進	20	林産物のリサイクルの比率、森林への投資額等
7 法的・制度的・経済的な枠組み	10	法律や政策的な枠組み、分野横断的な調整、モニタリングや評価の能力等

資料：林野庁ホームページ「森林・林業分野の国際的取組」

---

*130　「基準」とは、森林経営が持続可能であるかどうかをみるに当たり森林や森林経営について着目すべき点を示したもの。「指標」とは、森林や森林経営の状態を明らかにするため、基準に沿ってデータやその他の情報収集を行う項目のこと。

*131　「The International Tropical Timber Organization」の略。同機関の概要については、第Ⅰ章第4節（4）104ページを参照。

*132　アルゼンチン、オーストラリア、カナダ、チリ、中国、日本、韓国、メキシコ、ニュージーランド、ロシア、米国、ウルグアイ。

*133　違法伐採対策のうち、我が国の「合法伐採木材等の流通及び利用の促進に関する法律（クリーンウッド法）」（平成28年法律第48号）等を含む各国における法整備等の取組については、第Ⅲ章第1節（4）166-169ページを参照。

*134　「Experts Group on Illegal Logging and Associated Trade」の略。

とが重要との認識から、各エコノミーや国際機関に加えて業界団体等も参加して、違法伐採対策及び合法伐採木材の貿易の推進に係る取組状況（我が国の「合法伐採木材等の流通及び利用の促進に関する法律」（クリーンウッド法）を含む。）や企業が直面する課題等について報告、意見交換が行われた。

なお、違法伐採対策については、2018年のAPEC閣僚会議の議長声明において、人材育成や適切な政策の推進、技術の開発を通じて、違法伐採対策と合法伐採木材の貿易の推進に真摯に取り組む旨が記載されている。

（森林認証の取組）

森林認証制度は、第三者機関が、森林経営の持続性や環境保全への配慮等に関する一定の基準に基づいて森林を認証するとともに、認証された森林から産出される木材及び木材製品（認証材）を分別し、表示管理することにより、消費者の選択的な購入を促す仕組みである。

国際的な森林認証制度としては、世界自然保護基金（WWF[135]）を中心に発足した森林管理協議会（FSC[136]）が管理する「FSC認証」と、ヨーロッパ11か国の認証組織により発足したPEFC[137]森林認証プログラムが管理する「PEFC認証」の2つがあり、令和元（2019）年12月現在、それぞれ2億74万ha[138]、3億2,646万ha[139]の森林を認証している。このうちPEFC認証は、世界47か国の森林認証制度との相互承認の取組を進めており、認証面積は世界最大となっている。

我が国独自の森林認証制度としては、一般社団法人緑の循環認証会議（SGEC/PEFC-J[140]）が管理する「SGEC認証」がある。「モントリオール・プロセス」の基準・指標を基本に作られたSGEC認証は、平成28（2016）年6月には、PEFC認証との相互承認が実現し、SGEC認証を受けていることで、PEFC認証を受けた木材及び木材製品として取り扱うことができるようになった。

また、認証材は、外見が非認証材と区別がつかないことから、両者が混合しないよう、加工及び流通過程において、その他の木材と分別して管理する必要がある。このため、各工場における木材及び木材製品の分別管理体制を審査し、承認する制度（CoC[141]認証）が導入されており、令和元（2019）年12月現在、FSC認証、PEFC認証のCoC認証は、世界で延べ5万2千件以上の取得がなされている[142]。

（我が国における森林認証の状況）

我が国における森林認証は、主にFSC認証とSGEC認証によって行われており、令和元（2019）年12月現在の国内における認証面積は、FSC認証

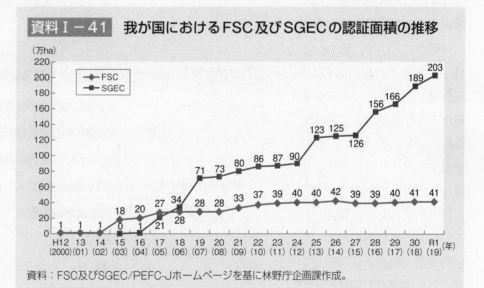

資料Ⅰ-41 我が国におけるFSC及びSGECの認証面積の推移

（万ha）

資料：FSC及びSGEC/PEFC-Jホームページを基に林野庁企画課作成。

---

*135 「World Wide Fund for Nature」の略。
*136 「Forest Stewardship Council」の略。
*137 「Programme for the Endorsement of Forest Certification」の略。
*138 FSC「Facts & Figures」（2019年12月4日）
*139 PEFC「PEFC Global Statistics:SFM & CoC Certification」（2019年12月）
*140 「Sustainable Green Ecosystem Council endorsed by Programme for the Endorsement of Forest Certification schemes」の略。
*141 「Chain of Custody（管理の連鎖）」の略。
*142 FSC「Facts & Figures」、PEFC「PEFC Global Statistics:SFM & CoC Certification」

が約41万ha、SGEC認証が約203万haとなっている（資料Ⅰ−41）。森林面積に占める認証森林の割合は、欧州や北米の国々に比べて低位にある（資料Ⅰ−42）。CoC認証の取得件数については、我が国でFSC認証が1,500、SGEC認証（PEFC認証を含む[143]）は547となっている[144]。

平成27（2015）年に農林水産省が実施した「森林資源の循環利用に関する意識・意向調査」で、林業者モニター[145]に対して森林認証の取得に当たり最も障害と思われることについて尋ねたところ、「森林認証材が十分に評価されていないこと」、「森林の所有規模が小さく、取得しても十分に活用できないこと」、「取得時及びその後の維持に費用がかかること」という回答が多かった（資料Ⅰ−43）。また、令和元（2019）年に実施された世論調査において、国民に対して木材を使った製品を購入する場合、第三者の機関が、適切に管理されていると認めた森林から生産されたもの（森林認証材）であることを意識するかどうか尋ねたところ、「意識しない」との回答が約6割で最も多かった。これらの結果から、認証森林の割合が低位にとどまってきた要因として、森林所有者等にとって認証の取得・維持に費用がかかること、消費者の森林認証の制度に対する認知度が低く理解が進んでいないため、認証

材の選択的な消費につながってこなかったことが考えられる。このため、林野庁では、森林認証制度や森林認証材の普及促進や、森林認証材の供給体制の構築に向けた取組に対して支援している。

「2020年東京オリンピック・パラリンピック競技大会」では、同大会の組織委員会が発表している「持続可能性に配慮した木材の調達基準」において、認証材は、調達基準への適合度が高いものとして原則

資料Ⅰ−42　主要国における認証森林面積とその割合

	FSC（万ha）	PEFC（万ha）	認証面積（万ha）	森林面積（万ha）	認証森林の割合(%)
オーストリア	0	315	315	387	81
フィンランド	163	1,869	1,869	2,222	84
ド　イ　ツ	144	760	792	1,142	69
スウェーデン	1,147	1,570	1,499	2,807	53
カ　ナ　ダ	5,057	13,711	16,796	34,707	48
米　　　国	1,454	3,394	3,940	31,010	13
日　　　本	41	188	225	2,496	9

注1：認証面積は、FSC認証とPEFC認証の合計（令和元（2019）年12月現在）から、重複取得面積（2019年中間報告）を差し引いた総数。
　2：計の不一致は四捨五入による。
　3：日本のPEFC認証面積は、SGEC認証との相互承認後の審査・報告手続が終了したもののみ計上。（令和元（2019）年12月現在）
資料：FSC「Facts & Figures」（2019年12月4日）、PEFC「PEFC Global Statistics: SFM & CoC Certification」（2019年12月）、FSC・PEFC「DOUBLE CERTIFICATION FSC and PEFC – 2019 ESTIMATION」（2020年1月）、FAO「世界森林資源評価2015」

資料Ⅰ−43　森林認証取得に当たり最も障害と思われること（複数回答）

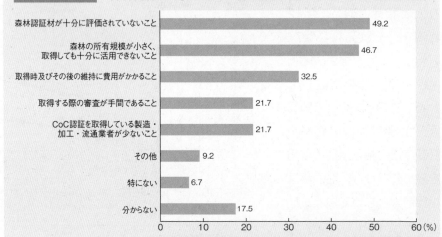

項目	(%)
森林認証材が十分に評価されていないこと	49.2
森林の所有規模が小さく、取得しても十分に活用できないこと	46.7
取得時及びその後の維持に費用がかかること	32.5
取得する際の審査が手間であること	21.7
CoC認証を取得している製造・加工・流通業者が少ないこと	21.7
その他	9.2
特にない	6.7
分からない	17.5

注：林業者モニターを対象とした調査結果。
資料：農林水産省「森林資源の循環利用に関する意識・意向調査」（平成27（2015）年10月）

---

*143　相互認証によりいずれかのCoC認証を受けていれば、SGEC認証森林から生産された木材を各認証材として取り扱うことができる。
*144　FSC「Facts & Figures」、SGEC/PEFC-J「SGEC-FM認証事業体リスト」（令和元（2019）年12月31日現在）、「SGEC/PEFC-CoC認証事業体リスト」（令和元（2019）年12月31日現在）
*145　この調査での「林業者」は、「2010年世界農林業センサス」で把握された林業経営体の経営者。

認めることとされており、森林所有者や事業体による森林認証取得への後押しとなることが期待される。

（2）地球温暖化対策と森林

（国際的枠組みの下での地球温暖化対策）

気候変動に関する政府間パネル（IPCC）[146]が2018年10月に発表した「1.5℃特別報告書[147]」によると、地球の平均気温は工業化以前の水準に比べて人間活動により約1.0度上昇したと推定されている。また、地球温暖化による気象災害の増加や農作物への影響などの自然及び人間システムに対する負の影響は既に観察されており、更なる地球温暖化により健康、生計、食料安全保障、水供給、人間の安全保障及び経済成長に対するリスクは増大するとしている。同時に、現在すでに実施されている適応策及び緩和策の規模の拡大や加速化、革新的な取組により、これらのリスクが低減することも示唆している。

地球温暖化は、人類の生存基盤に関わる最も重要な環境問題の一つであり、その原因と影響は地球規模に及ぶため、1980年代以降、様々な国際的対策が行われてきた。我が国は、国際社会の一員として、森林吸収源対策を始めとして国内外で地球温暖化対策を推進し、世界全体の温室効果ガスの削減に取り組んでいる。

（気候変動枠組条約と京都議定書）

1992年には、地球温暖化防止のための国際的な枠組みとして「気候変動に関する国際連合枠組条約（気候変動枠組条約（UNFCCC[148]）」が採択された。同条約では、気候システムに危険な影響をもたらさない水準で、大気中の温室効果ガス濃度を安定化することを目的として、国際的な取組を進めることとされた。

また、平成9（1997）年には、京都市で「気候変動枠組条約第3回締約国会議（COP3）」が開催され、条約の目的をより実効的に達成するための法的枠組みとして、先進国の温室効果ガスの排出削減目標等を定める「京都議定書」が採択された。同議定書では、2008年から2012年までの5年間を「第1約束期間」としており、この期間において我が国は、基準年（1990年）比6％の削減目標を達成し、このうち森林吸収量については、目標であった3.8％分を確保した。また、2013年から2020年までの8年間を「第2約束期間」としており、2011年に開催された「気候変動枠組条約第17回締約国会議（COP17[149]）」では、同期間における各国の森林経営活動による吸収量の算入上限値を1990年総排出量の3.5％とすること、国内の森林から搬出された後の木材（伐採木材製品（HWP[150]））における炭素固定量を評価し、炭素蓄積の変化量を各国の温室効果ガス吸収量又は排出量として計上することなどが合意された[151]。

我が国は、第2約束期間においては同議定書の目標を設定していないが、温室効果ガスの一層の削減の必要性を認めたCOP16の「カンクン合意」に基づき、2020年度の温室効果ガス削減目標を2005年度総排出量比3.8％減以上として気候変動枠組条約事務局に登録し、「地球温暖化対策計画[152]」に従い森林吸収源対策により約3,800万CO_2トン（2.7％）以上の吸収量を確保することとしている[153]。なお、

---

*146　気候変動に関する最新の科学的知見（出版された文献）について取りまとめた報告書を作成し、各国政府の気候変動に関する政策に科学的な基礎を与えることを目的として、世界気象機関（WMO）と国連環境計画（UNEP）の下に設立された組織。IPCCは「Intergovernmental Panel on Climate Change」の略。

*147　正式には、「1.5℃の地球温暖化：気候変動の脅威への世界的な対応の強化、持続可能な開発及び貧困撲滅への努力の文脈における、工業化以前の水準から1.5℃の地球温暖化による影響及び関連する地球全体での温室効果ガス（GHG）排出経路に関する特別報告書」。

*148　「United Nations Framework Convention on Climate Change」の略。

*149　ここでは、「COP11」以降の「COP」は、「京都議定書締約国会合（CMP）」を含む一般的な呼称として用いる。

*150　「Harvested Wood Products」の略。

*151　京都議定書第2約束期間における森林関連分野の取扱いについては、「平成24年度森林及び林業の動向」第Ⅲ章第3節（2）78-80ページを参照。

*152　地球温暖化対策計画については、第Ⅰ章第4節（2）100-101ページを参照。

*153　平成25（2013）年11月に気候変動枠組条約事務局に暫定の削減目標として3.8％減を登録、平成28（2016）年5月の地球温暖化対策計画の閣議決定を踏まえて、改めて同7月に3.8％減以上とする削減目標を正式に登録している。

第2約束期間の目標を設定していない先進国も、COP17で合意された第2約束期間の森林等吸収源のルールに則して、2013年以降の吸収量の報告を行い、審査を受けることとなっている[154]。

（2020年以降の法的枠組みである「パリ協定」等）

また、COP17における合意に基づき、全ての締約国に適用される2020年以降の新たな法的枠組みについて交渉が進められた結果、2015年のCOP21では、2020年以降の気候変動対策について、先進国、開発途上国を問わず全ての締約国が参加する公平かつ実効的な法的枠組みである「パリ協定[155]」が採択された[156]（資料Ⅰ-44）。同協定は2016年11月に発効し、我が国は同月に同協定を締結している[157]。

2018年のCOP24では、2020年以降のパリ協定の本格運用に向けて、パリ協定の実施指針が採択された。実施指針では、これまで使用してきた方法により温室効果ガスの排出・吸収量を計上することが認められたため、パリ協定の下でも、森林の適切な経営管理や木材利用を進めることで、我が国の森林が吸収源として評価され、排出削減目標の達成に貢献することが可能となった。

（「地球温暖化対策計画」に基づき対策を推進）

政府は、「パリ協定」や平成27（2015）年に気候変動枠組条約事務局へ提出した約束草案[158]等を踏まえ、我が国の地球温暖化対策を総合的かつ計画的に推進するための「地球温暖化対策計画」を、平成28（2016）年5月に閣議決定した。同計画では、令和2（2020）年度の温室効果ガス削減目標を平成17（2005）年度比3.8%減以上、令和12（2030）年度の温室効果ガス削減目標を平成25（2013）年度比26.0%減とし、この削減目標のうち、それぞれ約3,800万CO_2トン（2.7%）以上、約2,780万CO_2トン（2.0%）を森林吸収量で確保することを目標としている。この目標達成のため、適切な間伐等による健全な森林整備や、保安林等の適切な管理・保全、効率的かつ安定的な林業経営の育成、国民参加の森林（もり）づくりの推進、木材及び木質バイオマス利用の推進等の森林吸収源対策に総合的に取り組むことが明記されている。森林吸収量には、HWPによる炭素蓄積量の変化量も含まれており、平成30（2018）年度における森林吸収量は1,282万炭素トン（約4,700万CO_2トン）、このうちHWPによる吸収量は106万炭素トン（約388万CO_2トン）となっている[159]。

資料Ⅰ-44　「パリ協定」の概要

パリ協定とは

○ 開発途上国を含む全ての国が参加する2020年以降の国際的な温暖化対策の法的枠組み。
○ 2015年のCOP21（気候変動枠組条約第21回締約国会議）で採択され、2016年11月に発効。

協定の内容

○ 世界全体の平均気温上昇を工業化以前と比較して2℃より十分下方に抑制及び1.5℃までに抑える努力を継続。
○ 各国は削減目標を提出し、対策を実施。
　（削減目標には森林等の吸収源による吸収量を計上することができる）
○ 削減目標は5年ごとに提出・更新。
○ 今世紀後半に温室効果ガスの人為的な排出と吸収の均衡を達成。
○ 開発途上国への資金支援について、先進国は義務、開発途上国は自主的に提供することを奨励。

森林関連の内容（協定5条）

○ 森林等の吸収源及び貯蔵庫を保全し、強化する行動を実施。
○ 開発途上国の森林減少・劣化に由来する排出の削減等（REDD＋）の実施及び支援を奨励。

資料：林野庁森林利用課作成。

---

*154　農林水産省プレスリリース「「気候変動枠組条約第21回締約国会議（COP21）」、「京都議定書第11回締約国会合（CMP11）」等の結果について」（平成27（2015）年12月15日付け）
*155　「Paris Agreement」の日本語訳。
*156　「平成27年度森林及び林業の動向」トピックス4（5ページ）も参照。
*157　外務省プレスリリース「パリ協定の受諾書の寄託」（平成28（2016）年11月8日付け）
*158　自国が決定する貢献案。平成27（2015）年7月に地球温暖化対策推進本部で令和12（2030）年度に平成25（2013）年度比で26.0%減とすることを決定。
*159　二酸化炭素換算の吸収量（CO_2トン）については、環境省プレスリリース「2018年度（平成30年度）の温室効果ガス排出量（確報値）について」（令和2（2020）年4月14日付け）による。CO_2トンは、炭素換算の吸収量（炭素トン）に44/12を乗じて換算したもの。

平成29（2017）年3月には、農林水産省において、同計画に掲げられた農林水産分野における地球温暖化対策を推進するため、その取組の推進方向を具体化した「農林水産省地球温暖化対策計画」を策定した*160。

（「パリ協定に基づく成長戦略としての長期戦略」の策定）

パリ協定においては、温室効果ガスの低排出型の発展のための長期的な戦略を策定、通報することが招請されている。このため、政府は、「パリ協定に基づく成長戦略としての長期戦略」を令和元（2019）年6月に閣議決定した。同戦略では、最終到達点として今世紀後半のできるだけ早期に「脱炭素社会」の実現を目指すとともに、2050年までに80％の温室効果ガスの削減に大胆に取り組むとしており、排出削減対策とともに、間伐や早生樹等の植栽を含む再造林などの適切な森林整備、木材利用の拡大に向けたイノベーションの創出、木質バイオマス由来マテリアルの用途拡大などの森林吸収源対策等に取り組むこととしている。

（開発途上国の森林減少及び劣化に由来する排出の削減等（REDD＋）への対応）

開発途上国の森林減少及び劣化に由来する温室効果ガスの排出量は、世界の総排出量の約1割を占めるとされており*161、その削減は地球温暖化対策を進める上で重要な課題となっている。「REDD＋（レッドプラス）*162」とは、開発途上国の森林減少及び劣化に由来する温室効果ガスの排出の削減に向けた取組である「REDD（レッド）」に、森林保全、持続可能な森林経営等の取組を加えたものである。平成22（2010）年のCOP16の「カンクン合意」で、REDD＋の5つの基本的な活動（森林減少からの排出の削減、森林劣化からの排出の削減、森林炭素蓄

積の保全、持続可能な森林経営及び森林炭素蓄積の強化）が定義され、平成25（2013）年のCOP19では、REDD＋の実施のための技術指針を含む一連の決定文書（通称「REDD＋のためのワルシャワ枠組」）が採択された*163。また、平成27（2015）年の「パリ協定」には、REDD＋の実施や支援を奨励する条項が盛り込まれた（資料Ⅰ－44）。

我が国は、REDD＋について、森林減少・劣化を効率的に把握する技術の開発、人材育成、森林資源を活用する事業モデルの開発や普及等により開発途上国の取組を支援している。

また、民間企業による開発途上国での活動を促進するため、平成26（2014）年度から関係省庁が連携して、二国間クレジット制度*164（JCM*165）でREDD＋を実施するための規則やガイドライン類の検討を進めており、平成30（2018）年5月に、カンボジアとの間で初のガイドライン類が策定されたのに続き、令和元（2019）年10月にはラオスとの間でも策定された。そのほか、令和元（2019）年度はベトナム、ミャンマー等とガイドライン類の整備に向けた協議を行った。

さらに、国立研究開発法人森林研究・整備機構森林総合研究所REDD研究開発センターでは、民間企業支援のため、REDD＋の実施に必要とされる技術の開発や作成した技術解説書による情報提供等に取り組んでいる。

平成26（2014）年、独立行政法人国際協力機構（JICA）と国立研究開発法人森林研究・整備機構森林総合研究所は、REDD＋を含む開発途上国での森林保全活動を推進していくため、関係省庁、民間企業、NGO等が連携を強化し、情報を発信・共有する場として、「森から世界を変えるREDD＋プラットフォーム」を立ち上げた。令和元（2019）年12

---

*160　農林水産省プレスリリース「「農林水産省地球温暖化対策計画」の決定について」（平成29（2017）年3月14日付け）
*161　IPCC (2014) IPCC Fifth Assessment Report: Climate Change 2014: Synthesis Report: 88.
*162　途上国における森林減少・劣化に由来する排出の削減並びに森林保全、持続可能な森林経営及び森林炭素蓄積の強化の役割（Reducing emissions from deforestation and forest degradation, and the role of conservation, sustainable management of forests and enhancement of forest carbon stocks in developing countries）の略。
*163　農林水産省プレスリリース「「気候変動枠組条約第19回締約国会議（COP19）」、「京都議定書第9回締約国会合（CMP9）」等の結果について」（平成25（2013）年11月26日付け）
*164　開発途上国への温室効果ガス削減技術、製品、システム、サービス、インフラ等の普及や対策を通じ、実現した温室効果ガス排出削減・吸収への日本の貢献を定量的に評価するとともに、日本の削減目標の達成に活用するもの。
*165　「Joint Crediting Mechanism」の略。

月現在、91団体が加盟している*166。

国際機関を通じた協力としては、我が国は、2007年に世界銀行が設立した「森林炭素パートナーシップ基金（FCPF*167）」の「準備基金*168」に対して、これまでに1,400万ドルを拠出している。また、森林減少を抑制するための拡大資金を提供する世界銀行のプログラム（FIP*169）に6,000万ドル、開発途上国のREDD＋戦略の準備や実施を支援するためにFAO、UNDP*170、UNEP*171が設立したプログラムであるUN-REDDに300万ドルを拠出している。また、途上国の気候変動対策を支援する多国間資金であり、我が国が15億ドルを拠出する緑の気候基金（GCF*172）においては、平成29（2017）年10月に開催された第18回理事会において、REDD＋実施による開発途上国へ成果に応じた支払を行うための試験的なプログラムが承認された。

（気候変動への適応）

農林水産省は、平成27（2015）年8月に「農林水産省気候変動適応計画」を策定した。同計画の内容は、同11月に策定された政府全体の「気候変動の影響への適応計画」に反映されている。また、平成29（2017）年3月には「農林水産省地球温暖化対策計画」の策定を踏まえた改定により国際協力等の追加が行われたほか、平成30（2018）年11月には「気候変動適応法*173」に基づき策定された「気候変動適応計画」の内容を踏まえて改定された。

「農林水産省気候変動適応計画」及び「気候変動適応計画」では、将来、気候変動による豪雨の発生頻度や台風の最大強度の増加等が予測されている。これらに対応するため、森林・林業分野においては、山地災害が発生する危険性の高い地区のより的確な把握を行い、土砂流出防備保安林等の計画的な配備を進めるとともに、土石流等の発生を想定した治山

施設の整備や健全な森林の整備、集中豪雨の発生頻度の増加を考慮した林道施設の整備等を実施するほか、渇水等に備えた森林の水源涵養機能の適切な発揮に向けた森林整備、高潮や海岸侵食に対応した海岸防災林の整備等を推進していくこととしている。また、気候変動による影響についての知見が十分ではないことから、人工林における造林樹種の成長等に与える影響や天然林における分布適域の変化等の継続的なモニタリングや影響評価、高温・乾燥ストレス等の気候変動の影響に適応した品種開発等の調査・研究を推進していくとともに、被害先端地域における松くい虫被害の拡大防止*174や国有林野における「保護林」や「緑の回廊」の保護・管理等についても積極的に取り組んでいくこととしている。

また、国際的にも様々な取組が行われており、GCFでは、途上国の気候変動対策を支援するという基本方針に基づき、REDD＋活動への支援のみならず、生態系や水資源の保全など適応分野での支援についても積極的に行っていくこととしている。

資料Ⅰ－45	「愛知目標」（2010年）における主な森林関係部分の概要
<目標5>	2020年までに、森林を含む自然生息地の損失速度を少なくとも半減。
<目標7>	2020年までに、生物多様性の保全を確保するよう、農林水産業が行われる地域を持続的に管理。
<目標11>	2020年までに、少なくとも陸域・内陸水域の17%、沿岸域・海域の10%を保護地域システム等により保全。
<目標15>	2020年までに、劣化した生態系の15%以上の回復等を通じて、気候変動の緩和と適応、砂漠化対処に貢献。

資料：The Strategic Plan for Biodiversity 2011-2020 and the Aichi Biodiversity Targets（UNEP/CBD/COP/DEC/X/2）

---

*166　「森から世界を変えるREDD＋プラットフォーム」ホームページ「加盟団体」
*167　「Forest Carbon Partnership Facility」の略。
*168　開発途上国に対して、森林減少の抑制やモニタリング等のための能力の向上（技術開発や人材育成）を支援するための基金。
*169　「Forest Investment Program」の略。
*170　「United Nations Development Programme（国連開発計画）」の略。
*171　「United Nations Environment Programme（国連環境計画）」の略。
*172　「Green Climate Fund」の略。
*173　「気候変動適応法」（平成30年法律第50号）
*174　松くい虫被害の拡大防止対策については、第Ⅰ章第3節（4）88-90ページを参照。

（3）生物多様性に関する国際的な議論

　森林は、世界の陸地面積の約3割を占め、陸上の生物種の少なくとも8割の生育・生息の場となっていると考えられている[175]。

　平成4（1992）年に開催された「地球サミット」に合わせて、地球上の生物全般の保全に関する包括的な国際的な枠組みとして、「生物の多様性に関する条約（生物多様性条約（CBD））[176]」が採択された。同条約は、令和元（2019）年12月現在、我が国を含む194か国、欧州連合（EU）及びパレスチナが締結している。

　平成22（2010）年に愛知県名古屋市で開催された「生物多様性条約第10回締約国会議（COP10）」において、同条約を効果的に実施するための世界目標である「愛知目標」（資料Ⅰ－45）を定めた「戦略計画2011-2020」が採択された。

　同会議においては、遺伝資源へのアクセスと利益配分（ABS[177]）に関する「名古屋議定書」が採択され、平成26（2014）年に発効し、令和元（2019）年12月現在123か国・地域が締結している。我が国は、同議定書の締結に向けた検討を進め、平成29（2017）年8月に98か国目の締約国となった。また、これに合わせて同議定書に対応する国内措置として「遺伝資源の取得の機会及びその利用から生ずる利益の公正かつ衡平な配分に関する指針（ABS指針）」を施行した[178]。

　平成30（2018）年11月にはエジプトのシャルム・エル・シェイクでCOP14等が開催された。閣僚級会合では「愛知目標」を含む「戦略計画2011-2020」の確実な実施に向けた努力の加速、2021年以降の新たな世界目標（ポスト2020生物多様性枠組）の策定等の支援等を盛り込んだシャルム・エル・シェイク宣言が採択された。令和元（2019）年からは、公開作業部会等においてポスト2020生物多様性枠組等に関する検討が行われている。

（4）我が国の国際協力

　我が国は、持続可能な森林経営等を推進するための国際貢献として、技術協力や資金協力等による「二国間協力」、国際機関を通じた「多国間協力」等を行っている。

　平成28（2016）年の世界の森林分野の政府開発援助による拠出金6億4千万ドルのうち、我が国は3千6百万ドルを拠出しており、フランス、ドイツ、英国に次ぐ世界第4位の金額を拠出している[179]。

（二国間協力）

　我が国は、「技術協力」として、JICAを通じて、専門家派遣、研修員受入れ及び機材供与を効果的に組み合わせた技術協力プロジェクト、研修等を実施している。令和元（2019）年度には、コンゴ民主共和国等で新たに森林・林業分野の技術協力プロジェクトを開始した。令和元（2019）年12月末現在、森林・林業分野では、18件の技術協力プロジェク

資料Ⅰ－46　独立行政法人国際協力機構（JICA）を通じた森林・林業分野の技術協力プロジェクト等（累計）

地域	実施中件数	終了件数	計
アジア	5	78	83
大洋州	1	4	5
中南米	2	30	32
欧州	1	3	4
中東	1	2	3
アフリカ	8	22	30
合計	18	139	157

注1：令和元（2019）年12月末現在の数値。
　2：終了件数は昭和51（1976）年から令和元（2019）年12月末までの実績。
資料：林野庁計画課調べ。

---

[175]　UNFF (2009) Forests and biodiversity conservation, including protected areas. Report of the Secretary-General. E/CN.18/2009/6：5.

[176]　生物の多様性の保全、生物多様性の構成要素の持続可能な利用、遺伝資源の利用から生ずる利益の公正かつ衡平な配分を目的としている。遺伝資源とは、遺伝の機能的な単位を有する植物、動物、微生物その他に由来する素材であって現実の又は潜在的な価値を有するもの。CBDは「Convention on Biological Diversity」の略。

[177]　「Access and Benefit-Sharing」の略。

[178]　環境省プレスリリース「生物の多様性に関する条約の遺伝資源の取得の機会及びその利用から生ずる利益の公正かつ衡平な配分に関する名古屋議定書の締結について」（平成29（2017）年5月23日付け）

[179]　OECD Stat

トを実施している。林野庁からは、JICAを通じて7か国に8名の専門家を派遣している（資料Ⅰ-46、事例Ⅰ-7）。

「資金協力」としては、供与国に返済義務を課さない「無償資金協力」により、森林造成プロジェクトの実施や森林管理のための機材整備等を行っている。また、JICAを通じて開発資金の低利かつ長期の貸付け（円借款）を行う「有償資金協力」により、造林の推進や人材の育成等を目的とするプロジェクトを支援している。

（多国間協力）

「国際熱帯木材機関（ITTO）」は、熱帯林の持続可能な経営の促進と合法的に伐採された熱帯木材の貿易の発展を目的として、昭和61（1986）年に設立された国際機関である。ITTOには、熱帯木材の生産国・消費国から73か国及びEUが加盟しており、本部を我が国の横浜市に置いている。我が国はITTOに対し、加盟国としての分担金や本部事務局の設置経費に加え、持続可能な熱帯林経営の推進や違法伐採対策のための普及啓発及び人材育成に必要な経費を拠出している。令和元（2019）年12月に行われた第55回ITTO理事会（ITTC[180]55）では、新しい資金調達の試行や、緑の気候基金（GCF[181]）等との連携強化等が採択された。また、前回（第54回）理事会以降、加盟国等から20件、総額5.1百万ドル（うち我が国から7件、85万ドル）のプロジェクト等に対して拠出又は拠出表明されたことが報告された。

「国際連合食糧農業機関（FAO）」は、各国国民の栄養水準と生活水準の向上、食料及び農産物の生産

事例Ⅰ-7　ホンジュラスにおける生物回廊の設定及び管理能力の強化に向けた支援

中米のホンジュラスは、熱帯に属する生物多様性が豊かな国であり、森林生態系の連続性の確保や地域の生物多様性の維持・強化等を目的に、他の中米各国との連携の下、生物回廊[注]の構築を進めている。その一方で、森林の農地への転用、毎年繰り返される森林火災、病虫害の大発生等により森林の減少・劣化も大きな問題となっている。

こうした状況を背景に、我が国は、首都テグシガルパの東方数十kmに位置するラ・ウニオン生物回廊を対象に、平成28（2016）年からJICA技術協力プロジェクト「ラ・ウニオン生物回廊プロジェクト」を開始した。林野庁職員を含む長期専門家を派遣し、ホンジュラスにおける生物回廊にかかる国レベルの施策の推進を支援するとともに、ラ・ウニオン生物回廊の設定・維持保全活動に取り組む地方公共団体等の能力の強化等に取り組んでいる。また、得られた知見を生物回廊管理のモデルとして取りまとめることを目指して、野生動物の生息情報の収集、森林火災予防対策、水源地域の保全活動、環境に配慮した営農など、住民参加による生物多様性保全活動の創出にも取り組んでいる。

注：生物回廊とは、生物多様性の保全や生態系サービスの維持等を目的とした、複数の保護区域及びそれらを接続する森林等から構成された区域

ラ・ウニオン生物回廊で初めて撮影された
ピューマ（Puma concolor）

山火事シーズンに先立つ山火事防止キャンペーン

---

*180　「International Tropical Timber Council」の略。
*181　「Green Climate Fund」の略。

及び流通の改善並びに農村住民の生活条件の改善を目的として、昭和20（1945）年に設立された国連専門機関[182]であり、本部をイタリアのローマに置いている。我が国はFAOに対し、加盟国としての分担金の拠出、信託基金によるプロジェクトへの任意拠出、職員の派遣等の貢献を行っている。平成29（2017）年以降、任意拠出した資金を活用し、開発途上国において植林を大幅に増加させるための土地利用計画の策定、各国の森林関連法制の情報の整備や施行能力の強化に向けた取組への支援を実施している。

また、我が国は、平成5（1993）年以降、国連、UNDP、アフリカ連合委員会（AUC[183]）等と共同でアフリカ開発会議（TICAD[184]）を開催しており、令和元（2019）年8月に横浜で「第7回アフリカ開発会議（TICAD 7）」を開催した。同会議の成果文書として気候変動、防災、人材育成等を含む「横浜宣言2019」が採択され、その具体的措置を定めた「横浜行動計画2019」において、持続可能な森林の管理のための専門家派遣や技術協力のための取組に関する内容が盛り込まれた。

（その他の国際協力）

「日中民間緑化協力委員会[185]」では、令和元（2019）年12月、中国の北京で第20回会合を開催し、前年度に実施した植林緑化事業のレビューとともに、これまで19年間、日中両国により進めてきた植林緑化事業が終了することから、全体の評価等について意見交換を行った。その結果、事業の成果が着実に積み重ねられてきたことを確認するとともに、引き続き森林・林業分野において日中で協力していくことで一致した。

同委員会は、平成12（2000）年から毎年開催されている。植林緑化事業には、これまで日本側から82の民間団体、中国側から各関係省庁及び29の省・自治区・市における多数の地元住民が参加しており、日中両国民の信頼関係、相互理解の増進に貢献してきた[186]。

---

[182] それぞれの専門分野で国際協力を推進するために設立された国際機関で、国連憲章第57条及び第63条に基づき国連との間に連携協定を有し、国連と緊密な連携を保っている国際機関のこと。

[183] 「African Union Commission」の略。

[184] 「Tokyo International Conference on African Development」の略。

[185] 中国における植林緑化協力を行う日本の民間団体等（NGO、地方公共団体、民間企業）を支援することを目的として、平成11（1999）年11月に、日中両国政府が公文を交換し設立された委員会。同委員会は、日中両政府のそれぞれの代表者により構成され、助成対象とする植林緑化事業の選定に資するための情報及び意見の交換等を実施（事務局は日中緑化交流基金）。

[186] 林野庁プレスリリース「「日中民間緑化協力委員会第20回会合」の結果概要について」（令和元（2019）年12月11日付け）

岡山県鏡野町内

第Ⅱ章
林業と山村（中山間地域）

　我が国の林業は、森林資源の循環利用等を通じて森林の有する多面的機能の発揮に寄与してきた。施業の集約化等を通じた林業経営の効率化や、林業労働力の確保・育成等に向けた取組が進められてきており、近年は国産材の生産量の増加、木材自給率の上昇など、活力を回復しつつある。

　また、林業産出額の約5割を占める特用林産物は木材とともに地域資源として、その多くが中山間地域に位置する山村は住民が林業を営む場として、地方創生にそれぞれ重要な役割を担っている。

　本章では、林業生産、林業経営及び林業労働力の動向等について記述するとともに、きのこ類を始めとする特用林産物や山村の動向について記述する。

1. 林業の動向

　我が国の林業は、長期にわたり木材価格の下落等の厳しい状況が続いてきたが、近年は国産材の生産量の増加、木材自給率の上昇など、活力を回復しつつある。また、林業の持続的かつ健全な発展を図るため、施業の集約化や林業労働力の確保・育成等に向けた取組が進められている。

　以下では、林業生産の動向、林業経営の動向、林業労働力の動向及び林業経営の効率化に向けた取組について記述する。

（1）林業生産の動向

（木材生産の産出額は近年増加傾向で推移）

　林業産出額は、国内における林業生産活動によって生み出される木材、栽培きのこ類、薪炭等の生産額の合計である。我が国の林業産出額は、平成17（2005）年以降は4,000億円程度、平成26（2014）年以降は4,500億円以上で推移しており、平成30（2018）年は、前年比3％増の5,020億円と、平成12（2000）年以来、18年ぶりに5,000億円台を回復した。

　このうち木材生産の産出額は、近年は、丸太輸出や木質バイオマス発電等の新たな木材需要により増加傾向で推移しており、平成30（2018）年は、前年比3％増の2,648億円となっている。また、林業産出額全体に占める木材生産の割合は、平成14（2002）年以降は5割程度で推移している。

　これに対して、栽培きのこ類生産の産出額は、昭和58（1983）年以降は2,000億円程度で推移しており、平成30（2018）年は前年比3％増の2,257億円となっている（資料Ⅱ-1）。

（国産材の素材生産量は近年増加傾向で推移）

　我が国の国産材総供給量は、平成30（2018）年は3,020万㎥[*1]となっている。そのうち製材、合板、チップ用材に供給される素材生産量は、2,164万㎥となっており、平成14（2002）年以降増加傾向にある。素材生産量を樹種・用途別にみると、スギは1,253万㎥でその66％が製材用、23％が合板等用[*2]、12％がチップ用に、ヒノキは277万㎥でその78％が製材用、13％が合板等用、9％がチップ用に、カラマツは225万㎥でその49％が製材用、36％が合板等用、15％がチップ用に、広葉樹は218万㎥でその9割以上がチップ用となっている[*3]。この結

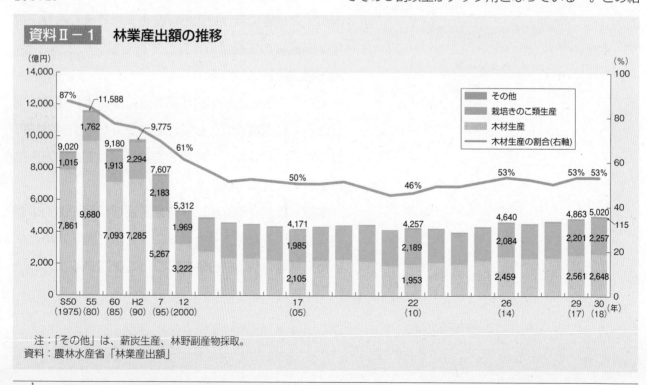

資料Ⅱ-1　林業産出額の推移

注：「その他」は、薪炭生産、林野副産物採取。
資料：農林水産省「林業産出額」

*1　林野庁「平成30年木材需給表」。パルプ用材、その他用材、しいたけ原木、燃料材、輸出を含む数量。
*2　LVL用を含む。以下同じ。
*3　農林水産省「木材需給報告書」。平成29（2017）年度から単板製造用素材に合板用に加えてLVL用を含めることとしたため、平成28（2016）年以前の数値と比較できないことから、前年比は掲載していない。

果、平成30（2018）年の国産材の素材生産量の樹種別割合は、スギが58%、ヒノキが13%、カラマツが10%、広葉樹が10%となっている（資料Ⅱ－2）。

また、主要樹種の都道府県別素材生産量をみると、平成30（2018）年は多い順に、スギでは宮崎県、秋田県、大分県、ヒノキでは岡山県、熊本県、愛媛県、カラマツでは北海道、長野県、岩手県、広葉樹では北海道、岩手県、福島県となっている（資料Ⅱ－3）。

国産材の地域別素材生産量をみると、平成30（2018）年は多い順に、東北（26%）、九州（24%）、北海道（15%）となっている。国産材の素材生産量が最も少なかった平成14（2002）年と比較すると、資源量の増加や合板への利用拡大等により、全ての地域で素材生産量が増加しており、特に東北、九州で伸びている*4（資料Ⅱ－2）。

（森林蓄積量に対する木材生産量の比率）

我が国は、国土の3分の2を森林が占め、その森林も着実に蓄積を増加させており、世界的にみても森林資源の豊富な国であるが、自国の木材資源をあまり利用していない国でもある。経済協力開発機構（OECD）加盟国36か国のうち森林蓄積量上位15か国について、2015年時点の森林蓄積量に対する年間の木材生産量の比率をみると、我が国は他国に比べて低位な状況にある（資料Ⅱ－4）。これら15か

資料Ⅱ－3　主要樹種の都道府県別素材生産量（平成30（2018）年の生産量が多い10道県）

（単位：万㎥）

	スギ		ヒノキ		カラマツ		広葉樹	
1	宮崎	179	岡山	22	北海道	154	北海道	58
2	秋田	113	熊本	21	長野	27	岩手	28
3	大分	90	愛媛	20	岩手	26	福島	16
4	熊本	78	高知	18	群馬	4	広島	12
5	岩手	75	静岡	17	青森	4	秋田	11
6	青森	71	岐阜	16	秋田	3	島根	11
7	福島	59	大分	16	山梨	3	鹿児島	6
8	鹿児島	51	栃木	15	福島	2	青森	6
9	宮城	47	三重	12	岐阜	2	宮城	6
10	栃木	38	広島	10	山形	1	熊本	5

資料：農林水産省「平成30年木材需給報告書」

資料Ⅱ－2　国産材の素材生産量の推移

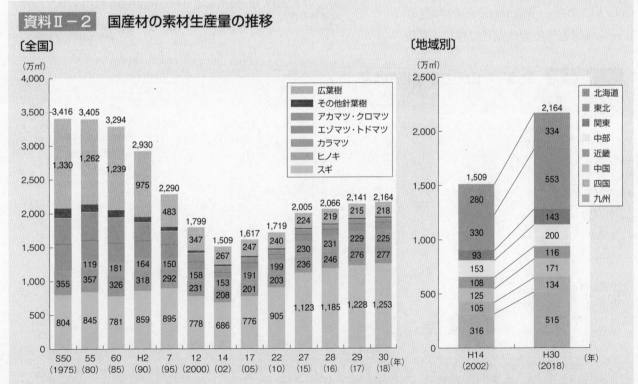

〔全国〕

〔地域別〕

注：製材用材、合板用材（平成29（2017）年からはLVL用を含んだ合板等用材）及びチップ用材が対象（パルプ用材、その他用材、しいたけ原木、燃料材、輸出を含まない。）。
資料：農林水産省「木材需給報告書」

*4　平成29（2017）年値から、素材生産量には、LVL用の単板製造用素材を含む。

国のうち、メキシコを除く14か国は、2005年から2015年の間、蓄積量を減らしておらず、生産力を維持しつつ我が国よりも蓄積量に対して多くの木材を生産している。

（素材価格は近年横ばいで推移）

　スギの素材価格[*5]は、昭和55（1980）年をピークに下落してきた。昭和62（1987）年から住宅需要を中心とする木材需要の増加により若干上昇したものの、平成3（1991）年からは再び下落したが、近年は13,000～14,000円/㎥程度でほぼ横ばいで推移している。

　ヒノキの素材価格は、スギと同様に、昭和55（1980）年をピークに下落、昭和62（1987）年から上昇、平成3（1991）年から再び下落し、近年は18,000円/㎥前後でほぼ横ばいで推移している。

　カラマツの素材価格は、昭和55（1980）年の19,100円/㎥をピークに下落してきたが、平成16（2004）年を底にその後は若干上昇傾向で推移し、近年

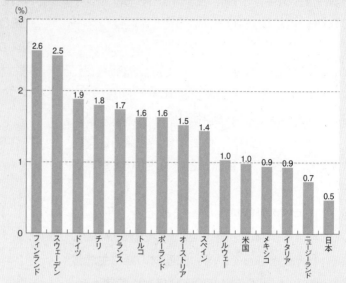

資料Ⅱ-4　諸外国の森林蓄積量に対する木材生産量の比率

	OECD加盟国森林蓄積量上位15か国			日本
	木材生産量（百万㎥）	森林蓄積量（百万㎥）	木材生産量/蓄積量（%）	木材生産量/蓄積量（%）
2005	972	70,866	1.4%	0.38
2015	935	78,649	1.2%	0.47

注1：OECD加盟国（2020年1月時点有効なもの）のうち2015年の森林蓄積量上位15か国の比較（カナダ、オーストラリア、ポルトガルについては森林蓄積量が報告されていないため除いている）。
　2：2015年の日本の森林蓄積量は「森林・林業基本計画」（平成28（2016）年5月）による数値。2005年の日本の森林蓄積量と2005年及び2015年の日本以外の国の森林蓄積量はいずれも「世界森林資源評価2015」による数値。木材生産量は全て「FAOSTAT」による丸太生産量の数値。
資料：FAO「FAOSTAT」（2020年2月17日現在有効なもの）、FAO「世界森林資源評価2015」、林野庁「森林・林業基本計画」（平成28（2016）年5月）

資料Ⅱ-5　全国平均山元立木価格の推移

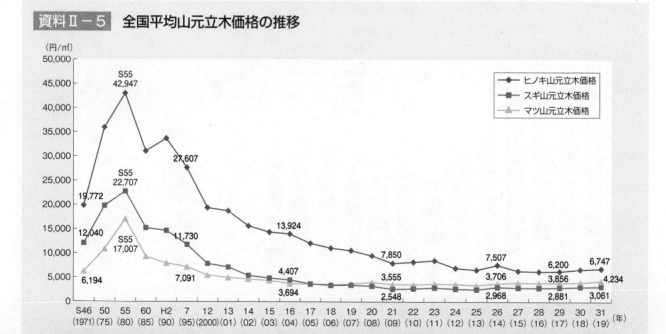

　注：マツ山元立木価格は、北海道のマツ（トドマツ、エゾマツ、カラマツ）の価格である。
　資料：一般財団法人日本不動産研究所「山林素地及び山元立木価格調」

[*5]　製材工場着の価格。素材価格については、第Ⅲ章第1節（3）164-165ページを参照。

は12,000円/㎥前後で推移している。

令和元(2019)年の素材価格は、スギ及びヒノキについては下落し、スギは13,500円/㎥、ヒノキは18,100円/㎥となった。一方でカラマツについては上昇し、12,400円/㎥となった。

(山元立木価格も近年横ばいで推移)

山元立木価格*6は、素材価格と同様に、昭和55(1980)年をピークに下落した後、近年はほぼ横ばいで推移している。

平成31(2019)年3月末現在の山元立木価格は、スギが前年同月比2％増の3,061円/㎥、ヒノキが2％増の6,747円/㎥、マツ(トドマツ、エゾマツ、カラマツ)が8％増の4,234円/㎥であった(資料Ⅱ－5)。

(2)林業経営の動向

(ア)森林保有の現状

農林水産省では、我が国の農林業の生産構造や就業構造、農山村地域における土地資源など農林業・農山村の基本構造の実態とその変化を明らかにするため、5年ごとに「農林業センサス」調査を行っている。平成28(2016)年に公表された「2015年農林業センサス」では、林業構造の基礎数値として、「林家*7」と「林業経営体*8」の2つを把握している。

(1林家当たりの保有山林面積は増加傾向)

同調査によると、林家の数は、5年前の前回調査(「2010年世界農林業センサス」)比で9％減の約83万戸、保有山林面積の合計は前回比で1％減の約517万haとなっており、1林家当たりの保有山林面積は増加傾向となっている。保有山林面積規模別にみると、保有山林面積が10ha未満の林家が88％を占めており、小規模・零細な所有構造となっている。一方で、保有山林面積が10ha以上の林家は、全林家数の12％にすぎないものの、林家による保有山林面積の61％に当たる316万haを保有している(資料Ⅱ－6)。なお「1990年世界農林業センサス」によると、保有山林面積が0.1～1ha未満の世帯の数は145万戸であり、現在も保有山林面

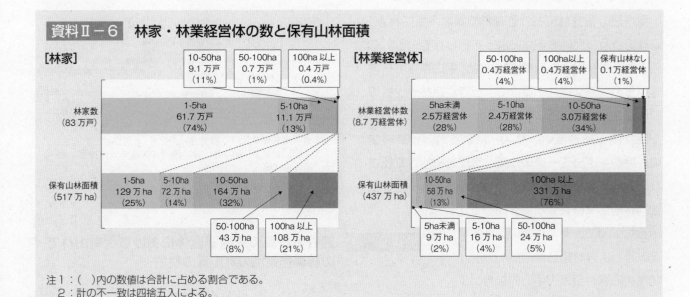

資料Ⅱ－6　林家・林業経営体の数と保有山林面積

注1：(　)内の数値は合計に占める割合である。
　2：計の不一致は四捨五入による。
資料：農林水産省「2015年農林業センサス」

---

*6　一般財団法人日本不動産研究所「山林素地及び山元立木価格調」による価格。林地に立っている樹木の価格で、樹木から生産される丸太の材積(利用材積)1㎥当たりの価格で示される。最寄木材市場渡し素材価格から、伐採や運搬等にかかる経費(素材生産費等)を控除することにより算出される。

*7　保有山林面積が1ha以上の世帯。なお、保有山林面積とは、所有山林面積から貸付山林面積を差し引いた後、借入山林面積を加えたもの。

*8　①保有山林面積が3ha以上かつ過去5年間に林業作業を行うか森林経営計画又は森林施業計画を作成している、②委託を受けて育林を行っている、③委託や立木の購入により過去1年間に200㎥以上の素材生産を行っている、のいずれかに該当する者。なお、森林経営計画については第Ⅱ章第1節(4)126ページを参照。森林施業計画とは、30ha以上のまとまりを持った森林について、造林や伐採等の森林施業に関する5か年の計画で、平成24(2012)年度から森林経営計画に移行。

積が１ha未満の世帯の数は相当数に上るものと考えられる[※9]。

（１林業経営体当たりの保有山林面積は増加傾向）

　林業経営体の数は、前回調査比で38%減の約8.7万経営体、保有山林面積の合計は16%減の約437万haとなっており、１林業経営体当たりの保有山林面積は増加傾向となっている。このうち、１世帯（雇用者の有無を問わない。）で事業を行う「家族経営体」の数は約7.8万経営体、それ以外の組織経営体は約0.9万経営体となっており、それぞれ同程度の割合で減っている（資料Ⅱ－7）。林業経営体による保有山林面積を規模別にみると、保有山林面積が10ha未満の林業経営体が全林業経営体数の56%を占めている一方で、保有山林面積が100ha以上の林業経営体は、全林業経営体数の４%にすぎないものの、林業経営体による保有山林面積全体の76%に当たる331万haを保有している（資料Ⅱ－6）。

（イ）林業経営体の動向

（ａ）全体の動向

（森林施業の主体は林家・森林組合・民間事業体）

　我が国の私有林における森林施業は、主に林家、森林組合及び民間事業体によって行われている。このうち、森林組合と民間事業体は、主に森林所有者等からの受託又は立木買いによって、造林や伐採等の作業を担っている。

　「2015年農林業センサス」によると、林業経営体が期間を定めて一連の作業・管理を一括して任されている山林の面積は98万haであり、その約９割を森林組合又は民間事業体が担っている[※10]。また、林業作業の受託面積をみると、森林組合は植林・下刈り・間伐等の森林整備の中心的な担い手となっており、民間事業体は主伐の中心的な担い手となっている（資料Ⅱ－8）。

　また、林家による施業は、保育作業が中心であり、主伐を行う者は少なくなっている（資料Ⅱ－9）。

（林業経営体による素材生産量は増加）

　「2015年農林業センサス」によると、調査期間[※11]の１年間に素材生産を行った林業経営体は、

資料Ⅱ－7　林業経営体数の組織形態別内訳

（単位：経営体）

	林業経営体
家族経営体	78,080
法人経営（会社等）	388
個人経営体	77,692
組織経営体	9,204
法人経営（会社・森林組合等）	5,211
非法人経営	2,704
地方公共団体・財産区	1,289
合　計	87,284

資料：農林水産省「2015年農林業センサス」

資料Ⅱ－8　林業作業の受託面積

（凡例）その他／森林組合／民間事業体

区分	その他	森林組合	民間事業体	計
主伐	10,533	9,168	24,124	43,825
間伐	26,678	119,437	69,657	215,771
下刈り等	15,359	84,598	48,876	148,833
植林	2,950	13,888	7,564	24,401

注1：「民間事業体」は、株式会社、合名・合資会社、合同会社、相互会社。「その他」は、地方公共団体、財産区、個人経営体等。
　2：計の不一致は四捨五入による。
資料：農林水産省「2015年農林業センサス」

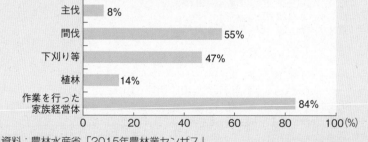

資料Ⅱ－9　過去５年間の家族経営体における保有山林での林業作業別の実施者の割合

主伐	8%
間伐	55%
下刈り等	47%
植林	14%
作業を行った家族経営体	84%

資料：農林水産省「2015年農林業センサス」

[※9]　「1990年世界農林業センサス」での調査を最後にこの統計項目は把握していない。
[※10]　森林組合が約48万ha、民間事業体が約41万haを担っている。
[※11]　平成26（2014）年２月から平成27（2015）年１月までの間。

全体の約12%に当たる10,490経営体（前回比19%減）となっている。林業経営体数が減少した一方で、素材生産量の合計は増加し、1,989万㎥（前回比27%増）となっている。組織形態別にみると、民間事業体と森林組合による素材生産量の合計は増加し、1,367万㎥（前回比41%増）となっており、素材生産量全体に占める割合は、前回の62%から69%に上昇している（資料Ⅱ－10）。

素材生産を行った林業経営体のうち、受託又は立木買いにより素材生産を行った林業経営体は、3,712経営体（前回比9%増）で、素材生産量の合計は1,555万㎥（前回比42%増）となっている。受託又は立木買いによる素材生産量の割合は、前回の70%から78%に上昇している。

（素材生産量の多い林業経営体の割合が上昇）

受託又は立木買いにより素材生産を行った林業経営体について素材生産量規模別にみると、素材生産規模が大きい林業経営体の割合は増加している。1林業経営体当たりの素材生産量についても大幅に増加し、4,188㎥（前回比30%増）となっており、林業経営体の規模拡大が進んでいる傾向にある。

一方で、年間素材生産量が1,000㎥未満の林業経営体は、前回調査から減少しているものの全体の46%を占めており、素材生産規模の小さい林業経営体が多い状況にある（資料Ⅱ－11）。

（林業経営体の生産性は上昇傾向）

「2015年農林業センサス」によると、受託又は立木買いにより素材生産を行った林業経営体の素材生産の労働生産性は、前回から18%上昇して2.7㎥/人・日となっている[12]。しかしながら、欧米諸国と比べると低水準である[13]。

素材生産量規模別にみると、規模が大きい林業経営体ほど労働生産性が高くなっている（資料Ⅱ－12）。この要因としては、規模が大きい林業経営体では機械化が進んでいることなどが考えられる。

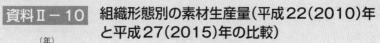

資料Ⅱ－10　組織形態別の素材生産量（平成22（2010）年と平成27（2015）年の比較）

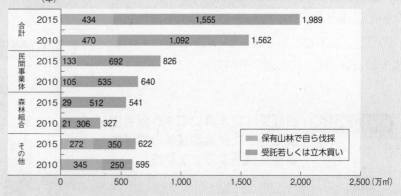

注：計の不一致は四捨五入による。
資料：農林水産省「農林業センサス」

資料Ⅱ－11　受託又は立木買いにより素材生産を行った林業経営体の素材生産量規模別の林業経営体数と素材生産量（平成22（2010）年と平成27（2015）年の比較）

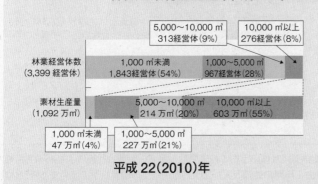

平成22（2010）年

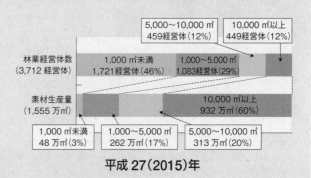

平成27（2015）年

注：計の不一致は四捨五入による。
資料：農林水産省「2010年世界農林業センサス」、「2015年農林業センサス」（組替集計）

[12]　素材生産量の合計15,545,439㎥を投下労働量の合計5,858,650人・日で除して算出（農林水産省「2015年農林業センサス」）。
[13]　我が国と欧州との比較については、「平成21年度森林及び林業の動向」第Ⅰ章第1節10-11ページを参照。

「平成30年林業経営統計調査報告」によると、会社経営体の素材生産量を就業日数で除した労働生産性は平均で4.9㎥/人・日であった[14]。

更なる生産性の向上のため、施業の集約化や効率的な作業システムの普及に取り組んでいく必要がある。

（b）林家の動向

（林業所得に係る状況）

「2015年農林業センサス」によると、家族経営体約7.8万経営体のうち、調査期間の１年間に何らかの林産物[15]を販売したものの数は、全体の14%に当たる約1.1万経営体となっている。

また、「平成30（2018）年林業経営統計調査」によると、家族経営体[16]の１林業経営体当たりの年間林業粗収益は378万円[17]で、林業粗収益から林業経営費を差し引いた林業所得は104万円となっている（資料Ⅱ−13、14）。「2005年農林業センサス」によると、山林を保有する家族経営体約18万戸のうち、林業が世帯で最も多い収入となっている家族経営体数は1.7%の３千戸であったことから、

資料Ⅱ−13　林業所得の内訳

項　目	単位	平成30 (2018)年
林 業 粗 収 益	万円	378
素 材 生 産	〃	214
立 木 販 売	〃	21
そ の 他	〃	143
造 林 補 助 金	〃	65
林 業 経 営 費	〃	274
請 負 わ せ 料 金	〃	107
雇 用 労 賃	〃	31
そ の 他	〃	137
林 業 所 得	〃	104
伐 採 材 積	㎥	210

注１：家族経営体の林業所得の内訳。
　２：伐採材積は保有山林分である。
　３：平成30（2018）年調査から、造林補助金については林業粗収益に含めた。
資料：農林水産省「平成30年林業経営統計調査報告」（令和元（2019）年12月）

資料Ⅱ−14　家族経営体の林業粗収益と林業所得の推移

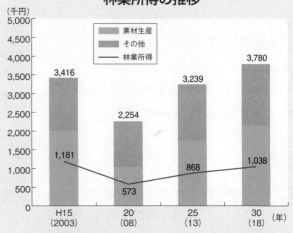

注１：平成25年度調査と平成30年調査では、家族経営体の調査対象が異なるため、平成25年度調査以前と平成30年調査の結果は接続しない。
　２：平成30年調査から、造林補助金は林業粗収益に含めたため、平成25年度以前についても遡及して林業粗収益に含めた。
資料：農林水産省「平成30年林業経営統計調査報告」（令和元（2019）年12月）

資料Ⅱ−12　受託又は立木買いにより素材生産を行った林業経営体の素材生産量規模別の労働生産性

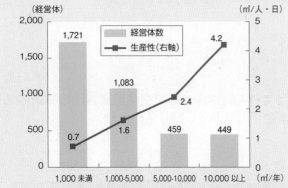

注：生産性とは、素材生産量を投下労働量（常雇い＋臨時雇いの従事日数）で除した数値。投下労働量は、年間の林業作業全て（植林及び保育を含む）にかかった数量。
資料：農林水産省「2015年農林業センサス」（組替集計）

---

[14] 会社経営体の調査の対象は、直近の農林業センサスに基づく林業経営体のうち、株式会社、合名・合資会社等により林業を営む経営体で、①過去１年間の素材生産量が1,000㎥以上、②過去１年間の受託収入が2,000万円以上のいずれかに該当する経営体。労働生産性は、素材生産量を林業作業（植林及び保育を含む）の就業日数で除したもの。

[15] 用材（立木又は素材）、ほだ木用原木、特用林産物（薪、炭、山菜等（栽培きのこ類、林業用苗木は除く））。

[16] 直近の農林業センサスに基づく林業経営体のうち、保有山林面積が20ha以上で、家族経営により一定程度以上の施業を行っている林業経営体。なお、平成30年調査では、保有山林面積が50ha以上の経営体についても30日以上の施業労働日数を要件とするなど、平成25年度調査以前から調査対象を変更したため、平成25年度調査以前と平成30年調査の結果は接続しない。

[17] 平成30年調査から、造林補助金については林業粗収益に含めた。

現在も林業による収入を主体に生計を立てている林家は少数であると考えられる[18]。

（c）森林組合の動向

（森林組合の概況）

森林組合は、「森林組合法[19]」に基づく森林所有者の協同組織で、組合員である森林所有者に対する経営指導、森林施業の受託、林産物の生産、販売、加工等を行っている（資料Ⅱ−15）。

森林組合の数は、最も多かった昭和29（1954）年度には5,289あったが、経営基盤を強化する観点から合併が進められ、平成29（2017）年度末には621となっている。また、全国の組合員数は、平成29（2017）年度末現在で約151万人（法人を含む。）となっており、組合員が所有する私有林面積は約929万ha[20]で、私有林面積全体の約3分の2を占めている[21]。

総事業費取扱高は平成24（2012）年度の2,464億円から平成29（2017）年度には2,720億円となっており、1森林組合当たりの総事業費取扱高は3億7,384万円から4億3,808万円へと拡大するなど、事業規模が大きくなっている。一方で、総事業費取扱高が1億円未満と、平均の4分の1にも満たない森林組合も約2割存在しており、小規模な森林組合を中心として事業・組織の再編等による基盤強化等が必要な状況となっている（資料Ⅱ−16）。

（森林組合は地域林業の重要な担い手）

森林組合が実施する事業のうち、植林、下刈り等の事業量は、長期的には減少傾向で推移しているものの、全国における植林、下刈り等の受託面積に占める森林組合の割合は、いずれも約6割となっており、森林組合は我が国の森林整備の中心的な担い手となっている（資料Ⅱ−8）。新植及び保育の依頼者別面積割合は、約6割が組合員を含む個人等であり、公社等と地方公共団体が4割弱を占めて

いる。また、素材生産量については平成24（2012）年度の411万㎥から平成29（2017）年度には615万㎥へと、近年大幅な伸びを示している。素材生産量の内訳については、間伐によるものが323万㎥、主伐によるものが291万㎥となっており、このうち、86%が組合員を含む私有林からの出材となっている（資料Ⅱ−17、18）。

（販売事業の重要性が増大）

森林組合の事業取扱高を「販売」、「加工」、「森林整備」別にみると、平成17（2005）年時点では、「森林整備」が全体の63%を占めており、「販売」

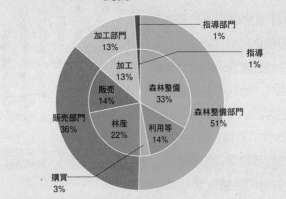

資料Ⅱ−15 森林組合における事業取扱高の割合

注：計の不一致は四捨五入による。
資料：林野庁「平成29年度森林組合統計」（平成31（2019）年3月）

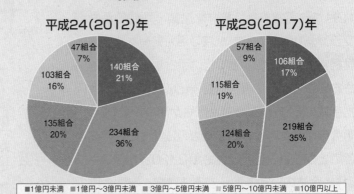

資料Ⅱ−16 総事業費取扱高別の森林組合数及び割合の推移

平成24（2012）年 ／ 平成29（2017）年

■1億円未満　■1億円〜3億円未満　■3億円〜5億円未満　■5億円〜10億円未満　■10億円以上

資料：林野庁「森林組合統計」

---

[18] 「2005年農林業センサス」での調査を最後にこの統計項目は把握していない。
[19] 「森林組合法」（昭和53年法律第36号）
[20] 市町村有林、財産区有林も含めた民有林全体においては、組合員（市町村等を含む。）が所有する森林面積は、約1,066万haとなっている。
[21] 林野庁「平成29年度森林組合統計」

22%、「加工」13%、となっているが、平成29（2017）年には、「販売」が36%まで増加する一方、「森林整備」は51%に減少しており、森林組合においても販売事業を強化していることがうかがえる[22]。

都道府県単位の森林組合連合会では、近年、製材工場等の大規模化が進んでいることを背景に、森林組合等が生産する原木を森林組合連合会が取りまとめ、協定等に基づき大口需要者に販売する取組も出てくるなど、原木流通において新たな役割を担いつつある。

（森林組合の今後の経営基盤の強化に向けて）

森林経営管理制度の創設により、地域の林業経営の重要な担い手である森林組合については、「意欲と能力のある林業経営者」として、森林の経営管理の集積・集約、木材の販売等の強化、さらにこれらを通じて山元への一層の利益還元を進めることがこれまで以上に期待されていることを受けて、林政審議会において、森林組合の今後の経営基盤の強化に向けての審議が行われた。これらを踏まえ、令和元（2019）年12月に改訂された「農林水産業・地域の活力創造プラン」（農林水産業・地域の活力創造本部）では、森林経営管理制度の主要な担い手としての役割が期待される森林組合の経営基盤強化に向けて、組合間連携手法の多様化、後継者世代や女性の参画の拡大、理事会の活性化などを図るための法制度の整備を進めることが位置付けられ、令和2（2020）年3月に「森林組合法の一部を改正する法律案」を国会に提出した。

（d）民間事業体の動向

素材生産や森林整備等の施業を請け負う民間事業体は、平成27（2015）年には1,305経営体[23]となっている。このうち植林を行った林業経営体は31%[24]、下刈り等を行った林業経営体は47%[25]、間伐を行った林業経営体は71%[26]である。

また、受託又は立木買いにより素材生産を行った

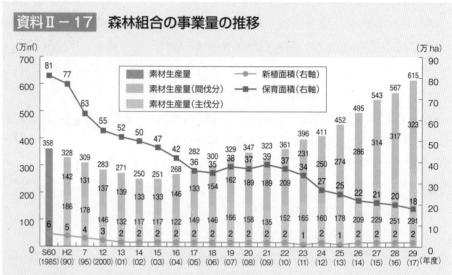

資料Ⅱ－17　森林組合の事業量の推移

注1：昭和60（1985）年度以前は素材生産量を主伐と間伐に分けて調査していない。
　2：計の不一致は四捨五入による。
資料：林野庁「森林組合統計」

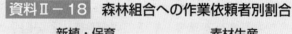
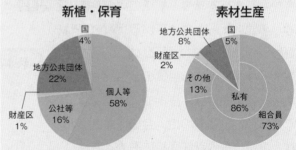

資料Ⅱ－18　森林組合への作業依頼者別割合

新植・保育

- 国 4%
- 地方公共団体 22%
- 財産区 1%
- 公社等 16%
- 個人等 58%

素材生産

- 地方公共団体 8%
- 国 5%
- 財産区 2%
- その他 13%
- 私有 86%
- 組合員 73%

注1：「個人等」は、国、地方公共団体、財産区、公社等を除く個人や会社。「公社等」には、国立研究開発法人森林総合研究所森林整備センター（平成29（2017）年度から国立研究開発法人森林研究・整備機構森林整備センターに名称変更。）を含む。「私有」は、国、地方公共団体、財産区を除く個人や会社。
　2：「新植・保育」については依頼者別の面積割合、「素材生産」については依頼者別の数量割合。
資料：林野庁「平成29年度森林組合統計」（平成31（2019）年3月）

---

*22　林野庁「平成29年度森林組合統計」
*23　「2015年農林業センサス」による調査結果で、調査期間の1年間に林業作業の受託を行った林業経営体のうち、株式会社、合名・合資会社、合同会社、相互会社の合計。
*24　409経営体（農林水産省「2015年農林業センサス」）。
*25　610経営体（農林水産省「2015年農林業センサス」）。
*26　929経営体（農林水産省「2015年農林業センサス」）。

民間事業体は、1,098経営体となっている。これらの林業経営体の事業規模をみると、59%が年間の素材生産量5,000㎥未満の林業経営体[27]となっており、小規模な林業経営体が多い。素材生産の労働生産性は事業規模が大きい林業経営体ほど高いことから[28]、効率的な素材生産を行うためには安定的に事業量を確保することが求められる。このような中で、民間事業体においても、森林所有者等に働き掛け、施業の集約化や経営の受託等を行う取組[29]が進められている。

また、林業者と建設業者が連携して路網整備や間伐等の森林整備を実施する「林建協働」の取組が、建設業者による「建設トップランナー倶楽部[30]」等により推進されている。建設業者は既存の人材、機材、ノウハウ等を有効活用して、林業の生産基盤である路網の開設等を実施できることから、林業者との連携によって林業再生に寄与することが期待される。

(e) 林業経営体育成のための環境整備

林業経営体には、地域の森林管理の主体として、造林や保育等の作業の受託から森林経営計画等の作成に至るまで、幅広い役割を担うことが期待されることから、施業の集約化等に取り組むための事業環境を整備する必要がある。

このため、各都道府県では、林野庁が発出した森林関連情報の提供等に関する通知[31]に基づき、林業経営体に対して森林簿、森林基本図、森林計画図等の閲覧、交付及び使用を認めるように、当該情報の取扱いに関する要領等の見直しを進めている。

また、森林所有者、事業発注者等が森林経営の委託先や森林施業の事業実行者を適切に選択できるよう、林野庁では、林業経営体に関する技術者・技能

者の数、林業機械の種類及び保有台数、事業量等の情報を登録し、公表する仕組みの例を示した[32]。令和元(2019)年度までに、35都道府県がこの仕組みを活用している。

さらに、林業経営体の計画的な事業実行体制等の構築を促進するため、地域における森林整備や素材生産の年間事業量を取りまとめて公表する取組も開始されている[33]。

(3) 林業労働力の動向

森林の施業は、主に、山村で林業に就業して森林内の現場作業等に従事する林業労働者が担っている。林業労働力の確保や安全な労働環境の整備は、林業の成長産業化等を通じた山村の活性化のためにも重要である。

(林業労働力の確保)

林業労働力の動向を、現場業務に従事する者である「林業従事者」の数でみると、長期的に減少傾向で推移しており、平成27(2015)年には45,440人となっている。このうち、育林従事者は長期的に減少傾向で推移している一方で、伐木・造材・集材従事者は近年増加している[34]。

林業従事者の高齢化率(65歳以上の従事者の割合)は、平成12(2000)年以降は低下し、平成22(2010)年には21%となったが、我が国全体の65歳以上の就業者が増加し、全産業の高齢化率が上昇する中で、林業従事者についても5年前から上昇し、平成27(2015)年には25%となっている。一方、若年者率(35歳未満の若年者の割合)は、平成2(1990)年以降は上昇して平成22(2010)年には18%となり、その後は全産業の若年者率が低下する中で、林業従事

---

*27 652経営体(農林水産省「2015年農林業センサス」)。

*28 素材生産量規模別の労働生産性については、第Ⅱ章第1節(2)113-114ページ参照。

*29 例えば、「平成24年度森林及び林業の動向」第Ⅴ章第1節(2)の事例Ⅴ-2(136ページ)を参照。

*30 複数化や農林水産業への参入に取り組む建設業者の会。

*31 「森林の経営の受委託、森林施業の集約化等の促進に関する森林関連情報の提供及び整備について」(平成24(2012)年3月30日付け23林整計第339号林野庁長官通知)

*32 「林業経営体に関する情報の登録・公表について」(平成24(2012)年2月28日付け23林政経第312号林野庁長官通知)

*33 例えば、「平成26年度森林及び林業の動向」第Ⅴ章第2節(2)の事例Ⅴ-9(182ページ)を参照。

*34 総務省「国勢調査」。同調査における「林業従事者」とは、就業している事業体の「日本標準産業分類」を問わず、林木・苗木・種子の育成、伐採、搬出、処分等の仕事及び製炭や製薪の仕事に従事する者で、調査年の9月24日から30日までの一週間に収入になる仕事を少しでもした者等をいう。林業従事者数等について詳しくは、「平成30年度森林及び林業の動向」第Ⅰ章第3節(1)23-24ページを参照。

者についてはほぼ横ばいで推移し、平成27（2015）年には17％となっている（資料Ⅱ-19）。林業従事者の平均年齢をみると、全産業の平均年齢46.9歳と比べると高い水準にあるが、平成27（2015）年には52.4歳となっており、若返り傾向にある。

一方、日本標準産業分類[35]に基づき「林業」に分類される事業所に就業している「林業就業者[36]」には、造林や素材生産など現場での業務に従事する者のほか、事務的な業務に従事する者、管理的な業務に従事している者等が含まれており、平成27（2015）年には、全体で63,663人となっている[37]。

女性の林業従事者については、かつて、育林作業に多くの者が従事し、昭和60（1985）年には19,151人であったが、平成27（2015）年には2,750人と、男性より大きく減少している。一方で、機械化の進展など直接的な力を必要としない現場が増えてきたこと等を背景に、伐木・造材・集材従事者においては直近の5年間では610人から690人へと増加に転じている（資料Ⅱ-19）。林業経営体においても、近年は女性を現場作業に従事する職務にも積極的に採用する動きがみられ、女性の働きやすい職場環境の整備を図る取組もみられる[38]。

資料Ⅱ-19　林業従事者数の推移

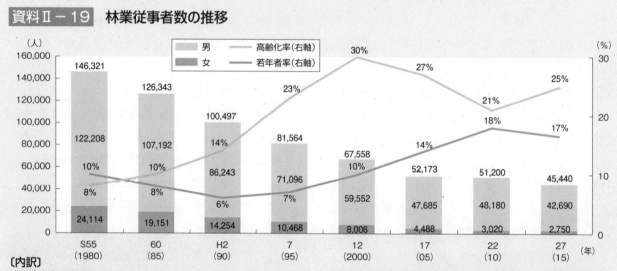

〔内訳〕

	1985年	1990年	1995年	2000年	2005年	2010年	2015年
林業従事者	126,343 (19,151)	100,497 (14,254)	81,564 (10,468)	67,558 (8,006)	52,173 (4,488)	51,200 (3,020)	45,440 (2,750)
育林従事者	74,259 (15,151)	58,423 (10,848)	48,956 (7,806)	41,915 (5,780)	28,999 (2,705)	27,410 (1,520)	19,400 (1,240)
伐木・造材・集材従事者	46,113 (2,870)	36,486 (2,326)	27,428 (1,695)	20,614 (1,294)	18,669 (966)	18,860 (610)	20,910 (690)
その他の林業従事者	5,971 (1,130)	5,588 (1,080)	5,180 (967)	5,029 (932)	4,505 (817)	4,930 (890)	5,130 (820)

注1：高齢化率とは、65歳以上の従事者の割合。
　　2：若年者率とは、35歳未満の従事者の割合。
　　3：内訳の()内の数字は女性の内数。
　　4：2005年以前の各項目の名称は、「～従事者」ではなく「～作業者」。
　　5：「伐木・造材・集材従事者」については、1985年、1990年、1995年、2000年は「伐木・造材作業者」と「集材・運材作業者」の和。
　　6：「その他の林業従事者」については、1985年、1990年、1995年、2000年は「製炭・製薪作業者」を含んだ数値。
資料：総務省「国勢調査」

*35　公的統計を産業別に表示する場合の統計基準として、事業所において行われる経済活動を、主として、生産される財又は提供されるサービスの種類（用途、機能等）などの諸点に着目して区分し、体系的に配列した形で設定したもの。
*36　国勢調査における「林業（就業者）」とは、山林用苗木の育成・植栽、木材の保育・保護、林木からの素材生産、薪及び木炭の製造、樹脂、樹皮、その他の林産物の収集及び林業に直接関係するサービス業務並びに野生動物の狩猟等を行う事業所に就業する者で、調査年の9月24日から30日までの一週間に収入になる仕事を少しでもした者等をいう。なお、平成19（2007）年の「日本標準産業分類」の改定により、平成22（2010）年のデータは、平成17（2005）年までのデータと必ずしも連続していない。詳しくは、「平成24年度森林及び林業の動向」第Ⅴ章第1節（3）のコラム（138ページ）を参照。
*37　総務省「平成27年国勢調査」
*38　詳しくは、特集第4節（1）の事例 特-9（36ページ）及び、「平成30年度森林及び林業の動向」第Ⅰ章第3節（4）30-31ページ。

資料Ⅱ−20　現場技能者として林業経営体へ新規に就業した者（新規就業者）の推移

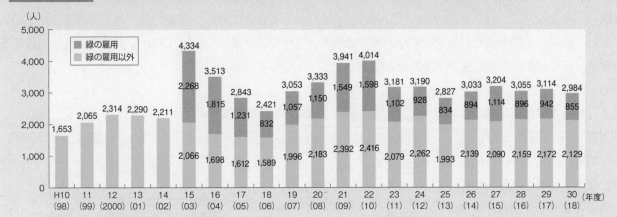

注：「緑の雇用」は、「緑の雇用」現場技能者育成対策事業等による1年目の研修を修了した者を集計した値。
資料：林野庁ホームページ「林業労働力の動向」

事例Ⅱ−1　林業大学校と連携した「森づくり人材育成研修」の取組

　愛知県豊田市、豊田森林組合及び岐阜県立森林文化アカデミーの3者は、平成30（2018）年3月に人材育成協定を締結し、豊田森林組合の職員を対象に、岐阜県立森林文化アカデミーの教員等を講師とする、現場に応じた施業提案や現場管理を行う森林施業プランナーの育成を目的とした「森づくり人材育成研修」を実施している。

　研修の第一期は、平成30（2018）年度から令和元（2019）年度までの2年間にわたり、計20日の研修プログラムを計画的に実施するカリキュラムで行われ、同組合の中堅のリーダー候補職員6名が対象となり、職員が働きながら定期的に同校や豊田市の現場で受講した。研修内容は、市の「新・豊田市100年の森づくり構想」に沿った項目で行われ、研修講師が市の森林・地質・地形を事前に視察し、地域事情を踏まえた考え方や技術が学べるよう配慮された。

　また、「実践型」の研修となるよう工夫され、道づくり研修では、市内の研修箇所において研修生が講師の指導を受けながら決定した線形により、翌年度に工事が実施され、完成後に事後評価研修が行われた。現地研修と実際の事業を結びつけたことで、排水処理や法面の扱いなど課題点がより明確になり、研修効果の高まりがみられた。

　さらに、長期的な将来木施業[注]の視点を養成するため、各研修生ごとに将来木施業を実践するモデル林が設定され、平成30（2018）年度に設定された6か所のモデル林では、研修生が木材生産林（長伐期型）や、針広混交誘導林等の目標林型を設定しており、今後長期に渡って施業トレーニングが行われる予定となっている。

　注：「将来木」を早い時期に選び、その成長を妨げる個体だけを間伐する施業手法。
資料：鈴木春彦（2019）市町村フォレスターの挑戦．森林未来会議，築地書館：198-202頁

豊田市内の路網開設予定地における地形解説の様子

各研修生が設定したモデル林を使った将来木施業研修の様子

林野庁では、平成15（2003）年度から、林業経営体に就業した若年者を中心に、林業に必要な基本的な知識や技術の習得を支援する「「緑の雇用」事業」を実施して、新規就業者の確保・育成を図っている（資料Ⅱ－20）。

また、近年、全国各地で就業前の若手林業技術者の教育・研修機関を新たに整備する動きが広がっている（資料Ⅱ－21）。林野庁では、林業大学校等に通う者を対象に給付金を支給する「緑の青年就業準備給付金事業」を実施して、就業希望者の裾野の拡大や、将来的な林業経営の担い手の育成を支援している。林業大学校については、自治体と連携しながら林業従事者に地域の実情を踏まえた森林施業プランナーの

育成を目的とする研修を実施するなど、就業後の人材育成に貢献する動きもみられる（事例Ⅱ－1）。

このほか、都道府県知事が指定する林業労働力確保支援センターにおいて、新たに林業に就業しようとする者に対し、林業の技術等を習得するための研修や、林業への就業に向けた情報の提供、相談等を行っている。

資料Ⅱ－21　全国の林業大学校一覧

府県等	名称	府県等	名称
岩手県	いわて林業アカデミー	兵庫県	兵庫県立森林大学校
秋田県	秋田林業大学校	和歌山	和歌山県農林大学校
山形県	山形県立農林大学校	鳥取県日南町	にちなん中国山地林業アカデミー
群馬県	群馬県立農林大学校	島根県	島根県立農林大学校
福井県	ふくい林業カレッジ	徳島県	とくしま林業アカデミー
長野県	長野県林業大学校	高知県	高知県立林業大学校
岐阜県	岐阜県立森林文化アカデミー	熊本県	くまもと林業大学校
静岡県	静岡県立農林大学校	大分県	おおいた林業アカデミー
京都府	京都府立林業大学校	宮崎県	みやざき林業大学校

注：学校教育法に基づく専修学校や各種学校、自治体の研修機関で、修学・研修期間は1～2年間であるものを、府県等が「林業大学校」等として設置している。
資料：林野庁研究指導課調べ。

資料Ⅱ－22　林業労働力の育成・確保について

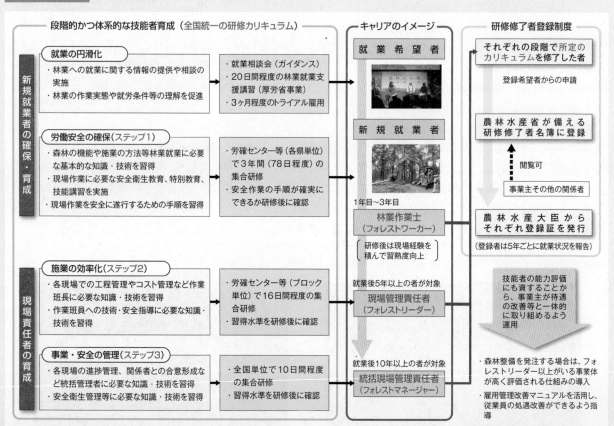

注：「林業作業士」は、作業班員として、林業作業に必要な基本的な知識、技術・技能を習得して安全に作業を行うことができる人材、「現場管理責任者」は、作業班に属する現場作業員（作業班員）を指導して、間伐等の作業の工程管理等ができる人材、「統括現場管理責任者」は、複数の作業班を統括する立場から、関係者と連携して経営にも参画することができる人材である。
資料：「現場技術者の育成と登録制度」（林野庁ホームページ「林業労働力の確保の促進に関する法律に基づく取組について」）

（高度な知識と技術・技能を有する林業労働者の育成）

　林業作業における高い生産性と安全性を確保していくため、専門的かつ高度な知識と技術・技能を有する林業労働者が必要となっており、林業技術者の能力の適切な評価、待遇の改善等が図られることが重要となっている。このため、林野庁は、事業主による教育訓練の計画的な実施、能力に応じた昇進及び昇格モデルの提示等を支援するほか、段階的かつ体系的な研修を促進するなど、林業労働者のキャリア形成を支援している。また、キャリアアップにより意欲と誇りを持って仕事に取り組めるよう、段階的かつ体系的な研修の修了者については、習得した知識、技術・技能のレベルに応じて名簿に登録する制度が運用されている（資料Ⅱ－22）。

　このような状況の下、業界団体において、林業従事者の技能向上、就職環境の整備及び社会的・経済的地位の向上を図るため、平成31（2019）年4月に「林業技能向上センター」を立ち上げ、技能検定制度への林業の追加を目指し、受検申請者見込み数の整理や職務分析表の作成等に取り組む動きもみられる。この技能検定の試験は、外国人技能実習2号の評価試験にもつながるものであるところ、外国人材については、愛媛県において平成29（2017）年度から3か年の事業として外国人技能実習1号の実習生の受入れが行われるなど、関心が高まっており、この面からも、技能検定制度への林業の追加が期待されている。

　また、林野庁では、平成25（2013）年度から、林業従事者の働く意欲の向上、職場への定着やスキルアップ等を実現するための能力評価システムの構築に対して支援を行っており、令和元（2019）年度には、能力評価システム導入説明会を全国7会場で実施するなど、各地で同システムの普及に取り組んでいる[39]。

（林業における雇用や労働災害の現状）

　林業経営体への新規就業者については、「緑の雇用」事業により、新規就業者の増加、若年者率の向上等の成果も見られるが[40]、依然として林業従事者

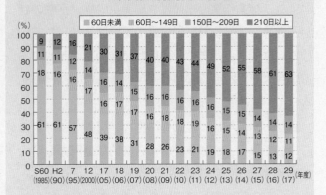

資料Ⅱ－23　森林組合の雇用労働者の年間就業日数別割合の推移

注：計の不一致は四捨五入による。
資料：林野庁「森林組合統計」

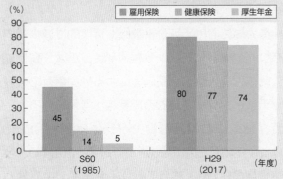

資料Ⅱ－24　森林組合の雇用労働者の社会保険等への加入割合

注：昭和60（1985）年度は作業班の数値、平成29（2017）年度は雇用労働者の数値である。
資料：林野庁「森林組合統計」

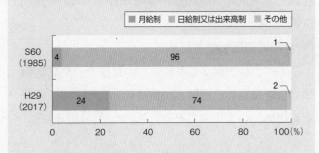

資料Ⅱ－25　森林組合の雇用労働者の賃金支払形態割合の推移

注1：「月給制」には、月給・出来高併用を、「日給制又は出来高制」には、日給・出来高併用を含む。
　2：昭和60（1985）年度は作業班の数値、平成29（2017）年度は雇用労働者の数値である。
　3：計の不一致は四捨五入による。
資料：林野庁「森林組合統計」

---

[39]　林業労働者のキャリア形成等について詳しくは、「平成30年度森林及び林業の動向」第Ⅰ章第3節（3）26-29ページも参照。
[40]　詳しくは、第Ⅱ章第1節（3）117-118ページ。

の所得水準は他産業と比べて低いなどの状況にある中[41]、現場作業員の確保が課題となっている[42]。

また、林業作業の季節性や事業主の経営基盤のぜい弱性等により、林業労働者の雇用は必ずしも安定していないことがあり、雇用が臨時的、間断的である場合など、社会保険等が適用にならないこともある。

しかし、近年は、全国的に把握が可能な森林組合についてみると、通年で働く専業的な雇用労働者の占める割合が上昇傾向にあるとともに（資料Ⅱ－23）、社会保険等が適用される者の割合も上昇している（資料Ⅱ－24）。この傾向は、通年で作業可能な素材生産の事業量の増加によるものと考えられる。また、月給制の割合も増えているほか（資料Ⅱ－25）、賃金水準も全体的に上昇している[43]（資料Ⅱ－26）。

林業労働における死傷者数は、長期的に減少傾向にあり（資料Ⅱ－27）、その要因としては、高性能林業機械の導入や路網整備等による労働負荷の軽減や、チェーンソー防護衣の普及等が考えられる。一方で、林業における労働災害発生率は、平成30（2018）年の死傷年千人率[44]でみると22.4で、全産業平均の9.7倍となっており、全産業の中で最も高い状態が続いている[45]。

平成28（2016）年から平成30（2018）年までの3年間の林業労働者の死亡災害についてみると、発生した112件のうち、年齢別では50歳以上が76%となっており、作業別では伐木作業中の災害が66%となっている（資料Ⅱ－28）。

（安全な労働環境の整備）

このような労働災害を防止し、健康で安全な職場づくりを進めることは、林業労働力を継続的に確保するためにも不可欠である。このため、林野庁では、

厚生労働省、関係団体等との連携により、林業経営体に対して安全巡回指導、労働安全衛生改善対策セミナー等を実施するとともに、「「緑の雇用」事業」において、新規就業者を対象とした伐木作業技術等の研修の強化、最新鋭のチェーンソー防護衣等の導入等を支援している。また、林業経営体の自主的な安全活動を推進するため、林業経営体の指導等を担

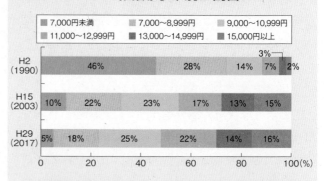

資料Ⅱ－26　森林組合における標準的賃金（日額）水準別の割合

注：平成2（1990）年度及び平成15（2003）年度は作業班に支払う賃金水準の割合、平成29（2017）年度は雇用労働者に支払う賃金水準の割合である。
資料：林野庁「森林組合統計」

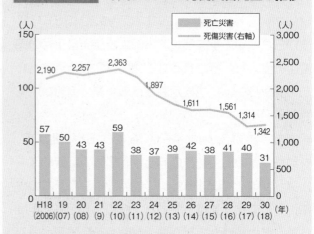

資料Ⅱ－27　林業における労働災害発生の推移

注：平成23（2011）年については、東日本大震災を原因とするものを除く。
資料：厚生労働省「労働者死傷病報告」、「死亡災害報告」

---

[41]　「平成30年分民間給与実態統計調査結果」（国税庁）の業種別平均給与によると、農林水産・鉱業の平均給与は312万円（全産業平均：441万円）。

[42]　平成29（2017）年度の林業作業士（フォレストワーカー）研修生、現場管理責任者（フォレストリーダー）研修生及び統括現場管理責任者（フォレストマネージャー）研修生並びに研修生を受け入れている林業経営体を対象に、全国森林組合連合会が実施したアンケート調査では、約9割の森林組合が最近3年間の事業量からみて現場作業員が不足していると回答しており、最近3年間の求人数と応募者数については、約4割の森林組合が応募者数は求人数を下回ったと回答。

[43]　森林組合の雇用労働者の雇用条件等について詳しくは、「平成30年度森林及び林業の動向」第Ⅰ章第3節（3）28ページも参照。

[44]　労働者1,000人当たり1年間に発生する労働災害による死傷者数（休業4日以上）を示すもの。

[45]　厚生労働省「労働災害統計」

える労働安全の専門家の派遣等に対して支援している。

また、農林水産省一体として業界の垣根を越えた議論を開始すべく、令和2（2020）年2月に「農林水産業・食品産業の現場の新たな作業安全対策に関する有識者会議」を設置するとともに、令和2（2020）年3月にはシンポジウムを開催し*46、その模様を動画で配信した*47。

一方、厚生労働省は、平成30（2018）年2月、平成30（2018）年度からの5年間を計画期間とする「第13次労働災害防止計画」を策定した。同計画では、「林業」が、死亡災害の撲滅を目指した対策を推進する重点業種に位置付けられている。同計画に基づき、厚生労働省、林野庁、関係団体等が連携して、死亡災害が多発している伐木等作業における安全対策の充実強化を図ることとしている。平成31（2019）年2月には、厚生労働省において労働安全衛生規則等関連法令の見直しが行われ*48、令和2（2020）年1月にはチェーンソーによる伐木等作業の安全に関するガイドライン等が改正された。

また、林業と木材製造業の事業主及び団体等を構成員とする林業・木材製造業労働災害防止協会*49は、国の労働災害防止計画を踏まえ、「林材業労働災害防止計画」を策定するなど、林材業の安全衛生水準の向上に努めている。

さらに、民間の取組として、伐倒等の各種練習機や安全性・機能性を考慮したチェーンソー防護衣の開発・販売*50、伐木作業に必要な技術及び安全意識の向上に向けた競技大会も開催されている*51（事例II－2）。

このほかにも、地方公共団体による安全に特化した林業研修体制の構築や、林業科の高校生を対象とした普及啓発など、労働災害の防止に向けた取組が進められている*52。

（林業活性化に向けた女性の取組）

女性の森林所有者や林業従事者等による林業研究グループが1970年代から各地で設立され、森林づくりの技術や経営改善等の研究活動を実施してきたほか、子供達への環境教育、特用林産物の加工・販売など森林資源を活用した地域づくりを展開している。また、都道府県の女性林業技術系職員による「豊かな森林づくりのためのレディースネットワーク・

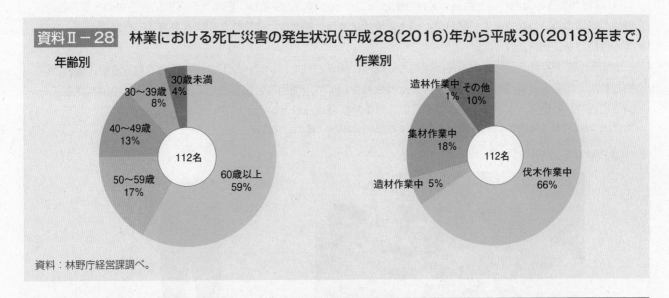

資料II－28 林業における死亡災害の発生状況（平成28（2016）年から平成30（2018）年まで）

年齢別

- 30歳未満 4%
- 30〜39歳 8%
- 40〜49歳 13%
- 50〜59歳 17%
- 60歳以上 59%
- 112名

作業別

- 造林作業中 1%
- その他 10%
- 集材作業中 18%
- 造材作業中 5%
- 伐木作業中 66%
- 112名

資料：林野庁経営課調べ。

*46　新型コロナウイルス感染拡大防止の観点から、無聴衆による開催となった。
*47　有識者会議とシンポジウムについては、農林水産省ホームページ「農林水産業・食品産業の現場の新たな作業安全対策」参照。
*48　①受け口を作るべき立木の対象を胸高直径20cm以上に拡大、②事業者に対する速やかなかかり木処理の義務付けと、かかり木処理における、浴びせ倒しやかかられている木の伐倒の禁止、③伐倒木の高さの2倍の範囲の立入禁止、④事業者に対する、チェーンソー作業時の下肢防護衣の着用の義務付け、⑤チェーンソー作業に係る教育の充実等が盛り込まれた。
*49　「労働災害防止団体法」（昭和39年法律第118号）に基づき設立された特別民間法人。
*50　伐倒練習機の開発の取組について詳しくは、「平成30年度森林及び林業の動向」第I章事例集 事例I－6（47ページ）を参照。
*51　競技大会については、「平成26年度森林及び林業の動向」第III章第1節（4）の事例III－5（120ページ）を参照。
*52　安全に特化した研修体制の構築について詳しくは、「平成29年度森林及び林業の動向」第III章第1節（4）の事例III－3（107ページ）を参照。

21」は、SNSを活用したネットワークを構築し、会員相互の情報共有や技術研鑽を続けており、全国フォーラムや交流会等を通じ、森林・林業の発展に向け、活動を実施している。

学生や様々な職業の女性らから成る「林業女子会[53]」については、平成22（2010）年以降、全国各地で結成されており、林業や木材利用について語り合うワークショップや森林鳥獣被害の減少にも貢献するジビエ料理の普及促進、森林空間を利用しリラックス効果が期待できる「森ヨガ」など、活動の輪が各地に広がっている。

（4）林業経営の効率化に向けた取組

我が国の森林資源は、戦後造成された人工林を中心に本格的な利用期を迎えているが、林業経営に適した森林を経済ベースで十分に活用できていない。その理由として、私有林の小規模・分散的な所有構造に加え、山元立木価格が長期的に低いままであることや森林所有者の世代交代等により、森林所有者の森林への関心が薄れていることなどが挙げられる[54]。

（木材販売収入に対して育林経費は高い）

我が国の林業は、販売収入に対して育林経費が高くなっている。50年生のスギ人工林の主伐を行っ

事例Ⅱ－2　独メーカーとの協同による日本に適したチェーンソー防護パンツ開発の取組

林業における労働災害のうち死亡災害の約7割はチェーンソーによる伐木作業時に発生しており、令和元（2019）年8月に労働安全衛生規則が施行され下肢の切創防止用保護衣の着用が義務付けられることとなった。高い安全基準を確保しつつ、機能性の高いチェーンソー防護パンツ等が求められている。

岐阜県森林技術開発・普及コンソーシアム[注1]の会員である林業事業体3者[注2]と、ドイツの林業用防護服製造メーカーであるP.SS社[注3]は、労働安全衛生規則等の改正を踏まえ、欧州の高い安全基準をクリアしつつ、日本の高温多湿となる夏期の気候や日本人の体型に合った機能性の高いチェーンソーパンツの共同開発に取り組んだ。

P.SS社が製作した試作品を会員事業体3者がモニターとなって使用し、日本人の体型に合うものとすること、笹やぶ等によるひっかき傷でも破れにくい強化生地の使用、通気性、伸縮性、視認性を高めるためのカラー配色等の改良が加えられた。

令和元（2019）年5月に最終製品が完成し、同月に開催されたコンソーシアム通常総会で発表され、販売が開始された。同会事務局や販売代理店となった同会員企業には、使用者の反響として、女性を始め小柄な体型にも合うことや、軽量性、デザイン性が優れている等の声が寄せられているとしている。

注1：岐阜県の林業・木材産業関係事業者、教育・研究機関及び行政機関等で構成される組織。
　　2：飛騨市森林組合、株式会社丸光イトウ、有限会社根尾開発
　　3：Pfeiffer Sicherheitssysteme社

P.SS社とのミーティングの様子

共同開発したチェーンソー防護パンツ

---

[53]　平成22（2010）年に京都府で結成されて以降、令和元（2019）年末現在、25グループが活動している（海外1グループを含む）。
[54]　我が国林業の構造的な課題については、「平成29年度森林及び林業の動向」第Ⅰ章第1節（3）16-22ページを参照。

た場合の平均的な木材収入は、平成30（2018）年の山元立木価格に基づいて試算すると、96万円/haとなる[*55]。これに対して、スギ人工林において、50年生（10齢級[*56]）までの造林及び保育にかかる経費は、「平成25年度林業経営統計調査報告」によると、114万円/haから245万円/haまでとなっている[*57]。このうち約9割が植栽から10年間に必要となっており、初期段階での育林経費の占める割合が高い状況となっている（資料Ⅱ-29）。

他方、この森林から主伐して生産される木材について、仮にスギの中丸太、合板用材、チップ用材（いわゆるA材、B材、C材）で3分の1ずつ販売[*58]されたものと見込むと、その売上は322万円/haとなる。こうした木材の売上と主伐を行った場合の収入の差には、伐出・運材等のコストが含まれることとなり、我が国におけるこれらのコストは海外と比べて割高となっているとの研究結果[*59]もある。

このような中、「伐って、使って、植える」という森林資源の循環利用のサイクルで、安定的な林業経営を行うには、施業の集約化や、育林を含む林業の作業システムの生産性の向上、低コスト化等により、林業経営の効率化を図ることが重要な課題となっている（資料Ⅱ-30）。

（ア）施業の集約化

（a）施業の集約化の必要性

森林所有者自らが経営管理[*60]（所有者自らが民間事業者に経営委託する場合を含む。）を行う意向を有している場合であっても、我が国の私有林の所有構造が小規模・分散的であるため、個々の森林所有者が単独で効率的な森林施業を実施することが難しい場合が多い。このため、隣接する複数の森林所有者

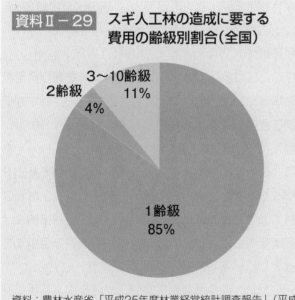

資料Ⅱ-29　スギ人工林の造成に要する費用の齢級別割合（全国）

2齢級 4%
3〜10齢級 11%
1齢級 85%

資料：農林水産省「平成25年度林業経営統計調査報告」（平成27（2015）年7月）

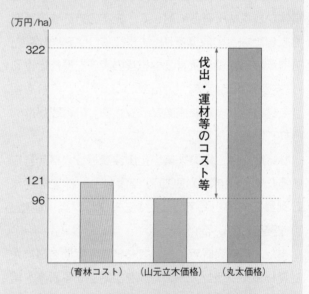

資料Ⅱ-30　現在の木材生産にかかるコストのイメージ

（万円/ha）

322
121
96

（育林コスト）　（山元立木価格）　（丸太価格）

伐出・運材等のコスト等

注1：縦軸はスギ人工林（50年生）のha当たりの算出額。
　2：育林コストは「平成25年度林業経営統計調査報告」より抜粋。
　3：山元立木価格は「山林素地及び山元立木価格調」を基に試算。
　4：丸太価格は「平成30年木材需給報告書」を基にha当たり315㎥の素材出材量と仮定して試算。
資料：農林水産省「平成30年木材需給報告書」、「平成25年度林業経営統計調査報告」、（一財）日本不動産研究所「山林素地及び山元立木価格調」

*55　スギ山元立木価格3,061円/㎥（第Ⅱ章第1節（1）111ページ参照。）に、スギ10齢級の平均材積315㎥/ha（林野庁「森林資源の現況（平成29（2017）年3月31日現在）」における10齢級の総林分材積を同齢級の総森林面積で除した平均材積420㎥/haに利用率0.75を乗じた値）を乗じて算出。
*56　齢級は、林齢を5年の幅でくくった単位。苗木を植栽した年を1年生として、1〜5年生を「1齢級」と数える。
*57　地域によりばらつきがある。また、林齢によって標本数が少ないものがあることから、集計結果の利用に当たっては注意が必要とされている。
*58　丸太価格は「平成29年木材需給報告書」を基にha当たり315㎥の素材出材量と仮定して試算。
*59　木材生産にかかるコストについては、「平成29年度森林及び林業の動向」第Ⅰ章第1節（3）21ページを参照。
*60　「森林経営管理法」において、「経営管理」は、森林について自然的経済的社会的諸条件に応じた適切な経営又は管理を持続的に行うことと定義されている。

が所有する森林を取りまとめて路網整備や間伐等の森林施業を一体的に実施する「施業の集約化」の推進が必要となっている。

施業の集約化により、作業箇所がまとまり、路網の合理的な配置や高性能林業機械を効果的に使った作業が可能となることなどから、様々な森林施業のコスト縮減が期待できる。また、素材生産においては、一つの施業地から供給される木材のロットが大きくなることから、需要者のニーズに応えることが可能となるとともに、供給側が一定の価格決定力を有するようになることも期待できる。

（施業集約化を推進する「森林施業プランナー」を育成）

施業の集約化の推進に当たっては、森林所有者等から施業を依頼されるのを待つのではなく、林業経営体から森林所有者に対して、施業の方針や事業を実施した場合の収支を明らかにした「施業提案書」を提示して、森林所有者へ施業の実施を働き掛ける「提案型集約化施業」が行われており[61]、これを担う人材として「森林施業プランナー」の育成が進められている。

林野庁では、提案型集約化施業を担う人材を育成するため、平成19（2007）年度から、林業経営体の職員を対象として、「森林施業プランナー研修」等を実施している。

また、都道府県等においても地域の実情を踏まえた森林施業プランナーの育成を目的とする研修を実施しているところであり（事例Ⅱ－1）、令和元（2019）年度からは、林業・木材成長産業化促進対策交付金の支援対象となっている。

これらの者は、技能、知識、実践力のレベルが様々であることから、平成24（2012）年10月から、「森林施業プランナー協会」が、森林施業プランナーの能力や実績を客観的に評価して認定を行う森林施業プランナー認定制度を開始し、令和2（2020）年3月までに、2,299名が認定を受けている[62]。

（b）施業集約化に資する制度
（森林経営計画制度）

平成24（2012）年度から導入された「森林法[63]」に基づく森林経営計画制度では、森林の経営を自ら行う森林所有者又は森林の経営の委託を受けた者が、林班[64]又は隣接する複数林班の面積の2分の1以上の森林を対象とする場合（林班計画）や、所有する森林の面積が100ha以上の場合（属人計画）に、自ら経営する森林について森林の施業及び保護の実施に関する事項等を内容とする森林経営計画を作成できることとされている。森林経営計画を作成して市町村長等から認定を受けた者は、税制上の特例措置や融資条件の優遇に加え、計画に基づく造林や間伐等の施業に対する「森林環境保全直接支援事業」による支援等を受けることができる。

同制度については、導入以降も現場の状況に応じた運用改善を行っている。平成26（2014）年度からは、市町村が地域の実態に即して、森林施業が一体として効率的に行われ得る区域の範囲を「市町村森林整備計画」において定め、その区域内で30ha以上の森林を取りまとめた場合にも計画（区域計画）が作成できるよう制度を見直し、運用を開始した。この「区域計画」は、小規模な森林所有者が多く合意形成に多大な時間を要することや、人工林率が低いこと等により、林班単位での集約化になじまない地域においても計画の作成を可能とするものである。これにより、まずは地域の実態に即して計画を作成しやすいところから始め、計画の対象となる森林の面積を徐々に拡大していくことで、将来的には区域を単位とした面的なまとまりの確保を目指すこととしている（資料Ⅱ－31）。

しかし、森林所有者の高齢化や相続による世代交代等が進んでおり、森林所有者の特定や森林境界の明確化に多大な労力を要していることから、平成31（2019）年3月末現在の全国の森林経営計画作成面積は501万ha、民有林面積の約29％となっている。

---

*61　提案型集約化施業は、平成9（1997）年に京都府の日吉町森林組合が森林所有者に施業の提案書である「森林カルテ」を示して森林所有者からの施業受託に取り組んだことに始まり、現在、全国各地に広まっている。

*62　森林施業プランナー認定制度ポータルサイト「認定者一覧」

*63　「森林法」（昭和26年法律第249号）

*64　原則として、天然地形又は地物をもって区分した森林区画の単位（面積はおおむね60ha）。

（森林経営管理制度）

平成31（2019）年4月から開始された森林経営管理制度[65]は、経営管理が行われていない森林について、市町村や林業経営者にその経営管理を集積・集約化する新たな制度であり、同制度も運用していくことにより、施業の集約化が進展することが期待されている。

（c）森林情報の把握・整備

森林経営計画の作成など施業の集約化に向けた取組を進めるためには、その前提として、森林所有者や境界等の情報が一元的に把握され、整備されていることが不可欠である。

（所有者が不明な森林の存在）

我が国では、所有森林に対する関心の低下等により、相続に伴う所有権の移転登記がなされないことなどから、所有者が不明な森林も生じている。

国土交通省が実施した平成29（2017）年度地籍調査における土地所有者等に関する調査によると、不動産登記簿上の土地所有者の住所に調査通知を郵送したところ、土地所有者に通知が到達しなかった割合[66]は筆数ベースで全体の約22%、林地については、28%となっている[67]。

また、「2005年農林業センサス」によると、森林の所在する市町村に居住していない、又は事業所を置いていない者（不在村者）の所有する森林が私有林面積の約4分の1を占めており、そのうちの約4割は当該都道府県外に居住する者等の保有となっている[68]。

所有者が不明な森林については、固定資産税の課税に支障が生じるなど様々な問題が生じているが、不在村者が所有する森林を含め、このような森林では、森林の適切な経営管理がなされないばかりか、施業の集約化を行う際の障害となり、森林の経営管理を集積・集約化していく上での大きな課題となっている。

このほか、令和元（2019）年10月に内閣府が実施した「森林と生活に関する世論調査」で、所有者不明森林の取り扱いについて聞いたところ、間伐等何らかの手入れを行うべきとの意見が91%に上っており、所有者不明森林における森林整備等の実施が課題となっている。

資料Ⅱ－31　森林経営計画制度の概要

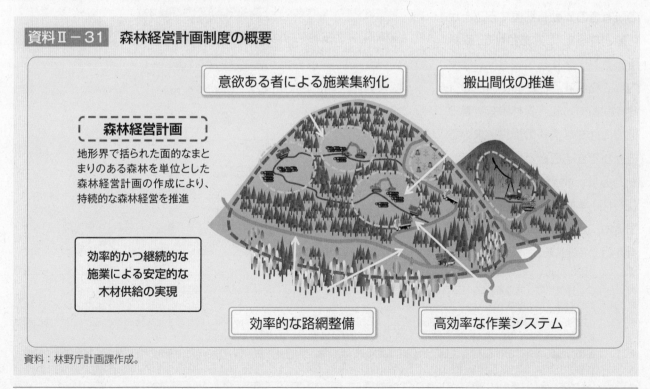

意欲ある者による施業集約化　　搬出間伐の推進

森林経営計画
地形界で括られた面的なまとまりのある森林を単位とした森林経営計画の作成により、持続的な森林経営を推進

効率的かつ継続的な施業による安定的な木材供給の実現

効率的な路網整備　　高効率な作業システム

資料：林野庁計画課作成。

*65　森林経営管理制度について詳しくは第Ⅰ章第1節（3）60-64ページ参照。
*66　「国土調査法」（昭和26年法律第180号）に基づき、主に市町村が主体となって、一筆ごとの土地の所有者、地番、地目を調査し、境界の位置と面積を測量する調査。
*67　国土交通省「国土審議会土地政策分科会企画部会国土調査のあり方に関する検討小委員会第8回資料」
*68　農林水産省「2005年農林業センサス」。なお、2010年以降この統計項目は把握していない。

（境界が不明確な森林の存在）

平成27（2015）年に農林水産省が実施した「森林資源の循環利用に関する意識・意向調査」では、林業者モニター[69]に対して森林の境界の明確化が進まない理由について尋ねたところ、「相続等により森林は保有しているが、自分の山がどこかわからない人が多いから」、「市町村等による地籍調査が進まないから」、「高齢のため現地の立会いができないから」という回答が多かった（資料Ⅱ−32）。このような状況から、境界が不明確で整備が進まない森林もみられる。また、こうした状況の下、森林所有者に無断で立木が伐採された事案も発生している[70]。

（所有者特定や境界明確化など森林情報の把握に向けた取組）

森林所有者の特定に向けては、平成24（2012）年度から、新たに森林の土地の所有者となった者に対して、市町村長への届出を義務付ける制度[71]が開始され、相続による異動や、1ha未満の小規模な森林の土地の所有者の異動も把握することが可能となった[72]。あわせて、森林所有者等に関する情報を行政機関内部で利用するとともに、他の行政機関に対して、森林所有者等の把握に必要な情報の提供を求めることができることとされた[73]。

さらに、林野庁では、平成22（2010）年度から、外国人及び外国資本による森林買収について調査を行っており、令和元（2019）年5月には、平成30（2018）年1月から12月までの期間における、居住地が海外にある外国法人又は外国人と思われる者による森林買収の事例（30件、計373ha）等を公表した[74]。林野庁では、引き続き、森林の所有者情報の把握に取り組むこととしている。

境界の明確化に向けては、従来は個別に管理されていた森林計画図や森林簿といった森林の基本情報をデジタル処理し、システムで一元管理することで、森林情報を迅速に把握することが可能な森林GISや高精度のGPS、ドローン等を活用して現地確認の効率化を図る取組[75]が実施されている。

林野庁では、「森林整備地域活動支援対策」により、森林経営計画の作成や施業の集約化に必要となる森林情報の収集、森林調査、境界の明確化、合意形成活動や既存路網の簡易な改良に対して支援してい

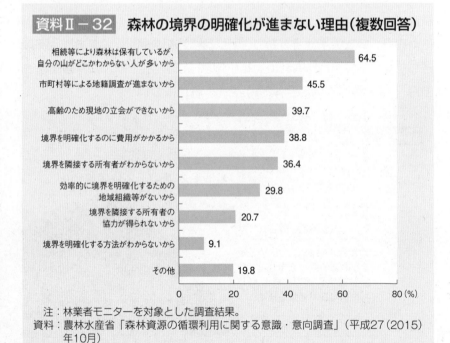

資料Ⅱ−32　森林の境界の明確化が進まない理由（複数回答）

理由	(%)
相続等により森林は保有しているが、自分の山がどこかわからない人が多いから	64.5
市町村等による地籍調査が進まないから	45.5
高齢のため現地の立会ができないから	39.7
境界を明確化するのに費用がかかるから	38.8
境界を隣接する所有者がわからないから	36.4
効率的に境界を明確化するための地域組織等がないから	29.8
境界を隣接する所有者の協力が得られないから	20.7
境界を明確化する方法がわからないから	9.1
その他	19.8

注：林業者モニターを対象とした調査結果。
資料：農林水産省「森林資源の循環利用に関する意識・意向調査」（平成27（2015）年10月）

---

*69　この調査での「林業者」は、「2010年世界農林業センサス」で把握された林業経営体の経営者。

*70　詳しくは、第Ⅰ章第2節（1）72ページを参照。

*71　「森林法」第10条の7の2、「森林法施行規則」（昭和26年農林省令第54号）第7条、「森林の土地の所有者となった旨の届出制度の運用について」（平成24（2012）年3月26日付け23林整計第312号林野庁長官通知）

*72　都市計画区域外における1ha以上の土地取引については、「国土利用計画法」（昭和49年法律第92号）に基づく届出により把握される。

*73　「森林法」第191条の2、「森林法に基づく行政機関による森林所有者等に関する情報の利用等について」（平成23（2011）年4月22日付け23林整計第26号林野庁長官通知）。

*74　林野庁プレスリリース「外国資本による森林買収に関する調査の結果について」（令和元（2019）年5月31日付け）

*75　境界確認の効率化の事例については、「平成27年度森林及び林業の動向」第Ⅲ章第1節（2）の事例Ⅲ−1（91ページ）、「平成28年度森林及び林業の動向」第Ⅲ章第1節（2）の事例Ⅲ−1（93ページ）及び「平成29年度森林及び林業の動向」第Ⅰ章第3節（3）の事例Ⅰ−3（31ページ）等を参照。

る。令和2（2020）年度からは、森林境界の明確化に対して航空レーザ計測等の情報通信技術（以下「ICT」という。）活用の取組も新たに支援することとしている。

また、精度の高い森林資源情報等の把握や共有に森林クラウド等のICTの活用を図る取組も進めている。

このほか、「国土調査法」に基づく地籍調査も行われているが、平成30（2018）年度末時点での地籍調査の進捗状況は宅地で55%、農用地で74%であるのに対して、林地[*76]では45%にとどまっている[*77]。このような中で、林野庁と国土交通省は、これらの森林境界明確化活動と地籍調査の成果を相互に活用するなど、連携しながら境界の明確化に取り組んでいる。

（林地台帳制度）

平成28（2016）年5月の「森林法」の改正により、市町村が統一的な基準に基づき、森林の土地の所有者や林地の境界に関する情報等を記載した「林地台帳」を作成し、その内容の一部を公表[*78]する制度が創設された。以降、平成28（2016）年度に林野庁から都道府県・市町村に配布された整備・運用マニュアル等に基づき、林地台帳の整備が進められ、平成31（2019）年4月に制度の本格運用を開始した（資料Ⅱ-33）。これにより、森林経営の集積・集約化を進める森林組合や林業事業体等に対する情報提供等が可能となり、森林組合等が行う施業集約化の合意形成や、市町村が行う森林経営管理制度[*79]の意向調査の対象となる森林所有者の特定等に林地台帳が活用されるようになった。

林野庁では平成31（2019）年度から、今後、市町村において林地台帳をより効果的に活用できるよう、伐採届の情報と林地台帳上の所有者や境界の情報を照合するようなモデル的なシステム整備等に支援している。

また、「令和元年の地方からの提案等に関する対応方針」（令和元（2019）年12月23日閣議決定）において、林地台帳の整備に当たって、地方公共団体が森林所有者等に関する地方税関係情報を内部利用することを可能とすることが明記され、この内容を含む第10次地方分権一括法案が国会に提出された。

（d）施業の集約化等に資するその他の取組
（所有者が不明な森林等への対応）

所有者情報の整備や境界明確化に取り組む一方で、所有者が不明なままの森林については、森林経営管理法において、一定の手続を経れば市町村等が経営や管理を行うことができることとする特例が措

資料Ⅱ-33 林地台帳を活用した森林施業の集約化のイメージ

市町村

林地台帳の情報

【林地台帳】
● 所有者の情報（住所、氏名）
● 土地の地番、地目、面積
● 森林経営計画認定状況
● 測量の実施状況

【地図】

↓ 林地台帳の情報を提供

森林組合・林業事業体等
〇所有者を特定し施業集約化の働きかけ

情報の収集・整理

現地確認

現地での説明

戸別訪問による説明

所有者立会いのもと境界を確認

⬇

施業集約化の合意形成が進み、間伐等が推進

資料：林野庁計画課作成。

---

*76 地籍調査では、私有林のほか、公有林も対象となっている。
*77 国土交通省ホームページ「全国の地籍調査の実施状況」による進捗状況。
*78 森林の位置や地番の確認を行いやすくして保有森林への関心を高めるほか、森林所有者による林地台帳情報の修正申出を喚起するため、林地台帳の一部及び台帳に付帯する地図を公表（公表することにより個人の権利利益を害するものを除く。）。また、地域の森林整備の担い手による集約化の取組を促進するため、同一の都道府県内で森林経営計画の認定を受けている林業経営体等に対しては、情報提供が可能。
*79 森林経営管理制度の仕組みについて詳しくは、第Ⅰ章第1節（3）60-62ページ参照。

置されている。なお、共有林の所有者の一部が不明な場合については、森林法において、一定の手続を経ることで伐採・造林を行うことができる制度が措置されており、本制度を活用した森林施業も行われている。

（山林に係る相続税の特例措置等）

　大規模に森林を所有する林家では、相続を契機として、所有する森林の細分化、経営規模の縮小、後継者による林業経営自体の放棄等の例がみられる。林家を対象として、林業経営を次世代にわたって継続するために求める支援や対策について尋ねたところ、保有山林面積規模が500ha以上の林家では、「相続税、贈与税の税負担の軽減」と回答した林家が53%で最も多かった[*80]。

　このような中で、山林に係る相続税については、評価方法の適正化や評価額の軽減等を図る措置を講ずるとともに、森林施業の集約化や路網整備等による林業経営の効率化と継続確保を図るため、効率的かつ安定的な林業経営を実現し得る中心的な担い手への円滑な承継を税制面で支援する「山林に係る相続税の納税猶予制度[*81]」が設けられており、その制度の利用の促進を図る必要がある。

（イ）低コストで効率的な作業システムの普及

　素材生産は、立木の伐倒（伐木）、木寄せ[*82]、枝払い及び玉切り（造材）、林道沿いの土場への運搬（集材）、椪積[*83]といった複数の工程から成り、高い生産性を確保するためには、各工程に応じて、林業機械を有効に活用するとともに、路網と高性能林業機械を適切に組み合わせた作業システムの普及・定着を図る必要がある。また、我が国では木材販売収入に対して特に初期段階での育林経費が高い状況にあることから[*84]、主伐後の再造林の確保に向けて、造林作業に要するコストの低減を図る必要がある。

（a）路網の整備
（路網の整備が課題）

　路網は、木材を安定的に供給し、森林の有する多面的機能を持続的に発揮していくために必要な造林、保育、素材生産等の施業を効率的に行うためのネットワークであり、林業の最も重要な生産基盤である。また、路網を整備することにより、作業現場へのアクセスの改善、機械の導入による安全性の向上、労働災害時の搬送時間の短縮等が期待できることから、林業の労働条件の改善等にも寄与するものである。さらに、地震等の自然災害により一般公道が不通となった際に、林内に整備された路網が迂回路として活用された事例もみられる[*85]。

　林業者モニターを対象に路網整備の状況と意向を尋ねたところ、現在の路網の整備状況は50m/ha以下の路網密度であると回答した者が約6割であったのに対し、今後の路網整備の意向は50m/ha以上の路網密度を目指したいと回答した者が約6割となっている（資料Ⅱ-34）。

　このような中、我が国においては、地形が急峻で、

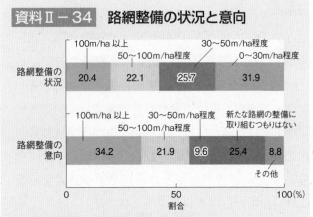

資料Ⅱ-34　路網整備の状況と意向

注1：林業者モニターを対象とした調査結果。
　2：計の不一致は四捨五入による。
資料：農林水産省「森林資源の循環利用に関する意識・意向調査」（平成27（2015）年10月）

[*80]　農林水産省「林業経営に関する意向調査」（平成23（2011）年3月）
[*81]　一定面積以上の森林を自ら経営する森林所有者を対象に、経営の規模拡大、作業路網の整備等の目標を記載した森林経営計画が定められている区域内にある山林（林地・立木）を、その相続人が相続又は遺贈により一括して取得し、引き続き計画に基づいて経営を継続する場合は、相続税額のうち対象となる山林に係る部分の課税価格の80%に対応する相続税の納税猶予の適用を受けることができる制度（平成24（2012）年4月創設）。
[*82]　林内に点在している木材を林道端等に集める作業。
[*83]　集材した丸太を同じ材積や同じ長さごとに仕分けして積む作業。
[*84]　木材販売収入と初期段階での育林経費について詳しくは、第Ⅱ章第1節（4）124-125ページを参照。
[*85]　国有林林道が活用された事例については、「平成23年度森林及び林業の動向」第Ⅰ章第1節（3）の事例Ⅰ-1（11ページ）及び「平成28年度森林及び林業の動向」第Ⅴ章第2節（1）の事例Ⅴ-1（182ページ）を参照。

多種多様な地質が分布しているなど厳しい条件の下、路網の整備を進めてきたところであり、平成30（2018）年度末現在、林内路網密度は22m/haとなっている[*86]。

「森林・林業基本計画」では、森林施業の効率的な実施のために路網の整備を進めることとしており、林道等の望ましい延長の目安を現状の19万kmに対し33万km程度としている。特に、自然条件等の良い持続的な林業の経営に適した育成単層林を主体に整備を加速化させることとしており、林道等については令和7（2025）年に24万km程度とすることを目安としている。また、「全国森林計画」では、路網整備の目標とする水準を、緩傾斜地（0°〜15°）の車両系作業システムでは100m/ha以上、急傾斜地（30°〜35°）の架線系作業システムでは15m/ha以上等としている（資料Ⅱ－35）。

（丈夫で簡易な路網の作設を推進）

林野庁では、路網を構成する道を、一般車両の走行を想定した幹線となる「林道」、大型の林業用車両の走行を想定した「林業専用道」及びフォワーダ等の林業機械の走行を想定した「森林作業道」の3区分に整理して、これらをバランスよく組み合わせた路網の整備を進めていくこととしている（資料Ⅱ－36）。

丈夫で簡易な路網の作設を推進するため、林業専用道と森林作業道の作設指針[*87]を策定し、林業専用道については、管理、規格・構造、調査設計、施工等に関する基本的事項を、森林作業道については、路線計画、施工、周辺環境等について考慮すべき基

資料Ⅱ－35　路網整備の目標とする水準

区分	作業システム	路網密度
緩傾斜地（0°〜15°）	車両系作業システム	100m/ha以上
中傾斜地（15°〜30°）	車両系作業システム	75m/ha以上
	架線系作業システム	25m/ha以上
急傾斜地（30°〜35°）	車両系作業システム	60m/ha以上
	架線系作業システム	15m/ha以上
急峻地（35°〜）	架線系作業システム	5m/ha以上

資料：「全国森林計画」（平成30（2018）年10月）

資料Ⅱ－36　路網整備における路網区分及び役割

○専ら森林施業の用に供し、木材輸送機能を強化する林道（林業専用道）
- 主として森林施業を行うために利用される恒久的公共施設
- 10トン積トラックや林業用車両（大型ホイールフォワーダ等）の走行を想定
- 必要最小限の規格・構造を有する丈夫で簡易な道

○導入する作業システムに対応し、森林整備を促進する作業道
- 森林所有者や林業事業体が森林施業を行うために利用
- 主として林業機械（小型トラックを含む）の走行を想定
- 経済性を確保しつつ丈夫で簡易な構造とすることが特に求められる

○効率的な森林の整備や地域産業の振興等を図る林道
- 原則として不特定多数の者が利用可能な恒久的公共施設
- セミトレーラや一般車の通行を想定し安全施設を完備

公道

[*86] 「公道等」、「林道」及び「作業道」の現況延長の合計を全国の森林面積で除した数値。林野庁整備課調べ。

[*87] 「林業専用道作設指針の制定について」（平成22（2010）年9月24日付け22林整整第602号林野庁長官通知）、「森林作業道作設指針の制定について」（平成22（2010）年11月17日付け22林整整第656号林野庁長官通知）

本的な事項*88を目安として示している。

　現在、各都道府県では、林野庁が示した作設指針を基本としつつ、地域の特性を踏まえた独自の路網作設指針を策定して、路網の整備を進めている*89。平成30（2018）年度には、全国で林道（林業専用道を含む。）等*90 620km、森林作業道14,364kmが開設されており、林野庁では、今後も、森林資源が充実し林業経営の集積・集約化が見込まれる地域を中心として路網整備を推進していくこととしている。

（路網整備を担う人材を育成）

　路網の作設に当たっては、現地の地形や地質、林況等を踏まえた路網ルートの設定と設計・施工が重要であり、高度な知識・技能が必要である。このため、林野庁では、林業専用道等の路網作設に必要な計画や設計、作設及び維持管理を担う技術者の育成を目的とし、国有林野をフィールドとして活用するなどしながら、平成23（2011）年度から「林業専用道技術者研修」に取り組んでいる。平成30（2018）年度までに2,234人が修了し、地域の路網整備の推進に取り組んでいる。

　また、平成22（2010）年度から森林作業道を作設する高度な技術を有するオペレーターの育成を目的とした研修を実施し、平成29（2017）年度までに、1,629人を育成した。平成30（2018）年度か

資料Ⅱ－37　我が国における高性能林業機械を使用した作業システムの例

---

*88　例えば、周辺環境への配慮として、森林作業道の作設工事中及び森林施業の実施中は、公道又は渓流への土砂の流出や土石の転落を防止するための対策を講ずること、事業実施中に希少な野生生物の生育・生息情報を知ったときは、必要な対策を検討することとされている。

*89　なお、林業専用道については、現地の地形等により作設指針が示す規格・構造での作設が困難な場合には、路線ごとの協議により特例を認めることなどにより、地域の実情に応じた路網整備を支援することとしている。

*90　林道等には、「主として木材輸送トラックが走行する作業道」を含む。

らは、ICT等先端技術を活用して路網作設に係る設計作業の効率を向上させる技術等を学ぶ、演習実技を主体にした研修に取り組んでおり、270人が受講した。

これらの研修の受講者等は、各地域で伝達研修等に積極的に取り組んでおり、平成30(2018)年度は全国で151回の「現地検討会」等を開催し、2,656人が参加した。このように、現場での路網整備を進める上で指導的な役割を果たす人材の育成にも取り組んでいる。

（ｂ）高性能林業機械の導入

（高性能林業機械の導入を推進）

高性能林業機械[*91]を使用した作業システムには、林内の路網を林業用の車両が移動して、伐倒した木を引き寄せ、枝を除去して用途に応じた長さに切断

し、集積する場所まで運搬するといった作業を行う車両系作業システムや、伐倒した木を林内に張った架線で吊り上げ、集積する場所まで運搬する架線系作業システムがある（資料Ⅱ-37）。車両系作業システムは、比較的傾斜が緩やかな地形に向いており、路網が整備されていることが必要である。架線系作業システムは、高い密度で路網を開設できない傾斜が急な地形でも導入が可能である。

我が国における高性能林業機械の導入は、昭和60年代に始まり、近年では、路網を前提とする車両系のフォワーダ[*92]、プロセッサ[*93]、ハーベスタ[*94]等を中心に増加しており、平成30(2018)年度は、合計で前年比8％増の9,659台が保有されている。保有台数の内訳をみると、フォワーダが2,650台で3割弱を占めているほか、プロセッサが2,069

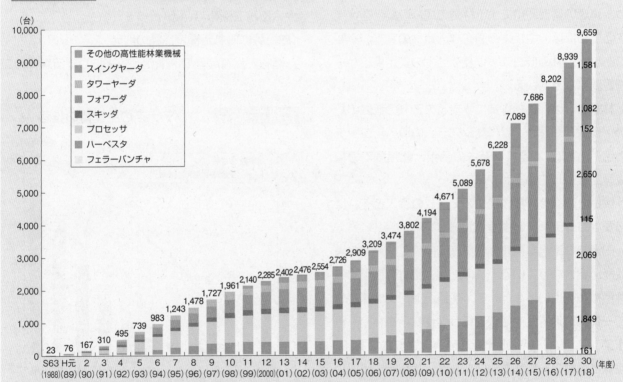

資料Ⅱ-38　高性能林業機械の保有台数の推移

凡例：
- その他の高性能林業機械
- スイングヤーダ
- タワーヤーダ
- フォワーダ
- スキッダ
- プロセッサ
- ハーベスタ
- フェラーバンチャ

（台）縦軸：0～10,000

年度別合計：
S63(1988) 23、H元(89) 76、2(90) 167、3(91) 310、4(92) 495、5(93) 739、6(94) 983、7(95) 1,243、8(96) 1,478、9(97) 1,727、10(98) 1,961、11(99) 2,140、12(2000) 2,285、13(01) 2,402、14(02) 2,476、15(03) 2,554、16(04) 2,726、17(05) 2,909、18(06) 3,209、19(07) 3,474、20(08) 3,802、21(09) 4,194、22(10) 4,671、23(11) 5,089、24(12) 5,678、25(13) 6,228、26(14) 7,089、27(15) 7,686、28(16) 8,202、29(17) 8,939、30(18) 9,659

平成30年度内訳：
その他 1,581、スイングヤーダ 1,082、タワーヤーダ 152、フォワーダ 2,650、スキッダ 115、プロセッサ 2,069、ハーベスタ 1,849、フェラーバンチャ 161

注1：林業経営体が自己で使用するために、当該年度中に保有した機械の台数を集計したものであり、保有の形態（所有、他からの借入、リース、レンタル等）、保有期間の長短は問わない。
　2：平成10(1998)年度以前はタワーヤーダの台数にスイングヤーダの台数を含む。
　3：平成12(2000)年度から「その他の高性能林業機械」の台数調査を開始した。
　4：国有林野事業で所有する林業機械を除く。
資料：林野庁「森林・林業統計要覧」、林野庁ホームページ「高性能林業機械の保有状況」

---

*91　従来のチェーンソーや刈払機等の機械に比べて、作業の効率化、身体への負担の軽減等、性能が著しく高い林業機械のこと。
*92　木材をつかんで持ち上げ、荷台に搭載して運搬する機能を備えた車両。
*93　木材の枝を除去し、長さを測定して切断し、切断した木材を集積する作業を連続して行う機能を備えた車両。
*94　立木を伐倒し、枝を除去し、長さを測定して切断し、切断した木材を集積する作業を連続して行う機能を備えた車両。

台、プロセッサと同様に造材作業に使用されることの多いハーベスタは1,849台となっており、両者を合わせて４割強を占めている。このほか、スイングヤーダ*95が1,082台で１割強を占めている（資料Ⅱ－38）。平成30（2018）年度において、素材生産量全体のうち、高性能林業機械を活用した作業システムによる素材生産量の割合は７割となっている*96。

また、我が国の森林は急峻な山間部に多く分布することから、林野庁では、急傾斜地等における効率的な作業システムに対応するため、集材の自動化や自走可能な搬器など次世代型の架線系林業機械の開発・導入を推進するとともに*97、生産性を意識した作業計画の立案や実行ができる技能者の育成に取り組んでいる。

（ｃ）造林コストの低減に向けた取組

人工林の多くが本格的な利用期を迎え、主伐の増加が見込まれる中、森林の多面的機能を発揮させつつ、資源の循環利用による林業の成長産業化を実現するためには、主伐後の適切な再造林の実施が必要であり、造林の低コスト化及び苗木の安定供給が一層重要になっている。

林野庁では、造林作業に要するコストの低減のため、伐採と造林の一貫作業システムの導入、コンテナ苗*98や成長に優れた苗木の活用、低密度での植栽等を推進している。

（「伐採と造林の一貫作業システム」の導入とそれに必要なコンテナ苗の生産拡大）

円滑かつ確実な再造林の実施に向けて、経費の縮減が必要となっている。このため、集材に使用する林業機械を用いるなどして、伐採と並行又は連続して一体的に地拵えや植栽を行う「伐採と造林の一貫作業システム」が、近年新たに導入されつつある。伐採と造林の一貫作業システムは、伐採時や伐採してすぐに、グラップル*99等の伐採や搬出用の林業

機械を用いて伐採跡地の末木枝条を除去・整理して地拵えを実施し、丸太運搬用のフォワーダ等の機械で苗木を運搬した上で植栽を行うものである。このため、地拵えと苗木運搬の工程を省力化することとなり、労働投入量の縮減などにより作業コストを大きく縮減することが可能となる*100。年間を通じて行われる伐採のタイミングと合わせて、同システムにより効率化を図りながら再造林を実施していくためには、従来の裸苗では春又は秋に限られていた植栽適期を拡大していくことが必要となっている。

「コンテナ苗」は、裸苗とは異なり、根鉢があることで乾燥ストレスの影響を受けにくいと考えられ、寒冷地の冬季や極端に乾燥が続く時期を除き、通常の植栽適期（春や秋）以外でも高い活着率が見込めることが研究成果により示されている*101。このため、伐採時期に合わせて植栽適期を拡大できる可能性があることから、林野庁は、その普及と生産拡大の取組を進めている（資料Ⅱ－39）。

（成長等に優れた優良品種の開発）

造林・保育の低コスト化、将来にわたる森林の二

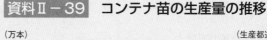

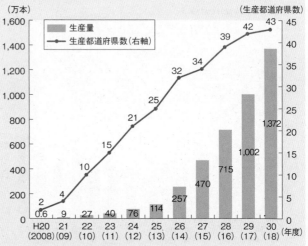

資料Ⅱ－39　コンテナ苗の生産量の推移

資料：林野庁整備課調べ。

---

*95　油圧ショベルにワイヤーロープを巻き取るドラムを装備し、アームを架線の支柱に利用して、伐倒した木材を架線により引き出す機能を備えた機械。木材を引き出せる距離は短いが、架線の設置、撤去や機械の移動が容易。
*96　林野庁研究指導課調べ。
*97　高性能林業機械の開発については、「平成28年度森林及び林業の動向」第Ⅰ章第２節（1）19-20ページを参照。
*98　コンテナ苗については、第Ⅰ章第２節（1）72ページも参照。
*99　木材をつかんで持ち上げ、集積する機能を備えた車両。
*100　労働投入量の縮減等について詳しくは、「平成28年度森林及び林業の動向」第Ⅰ章第２節（1）13ページを参照。
*101　研究成果については、「平成28年度森林及び林業の動向」第Ⅰ章第２節（1）14ページを参照。

酸化炭素吸収能力の向上、伐期の短縮等を図るため、初期成長や材質、通直性に優れた品種の開発が必要である。

このような中、国立研究開発法人森林研究・整備機構森林総合研究所林木育種センターでは、収量の増大と造林・保育の効率化に向けて、平成24（2012）年から林木育種による第二世代精英樹（エリートツリー）[*102]の選抜を行い、第二世代精英樹が実用化できるようになった。

第二世代精英樹等のうち成長や雄花着生性等に関する基準[*103]を満たすものは、間伐等特措法に基づき、農林水産大臣が特定母樹として指定しており、令和2（2020）年3月末現在、特定母樹として362種類が指定されており、そのうち314種類が第二世代精英樹から選ばれている（資料Ⅱ-40）。

林野庁では、特定母樹から生産される種苗が今後の再造林に広く利用されるよう、特定母樹による採種園や採穂園の整備を推進している。この結果、九州を中心に、徐々に特定母樹由来の山行苗木が出荷されるようになってきている。このほか、優良な品種の更なる改良に向けて、現在は、第二世代精英樹同士を交配させ、第三世代以降の精英樹の開発も進められている。

（その他の造林・育林コストの低減に向けた取組）

造林経費の多くを占める下刈りは、通常、植栽してから5～6年間は毎年実施されていたが、植栽木が完全に下草に被覆されていない場合には省略したり、成長に優れた苗木と組み合わせること等で、下刈り回数を省略する試験的取組が各地で実施されている（事例Ⅱ-3）。

また、成長に優れた苗木を用いる等によって植栽本数をhaあたり1,000～2,000本程度に抑えるといった低密度植栽の手法の開発が行われている。低密度での植栽では、植栽に要する経費の縮減が期待できる一方で、下草が繁茂しやすくなる、下枝の枯れ上がりが遅くなり完満な木材が得られなくなるおそれがあるといった課題がある。このため、試験地を設定して、成長状況の調査や技術開発・実証等に取り組んでおり、低密度植栽による育林技術体系を作成するなどの例も出てきている[*104]。

このほか、林野庁では、傾斜地での造林作業を省力化する機械の開発を進めるとともに、令和元（2019）年は林業分野の人材と異分野の人材が協同して造林や林業の課題解決を図るためのビジネスを具体化する取組を支援した（事例Ⅱ-4）。

（早生樹の利用に向けた取組）

家具等に利用される広葉樹材については、国外において資源量の減少や生物多様性保全への意識の高まりに伴う伐採規制等の動きがみられることから、近年、国内における広葉樹材の生産への関心が高まってきている。一方で、家具等に用いられる広葉樹材は、おおむね80年以上の育成期間を要することや、針葉樹と比較して幹の曲がりや枝分かれが発生しやすく、通直な用材の生産が難しいことが課題

資料Ⅱ-40 特定母樹に指定されたエリートツリー

植栽後4年で樹高6mに達するスギのエリートツリー
（通常は1～2m）

写真：国立研究開発法人森林研究・整備機構森林総合研究所林木育種センター

[*102] 成長や材質等の形質が良い精英樹同士の人工交配等により得られた次世代の個体の中から選抜される、成長等がより優れた精英樹のこと。
[*103] 成長量が同様の環境下の対照個体と比較しておおむね1.5倍以上、雄花着生性が一般的なスギ・ヒノキのおおむね半分以下等の基準が定められている。
[*104] 詳しくは、「平成28年度森林及び林業の動向」第Ⅰ章第2節（1）の事例Ⅰ-1（15ページ）を参照。

事例Ⅱ−3　下刈り省力化に向けた研究開発の最前線

　下刈りは造林-初期保育コストの4〜6割を占め、真夏の過酷な屋外労働など林業従事者に掛かる負担が大きいため、下刈り作業の省力化は、林業の省力化・低コスト化、林業従事者の確保に向けた喫緊の課題である。この課題を解決するため、国立研究開発法人森林研究・整備機構、道県、民間企業等が「優良苗の安定供給と下刈り省力化による一貫作業システム体系の開発」（平成28−30年度）において、複数の施業モデルについて実証試験を行った。

＜一貫作業システムの活用＞

　秋田県では、通常植栽当年（1年目）から6年目まで下刈りを行っている。しかし、一貫作業システムを導入することで初回の下刈りが省略可能となり、さらに2、3、5年目に下刈りを行えば、4年目の下刈りを省略できる可能性が示唆された。下刈り省略をした翌年の下刈りの労力はかかり増しになるものの、それを加味しても一貫作業システムと組み合わせることで再造林全体のコストは3割程度削減可能となる（図）。

＜カバークロップの活用＞

　山形県では、スギ植林地にワラビを植栽することで、苗木の育成を阻害する他の競合植生の発生を抑制し、下刈りを省略する技術を開発した（写真）。さらに、ワラビの特用林産物としての価値を生かすことで、再造林経費及びワラビ栽培経費以上の収益が得られる可能性がある。

＜乗用下刈り機を活用した省力化＞

　北海道立総合研究機構林業試験場では、株式会社筑水キャニコムが開発した乗用下刈り機を施業現場で活用し、省力化の効果を検証した。本機は30°までの斜度に対応し、チシマザサ等の刈り払いも可能である。加えて、アタッチメントを付け替えることで走行の障害となる伐根の破砕も可能であり、労働強度の高い下刈り作業の省力化への貢献が期待できる。さらに、植栽幅を機械のサイズに合わせることにより、植栽地を効率良く走行することが可能となることで、飛躍的な作業性の向上が見込まれるため、その有効性について現在北海道で実証実験が行われている。

　下刈りの省力化を目指した研究開発は、「成長に優れた苗木を活用した施業モデルの開発」（平成30−令和4年度）において、テーマの一つとして引き続き実施されている。今後は、特定母樹など成長に優れた品種の活用による下刈り期間を短縮した施業体系の整理や、UAV^注で取得した植栽地画像から下刈りの要否をAIで判別する技術の開発等を進めていくことにより、下刈り省力化の更なる促進を図ることとしている。

注：「Unmanned Aerial Vehicle」の略。人が搭乗しないで飛行する航空機。通称ドローン。

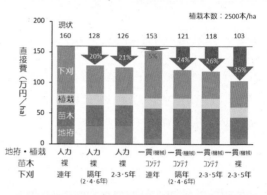

図：下刈り回数の削減方法別の再造林コストの比較

写真：植栽年と5年後のワラビ導入林分の状況

関連webサイト：
http://www.ffpri.affrc.go.jp/labs/conwed/index_pro.html,
http://www.naro.affrc.go.jp/laboratory/brain/h27kakushin/chiiki/ringyo_chojugai/result-6-01.html

となっている。このような中、センダン等の短期間で成長して早期に活用できる早生樹種による森林施業の技術開発に注目が集まっており、各地で試験的植栽が行われている[105]。

センダンは、20年生程度で家具材として利用可能になるほど早期に成長し、その木材はケヤキの代替材として利用されるため、地域レベルでセンダン等の早生樹種の広葉樹の施業技術の開発や利用に向けた実証的な取組が増加してきている。また、国有林野事業においてもセンダンの試験植栽等の早生樹

種の施業技術開発が進められている[106]。また、この他の成長の早い広葉樹についても、育成や利用について様々な取組が行われている。

針葉樹早生樹種としては、コウヨウザン[107]が注目されている。コウヨウザンは、成長が早く、伐採後は萌芽更新により植栽を省ける可能性が示唆されていることから、再造林・保育の低コスト化を実現できることが期待されている。また、材の強度については、スギよりも強く、ヒノキに近い強度を示す例もある[108]。国立研究開発法人森林研究・整備機

事例Ⅱ−4　林業人材と異分野人材のオープンイノベーションに期待

植栽や下刈りといった森林づくりに欠かせない「造林」は、大半が人力作業であり、重労働、高コスト、担い手不足といった課題を抱えている。令和元（2019）年度、林野庁では、このような「造林」の課題解決をテーマとして、林業現場を知る林業人材と独自の技術やノウハウを持つ異分野人材の協業により、課題解決につながるビジネスを創出する課題解決型事業共創プログラム「Sustainable Forest Action」を実施した。

東京、京都の2ステージにおいて69名の参加応募があり、林業人材と異分野人材の双方から編成された14チームが、約2か月間にわたり、林業体験や合宿等を織り交ぜながら、様々な事業構想の検討や試作品の制作等を行い、12月7日の最終審査会でその成果を発表した。

審査の結果、最優秀賞には、バーチャル学習、現場での林業体験、伐採した木材を加工した家具等をパッケージとして提供する環境教育サービス「森がたり」が選ばれた。これは、体験学習の場、木材供給の場として自伐林家の現場を活用し、自伐林家に収益を還元することで再造林を促すという提案である。

最終審査会で最優秀賞、優秀賞を獲得した事業アイデアには、スポンサーからの協賛金が贈られ、本格的な事業化に向けた取組が進められている。

最終審査会の様子

受賞チームの事業名	事業概要
最優秀賞受賞チーム「森がたり」	環境教育に興味があるユーザーに対して、バーチャル学習、現場での伐採・造林の体験、伐採した材を加工した家具をユーザーに届けるなどのコンテンツを提供。 その現場に自伐林家の森林を活用することで、自伐林家の収入をアップさせ、伐採・再造林を促す。
優秀賞受賞チーム「森も視守る"まもり"」	アナログでバラバラに存在する森林情報を、森林所有者が見やすく、デジタルで確認できるアプリ。 個人の森林所有者が、適切な森林管理や相続・売買について、アプリ上で専門家に相談できるようになることで、再造林の放棄を防ごうとするもの。
優秀賞受賞チーム「森のコイン」	山林の価値を自動評価し、森林所有者へコミュニティ通貨「森のコイン」を発行するサービス。 このサービスを通じて、地元を離れる森林所有者と林業関係者とのつながりを再構築し、誰もが地域や企業の森づくり活動に参加することができるようになる事業。

受賞した事業の概要一覧

---

*105　センダンの試験的植栽の取組について詳しくは、第Ⅱ章第3節（1）事例Ⅱ−7（148ページ）を参照。

*106　センダン等の施業技術開発については、「平成28年度森林及び林業の動向」第Ⅰ章第2節（1）17-18ページを参照。国有林野事業におけるセンダンの試験植栽の取組については、「平成27年度森林及び林業の動向」第Ⅴ章第2節（2）の事例Ⅴ−8（179ページ）を参照。

*107　中国大陸や台湾を原産とし、学名は、*Cunninghamia lanceolata*である。我が国には江戸時代より前に寺社等に導入され、国有林等では林分として育成されているものもある。

*108　国立研究開発法人森林研究・整備機構森林総合研究所林木育種センターホームページ「コウヨウザンの特性と増殖の手引き」

構森林総合研究所等では、未解明な部分が多い育種技術や育苗、萌芽更新、鳥獣被害対策等の造林技術の確立のため研究が進められている（資料Ⅱ－41）。

（ウ）先端技術の活用による林業経営の効率化の推進

我が国における人口減少・少子高齢化といった社会的課題と、厳しい地形条件や過酷な現場作業といった林業特有の課題を克服し、林業の低コスト化、省力化、安全性の向上を実現するためには、ICTや人工知能（AI）等の先端技術の活用が有効と考えられる。そのため林野庁では、先端技術を活用し、新技術の開発から普及に至る取組を効果的に進めていくことを目的として、令和元（2019）年12月に「林業イノベーション現場実装推進プログラム」を策定した。本プログラムでは、新技術導入により期待される効果、技術ごとの普及・実装へのロードマップや実装に向けて取り組むべき施策等を提示しており、これに基づき、加速度的に「林業イノベーション」の取組を推進していくこととしている[109]。

近年は、ICTを活用した生産管理手法として、出材する木材の数量や出荷量等をICTを用いて瞬時に把握する取組等が進展している。特に、土場に椪積された丸太の径級をAIにより自動解析して流通業者、加工業者等と瞬時に共有できるスマートフォンアプリが販売されるなど、AIを活用する取組も進められている。

レーザ計測やドローンによる森林資源量等の把握や、解析されたデータを路網整備や森林整備の計画策定等に利活用する動きも進んでおり、各地で実証的取組が行われている（資料Ⅱ－42、事例Ⅱ－5）。

このような技術の進展を踏まえ、再造林、間伐等の森林の整備に対して支援を行う森林整備事業においては、令和2（2020）年度以降、ドローン、空撮画像、GISデータ等を申請や検査に活用していくこととしている。

このほか、AI、ロボット技術の活用など安全性や省力化等を目指した林業機械の開発も進められており、近年は、森林内に進入し伐倒を行うリモコン遠隔操作式の伐倒作業車や、画像を解析するAIの導入により、対象となる集材木を認識し、自動で集材を行う架線集材機械が開発されている。また、無人走行できるフォワーダや林業用アシストスーツ、造材集材作業の自動化に向けた技術の開発等が進められている。

資料Ⅱ－41 **コウヨウザンの優良種苗生産技術の開発**

写真：採穂園における挿し木二年生コウヨウザン

資料Ⅱ－42 **ドローン等による森林資源情報の把握**

森林調査を行うドローン

ドローン画像解析により単木ごとの資源情報を把握

---

[109] 詳しくは、トピックス4（48-49ページ）を参照。

　政府は、林業の成長産業化に向けて、航空レーザ計測等による詳細な森林情報（立木、地形情報）の把握、クラウドによる資源、生産及び需要情報の共有など、情報通信技術（ICT）を活用したスマート林業の実践的取組を推進していくこととしており、各地で取組が進められている。

　森林資源の把握や伐採計画の段階において、やまぐちスマート林業実践対策地域協議会（山口県）では、地上レーザ計測により、高精度な森林資源情報を把握するとともに、最適な採材計画の作成や路網設計作業の省力化に取り組んでいる。また、いしかわスマート林業推進協議会（石川県）では、ドローン画像の３Ｄ化により森林資源量の自動把握を行いクラウドで共有することで、現地調査を省力化し、効率的で分かりやすい所有者への施業提案につなげているほか、同県農林総合研究センター林業試験場等では、これらの取組の更なる高精度化及び効率化に向け、AIを活用した樹種判別や森林資源量の推定技術の開発に取り組んでいる。

　木材の生産・流通段階において、有限会社杉産業（岡山県新見市）では、IoTハーベスタを導入し、需要者が提示する木材の価格データをシステムに入力することで、幹一本が最大の値段となるよう自動的に採材の長さを決定するバリューバッキング機能を活用し、木材需要者のニーズに応じた最適採材に取り組んでいる。また、スマート林業タスクフォースNAGANO（長野県）では、スマートフォンを活用した木材検収システム及び需給マッチングシステムにより、木材を生産した山土場において、丸太のストック状況をペーパーレスで把握・集計・発信するとともに、複数の素材生産業者、地域の木材流通市場及びトラック輸送事業者の間を、クラウドサーバ上でリアルタイムに情報共有するシステムの実証及び県内への普及展開に取り組んでいる。

　このような情報通信（ICT）機器の機能を十分発揮させるためには、通信環境の整備が必要となるが、山間部のぜい弱な通信環境に対応するため、LPWA注通信技術を活用する取組がみられる。この通信環境を活用し、作業員の安全管理対策や獣害対策に活用する事例もみられる。

　今後は、林業事業体等が実施する木材生産での各作業工程（計画、伐採、採材、検収、運材、在庫管理等）を始めとする林業の現場において、このような情報通信技術（ICT）を組み合わせて効果的に活用し、低コストで効率的な林業経営を実現していくことが期待される。

注：Low Power Wide Areaの略。省電力かつ長距離での無線通信が可能な無線通信技術。

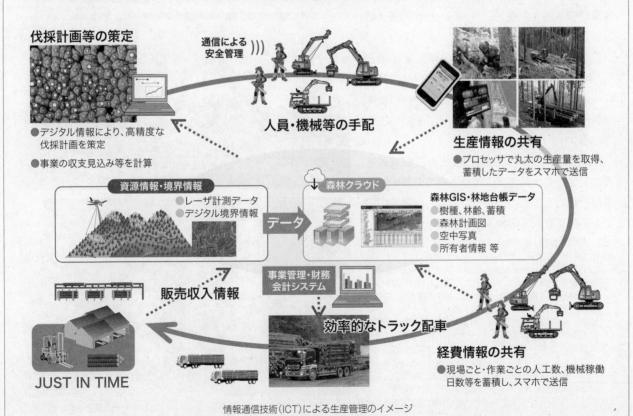

情報通信技術（ICT）による生産管理のイメージ

コラム ニュージーランドの林業

　現在、世界の林業は天然林を伐採する天然林採取型から、植栽・保育を経る育成型へと変化しており、人工林材を中心とする木材生産の時代に移り変わってきている。その中で、近年造林面積を増やしている東南アジアやラテンアメリカ、アフリカ諸国においては、ユーカリ類やアカシア類等の早生樹が植栽されている。また、ニュージーランド（以下「NZ」という。）においては、成長の早いことで知られているラジアータパインが植栽されている。特にNZは、日本と同様の温帯気候であるが、我が国より大幅に少ない人数で、我が国よりも多くの丸太を生産している。NZの2018年3月末期における伐採量は3,300万㎥であるが、林業従事者数は7,900人（2017年）である。また、丸太を中心に伐採量の6割を輸出しており、2018年の丸太及びチップの輸出量は、2009年の約3倍と、過去10年で丸太輸出量を飛躍的に伸ばしている。

　NZは森林が国土の4割を占め、森林のうち人工林は2割未満の173万haであり、人工林においてはラジアータパインが面積の9割を占めている。1万haを超える森林を保有する企業の持つ森林が人工林面積の過半を占め、経済合理性を追求した集約的林業が行われている。これらの企業が人工林経営と林産工場とを併せ持つ場合も少なくない。

　NZにラジアータパインが米国から導入されたのは19世紀半ばで、100年余りの歴史の中で、苗木の品種改良を進めながら低コスト化が図られ、疎植化が進展した。当初はha当たり7千〜8千本の植栽密度であったが、現在の標準的な施業体系では、植栽密度が800本/ha、主伐期が28年生となっており、主伐期に樹高が36m、材積は2.3㎥に達する[注]。ラジアータパインの用途は、製材品、合板、木質パネル等と幅広く、同国内では主に建築用木材製品に使用されることが多い。また、枝打ちをした無節丸太から採れる良質材の割合が高いことも特徴である。施業体系では、無節の良質材生産、構造材生産といった生産目標に応じて、主伐時の立木密度、利用間伐及び枝打ちの有無が決定されている。なお、2018年4月時点では、利用間伐を行わない施業面積が約9割を占め、枝打ち施業の有無は半々程度となっている。

　皆伐の方法としては、傾斜地も含め伐倒作業の機械化が進展しており、集材方法は架線系と車両系が使い分けられている。生産性は高く、28〜42㎥/人・日を実現している企業がある。

　山土場から製材工場、港湾への丸太の運送においては、全体の効率化が図られるよう各輸送段階の品質・規格・数量等の情報を把握・コントロールする運送管理システムが活用されている。

　これらの取組により、丸太の輸出量を過去10年で伸ばしてきた一方で、木材製品の輸出は横ばいで推移しており、付加価値を高めた木材製品を輸出していけるかについても注目されている。

　NZ林業は、苗木の品種改良と低密度植栽を進めてきたことに加え、市場指向型の集約的林業が行われている点が特徴であり、収益性の向上を目指す我が国の林業が学ぶべき点が多い。

注：無節丸太を採る施業体系における樹高及び材積。
資料：NZ一次産業省（MPI）オープンデータ（2020年1月時点）、NZ Facts & Figure2018-2019、FAO「世界森林資源評価2015」、餅田治之（2019）世界における森林投資と育林経営. 諸外国の森林投資と林業経営, 29-55頁、木平勇吉（1999）ニュージーランドの森林・林業. 諸外国の森林・林業, 259-294頁、立花敏（2010）第9章 ニュージーランド. 世界の林業：欧米諸国の私有林経営, 345-381頁、松木法生（2019）ニュージーランドの木材産業. 木材情報, 2019年4月号、森林科学研究所「平成30年度無人化林業システム研究会事業実施報告書」（令和元（2019）年6月）

ウインチ付きエクスカベータ（油圧ショベル）にワイヤーで牽引され、急斜面で伐倒作業をするハーベスタ

2. 特用林産物の動向

「特用林産物」とは、一般に用いられる木材を除き、森林原野を起源とする生産物の総称であり、食用のきのこ類、樹実類や山菜類等、漆や木ろう等の伝統工芸品の原材料、竹材、桐材、木炭等が含まれる。特用林産物は、林業産出額の約5割を占めており、木材とともに、地域経済の活性化や雇用の確保に大きな役割を果たしている[110]。以下では、きのこ類を始めとする特用林産物の動向について記述する。

（1）きのこ類の動向

（きのこ類は特用林産物の生産額の8割以上）

平成30（2018）年の特用林産物の生産額は、前年比2％増の2,828億円であった。このうち、「きのこ類」は前年比4％増の2,454億円となり、全体の8割以上を占めている。このほか、樹実類、たけのこ、山菜類等の「その他食用」が279億円、木炭やうるし等の「非食用」が95億円となっている。

きのこ類の生産額の内訳をみると、生しいたけが676億円で最も多く、次いでぶなしめじが506億円、まいたけが453億円の順となっている。

また、きのこ類の生産量は、長期的に増加傾向に

あったが、近年は46万トン前後で推移しており、平成30（2018）年は前年比2.0％増の46.7万トンとなった。内訳をみると、えのきたけ（14.0万トン）、ぶなしめじ（11.8万トン）、生しいたけ（7.0万トン）で生産量全体の約7割を占めている[111]（資料Ⅱ－43）。

きのこ生産者戸数は、減少傾向で推移しており、きのこ生産者戸数の多くを占める原木しいたけ生産者戸数についても同様の傾向となっている（資料Ⅱ－44）。

（輸入も輸出も長期的には減少）

平成30（2018）年のきのこ類の輸入額は、前年比3％減の139億円となった。このうち、乾しいたけが前年比1％減の61億円（4,998トン）、まつ

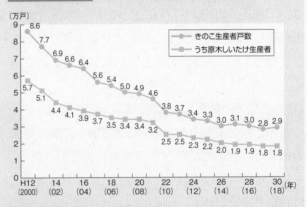

資料Ⅱ－44 きのこ生産者戸数の推移

資料：林野庁「特用林産基礎資料」

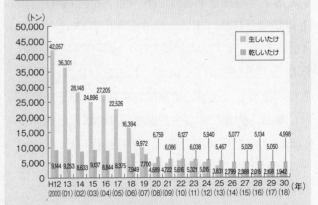

資料Ⅱ－45 しいたけの輸入量の推移

資料：林野庁「特用林産基礎資料」

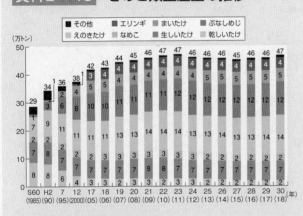

資料Ⅱ－43 きのこ類生産量の推移

注1：乾しいたけは生重換算値。
　2：平成12（2000）年までの「その他」はひらたけ、まつたけ、きくらげ類の合計。平成17（2005）年以降の「その他」はひらたけ、まつたけ、きくらげ類等の合計。
資料：林野庁「特用林産基礎資料」

---

[110] 林業産出額における栽培きのこ類等の産出額（庭先販売価格ベース）については、第Ⅱ章第1節（1）108ページを参照。なお、以下では、林野庁「平成30年特用林産基礎資料」等による、東京都中央卸売市場等の卸売価格等をベースにした生産額を取り扱う。
[111] 林野庁プレスリリース「平成30年の特用林産物の生産動向について」（令和元（2019）年8月30日付け）

たけが同11%減の44億円（798トン）、生しいたけが同6%減の6.4億円（1,942トン）、乾きくらげは前年比8%増の26億円（2,611トン）となっている。これらのきのこ類の輸入元のほとんどは中国である[112]。生しいたけの輸入量は、ピーク時の平成12（2000）年には4万トンを超えたものの、平成13（2001）年のセーフガード暫定措置の影響等により大幅に減少した。その後も減少傾向で推移し、平成30（2018）年度は前年比8%減の1,942トンとなっている（資料Ⅱ-45）。

一方、輸出について乾しいたけをみると、平成30（2018）年は、主要な輸出国である台湾、香港、アメリカ及びシンガポール向けが減少した影響により、輸出額は前年比16%減の1.4億円（24トン）となっている。乾しいたけは、戦後、香港やシンガポールを中心に盛んに輸出され、昭和59（1984）年には216億円（4,087トン）に上ったが、中国産の安価な乾しいたけが安定的に供給されるようになったことから、日本の輸出額は長期的に減少してきている。

（きのこ類の消費拡大・安定供給に向けた取組）

きのこ類の消費の動向を年間世帯購入数量の推移でみると、他のきのこが増加傾向であるのに対し、生しいたけはほぼ横ばい、乾しいたけは下落傾向で推移している（資料Ⅱ-46）。

平成30（2018）年のきのこ類の価格は、品目によって異なる傾向となった。しいたけとなめこについては2年連続で下落したが、他の品目は全体的に上昇傾向となり、まいたけは前年比20%増と大きく上昇した。乾しいたけについては平成21（2009）年から下落が続いていたが、平成27（2015）年に大幅に上昇した後は、東京電力福島第一原子力発電所の事故の影響により生産量が少ない状況が続いていることなどにより、高い水準で推移していたが、平成29（2017）年から再び下落傾向となっている（資料Ⅱ-47）。

きのこ類の消費拡大のため、林野庁は、きのこ類のおいしさや機能性[113]を消費者に伝えるPR活動

を関係団体と連携して実施している。きのこの生産団体等においても様々な取組が行われている（事例Ⅱ-6）。

また、きのこの安定供給に向けて、林野庁は、効率的で低コストな生産を図るためのほだ場等の生産基盤や生産・加工・流通施設の整備に対して支援している。

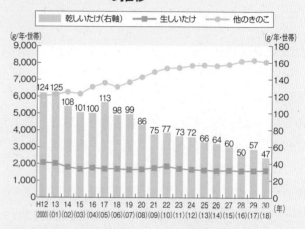

資料Ⅱ-46 きのこ類の年間世帯購入数量の推移

資料：総務省「家計調査」（2人以上の世帯）

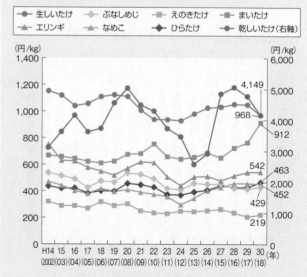

資料Ⅱ-47 きのこ類の価格の推移

注：乾しいたけの価格は全国主要市場における年平均価格（全品柄の平均価格）であり、平成15（2003）年以前は、調査対象等が異なるため必ずしも連続しない。
資料：林野庁「特用林産基礎資料」

---

[112] 林野庁「特用林産基礎資料」
[113] 低カロリーで食物繊維が多い、カルシウム等の代謝調節に役立つビタミンDが含まれているなど。

（2）漆、木炭、竹、薪等の特用林産物の動向

（漆の動向）

漆は、ウルシの樹液を採取して精製したもので、古来、食器、工芸品、建築物等の塗装や接着に用いられてきた。漆の国内消費量は平成30（2018）年には37.7トンであるが、そのうち国内生産量は5％に当たる1.8トンとなっており（資料Ⅱ－48）、中国からの輸入が大部分を占めている。文化庁は、国宝・重要文化財建造物の保存修理に原則として国産漆を使用する方針としており、年平均で約2.2トンの国産漆が必要と予測している[114]ことから、漆の増産が必要な状況となっている。このため、国産漆の産地においてウルシ林の育成・確保[115]や漆掻き職人の育成等の取組が進められている。さらに、国立研究開発法人森林研究・整備機構森林総合研究所を始めとする研究グループにより、漆の増産技術や未利用漆の改質・利用技術等について研究が行われた。

（木炭の動向）

木炭は、日常生活で使用する機会が少なくなっているが、電源なしで使用できる、調理だけでなく暖房にも利用できる、長期保存が可能であるなどの利点があり、災害時の燃料としても期待できる。このため、木炭業界では、木炭の用途に関する周知や家庭用木炭コンロの普及等により、燃料としての需要の拡大を図っている。また、木炭は多孔質[116]であり吸着性に優れるという特性を有することから、燃

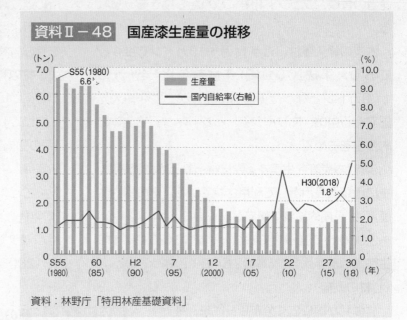

資料Ⅱ－48　国産漆生産量の推移

資料：林野庁「特用林産基礎資料」

事例Ⅱ－6　原木しいたけサミットの開催

令和元（2019）年8月29日に茨城県つくば市内のホテルで、初の「全国・原木しいたけサミット」が開催され、20道県から約220人が参加した。同サミットは、原木しいたけ生産者を取り巻く需要の低迷、後継者不足等の様々な課題に対し、全国の関係者が共同で取り組むことを目指して開催された。

サミット宣言として、「①安心・安全な原木しいたけの生産拡大、②後継者の育成や新規参入者の確保、③原木しいたけの味力を発信する消費宣伝活動や機能性の表示などに関係者一丸となって取り組むこと」が採択された。分科会では、6つのテーマに参加者が分かれて意見交換を行い、新規就農者や後継者からは、原木しいたけの存続を心配する声や、「ブランド化を進めてはどうか」との声等が上がった。

この取組を契機として、原木しいたけを取り巻く様々な課題に関係者が一丸となって対応する原木しいたけの「輪」が広がることが期待される。

原木しいたけサミットの様子

---

[114]　文化庁プレスリリース「文化財保存修理用資材の長期需要予測調査の結果について（国宝・重要文化財建造物の保存修理で使用する漆の長期需要予測調査）」（平成29（2017）年4月28日）

[115]　国有林野における取組については、「平成28年度森林及び林業の動向」第Ⅴ章第2節（3）の事例Ⅴ－17（197ペー）ジを参照。

[116]　木炭に無数の微細な穴があることで、水分や物質の吸着機能を有し、湿度調整や消臭の効果がある。

料用以外に土壌改良資材、水質浄化材、調湿材等としての利用も進められている。なお、農地へ施用されるバイオ炭[*117]については、土壌中に炭素を貯留させることから、温暖化対策に寄与する資材としての活用が期待されている[*118]。

木炭（黒炭、白炭、粉炭、竹炭、オガ炭）の国内生産量は、1990年代半ば以降長期的に減少傾向にあり、平成30（2018）年は前年比6％減の2.2万トンとなっている。一方で、近年、木炭生産における生産者の育成、ブランド化等に取り組む動きもみられる。

木炭の輸入量は、近年11万〜13万トンで推移しており、平成30（2018）年は前年比4.4％減の11.9万トンとなった。国別にみると、主な輸入先国である中国、マレーシア、インドネシアで全体の約8割を占めている。

また、木炭等を生産する際に得られる木酢液等は、主に土壌改良用として利用されている。その国内生産量は、長期的に減少傾向が続く中で、近年は2,000〜3,000kLで推移しており、平成30（2018）年の生産量は前年比1.7％増の2,647kLとなっている。

（竹材の動向）

竹は我が国に広く分布し、従来、身近な資材として、日用雑貨、建築・造園用資材、工芸品等に利用されてきたが、代替材の普及や安価な輸入品の増加等により、竹材の生産量は減少傾向で推移してきた。こうした竹材需要の減退等により、管理が行き届かない竹林の増加や、周辺森林への竹の侵入等の問題も生じている。

近年、竹紙の原料としての利用の本格化等を背景に、平成22（2010）年の96万束[*119]を底に増加傾向に転じたが、平成30（2018）年は前年比4.4％減の114万束[*120]となっている。

このため、これまで竹資源の有効利用に向けて、竹材の低コストな伐採・集材システムの構築に向けた取組や、竹チップをきのこ菌床用資材、バイオマス燃料[*121]、パルプ等に利用する技術の研究開発、竹チップを原料とする建築資材（ボード）等の製造技術の開発が行われてきた。

また、近年、竹チップボイラーの導入、竹を原料とした建材の製造、竹を燃料とするバイオマス発電所の建設等の取組も進んでいる。

このような中、林野庁は、竹の生態、伐採・搬出を含む竹林の整備、利用等に関する情報収集等を行い、竹の利活用の現状や利用拡大に向けたアプローチ等について取りまとめた報告書「竹の利活用推進に向けて」を、平成30（2018）年10月に公表した。

（薪の動向）

薪は、古来、煮炊きや風呂等に利用され、生活に欠くことのできないエネルギー源であったが、昭和30年代以降、石油やガスへの燃料転換等により利用が減少し、全国の販売向け薪の生産量は、平成18（2006）年まで減少傾向が続いた。

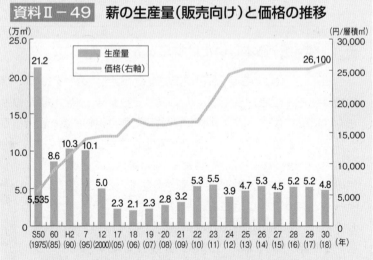

資料Ⅱ−49　薪の生産量（販売向け）と価格の推移

注1：生産量は丸太換算値。1層積㎥を丸太0.625㎥に換算。
　2：価格は卸売業者仕入価格。
資料：林野庁「特用林産基礎資料」

[*117] 生物資源を材料とした、生物の活性化及び環境の改善に効果のある炭化物のこと（日本バイオ炭普及会ホームページ）。

[*118] 「2006年IPCC（国際的な専門家による気候変動に関する政府間パネル）国別温室効果ガスインベントリガイドラインの2019年改良」において、新たにバイオ炭に係る算定方法が提示された。

[*119] 1束は人が持ち運びするためひとまとめにしたサイズ。例えば、マダケでは直径8cmのマダケ3本分。

[*120] 3.4万トン相当（束当たり30kgとして換算）

[*121] 平成29（2017）年には、林野庁の補助事業により、竹をバイオマス発電用燃料として木質と同等品質に改質する技術が国内企業によって開発された。

しかし、平成19（2007）年以降は、従来のかつお節製造用に加え、ピザ窯やパン窯用等としての利用や、薪ストーブの販売台数の増加[*122]等を背景に、薪の生産量は増加傾向に転じた。平成24（2012）年には東京電力福島第一原子力発電所の事故の影響等により大きく減少したが、平成30（2018）年には4.8万㎥（丸太換算[*123]）となり、近年は5万㎥程度で推移している。平成30（2018）年の生産量を都道府県別にみると、多い順に鹿児島県（8,964㎥）、長野県（8,459㎥）、北海道（7,932㎥）となっている。価格については、長期的に上昇傾向で推移しており、平成30（2018）年は26,100円/層積㎥となっている（資料Ⅱ－49）。

薪は、近年は、備蓄用や緊急災害対応用の燃料としても販売されている[*124]。このほかにも、自家消費用に生産されるものが相当量あると考えられる[*125]。

（その他の特用林産物の動向）

樹実類やわさび、山菜類等は、古くから山村地域等で生産され、食用に利用されてきた。平成30（2018）年には、樹実類のうち「くり」の収穫量は16,500トン、また、「わさび」については2,080トンとなっている。山菜類のうち「わらび」は762.6トン、「乾ぜんまい」は38.7トン、「たらのめ」は142.2トンとなっている。

また、漢方薬に用いられる薬草等として、滋養強壮剤の原料となる「くろもじ」（平成30（2018）年の生産量108.6トン）、胃腸薬の原料となる「きはだ皮」（同4.6トン）、「おうれん」（同0.6トン）等が生産されている。

林野庁では、山村独自の資源を活用する地域の取組への支援を通じ、このような特用林産物の振興を図っている。

Ⅱ

---

*122　一般社団法人日本暖炉ストーブ協会調べ。一般家庭や団体等による薪ストーブの購入を地方公共団体等が支援する動きもみられる。

*123　1層積㎥を丸太0.625㎥に換算。

*124　「平成26年度森林及び林業の動向」第Ⅲ章第2節（2）の事例Ⅲ－7（125ページ）を参照。

*125　長野県が平成21（2009）年度に行った調査では、県内の約4％の世帯が薪ストーブや薪風呂を利用していた。また、薪ストーブ利用世帯における年間の薪使用量は平均9.0㎥で、使用樹種は広葉樹が76％、針葉樹が24％であり、使用全量を購入せずに自家調達している世帯が約半数を占めた。

3. 山村（中山間地域）の動向

　その多くが中山間地域*126に位置する山村は、住民が林業を営む場であり、森林の多面的機能の発揮に重要な役割を果たしているが、過疎化及び高齢化の進行、適切な管理が行われない森林の増加等の問題を抱えている。一方、山村には独自の資源と魅力があり、これらを活用した活性化が課題となっている。

　以下では、山村の現状と活性化に向けた取組について記述する。

（1）山村の現状

（山村の役割と特徴）

　山村は、人が定住し、林業生産活動等を通じて日常的な森林の整備・管理を行うことにより、国土の保全、水源の涵養等の森林の有する多面的機能の持続的な発揮に重要な役割を果たしている。

　「山村振興法*127」に基づく「振興山村*128」は、令和元（2019）年5月現在、全国市町村数の約4割に当たる734市町村において指定されており、国土面積の約5割、林野面積の約6割を占めているが、その人口は全国の3%の360万人にすぎない（資料Ⅱ−50）。振興山村は、まとまった平地が少ないなど、平野部に比べて地理的条件が厳しい山間部に多

く分布しており、面積の約8割が森林に覆われている。産業別就業人口をみると、全国平均に比べて、農業や林業等の第1次産業の占める割合が高い（資料Ⅱ−51）。

　また、山村の生活には、就業機会や医療機関が少ないなどの厳しい面がある。平成26（2014）年6月に内閣府が行った「農山漁村に関する世論調査」によると、農山漁村地域の住民が生活する上で困っていることについては、「仕事がない」、「地域内での移動のための交通手段が不便」、「買い物、娯楽などの生活施設が少ない」、「医療機関（施設）が少ない」を挙げた者が多い。都市住民のうち農山漁村地域への定住願望がある者が定住のために必要だと思うことについても、「医療機関（施設）の存在」、「生活が維持できる仕事があること」を挙げた者が多い。

　令和元（2019）年10月に内閣府が行った「森林と生活に関する世論調査」によると、農山村地域への定住願望がある者の割合は20.8%であった。

　林業は、所得・雇用の確保等を通じて、山村の振興に貢献する産業である。これらの地域の振興を図る上でも、林業の成長産業化が大きな政策的課題となっている。

（山村では過疎化・高齢化が進行）

　山村では、高度経済成長期以降、若年層を中心に人口の流出が著しく、過疎化及び高齢化が急速に進

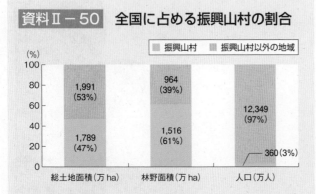

資料Ⅱ−50　全国に占める振興山村の割合

注：総土地面積及び林野面積は平成27（2015）年2月1日現在。人口は平成27（2015）年10月1日現在。
資料：総務省「平成27年国勢調査」、農林水産省「2015年農林業センサス」を基に林野庁作成。

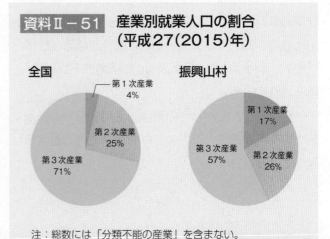

資料Ⅱ−51　産業別就業人口の割合（平成27（2015）年）

注：総数には「分類不能の産業」を含まない。
資料：総務省「平成27年国勢調査」を基に林野庁作成。

*126　平野の外縁部から山間地を指す。国土面積の約7割を占める。
*127　「山村振興法」（昭和40年法律第64号）
*128　旧市町村（昭和25（1950）年2月1日時点の市町村）単位で林野率75%以上かつ人口密度1.16人/町歩未満（いずれも昭和35（1960）年時点）等の要件を満たし、産業基盤や生活環境の整備状況からみて、特にその振興を図ることが必要であるとして「山村振興法」に基づき指定された区域。1町歩は9,917.36㎡である。

んでいる。昭和40（1965）年以降、全国の人口が増加してきた一方で振興山村の人口は減少を続け、また、65歳以上の高齢者の割合（高齢化率）も上昇を続け、全国平均27％に対して38％となっている（資料Ⅱ－52）。

また、過疎地域等の集落の中でも、山間地の集落では、世帯数が少ない、高齢者の割合が高い、集落機能が低下し維持が困難である、消滅の可能性がある、転入者がいないなどの問題に直面する集落の割合が、平地や中間地に比べて高くなっている（資料Ⅱ－53）。

平成30（2018）年3月に厚生労働省国立社会保障・人口問題研究所が公表した「日本の地域別将来推計人口」によると、令和27（2045）年における

総人口が平成27（2015）年に比べて2割以上減少する市区町村は、全市区町村数の73.9％を占める1,243に上り、また、65歳以上の人口が50％以上を占める市区町村数は、全地方公共団体の3割近くを占める465に上ると推計されている。このような中で、山村においては、過疎化及び高齢化が今後も更に進むことが予想され、山村における集落機能の低下、更には集落そのものの消滅につながることが懸念される。

（過疎地域等の集落と里山林）

平成28（2016）年に国土交通省及び総務省が公表した「過疎地域等条件不利地域における集落の現

資料Ⅱ－52　全国と振興山村の人口及び高齢化率の推移

[人口の推移]

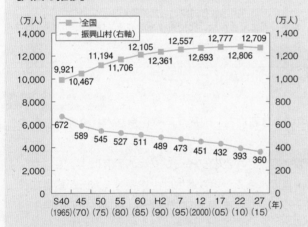

[高齢化率（65歳以上の人口比率）の推移]

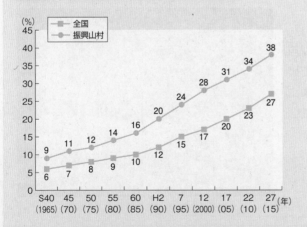

資料：平成22（2010）年までは総務省「国勢調査」、林野庁「森林・林業統計要覧」、平成27（2015）年は総務省「平成27年国勢調査」を基に林野庁作成。

資料Ⅱ－53　過疎地域等の集落の状況

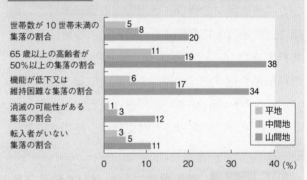

注：「山間地」は、林野率が80％以上の集落、「中間地」は、山間地と平地の中間にある集落、「平地」は、林野率が50％未満でかつ耕地率が20％以上の集落。
資料：国土交通省及び総務省「過疎地域等条件不利地域における集落の現況把握調査」（平成28（2016）年3月）

資料Ⅱ－54　消滅集落跡地の森林・林地の管理状況

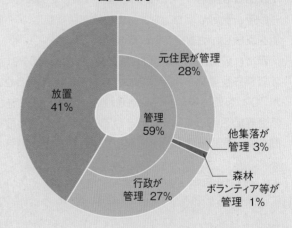

注：「該当なし」及び「無回答」を除いた合計値から割合を算出。
資料：国土交通省及び総務省「過疎地域等条件不利地域における集落の現況把握調査」（平成28（2016）年3月）

況把握調査」の結果によると、条件不利地域における平成27（2015）年4月時点の集落数は75,662集落あり、また、99市町村において190集落が平成22（2010）年4月以降消滅している。消滅した集落における森林・林地の管理状況については、これらの集落の59%では元住民、他集落又は行政機関等が管理しているものの、残りの集落では放置されている（資料Ⅱ－54）。また、過疎地域等の集落では、空き家の増加を始めとして、耕作放棄地の増大、働き口の減少、獣害や病虫害の発生、林業の担い手不足による森林の荒廃等の問題が発生しており、地域における資源管理や国土保全が困難になりつつある（資料Ⅱ－55）。

特に、居住地近くに広がる里山林等の森林は、かつては薪炭用材の伐採、落葉の採取等を通じて、地域住民に継続的に利用されることにより維持・管理されてきたが、昭和30年代以降の石油やガスへの燃料転換や化学肥料の使用の一般化に伴って利用されなくなり、藪化の進行等がみられる。

また、我が国における竹林面積は、長期的に微増傾向にあり、平成29（2017）年には16.7万haとなっているが[129]、これらの中には適切な管理が困難となっているものもあり、放置竹林の増加や里山林への竹の侵入等の問題が生じている地域がみられる[130]。

中山間地域で深刻な問題となっている農地としての再生利用が困難な農地（荒廃農地）を、森林として活用することを目的に早生樹等を植栽する取組もみ

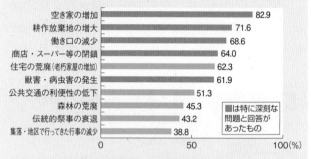

資料Ⅱ－55　過疎地域等の集落で発生している問題上位10回答（複数回答）

問題	(%)
空き家の増加	82.9
耕作放棄地の増大	71.6
働き口の減少	68.6
商店・スーパー等の閉鎖	64.0
住宅の荒廃（老朽家屋の増加）	62.3
獣害・病虫害の発生	61.9
公共交通の利便性の低下	51.3
森林の荒廃	45.3
伝統的祭事の衰退	43.2
集落・地区で行ってきた行事の減少	38.8

■は特に深刻な問題と回答があったもの

注：市町村担当者を対象とした調査結果。
資料：国土交通省及び総務省「過疎地域等条件不利地域における集落の現況把握調査」（平成28（2016）年3月）

事例Ⅱ－7　**荒廃農地にセンダンを植える取組**

センダンは、20年程度の短伐期で家具材として利用が可能となるなど、成長が早く優良な木材資源として注目されている。

熊本県では、これまで県内各地で植栽を進め、適切な植栽密度や芽かきのタイミング等の研究によって、センダンの施業体系の確立を図ってきた。さらに、これまでの調査によって、植栽適地は土壌養分・水分が豊富な谷筋や平地であることが分かり、山地よりも傾斜が緩やかでアクセス面でも有利な荒廃農地（農地としての再生利用が困難な農地）がセンダンの植栽に適していることが分かった。

今後、安定したセンダン材の供給を目指すため、熊本県では荒廃農地にセンダン等の早生広葉樹を植栽する取組を支援し、センダン造成地の拡大を推進している。

また、佐賀県太良町においても、令和元（2019）年10月、佐賀県杵藤農林事務所が中心となって荒廃農地にセンダン苗木70本を植林した。この植栽地は、今後、試験林として研修会等に活用していくこととしており、こうした取組が中山間地域の課題解決や林業振興につながることが期待されている。

資料：熊本県林業研究指導所　横尾謙一郎「センダンの育成・利用と経済性」、令和元（2019）年10月26日付け佐賀新聞LIVE

荒廃農地で植林されたセンダン（熊本県）

---

[129]　林野庁「森林資源の現況」（平成29（2017）年3月31日現在）。竹の利活用については、第Ⅱ章第2節（2）144ページを参照。
[130]　里山林の保全と管理については、第Ⅱ章第3節（2）150-151ページを参照。

られる（事例Ⅱ-7）。

（山村独自の資源と魅力）

　一方、山村には、豊富な森林資源、水資源、美しい景観のほか、食文化を始めとする伝統や文化、生活の知恵や技等、有形無形の地域資源が数多く残されていることから、都市住民が豊かな自然や伝統文化に触れる場、心身を癒す場、子供たちが自然を体験する場としての役割が期待される。

　山村は、過疎化及び高齢化や生活環境基盤の整備の遅れ等の問題を抱えているが、見方を変えれば、都市のような過密状態がなく、生活空間にゆとりがある場所であるとともに、自給自足に近い生活や循環型社会の実践の場として、また、時間に追われずに生活できる「スローライフ」の場としての魅力があるともいえる。

　平成26（2014）年6月に内閣府が行った「農山漁村に関する世論調査」によると、都市と農山漁村の交流が必要と考える者の割合は9割に上り、そのような交流等の機会を学校が提供する体験学習について、「取り組むべき」と考える者の割合も9割を超えている（資料Ⅱ-56）。

　平成27（2015）年に農林水産省が実施した「森林資源の循環利用に関する意識・意向調査」によると、緑豊かな農山村に一定期間滞在し休暇を過ごすことについて、「過ごしてみたい」と回答した者の割合は8割であった（資料Ⅱ-57）。令和元（2019）

年10月に内閣府が行った「森林と生活に関する世論調査」によると、農山村に滞在して休暇を過ごす場合、してみたいことについては、「森林浴により気分転換する」、「森や湖、農山村の家並みなど魅力的な景観を楽しむ」の割合が高かった。

　平成27（2015）年の国勢調査を基に都市部から過疎地域各区域への移住者の増減について分析を行った総務省の報告書[*131]では、平成22（2010）年から平成27（2015）年にかけて、過去の国勢調査時点に比べて、都市部からの移住者が増加している

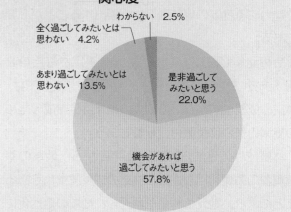

資料Ⅱ-57　農山村滞在型の余暇生活への関心度

- わからない　2.5%
- 全く過ごしてみたいとは思わない　4.2%
- あまり過ごしてみたいとは思わない　13.5%
- 是非過ごしてみたいと思う　22.0%
- 機会があれば過ごしてみたいと思う　57.8%

注：消費者モニターを対象とした調査結果であり、この調査での「消費者」は、農林水産行政に関心がある20歳以上の者で、原則としてパソコンでインターネットを利用できる環境にある者。
資料：農林水産省「森林資源の循環利用に関する意識・意向調査」（平成27（2015）年10月）

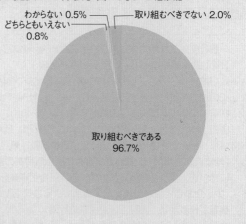

資料Ⅱ-56　都市と農山漁村の交流に関する意識

[都市地域と農山漁村地域の交流の必要性]
- 必要ない　6.8%
- わからない　1.5%
- どちらともいえない　1.8%
- 必要である　89.9%

[学校が提供する体験学習に対する意識]
- わからない　0.5%
- 取り組むべきでない　2.0%
- どちらともいえない　0.8%
- 取り組むべきである　96.7%

資料：内閣府「農山漁村に関する世論調査」（平成26（2014）年6月調査）

＊131　総務省地域力創造グループ過疎対策室「「田園回帰」に関する調査研究 報告書」（平成30（2018）年3月）。

区域数が多くなっていることや、人口規模の小さい区域の方が増加区域数の割合が高くなっている等の報告がなされている。また、民間団体による国勢調査を用いた人口動態等の分析においても、過疎指定市町村（平成28（2016）年4月時点）の約4割で30代女性が増加している等の傾向が明らかになっている*132。

（2）山村の活性化

（地域の林業・木材産業の振興と新たな事業の創出）

山村が活力を維持していくためには、地域固有の自然や資源を守るとともにこれらを活用して、若者やUJIターン*133者の定住を可能とするような多様で魅力ある就業の場を確保し、創出することが必要である。

令和元年（2019）年12月に閣議決定された第2期「まち・ひと・しごと創生総合戦略」においては、林業の成長産業化が地方創生の基本目標達成のための施策の一つに位置付けられている。

林野庁は、平成29（2017）年度から、地域の森林資源の循環利用を進め、林業の成長産業化を図ることにより、地元に利益を還元し、地域の活性化に結び付ける取組を推進するため、選定した地域を対象として「林業成長産業化地域創出モデル事業」を実施している*134。この中で、地域が提案する明確なビジョンの下で実施されるICT活用、ブランド化等のソフト面での対策に加え、ソフト面での対策と一体的に行われる木材加工流通施設等の整備に対して重点的に支援しており、成功モデルの横展開による林業の成長産業化の加速化を図っている。

農林水産省においては、山村の活性化を図るため、「山村活性化支援交付金」により、薪炭・山菜等の山村の地域資源の発掘、消費拡大や販売促進等を通じ、所得・雇用の増大を図る取組への支援を行うとともに、林業と加工や販売等を融合し、地域ビジネスの展開と新たな業態の創出を行う「6次産業化」の取組を進めており、林産物関係では令和元（2019）年12月27日現在で103件の計画*135を認定している。

さらに、農林水産省及び経済産業省は、農林漁業者と中小企業者が有機的に連携し、それぞれの経営資源を有効に活用して新商品開発や販路開拓等を行う「農商工等連携」の取組を推進しており、林産物関係では令和元（2019）年10月11日現在で47件の計画*136を認定している。

さらに、内閣官房及び農林水産省は、「ディスカバー農山漁村（むら）の宝」として、農山漁村の有するポテンシャルを引き出すことにより地域の活性化、所得向上に取り組んでいる優良事例を選定し、全国へ発信している*137。

（里山林等の保全と管理）

森林の有する多面的機能の発揮には、適切な森林整備や計画的な森林資源の利用が不可欠であるが、山村の過疎化及び高齢化等が進む中で、適切な森林整備等が行われない箇所もみられる。このような中、里山林等の保全管理を進めるためには、地域住民が森林資源を活用しながら持続的に里山林等と関わる仕組みをつくることが必要である。このため、林野庁では、「森林・山村多面的機能発揮対策交付金」により、里山林の景観維持、侵入竹の伐採及び除去

*132 一般社団法人持続可能な地域社会総合研究所（島根県益田市）による分析。詳しくは「平成29年度森林及び林業の動向」第Ⅲ章第3節（2）の事例Ⅲ-5（118ページ）を参照。
*133 「UJIターン」とは、大都市圏の居住者が地方に移住する動きの総称。「Uターン」は出身地に戻る形態、「Jターン」は出身地の近くの地方都市に移住する形態、「Iターン」は出身地以外の地方へ移住する形態を指す。
*134 初年度に網走西部流域、大館北秋田、最上・金山、南会津、利根沼田、中越、中津川・白川・東白川、浜松、田辺、日南町・中央中国山地、長門、久万高原町、高吾北、日田市、延岡・日向、大隅の16地域が選定され、平成30（2018）年度に渡島、登米、矢板、伊那、郡上、京都市、千代川流域、隠岐島後、新見・真庭、徳島県南部、糸島、奥球磨の12地域が追加選定された。
*135 「地域資源を活用した農林漁業者等による新事業の創出等及び地域の農林水産物の利用促進に関する法律」（平成22年法律第67号）に基づき、農林漁業者等が作成する「総合化事業計画」。
*136 「中小企業者と農林漁業者との連携による事業活動の促進に関する法律」（平成20年法律第38号）に基づき、農林漁業者と中小企業者が作成する「農商工等連携事業計画」。
*137 令和元（2019）年の第6回選定では、初めて複数の森林・林業関係地区が準グランプリを受賞しており、これらを含み全国で31地区と今回より新設された個人部門で5名が選定された。「株式会社山上木工」（北海道津別町）は高品質な木工品の生産や海外への輸出等について、「上山市温泉クアオルト協議会」（山形県上山市）は森林を活用した健康ウォーキングの実施等について、それぞれ評価された。

等の保全管理、広葉樹のしいたけ原木等への利用と、それらと組み合わせた路網や歩道の補修・機能強化等について、地域の住民が協力して行う取組に対して支援している。また、森林整備事業により、間伐等の森林施業を支援するとともに、間伐等と一体的に行う侵入竹の伐採及び除去等に対しても支援している。

（農泊等による都市との交流により山村を活性化）

近年、都市住民が休暇等を利用して山村に滞在し、農林漁業や木工体験、森林浴、山村地域の伝統文化の体験等を行う「山村と都市との交流」が各地で進められている。

平成30（2018）年に実施された世論調査[138]では、農山漁村に滞在するような旅行について、約半数が「今後旅行してみたい」と回答しており、このうち約6割が「自然・風景（山、川、海、棚田など）」を興味があることとして挙げた。

このような中、農林水産省では、インバウンドを含めた旅行者に農山漁村に滞在してもらう「農泊」を、農山漁村の所得向上や雇用創出に向けた重要な柱として位置付け、平成29（2017）年度から、各地の取組を支援している。この一環として、美しい森林景観や保養・レクリエーションの場としての森林空間を、観光資源として活用するための体験プログラムの作成等に対する支援も行っている。森林散策や林業体験等を中心とした農泊の取組の中には、国有林の「レクリエーションの森」を観光資源として活用する取組もみられる[139]。

また、「子ども農山漁村交流プロジェクト」を通じて、子供の農山漁村での宿泊による農林漁業体験や自然体験活動等を推進できるよう、農林水産省では山村側の宿泊・体験施設の整備等に対して支援している。

（多様な森林空間利用に向けた「森林サービス産業」の創出）

人口減少・少子高齢化が進む中で、森林を適切に管理していくためには、その基盤となる山村地域の活性化に加え、国民の森林への関心を高めていく必要がある。また近年は、人々のライフスタイルが変化する中で、森林環境教育の場、アウトドアスポーツ等のレクリエーションの場に加え、メンタルヘルス対策や健康づくりの場等として、森林空間を利用しようとする新たな動きもある[140]（資料Ⅱ－58）。

令和元（2019）年10月に内閣府が行った「森林

資料Ⅱ－58　森林空間を利用した健康増進

森の中で横になり深い呼吸を感じる森林浴の様子

資料Ⅱ－59　森林空間利用に対するニーズ（複数回答）

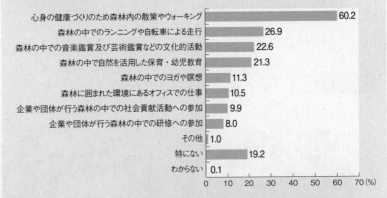

	%
心身の健康づくりのため森林内の散策やウォーキング	60.2
森林の中でのランニングや自転車による走行	26.9
森林の中での音楽鑑賞及び芸術鑑賞などの文化的活動	22.6
森林の中で自然を活用した保育・幼児教育	21.3
森林の中でのヨガや瞑想	11.3
森林に囲まれた環境にあるオフィスでの仕事	10.5
企業や団体が行う森林の中での社会貢献活動への参加	9.9
企業や団体が行う森林の中での研修への参加	8.0
その他	1.0
特にない	19.2
わからない	0.1

資料：内閣府「森林と生活に関する世論調査」（令和元（2019）年10月）

---

[138]　内閣府「食と農林漁業に関する世論調査」（平成30（2018）年8月30日～9月9日に全国の18歳以上の日本国籍を有する者3,000人を対象に実施（回収率58.1%））

[139]　「日本美しの森 お薦め国有林」の選定等の国有林の観光資源としての活用等に向けた取組については「平成29年度森林及び林業の動向」トピックス4（8-9ページ）を参照。

[140]　森林空間を利用したアウトドアスポーツやメンタルヘルス等の事例については、特集第2節（3）25-29ページを参照。

と生活に関する世論調査」によると、日常の生活の中で、森林で行いたいことについては、「心身の健康づくりのため森林内の散策やウォーキング」の割合が高かった（資料Ⅱ－59）。

このような中、令和元（2019）年8月に林野庁は、健康、観光、教育等の多様な分野で森林空間を活用して、山村地域における新たな雇用と収入機会を生み出す「森林サービス産業」や、森林の未利用資源を利用し植物精油としての活用を図る「香ビジネス」の創出・推進に向けた課題解決方策を検討する「森林サービス産業」検討委員会を開催し、森林がもたらす健康面でのエビデンスの取得や、推進体制のあり方などについて検討を行った。

さらに、「森林サービス産業」の創出・推進に関心のある民間企業・団体、研究機関等の多様なセクターが集い、意見交換や情報共有等を図ることを目的とした「Forest Style ネットワーク」を立ち上げ、令和元（2019）年11月にキックオフ・イベントを開催し、長野県、静岡県による基調報告等が行われた。ネットワークには発足時点で、56の企業・団体・地方公共団体が参画し、今後情報共有を進めて会員の拡大を図ることとしている（資料Ⅱ－60）。

資料Ⅱ－60　Forest Style ネットワーク

ネットワーク参加者による記念撮影

高畠町屋内遊戯場「もっくる」（山形県高畠町）
（写真：太田　拓実）

第Ⅲ章
木材需給・利用と木材産業

　我が国では古くから、木材を建築、生活用品、燃料等に多用してきた。我が国の木材需要は近年では回復傾向にあるとともに、合板等への国産材の利用が進んだことなどから、国産材供給量は増加傾向にある。木材自給率も8年連続で上昇しており、平成30（2018）年は37％となった。

　木材の利用は、快適で健康的な住環境等の形成に寄与するのみならず、地球温暖化の防止、森林の有する多面的機能の持続的な発揮、地域経済の活性化にも貢献する。近年では、住宅分野に加え、公共建築物等の非住宅分野における構造・内外装での木材利用や、木質バイオマスのエネルギー利用等の多様な木材利用の取組が進められている。このような中、品質・性能の確かな製品の供給、需要者のニーズに応じた製品の安定供給及び原木の安定供給体制の構築に取り組む必要がある。

　本章では、木材需給の動向、木材利用の動向及び木材産業の動向等について記述する。

1．木材需給の動向

世界の木材需給は、中国における木材需要の増大等、主要国の需給動向に伴って大きく変化している。我が国の木材需給も、国産材供給量が増加傾向にあるなどの変化がみられる。

以下では、世界と我が国における木材需給の動向について記述するとともに、併せて木材価格の動向、違法伐採対策及び木材輸出対策について記述する。

（1）世界の木材需給の動向

（ア）世界の木材需給の概況
（世界の木材消費量は再び増加傾向）

国際連合食糧農業機関（FAO[*1]）によると、世界の木材の消費量は、2008年秋以降の急速な景気悪化の影響により一時的に減少したが、2010年以降は再び増加傾向にある（資料Ⅲ－1）。2018年の産業用丸太の消費量は、前年比5％増の20億3,272万㎥、製材は前年比2％増の4億8,621万㎥、合板等は前年比2％増の4億573万㎥であった[*2]。

また、2018年の世界の木材の生産量は、産業用丸太は前年比5％増の20億2,751万㎥、製材は前年比2％増の4億9,254万㎥、合板等は前年比1％増の4億795万㎥であった。

2018年の世界の木材の輸出入量は、産業用丸太では、輸入量が前年比8％増の1億4,067万㎥、輸出量が前年比5％増の1億3,546万㎥であった。中国は産業用丸太の世界最大の輸入国で、2018年の世界の産業用丸太の輸入量に占める割合は43％であった（資料Ⅲ－1）。製材では、輸入量が前年比2％増の1億5,146万㎥、輸出量が前年比3％増の1億5,779万㎥であった。合板等では、輸入量が前年比4％増の8,980万㎥、輸出量が前年比1％増の9,202万㎥であった[*3]（資料Ⅲ－2、3）。

（主要国の木材輸入の動向）

2018年における品目別及び国別の木材輸入量を10年前と比べると、産業用丸太については、我が国の輸入量は623万㎥から343万㎥に減少し、全世界の輸入量に占める割合は5％から2％に低下している。また、主要な輸入国のうちフィンランドについては、産業用丸太の輸入の多くをロシアに依存していたため、ロシアの丸太輸出税の引上げにより

| 資料Ⅲ－1 | **世界の木材（産業用丸太）消費量及び輸入量の推移** |

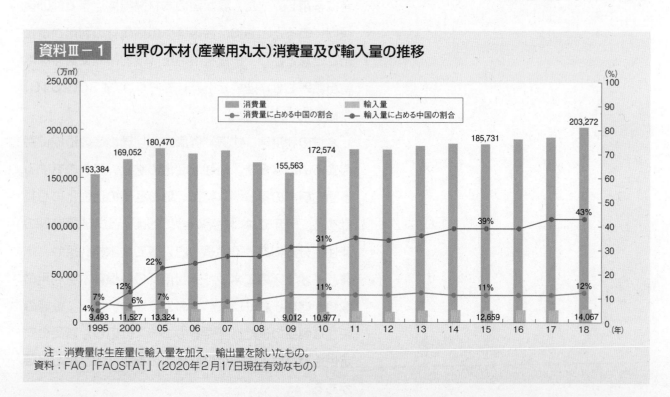

注：消費量は生産量に輸入量を加え、輸出量を除いたもの。
資料：FAO「FAOSTAT」（2020年2月17日現在有効なもの）

- ＊1　「Food and Agriculture Organization of the United Nations」の略。
- ＊2　丸太は燃料用にも使われている。2018年の世界の燃料用丸太の消費量は、約19.4億㎥であった。
- ＊3　FAO「FAOSTAT」（2020年2月17日現在有効なもの）による。輸入量と輸出量の差は、輸出入時の検量方法の違い等によるものと考えられる。

産業用丸太の輸入量は1,337万㎥から694万㎥に減少している。一方、中国の輸入量は、3,209万㎥から5,980万㎥に大きく増加し、世界の輸入量に占める割合も27%から43%に上昇している。

製材については、米国の輸入量は、10年前の2,214万㎥から2018年は2,667万㎥に増加してい

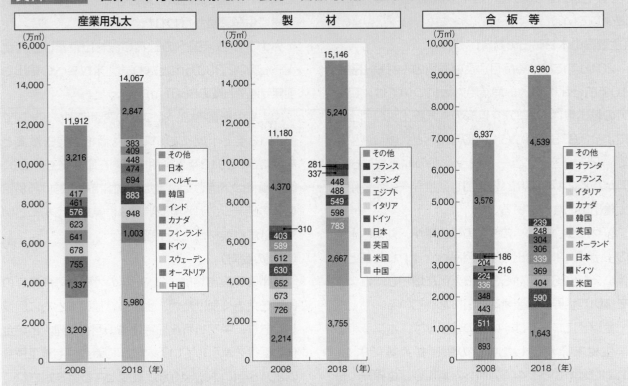

資料Ⅲ-2　世界の木材（産業用丸太・製材・合板等）輸入量（主要国別）

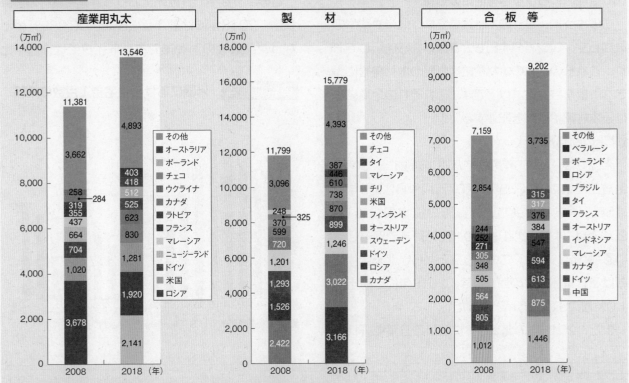

資料Ⅲ-3　世界の木材（産業用丸太・製材・合板等）輸出量（主要国別）

注1：合板等には、単板、合板、パーティクルボード及び繊維板を含む。
　2：計の不一致は四捨五入による。
資料：FAO「FAOSTAT」（2020年2月17日現在有効なもの）

る。一方で、中国の輸入量は、国内の需要増加により726万㎥から3,755万㎥に増加し、世界最大の製材輸入国となっている。

合板等については、世界全体の輸入量が増加する一方、我が国の輸入量は443万㎥から404万㎥に減少している（資料Ⅲ-2）。

（主要国の木材輸出の動向）

2018年における品目別及び国別の木材輸出量を10年前と比べると、産業用丸太については、ロシアの輸出量は、2007年以降の丸太輸出税の引上げにより3,678万㎥から1,920万㎥へと大幅に減少している。一方、ニュージーランドの輸出量は664万㎥から2,141万㎥へと増加し、世界一の産業用丸太輸出国になっている。

製材については、ロシアの輸出量が、丸太輸出税の引上げにより輸出形態が製品へシフトしたことに伴い、1,526万㎥から3,166万㎥に増加し、カナダを抜いて世界一の製材輸出国になっている。

合板等については、中国の輸出量は、ポプラ等の早生樹を原料とした合板の生産拡大等により、1,012万㎥から1,446万㎥へと増加し、世界一の輸出国となっている（資料Ⅲ-3）。

（イ）各地域における木材需給の動向

このように、世界の木材貿易では、北米や欧州のみならず、ロシアや中国も大きな存在感を示しており、これらの地域の木材需給は世界の木材需給に大きな影響を与える。以下では、それぞれの地域における木材需給動向を記述する[4]。

（北米の動向）

米国では、2008年の住宅バブル崩壊により、住宅着工戸数は、2005年の207万戸から2009年には55万戸まで減少したが、その後増加に転じ、2018年には前年比4％増の125万戸まで回復している（資料Ⅲ-4）。このことなどから、北米全体における針葉樹製材の消費量は、2018年には前年比1.0％増の9,850万㎥となった。

また、2018年の北米全体における針葉樹製材の

生産量は、前年比0.8％増の1億469万㎥であった。このうち、米国は同3.2％増の5,950万㎥、カナダは同2.3％減の4,520万㎥であった。カナダでは、米国によるカナダ産針葉樹製材の輸入に対する関税賦課[5]や中国での経済の減速等の影響により、製材工場で生産調整が行われた。

カナダから米国への針葉樹製材出荷量は前年比4.8％減の2,330万㎥となり、北米以外への輸出も前年比4.7％減の660万㎥となった。

山火事の影響等のいくつかの要因により、米国では2018年上半期において製材価格が過去最高となったが、2018年下半期は過剰在庫の発生により、製材価格は下落した。また、輸出市場における供給過多の結果、2018年下半期は世界主要市場においても針葉樹製材価格が下落した。

（欧州の動向）

欧州の建設市場は、2008年の世界金融危機等の影響を大きく受けたが、土木業、建築業ともに回復しており、中でも新設住宅建築の回復が建設市場全体の回復を牽引している。欧州の新設住宅着工戸数は2018年には、140万戸程度となると推定されている。

このような中で、欧州における針葉樹製材の消費量は、2018年には前年比2.6％増の9,989万㎥となった。最大の消費国であるドイツでは、前年比

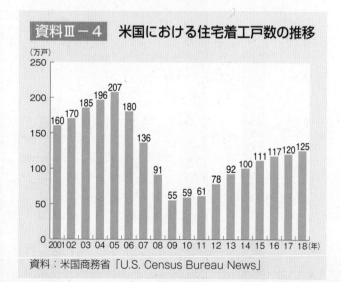

資料Ⅲ-4　米国における住宅着工戸数の推移

（万戸）

資料：米国商務省「U.S. Census Bureau News」

---

［4］　各地域における木材需給の動向の記述は、主にUNECE/FAO (2019) Forest Products Annual Market Review 2018-2019による。なお、UNECEは、「United Nations Economic Commission for Europe（国際連合欧州経済委員会）」の略。

［5］　米国によるカナダ産針葉樹製材への関税賦課措置について詳しくは、「平成29年度森林及び林業の動向」第Ⅳ章第1節（1）126ページを参照。

156 —— 令和元年度森林及び林業の動向

0.8%増の1,950万㎥、ドイツに次いで消費量が多い英国では同7.6%減の980万㎥となった。

欧州における針葉樹製材の生産量は、域内の消費量の増加や、暴風雨や虫害を受けた森林における伐採量の増加を背景に、2018年は前年比1.7%増の1億1,250万㎥となった。特にドイツとオーストリアではそれぞれ前年比で50万㎥以上増加し、トルコでは30万㎥以上増加した。

欧州からの針葉樹製材の輸出量は、2018年には前年比0.2%増の5,191万㎥となった。中国への輸出量は、製材価格の下落及びロシアから中国への輸出量の増加の影響を受けて、2018年において250万㎥(前年比25%減)となった。一方、欧州から米国への輸出は2017年の130万㎥から急増し、200万㎥となった。欧州の針葉樹製材の主な輸出先の一つである中東や北アフリカ地域への輸出量は、2017年に大幅に減少したが、エジプトを除く北アフリカへの輸出量が増加したことにより、2018年には前年比3.6%増加した。

(ロシアの動向)

ロシアを含むCIS諸国[6]における針葉樹製材の消費量は、2018年には前年比0.5%減の1,649万㎥となった。生産量は、前年比7.1%増の4,775万㎥であり、そのうちロシアが約82%以上を占める3,940万㎥(前年比4.4%増)であった。ロシアの針葉樹製材の輸出量は、2018年には前年比6.2%増の2,980万㎥となり、過去最高を更新した。最大の輸出先は中国であり、2018年には1,730万㎥が輸出され、同輸出量全体に占めるシェアは58%となった。

ロシアは、2007年に制定した「新ロシア森林法典」に木材の高付加価値化の実施を位置付けたことから[7]、2007年から2008年にかけて、針葉樹丸太の輸出税率を6.5%から25%に段階的に引き上げた。その後、ロシアは、2012年8月のWTOへの加盟に伴い、加盟交渉による条件に従い、ヨーロッパアカマツ、ヨーロッパトウヒ及びヨーロッパモミについては、年間割当数量の輸出税率を引き下げる一方、年間割当数量を超える分の輸出税率は80%[8]に引き上げた[9]。エゾマツ、トドマツ、カラマツの輸出税率は25%のままとされた。

この結果、ロシアの産業用丸太輸出量は、2006年には5,090万㎥であったが、2012年には1,765万㎥まで減少した。2013年以降は2,000万㎥程度で推移しており、2018年には1,920万㎥となっている[10]。ロシアから我が国への丸太輸出量については、2006年には497万㎥(我が国の丸太輸入量の47%)であったが、2018年には14万㎥(同4%)となっている[11]。

2017年12月には、ロシアは、極東地域での木材製品化を進めるため、極東のエゾマツ、トドマツ、カラマツの丸太に対する輸出税率の引上げを決定した。加工品輸出比率の条件を満たさない企業に対する税率が25%から段階的に引き上げられ、2021年以降は80%の税率が適用されることとなった[12]。

(中国の動向)

中国は、国内の木材産業の需要に見合うだけの森林資源を国内に有していない一方で、近年の所得の向上等を背景とした木材需要の拡大により、2018年には針葉樹丸太の輸入量は4,010万㎥と過去最高に達し、18年連続で世界一の針葉樹丸太輸入国となっている。中国向け針葉樹丸太の輸出は、ニュージーランドとロシアで大半を占めるとともに、近年はオーストラリアが中国への針葉樹丸太の輸出量を増加させている。一方で、中国・米国間の貿易摩擦の影響により、米国から中国への丸太輸出量は減少した。

中国の針葉樹製材の輸入は主に住宅市場や建設市

*6 「Commonwealth of Independent States」の略。UNECEの統計上は、アルメニア、アゼルバイジャン、ベラルーシ、ジョージア、カザフスタン、キルギス、モルドバ、ロシア、タジキスタン、トルクメニスタン、ウクライナ及びウズベキスタンの12か国を指す。ここでは、ロシアのみの消費量が不明のため、CIS諸国全体の消費量を記載。
*7 山根正伸(2013)林業経済, 65(10): 21-30.
*8 ただし、輸出税額が55.2ユーロ/㎥を下回る場合は、55.2ユーロ/㎥となる。
*9 独立行政法人日本貿易振興機構「WTO加盟に伴うロシアの関税・制度変更のポイント」(平成24(2012)年8月): 6-8.
*10 FAO「FAOSTAT」(2020年2月17日現在有効なもの)
*11 財務省「貿易統計」
*12 平成29(2017)年12月21日付け日刊木材新聞1面

場向けであり、これらの市場では2018年も力強い成長が続いたが、中国の2018年の針葉樹製材輸入量は、僅かに減少して2,488万㎥（前年比0.7%減）となった。2018年の中国向け針葉樹製材の輸入量の内訳をみると、ロシア（60%）とカナダ（17%）が多くを占めている。

また、中国からの合板等の輸出量は、2018年には前年比0.4%増の1,446万㎥となっている[13]。

2017年からは商業ベースでの天然林伐採が全面的に停止されたことから、今後、中国における木材輸入のニーズは更に高まるものと考えられる。

（ウ）国際貿易交渉の動向

（EPA/FTA等の交渉の動き）

我が国は、平成14（2002）年にシンガポールと初めて経済連携協定（EPA[14]）を締結してから、幅広い国や地域とのEPA・FTA[15]の締結に取り組んでいる。令和元（2019）年12月1日時点で、合計18のEPA・FTA[16]を締結・署名している。

現在、東アジア地域包括的経済連携（RCEP[17]）、日中韓FTA、トルコ、コロンビア等とのEPA・FTAについて交渉中等[18]となっている。これらの交渉に当たって、我が国は、林産物の関税率の引下げが我が国及び相手国の持続可能な森林経営に悪影響を及ぼすことのないよう配慮することとしている。

（日米貿易協定の発効）

日米貿易協定については、平成30（2018）年9月の日米首脳会談で発表された共同声明において、日米間での貿易協定の締結に向けた交渉開始について一致したことを受け、平成31（2019）年4月から交渉が開始された。令和元（2019）年9月26日に日米首脳会談で最終合意を確認し、同年10月8日に

ワシントンにおいて、日米間でこの協定の署名が行われた。その後、日米両国がそれぞれ国内法上の手続を完了し、令和2（2020）年1月1日に発効した。

木材の輸入及び輸出に関しては全て除外となり、一部の特用林産物の輸入については環太平洋パートナーシップ（TPP[19]）と同内容（即時撤廃等）となった。

（日EU・EPAの発効）

日EU・EPA（経済連携協定）は、平成31（2019）年2月1日に発効した。

日EU・EPAの内容のうち、林産物の輸入に関しては、関税撤廃するものの、構造用集成材、SPF製材等の林産物10品目について、7年の段階的削減を経て8年目に関税を撤廃することとし、一定の関税撤廃期間を確保した。また、輸出に関しては、EUは製材で2.5%まで、合板等で6%から10%まで、木製品で4%までの関税を課していたが、交渉の結果、これらの関税は全て即時撤廃された[20]。

（TPP11協定の発効）

TPP11協定は、我が国を含む6か国（メキシコ、日本、シンガポール、ニュージーランド、カナダ、オーストラリア）に対して平成30（2018）年12月30日に発効した。また、ベトナムに対して平成31（2019）年1月14日に発効した。

TPP11協定の内容はTPP協定の範囲内のものであり、林産物の輸入に関しては、輸入額が多い国や、輸入額の伸びが著しい国からの合板・製材・OSB[21]（配向性削片板）に対して、16年目までの長期の関税撤廃期間と、輸入量が一定量に達した場合に関税を自動的にTPPの発効前の水準に引き上げるセーフガードが措置されている[22]。

---

*13　FAO「FAOSTAT」（2020年2月17日現在有効なもの）
*14　「Economic Partnership Agreement」の略。
*15　「Free Trade Agreement」の略。
*16　シンガポール、メキシコ、マレーシア、チリ、タイ、インドネシア、ブルネイ、ASEAN全体、フィリピン、スイス、ベトナム、インド、ペルー、オーストラリア、モンゴル、TPP12、TPP11、EU。
*17　「Regional Comprehensive Economic Partnership」の略。
*18　交渉延期中又は中断中を含む。
*19　「Trans-Pacific Partnership」の略。
*20　日EU・EPAにおける林産物交渉の結果について詳しくは、「平成29年度森林及び林業の動向」トピックス2（4-5ページ）を参照。日EU・EPAの交渉結果を受けた木材製品の競争力強化対策については、第Ⅲ章第3節（10）213ページを参照。
*21　「Oriented Strand Board」の略。薄く切削した長方形の木片を繊維方向が揃うように並べた層を、互いに繊維方向が直交するように重ねて高温圧縮した板製品。
*22　TPP11協定の交渉結果等を受けた木材製品の競争力強化対策については、第Ⅲ章第3節（10）213ページを参照。

（WTO交渉の状況）

世界貿易機関（WTO[*23]）では、貿易の更なる自由化を通じて、開発途上国の経済開発等を含め世界経済の発展を目指した「ドーハ・ラウンド交渉」が平成13（2001）年から行われている。平成29（2017）年12月に開催された「第11回WTO閣僚会議[*24]」では、参加した全閣僚の合意による閣僚宣言は採択されないまま閉幕した。

（2）我が国の木材需給の動向

（木材需要は回復傾向）

我が国の木材需要量[*25]の推移をみると、戦後の復興期と高度経済成長期の経済発展により増加を続け、昭和48（1973）年に過去最高の1億2,102万㎥（丸太換算値。以下同じ。）を記録した。その後、昭和48（1973）年秋の第1次石油危機（オイルショック）、昭和54（1979）年の第2次石油危機等の影響により減少と増加を繰り返し、昭和62（1987）年以降は1億㎥程度で推移した。

しかしながら、平成3（1991）年のバブル景気崩壊後の景気後退等により、平成8（1996）年以降は減少傾向となった。特に、平成21（2009）年にはリーマンショック[*26]の影響により、前年比19%減の6,480万㎥と大幅に減少したが、近年は平成20（2008）年の水準を上回るまでに回復している。平成30（2018）年には、製材用材の需要の減少等から用材の需要量は前年に比べて56万㎥減少し前年比0.8%減の7,318万㎥となるとともに、燃料材は木質バイオマス発電施設等での利用により前年に比べて122万㎥増加し前年比16%増の902万㎥となった。このことから、平成30（2018）年の木材の総需要量は、前年比0.8%増の8,248万㎥となり、2年連続で8千万㎥台に達した。内訳をみると製材用材が31.2%、合板用材が13.3%、パルプ・チップ用材が38.8%、その他用材が5.4%、燃料材が10.9%を占めている。また、平成30（2018）年の我が国の人口一人当たり木材需要量は0.65㎥/人となっている（資料Ⅲ－5）。

（製材用材の需要はほぼ横ばい）

平成30（2018）年における製材用材の需要量は、

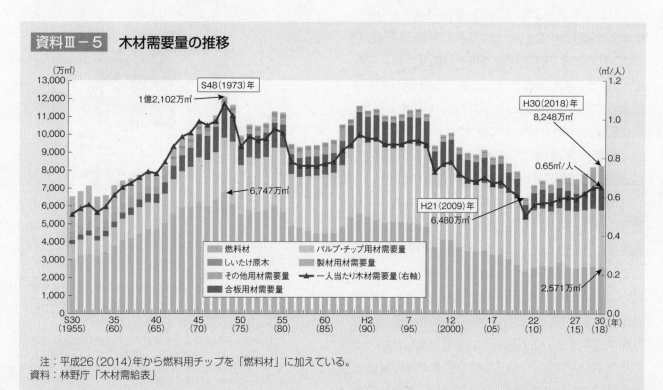

資料Ⅲ－5　木材需要量の推移

注：平成26（2014）年から燃料用チップを「燃料材」に加えている。
資料：林野庁「木材需給表」

---

*23　「World Trade Organization」の略。
*24　WTO閣僚会議は、WTOの最高意思決定機関であり、原則2年に1度開催される。
*25　製材品や合板、パルプ・チップ等の用材に加え、しいたけ原木及び燃料材を含む総数。このうち、燃料材とは、木炭、薪、燃料用チップ、木質ペレットである。
*26　2008年に起こった、米国のサブプライム住宅ローン問題に端を発する金融市場の混乱のこと。

前年比2.5%減の2,571万㎥となっている。製材用材の需要量は、昭和48（1973）年に6,747万㎥でピークを迎えた後は減少傾向で推移し、平成20（2008）年以降、ピーク時の4割程度でほぼ横ばいで推移している。我が国では、製材品の約8割は建築用に使われており、製材用材の需要量はとりわけ木造住宅着工戸数と密接な関係にある[27]。

（合板用材の需要はほぼ横ばい）

平成30（2018）年における合板用材の需要量は前年比3.1%増の1,100万㎥となっている。合板用材の需要量は、製材用材と同様に木造住宅着工戸数の動向に影響され、昭和48（1973）年に1,715万㎥でピークに達した後は増減を繰り返し、平成20（2008）年以降はほぼ横ばいで推移している。

合板は住宅の壁・床・屋根の下地材やフロア台板[28]、コンクリート型枠（かたわく）[29]など多様な用途に利用される。

（パルプ・チップ用材の需要はほぼ横ばい）

平成30（2018）年におけるパルプ・チップ用材の需要量は、前年比0.9%減の3,201万㎥となっている。パルプ・チップ用材の需要量は、平成7（1995）年に4,492万㎥でピークを迎えた後、平成20（2008）年の3,786万㎥まで緩やかに減少し、平成21（2009）年には景気悪化による紙需要の減少等により前年比23%減の2,901万㎥まで減少した。平成22（2010）年には前年比12%増となったものの、その後ほぼ横ばいで推移しており、平成20（2008）年の水準までは回復していない。

パルプ・チップ用材を原料とする紙・板紙の生産量をみると、平成12（2000）年に3,183万トンで過去最高を記録して以降、3,100万トン前後で推移していたが、リーマンショックを機に、平成21（2009）年には前年比14%減の2,627万トンまで減少した。平成22（2010）年には景気の回復により前年比4%増の2,736万トンまで回復したが、その後は再び平成21（2009）年の水準でほぼ横ばいで推移しており、平成30（2018）年は、前年比2%減の2,606万トンとなっている（資料Ⅲ－6）。平成

30（2018）年の紙・板紙生産量の内訳をみると、新聞用紙、印刷用紙等の紙が1,401万トン（54%）、段ボール原紙等の板紙が1,205万トン（46%）となっている。

平成30（2018）年にパルプ生産に利用された木

資料Ⅲ－6　紙・板紙生産量の推移

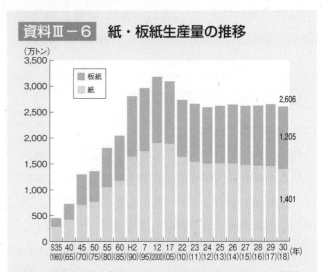

資料：経済産業省「経済産業省生産動態統計年報　紙・印刷・プラスチック製品・ゴム製品統計編」

資料Ⅲ－7　パルプ生産に利用されたチップの内訳

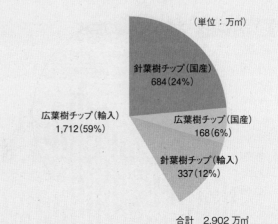

（単位：万㎥）

針葉樹チップ（国産）684（24%）
広葉樹チップ（輸入）1,712（59%）
広葉樹チップ（国産）168（6%）
針葉樹チップ（輸入）337（12%）
合計　2,902万㎥

注1：国産チップには、輸入材の残材・廃材や輸入丸太から製造されるチップを含む。
　2：パルプ生産に利用されたチップの数量であり、パーティクルボード、ファイバーボード等の原料や、発電等エネルギー源（燃料材）として利用されたチップの数量は含まれていない。
　　　なお、ボード等原料及び木材パルプの形態での輸入を含む、パルプ・チップ用材全体（燃料材を除く。）の原料丸太ベースの需給については、資料Ⅲ－10（163ページ）の「パルプ・チップ用」を参照。
資料：経済産業省「平成30年経済産業省生産動態統計年報　紙・印刷・プラスチック製品・ゴム製品統計編」

[27]　木造住宅着工戸数について詳しくは、第Ⅲ章第2節（2）177-178ページ参照。
[28]　フローリングの基材となる合板。
[29]　コンクリート等の液状の材料を固化する際に、所定の形状になるように誘導する部材。

材チップ*[30]は2,902万㎥で、このうち853万㎥（29%）が国産チップ（輸入材の残材・廃材や輸入丸太から製造されるチップを含む。）、2,049万㎥（71%）が輸入チップであった。樹種別にみると、針葉樹チップが1,022万㎥（35%）、広葉樹チップが1,880万㎥（65%）となっている（資料Ⅲ-7）。平成30（2018）年の国産チップの割合は、針葉樹チップ、広葉樹チップともに前年より低くなっている。

（国産材供給量はほぼ横ばい）

我が国における国産材供給量*[31]は、森林資源の充実や合板原料としてのスギ等の国産材利用の増加、木質バイオマス発電施設での利用の増加等を背景に、平成14（2002）年の1,692万㎥を底として増加傾向にある。平成30（2018）年の国産材供給量は、前年比1.8%増の3,020万㎥であった（資料Ⅲ-8）。用材部門では、前年比1.6%増の2,368万㎥となっており、その内訳を用途別にみると、製材用材は1,256万㎥、合板用材は449万㎥、パルプ・

チップ用材は509万㎥となっている。また、燃料用チップを含む燃料材は前年比3.5%増の625万㎥となり、増加傾向にある*[32]。

樹種別にみると、製材用材の約8割がスギ・ヒノキ、合板用材の約8割がスギ・カラマツ、木材チップ用材の約4割が広葉樹、約3割がスギとなっている*[33]。

（木材輸入の9割近くが木材製品での輸入）

我が国の木材輸入量*[34]は、平成8（1996）年の9,045万㎥をピークに減少傾向で推移しており、平成30（2018）年は、前年に比べて丸太の輸入量が減少した一方で、木材チップ、合板等、燃料材等の輸入量が増加し、前年比0.2%増の5,228万㎥となった。

用材の輸入形態は丸太から製品へとシフトしており、平成30（2018）年は、丸太の輸入量は木材輸入量全体の1割弱にすぎず、約9割が製品での輸入となっている。平成30（2018）年に製品で輸入さ

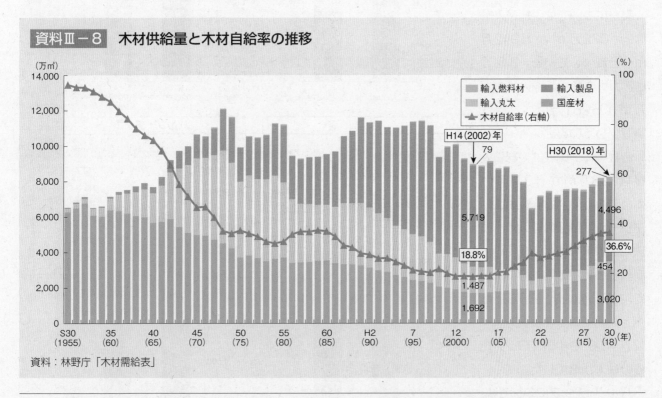

資料Ⅲ-8　木材供給量と木材自給率の推移

資料：林野庁「木材需給表」

---

*[30]　木材チップはパルプ（植物繊維）に加工されることで紙・板紙の原料となるが、広葉樹の繊維は細く短いため平滑さ等に優れ、印刷適性のあるコピー用紙等の原料として利用されるのに対し、針葉樹の繊維は太く長いため強度に優れ、紙袋や段ボール等の原料として利用される。また、広葉樹と針葉樹において違いがあるだけでなく、国産針葉樹チップと輸入針葉樹チップとでは樹種の違いからパルプの収率や繊維長等が異なる。これらの違いが、製紙業における原料選択や、木材チップ（紙・パルプ用）価格等に影響している。

*[31]　製材品や合板、パルプ・チップ等の用材に加え、しいたけ原木及び燃料材を含む総数。いずれの品目についても丸太換算値。

*[32]　林野庁「平成30年木材需給表」

*[33]　農林水産省「平成30年木材需給報告書」

*[34]　製材品や合板、パルプ・チップ等の用材に加え、燃料材を含む総数。

れた木材は4,496万㎥であり、このうち、木材パルプ・木材チップは2,692万㎥（木材輸入量全体の51%）、製材品は942万㎥（同18%）、合板等は572万㎥（同11%）、その他は291万㎥（同6%）となっている。

（木材輸入は全ての品目で減少傾向）

我が国の輸入品目別の木材輸入量について、平成20（2008）年と平成30（2018）年を比較すると、丸太については、総輸入量は623万㎥から328万㎥へと大幅に減少している。特に、ロシアからの輸入量は、同国の丸太輸出税の大幅引上げにより、187万㎥から14万㎥へ著しく減少している。

製材については、総輸入量は、1,032万㎥から942万㎥へと減少している。国別では、カナダからの輸入が415万㎥から281万㎥へと約3割減少している。

合板等については、総輸入量は628万㎥から572万㎥へと減少している。国別では、マレーシアからの輸入が、違法伐採対策等による伐採量の制限及び資源の制約等によって、331万㎥から176万㎥へと大幅に減少する一方、インドネシアや中国、ロシアからの輸入が増加した。

パルプ・チップについては、総輸入量は3,272万㎥から2,750万㎥へと減少している。国別では、オーストラリア及び南アフリカからの輸入が、それぞれ996万㎥から472万㎥へ、367万㎥から

205万㎥へと大幅に減少する一方、ベトナムからの輸入が、アカシア等の早生樹の植林地が拡大したことにより、181万㎥から562万㎥へと大幅に増加している（資料Ⅲ－9）。

なお、我が国における平成30（2018）年の木材

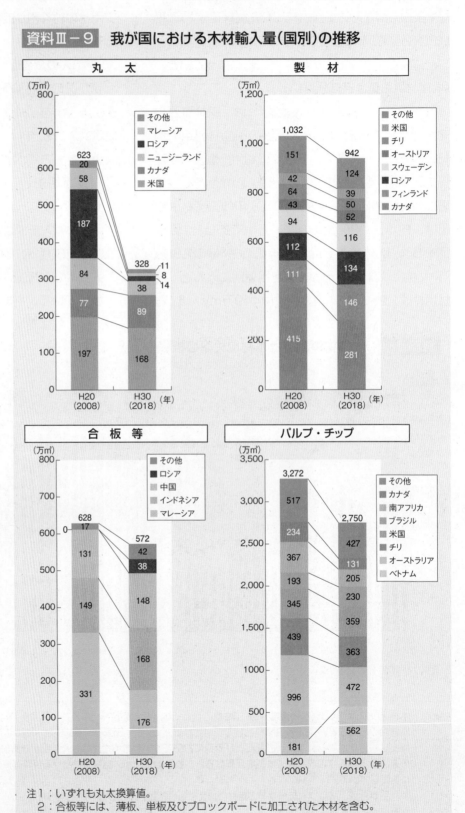

資料Ⅲ－9　我が国における木材輸入量（国別）の推移

注1：いずれも丸太換算値。
　2：合板等には、薄板、単板及びブロックボードに加工された木材を含む。
　3：計の不一致は四捨五入による。
資料：財務省「貿易統計」

（用材）供給の地域別及び品目別の割合は資料Ⅲ－10のとおりである。

（木材自給率は8年連続で上昇）

　我が国の木材自給率[*35]は、昭和30年代以降、国産材供給の減少と木材輸入の増加により低下を続け、平成7（1995）年以降は20％前後で推移し、平成14（2002）年には過去最低の18.8％（用材部門では18.2％）となった。その後、人工林資源の充実や、技術革新による合板原料としての国産材利用の増加等を背景に、国産材の供給量が増加傾向で推移したのに対して、木材の輸入量は大きく減少したことから、木材自給率は上昇傾向で推移している。平成30（2018）年は、丸太輸入量が減少するとともに、燃料材の需要が増加し国産材供給量も増加した結果、木材自給率は前年より0.4ポイント上昇して36.6％（用材部門では32.4％）となり、8年連続

資料Ⅲ－10　我が国の木材（用材）供給状況（平成30（2018）年）

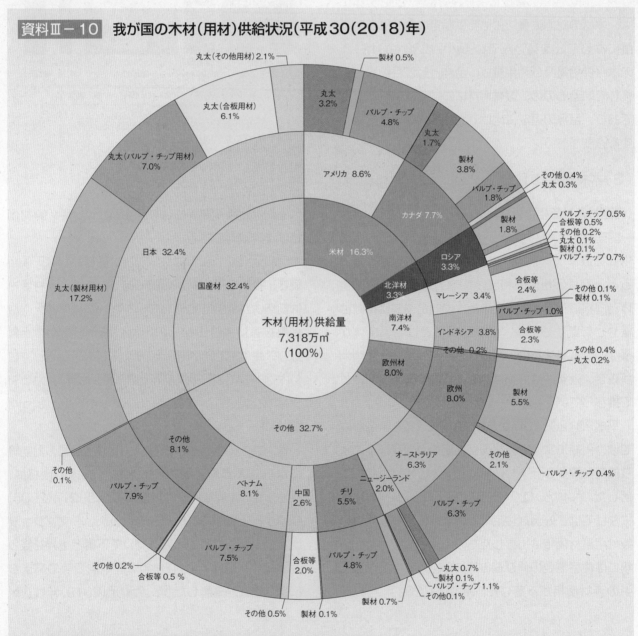

注1：木材のうち、しいたけ原木及び燃料材を除いた用材の供給状況である。
　2：いずれも丸太換算値。
　3：輸入木材については、木材需給表における品目別の供給量（丸太換算）を国別に示したものである。なお、丸太の供給量は、製材工場等における外材の入荷量を、貿易統計における丸太輸入量で案分して算出した。
　4：内訳と計の不一致は、四捨五入及び少量の製品の省略による。
資料：林野庁「平成30年木材需給表」、財務省「貿易統計」を基に試算。

[*35]　林野庁「平成30年木材需給表」。木材自給率の算出は次式による。自給率＝（国内生産量÷総需要量）×100

で上昇した（資料Ⅲ－8）。木材自給率を用途別にみると、製材用材は48.9%、合板用材は40.8%、パルプ・チップ用材は15.9%、燃料材は69.3%となっている（資料Ⅲ－11）。

平成28（2016）年5月に変更された「森林・林業基本計画」では、令和7（2025）年の木材の総需要量を7,900万㎥と見通した上で、木材供給量及び利用量について4,000万㎥を目指すこととしており[36]、この目標の達成により、令和7（2025）年には、木材の総需要量に占める供給量の割合は5割程度になることを見込んでいる。平成30（2018）年の木材供給量及び利用量は、全体としては順調に推移しているものの、製材用材については微減となっており、目標の達成に向けて利用拡大の取組を強化する必要がある。

（3）木材価格の動向

（国産材素材価格はほぼ横ばい）

国産材の素材（丸太）価格[37]の推移を、国内企業物価指数[38]（総平均、2015年基準）と比較してみると、素材価格は昭和55（1980）年までは物価全体と同様に上昇した。その後、国内企業物価指数は緩やかに低下した後、この20年ほどは物価全体が横ばいで推移する中、国産材の素材価格は下落傾向が続き、近年はほぼ横ばいないしやや高まりをみせて推移している（資料Ⅲ－12）。

平成23（2011）年から平成24（2012）年にかけては、円高による輸入材の価格競争力の高まりにより国産材需要が低下し、特にヒノキの素材価格が下落した。平成25（2013）年から平成26（2014）年にかけては、好調な住宅向けの需要により国産材の製材用素材価格は上昇したものの、平成27（2015）年には住宅需要の伸び悩み等に伴い、スギ及びヒノキの素材価格が下落した。平成29（2017）年以降

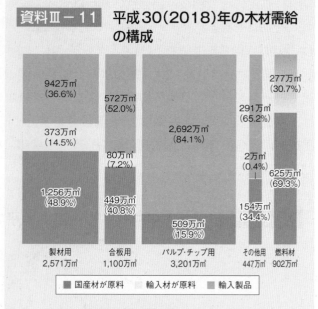

資料Ⅲ－11　平成30（2018）年の木材需給の構成

注1：しいたけ原木については省略している。
　2：いずれも丸太換算値。
　3：計の不一致は四捨五入による。
資料：林野庁「平成30年木材需給表」

は堅調な建築需要等によりスギ及びヒノキの素材価格は上昇傾向にある。

令和元（2019）年は、年明け以降穏やかな天候が続き、夏までは出材が順調であったため、素材価格は前年より低位で推移していたが、夏以降は大雨や台風被害により山からの出材が減少したため上昇し、スギは13,500円/㎥（前年比100円/㎥安）、ヒノキは18,100円/㎥（前年比300円/㎥安）、カラマツは12,400円/㎥（前年比600円/㎥高）となった（資料Ⅲ－12）。

輸入丸太の価格は、為替レートや生産国の動向等により、大きく変動する。米材[39]丸太の価格は、原油価格の上昇や円安の影響により、平成17（2005）年頃から上昇していたが、その後、リーマンショック及び為替変動等の影響を受けて下落と上昇を繰り返した。平成30（2018）年は産地需要等の高まりにより価格が高騰したが、令和元（2019）年は、米

---

[36]　「森林・林業基本計画」については、第Ⅰ章第1節（2）56-58ページを参照。
[37]　製材工場着の価格。
[38]　企業物価指数は、日本銀行が作成している物価指数で、企業間で取引される財を対象として、商品（財）の価格を継続的に調査し、現時点の価格を、基準時点の価格を100として、指数化したもの。国内企業物価指数は国内で生産した国内需要家向けの財を対象とした物価指数で、国内市場における財の価格や需要の動向を把握できるほか、名目金額から価格要因を除去して実質値を算出する際のデフレーターとしての機能も有している。
[39]　米国及びカナダから輸入される木材で、主要樹種は米マツである。

マツ[40]丸太の価格は、産地である米国やカナダの安定した天候を背景に伐採が順調に進み、日本向け輸出価格は下落基調で推移したため、25,600円/㎥（前年比14,600円/㎥安）と下落した[41]。また、米ツガ[42]丸太は26,900円/㎥（前年比100円/㎥安）となった。北洋材丸太の価格は、原油価格の上昇及びロシアによる丸太輸出税の引上げにより、平成19（2007）年に急激に上昇した。令和元（2019）年の北洋エゾマツ[43]丸太の価格は、26,400円/㎥（前年比100円/㎥高）となった。

（国産材の製材品価格はほぼ横ばい）

令和元（2019）年の国産材の製材品価格[44]は、スギ正角[45]（乾燥材）は66,700円/㎥（前年比200円/㎥高）、ヒノキ正角（乾燥材）で85,900円/㎥（300円/㎥高）となった。

また、輸入材の製材品価格について、構造用材としてスギ正角（乾燥材）と競合関係にあるホワイトウッド集成管柱[46]の価格でみると、円安の影響等により平成19（2007）年に急上昇したが、その後の円高の進行等により、平成20（2008）年から平成21（2009）年にかけて下落した。平成26（2014）年には、円安の影響等により78,600円/㎥（前年比6,000円/㎥高）となり、その後はほぼ横ばいで推移し、令和元（2019）年は75,600円/㎥（前年同）となった。

針葉樹合板の価格は、為替変動等により平成20

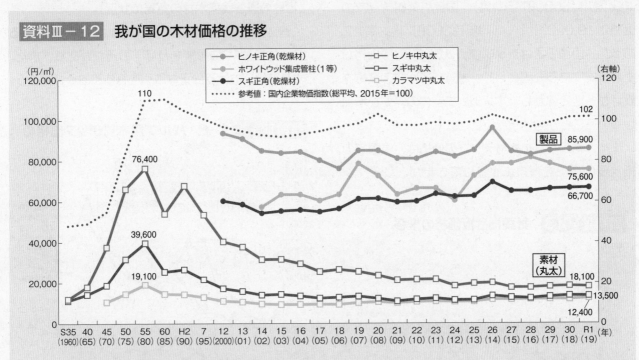

資料Ⅲ-12　我が国の木材価格の推移

凡例：
- ヒノキ正角（乾燥材）
- ホワイトウッド集成管柱（1等）
- スギ正角（乾燥材）
- ヒノキ中丸太
- スギ中丸太
- カラマツ中丸太
- 参考値：国内企業物価指数（総平均、2015年＝100）

注1：スギ中丸太（径14～22cm、長さ3.65～4.0m）、ヒノキ中丸太（径14～22cm、長さ3.65～4.0m）、カラマツ中丸太（径14～28cm、長さ3.65～4.0m）のそれぞれ1㎥当たりの価格。
　2：「スギ正角（乾燥材）」（厚さ・幅10.5cm、長さ3.0m）、「ヒノキ正角（乾燥材）」（厚さ・幅10.5cm、長さ3.0m）、「ホワイトウッド集成管柱（1等）」（厚さ・幅10.5cm、長さ3.0m）はそれぞれ1㎥当たりの価格。「ホワイトウッド集成管柱（1等）」は、1本を0.033075㎥に換算して算出した。
　3：平成25（2013）年の調査対象等の見直しにより、平成25（2013）年以降の「スギ正角（乾燥材）」、「スギ中丸太」のデータは、平成24（2012）年までのデータと必ずしも連続していない。
　4：平成30（2018）年の調査対象等の見直しにより、平成30（2018）年以降のデータは、平成29（2017）年までのデータと連続していない。
資料：農林水産省「木材需給報告書」、日本銀行「企業物価指数（日本銀行時系列統計データ検索サイト）」

[40]　ダグラス・ファー（マツ科トガサワラ属）の通称。
[41]　令和元（2019）年の米マツ丸太の価格については、4月から一部の調査対象が変更となった。
[42]　ヘムロック（マツ科ツガ属）の通称。
[43]　ロシアから輸入されるエゾマツ（トウヒ属）の通称。
[44]　木材市売市場、木材センター及び木材問屋における店頭渡し価格。
[45]　横断面が正方形である製材。
[46]　輸入したホワイトウッド（ヨーロッパトウヒ）のラミナを国内の集成材工場で接着・加工した集成管柱。管柱とは、2階以上の建物で、桁等で中断されて、土台から軒桁まで通っていない柱。

(2008)年から平成21(2009)年にかけて下落したが、その後は上昇傾向に転じた。平成29(2017)年以降はほぼ横ばいで推移し、令和元(2019)年の針葉樹合板の価格は1,290円/枚(前年同)であった(資料Ⅲ-13)。

（国産木材チップ価格はやや上昇）

国産の木材チップ(紙・パルプ用)の価格は、平成19(2007)年から平成21(2009)年にかけて、製材工場からのチップ原料の供給減少等により顕著な上昇傾向にあったが、平成22(2010)年以降は、チップ生産量の増加等により下落した。その後、平成26(2014)年以降は上昇傾向にあり、令和元(2019)年の国産針葉樹チップの価格は14,500円/トン(前年比500円/トン高)、国産広葉樹チップの価格は19,000円/トン(前年比300円/トン高)であった。国産の木材チップ(紙・パルプ用)の価格が上昇傾向にある要因として、木質バイオマス発電施設等が各地で稼動し、木材チップ全体の需要が増加していることが考えられる。

また、輸入された木材チップの価格は、中国での紙需要の増加を背景に上昇してきたが、リーマンショックを機に、平成21(2009)年から平成22(2010)年にかけて下落した。平成25(2013)年以降は円安の影響等もあって上昇傾向にあり、令和元(2019)年の輸入針葉樹チップの価格は22,700円/トン(前年比300円/トン高)、輸入広葉樹チップの価格は21,200円/トン(前年比1,300円/トン高)であった(資料Ⅲ-14)。

（4）違法伐採対策

合法的に伐採された木材の利用促進及び違法伐採に対処する取組が世界各国において進められている[47]。以下では、我が国を取り巻く諸外国の状況及び国内の違法伐採対策について述べる。

（世界の違法伐採木材の貿易の状況）

違法伐採や違法伐採木材の流通は、森林の有する多面的機能[48]に影響を及ぼすおそれがあり、また、木材市場における公正な取引を害するおそれがある。

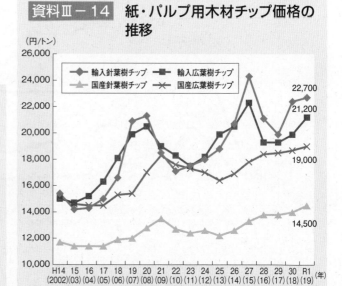

資料Ⅲ-14　紙・パルプ用木材チップ価格の推移

注1：国産の木材チップ価格はチップ工場渡し価格、輸入された木材チップ価格は着港渡し価格。
2：それぞれの価格は絶乾トン当たりの価格。
3：平成18(2006)年以前は、㎥当たり価格をトン当たり価格に換算。
4：平成25(2013)年の調査対象の見直しにより、平成25(2013)年以降の「国産針葉樹チップ」、「国産広葉樹チップ」のデータは、平成24(2012)年までのデータと必ずしも連続していない。
5：平成30(2018)年の調査対象の見直しにより、平成30(2018)年以降のデータは、平成29(2017)年までのデータと連続していない。
資料：農林水産省「木材需給報告書」、財務省「貿易統計」

資料Ⅲ-13　針葉樹合板価格の推移

注1：「針葉樹合板」(厚さ1.2cm、幅91.0cm、長さ1.82m)は1枚当たりの価格。
2：平成25(2013)年の調査対象の見直しにより、平成25(2013)年以降のデータは、平成24(2012)年までのデータと必ずしも連続していない。
3：平成30(2018)年の調査対象の見直しにより、平成30(2018)年以降のデータは、平成29(2017)年までのデータと連続していない。
資料：農林水産省「木材需給報告書」

---

[47]　森林の違法な伐採に対する国際的な枠組みについては、第Ⅰ章第4節(1)96-97ページを参照。
[48]　森林の有する多面的機能については、第Ⅰ章第1節(1)55-56ページを参照。

このため、平成17（2005）年７月に英国で開催されたＧ８グレンイーグルズ・サミットでは、違法伐採に対する取組について、木材生産国及び消費国双方の行動が必要であるとされた。

2016年12月に国際森林研究機関連合（IUFRO[*49]）が公表した報告書[*50]によると、2014年の丸太と製材に係る違法伐採木材の貿易額は世界で63億ドル、最大の輸入国は中国で33億ドル（52%）、次いでベトナムが８億ドル（12%）、インドが６億ドル（9%）、EUが５億ドル（7%）等であるとされている。また、違法伐採木材は、主に、東南アジア（35億ドル）、ロシア（13億ドル）、オセアニア（７億ドル）、アフリカ（５億ドル）及び南米（４億ドル）から輸出されているとされている。

（政府調達において合法木材の利用を促進）

平成17（2005）年７月のＧ８グレンイーグルズ・サミットを受けて、我が国では、まずは政府調達を通じて合法木材の利用を促進することとし、平成18（2006）年に「環境物品等の調達の推進に関する基本方針（グリーン購入法基本方針）」において、紙類、オフィス家具、公共工事資材等の分野において、合法性、持続可能性が証明された木材・木材製品を政府調達の対象とするよう明記した。その後、「グリーン購入法基本方針」の特定調達品目に関する「品目及び判断の基準等」が見直され、間伐材や合法性が証明された木質原料等を使用している合板型枠（かたわく）等が政府調達の対象となったほか、コピー用紙等で森林認証材パルプ及び間伐材等パルプの利用割合が可能な限り高いものであることが配慮事項に記載された。

上記基本方針に先立ち、林野庁では、平成18（2006）年に「木材・木材製品の合法性、持続可能性の証明のためのガイドライン」を作成した。本ガイドラインでは、具体的な合法性、持続可能性の証明方法として、「森林認証制度及びCoC認証制度を活用した証明方法」、「森林・林業・木材産業関係団体の認定を得て事業者が行う証明方法」及び「個別企業等の独自の取組による証明方法」の３つの証明方法を提示するとともに、合法性、持続可能性が証明された木材・木材製品を、これらが証明されていないものと混じらないよう管理することを求めている[*51]。

上記の証明を活用し、合法性・持続可能性が証明された木材を供給する合法木材供給事業者として、令和２（2020）年３月末現在で、150の業界団体により12,040の事業者が認定されている。合法木材供給に取り組む事業者からの報告によれば、合法性の証明された丸太の量は、国産材については、平成18（2006）年の91万㎥から平成30（2018）年の1,402万㎥に、輸入材については、平成18（2006）年の58万㎥から平成30（2018）年の78万㎥にそれぞれ増加している[*52]。

（諸外国の違法伐採対策の取組）

一方、諸外国においては、米国は2008年に「レイシー法（Lacey Act）[*53]」を改正して、違法に伐採された木材等の取引や輸入の禁止等を盛り込んでいる。EUは2013年３月に「EU木材規則[*54]」を施行し、違法に伐採された木材を市場に出荷することを禁止するとともに、事業者が出荷に当たり適切な注意を払うことを義務付けており、これを受けて域内各国で関係法令を整備することとされている。また、オーストラリアでも同趣旨の法律[*55]が2014年11月に施行されているほか、2018年10月には、韓国でも、違法伐採対策を強化した「木材の持続可

---

*49　「International Union of Forest Research Organizations」の略。

*50　IUFRO World Series Volume 35: Illegal Logging and Related Timber Trade

*51　ガイドラインについて詳しくは「平成29年度森林及び林業の動向」第Ⅳ章第１節（４）138ページを参照。

*52　一般社団法人全国木材組合連合会（2008）平成19年度違法伐採総合対策推進事業総括報告書: 44.
　　　一般社団法人全国木材組合連合会ホームページ「認定事業者の取扱実績 平成30年度 合法性・持続可能性の証明された木材・木材製品の取扱実績報告」

*53　1900年に、違法に捕獲された鳥類やその他動物の違法な取引等を規制する法律として制定。事業者に対して、取引等に当たっては、国内外の法令を遵守して採取されたものか適切に注意するよう義務付けるとともに、罰則も設けている。

*54　Regulation (EU) No995/2010 of the European Parliament and of the Council of 20 October 2010 laying down the obligation of operations who place timber and timber products on the market

*55　Illegal Logging Prohibition Act 2012 (No. 166, 2012 as amended)

能な利用に関する法律[*56]」が施行され、国内における違法伐採による木材・木材製品の輸入及び利用に関する規制を導入している。

　林野庁では、これら諸外国の状況の情報収集等の取組の強化を図っている。

　上記のような各国における法令整備に加え、国家間の協定においても違法伐採対策を盛り込む動きがみられる。例えば、平成30（2018）年12月30日に発効したTPP11協定[*57]では、「環境章」において、木材生産国における環境破壊や地球温暖化の進行など様々な問題を引き起こす違法伐採への対策について、各国による違法伐採の抑止に働く効果的な行政措置の実施が規定されている。また、平成31（2019）年2月1日に発効した日EU・EPAでは、第16章（貿易と持続可能な開発）において、両締結者が、違法伐採及びそれに関連する貿易への対処に貢献すること、関連する情報を交換すること等について規定されている[*58]。

（「合法伐採木材等の流通及び利用の促進に関する法律」による合法伐採木材等の更なる活用）

　こうした動きも踏まえ我が国では、政府調達のみならず民間需要においても、我が国又は原産国の法令に適合して伐採された木材及びその製品の流通及び利用の促進を図るため、平成28（2016）年5月に、議員立法により「合法伐採木材等の流通及び利用の促進に関する法律[*59]」（クリーンウッド法）が成立・公布され、平成29（2017）年5月に施行された。

　この法律の施行により、全ての事業者に、合法伐採木材等を利用するよう努めることが求められ、特に木材関連事業者は、取り扱う木材等について「合法性の確認」等の合法伐採木材等の利用を確保するための措置を実施することとなった。

　この措置を適切かつ確実に行う木材関連事業者は、国に登録された第三者機関である「登録実施機関」に対して申請を行い、登録を受けることができ、「登録木材関連事業者」の名称を使用できることとなっている。登録実施機関については、令和2（2020）年3月末時点で6機関を登録している。平成29（2017）年10月から順次、登録実施機関が登録業務を開始し、令和2（2020）年3月末時点で、木材関連事業者の登録件数は418件となっている。林野庁では、木材関連事業者が木材の合法性を適切に確認できるよう林野庁ホームページ合法伐採木材等に関する情報提供サイト「クリーンウッド・ナビ」

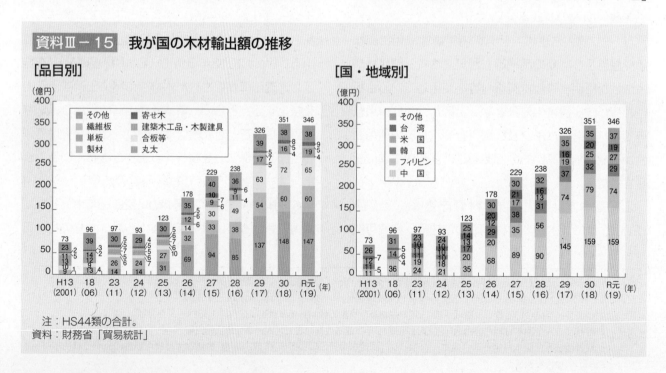

資料Ⅲ－15　我が国の木材輸出額の推移

[品目別]

[国・地域別]

注：HS44類の合計。
資料：財務省「貿易統計」

*56　목재의 지속가능한 이용에 관한 법률（法律第16196号　2019年1月8日一部改正）
*57　詳しくは、第Ⅲ章第1節（1）158ページを参照。
*58　違法伐採対策のうち国際協力に係る取組については、第Ⅰ章第4節（1）96-97ページを参照。
*59　「合法伐採木材等の流通及び利用の促進に関する法律」（平成28年法律第48号）

を公開し、本サイトを通じて情報を提供しているほか、専門家の派遣、セミナー等の開催による木材関連事業者の登録促進等に取り組んでいる。

（5）木材輸出対策

（我が国の木材輸出は年々増加）

我が国の木材輸出は、中国等における木材需要の増加及び韓国におけるヒノキに対する人気の高まり等を背景に、平成25（2013）年以降増加傾向にある。令和元（2019）年の木材輸出額は、ほぼ横ばいの346億円となった。

品目別にみると、丸太が147億円（前年比1％減）、製材が60億（前年比1％減）、合板等が65億円（前年比10％減）となっており、これらで全体の輸出額の約8割を占めている。特に丸太の輸出額は、輸出額全体の約4割を占めており（資料Ⅲ－15）、このうち、中国・韓国・台湾向けが98％を占めている。

また、輸出先を国・地域別にみると、中国が159億円で最も多く、フィリピンが74億円、韓国が29億円、米国が27億円、台湾が19億円と続いている（資料Ⅲ－15）。中国向けについては、輸出額の約7割を丸太が占めており、主にスギが輸出されて梱包材、土木用材及びコンクリート型枠用材等に利用されている。韓国向けについては、輸出額の約6割を丸太が占めており、主にヒノキが輸出されて内装材等に利用されている。フィリピン向けについては、輸出額の約8割を合板等が占めている。米国向けについては、輸出額の約4割を製材が占めており、近年は、米スギ[60]の代替材需要に応じたスギ製材の輸出が伸びている。

（木材輸出拡大に向けた方針）

平成28（2016）年5月に、政府の「農林水産業・地域の活力創造本部」は、「農林水産業の輸出力強化戦略」を取りまとめた。同戦略では、林産物のうち、スギ・ヒノキについて、丸太中心の輸出から、我が国の高度な加工技術を活かした製品の輸出への転換を推進するとともに、新たな輸出先国の開拓に取り組むこととした。

また、同戦略に基づく取組を更に具体化するため、輸出戦略実行委員会[61]林産物部会は、平成29

| 資料Ⅲ－16 | 「木材・木材製品の輸出拡大に向けた取組方針（平成29（2017）年6月）」の概要 | | | |

国・地域	ターゲット		今後の取組方針	
	品目	対象者		
中国	①家具等に加工するための板材・合板等の半製品 ②内装・外装用材としての熱処理木材、床暖房対応フローリング材、内装用CLT及びLVL、DIY材としての着色木材など日本の加工技術を活かした木材製品（最終製品） ③構造部材（プレカット材）としての集成材、合板、LVL、CLT	②及び③については富裕層	（短期的な取組） ○日本の加工技術を活かした木材製品の認知度向上とブランド化の推進 ○日本産木材製品の販売促進活動 ○日本産木材を利用した内装施工における技能者の育成	（中・長期的な取組） ○木造軸組構法の普及 ○大学との連携による木造建築の人材育成 ○日本産木材を利用した住宅建設における技能者の育成
韓国	①内装・家具用としての板材、床材（最終製品） ②住宅の構造部材（プレカット材）としての集成材、合板、LVL、CLT	若い富裕層	（内装・家具用材） ○日本産木材製品の認知度向上とブランド化の推進 ○日本産木材製品の販売促進活動 ○日本産木材を利用した内装・住宅建設における技能者の育成	（住宅の構造部材（プレカット材）） ○木造軸組構法の普及 ○大学との連携による木造建築の人材育成 ○日本産木材を利用した住宅建設における技能者の育成
台湾	①下地材やフローリング基材に利用されるLVL、合板 ②内装材・家具用材としての床材、内装用CLT及びLVL、外装用材の熱処理木材 ③住宅の構造部材（プレカット材）としての集成材、合板、LVL、CLT	②及び③については富裕層	（短期的な取組） ○日本産木材製品の認知度向上とブランド化の推進 ○日本産木材製品の販売促進活動 ○日本産木材を利用した内装施工の技能者の育成	（中・長期的な取組） ○木造軸組構法の普及 ○大学や研究機関との連携による木造建築の人材育成 ○日本産木材を利用した住宅建設における技能者の育成 ○建築基準法の改正
ベトナム	（海外への輸出製品の原料としての需要がほとんどのため、）家具・内装材の材料となる製材、MDF、合板等の半製品（ニーズを正確に把握できた段階で、ターゲットとする最終製品を絞り込む）		（短期的な取組） 同上	（中・長期的な取組） ○公共建築物の木造化への普及・PR

*60　ウェスタン・レッド・シダー（ヒノキ科クロベ属）の通称。
*61　オールジャパンでの農林水産物・食品の輸出促進の司令塔として設置された委員会であり、農林水産物の輸出に取り組む民間団体や関係省庁で構成される。

（2017）年6月に、中国、韓国、台湾及びベトナムを対象とした「木材・木材製品の輸出拡大に向けた取組方針」を取りまとめた。同方針では、各国・地域別に、木材輸出の現状と課題を整理した上で、輸出のターゲット（品目・対象者）を絞り込み、輸出拡大に向けた取組の方向性と内容を示した（資料Ⅲ－16）。

令和2（2020）年3月には、農林水産物・食品の輸出拡大のための輸入国規制への対応等に関する関係閣僚会議が開催され、新たな農林水産物・食品の輸出額を令和12（2030）年に5兆円とする目標などが示された。

（木材輸出拡大に向けた具体的な取組）

林野庁では、輸出力強化に向けて、日本産木材製品のブランド化の推進、日本産木材の認知度向上、内外装材などターゲットを明確にした販売促進等に取り組んでいる。

まず、日本産木材製品のブランド化の推進として、中国の「木構造設計規範」の改定に向けた取組を進めてきた。中国ではこれまで、我が国の「建築基準法[*62]」に相当する「木構造設計規範」において、日本の在来工法である木造軸組構法[*63]の位置付けと日本産のスギ、ヒノキ及びカラマツの構造材としての規定がなされておらず、同国において構造部材として日本産木材を使用することや木造軸組構法による建築が困難な状態であった。このため、平成22（2010）年から、関係団体や国立研究開発法人森林研究・整備機構森林総合研究所等の日本側専門家が連携し、同規範の改定作業に参加してきた。その結果、平成29（2017）年11月に同規範の改定が公告され、平成30（2018）年8月1日に「木構造設計標準」として施行された。改定に当たっては、日本産のスギ、ヒノキ及びカラマツの基準強度と木造軸組構法が盛り込まれており、これらの樹種を構造材

事例Ⅲ－1　**「木構造設計標準」施行後第1号となる木造軸組住宅を建設**

平成30（2018）年8月1日に「木構造設計標準」が施行されてから第1号となる木造軸組住宅が、中国の大連に建設中である。

第1号として建てられている物件は、木造3階建て75坪2棟で、必要な資材としてヒノキ集成材、スギ無垢材及び国産材合板等121㎡が日本から輸出された。

日本企業がプロジェクトの中心となって全体のコーディネートを行い、現地では現地企業も協力して建設が進められている。この取組では、中国のニーズに合った日本産プレカット部材の製作や日本産プレカット部材に関する効率的な輸出流通経路の調査及び構築、見学会等が行われている。

このほか、中国の南京において木造軸組住宅の建設に関する現地講習会が開催され、日本産プレカット材を用いた実習が実施されるなど、中国での日本産木材の利用拡大に向けた取組が行われている。

資料：令和元（2019）年12月10日付け日刊木材新聞8面

木造技術講習会（中国・南京）

建設中の木造軸組住宅（中国・大連）

---

*62　「建築基準法」（昭和25年法律第201号）
*63　木造住宅の工法について詳しくは、第Ⅲ章第2節（2）178ページを参照。

として使った同構法の住宅建設が中国で可能となった。現在、日中の木材関係者等が共同で、設計・施工に当たっての現場向けの具体的な指針である「木構造設計手引」の作成に取り組んでいる。また、施行後第1号となる木造軸組住宅が、中国の大連で建設されている（事例Ⅲ－1）。

日本産木材の認知度向上としては、海外における展示施設の設置や展示会への出展、モデル住宅の建築・展示に対する支援を行っている。具体的には、ベトナムのホーチミンや台湾の台北に、日本産木材製品の常設展示施設を開設し、同施設を拠点とした日本産木材製品のPR、商談会の開催、地域の木材市場の情報収集等の取組や、中国や台湾において開催される製材や内装材、家具、合板、LVL*64等の建築・建材に係る展示会への出展、中国等における日本産木材を使った木造軸組モデル住宅やモデルルームの設置など、日本産木材製品の展示・PR活動に対する支援を行った。

ターゲットを明確にした販売促進としては、輸出先国バイヤーの日本への招へいによる意見交換会・セミナーの開催や工場見学、輸出先国の木材加工・販売業者と日本の輸出業者による商談会の開催等を支援している。

また、新たな輸出先国開拓のため、有望な輸出先と考えられる国・地域を対象として、日本産木材・木材製品の輸出ポテンシャル等に関する市場調査を支援している。

平成29（2017）年度は、米国及びインド、平成30（2018）年度は香港、シンガポール、イギリス、フランス及びオランダに対する輸出ポテンシャル調査の支援を行った。令和元（2019）年度には、イギリス、フランス、オランダ、ロシア、UAE、オーストラリア、ベトナム、インドネシア、台湾及びインドに対する植物検疫条件や流通・販売規制等に関する調査を行うとともに、米国及び韓国に対する輸出向け木材製品の規格検討に向けた調査への支援を

事例Ⅲ－2　東南アジアへの木材輸出に向けた取組

奈良県御杖村（みつえむら）では、主要産業である林業を活かした村の持続的な振興を目指して、タイに木材を輸出するプロジェクトを進めている。

平成30（2018）年に始動した同プロジェクトでは、大学関係者や設計事務所のほか日本の建材メーカーが参加し、御杖村からタイへの木材輸出と併せて、タイ人技術者・大工の育成を行うこととしている。

令和元（2019）年にはタイで建築学を専攻する学生を村内に受け入れ、木造軸組構法の座学や実技研修、モデルハウス建築現場での視察研修を通して、木造建築の技能習得を図った。

令和2（2020）年2月には、タイのバンコクで村産材を使った木造ショールームを完成させた。村では、そのショールームを活用し、木造建築物に対するイメージアップにつなげ、将来的に村産材を使ったタイ向けの木造住宅の普及を目指し、木材の輸出につなげたいと考えている。

資料：川又英紀（2019）木材不足のタイに売り込め　日本の在来木造を伝え、村の林業再生狙う. 日経アーキテクチュア, 10月10日号：76-79.

村産材を使った木造ショールーム（タイ・バンコク）

御杖村で研修を行うタイの学生

---

*64　「Laminated Veneer Lumber」の略で、木材を薄く剥いた単板を3枚以上、繊維方向が平行になるよう積層接着した製品のこと。

実施している。

　米国については、住宅フェンス用にスギの利用が進むなど、木材製品の輸出が伸びており、今後、一層の輸出拡大が期待されることから、令和2（2020）年1月、米国のラスベガスにおいて日本産木材製品をPRするため展示会への出展を行った。

　インドについては、近年、木材の輸入量が増加しており、潜在市場が大きいことが分かったため、令和2（2020）年2月にインドのベンガルールにおける展示会に出展し、日本産木材製品のPRを実施した。

　また、EU等に向けては、デザイン性の高い木製家具・建具を始めとする日本の木材製品をフランスやドイツにおいてPRする取組や、新たな木質材料であるCLT（直交集成板）等の輸出のためのPR活動に対して支援した。

　さらに、近年は、今後の国内需要の減少を見据え、輸出に取り組もうとする事業者が増える中、単独の企業では輸出に取り組むリスクや負担が大きいことから、企業同士が連携して行う輸出向け製品の開発や試作、海外への製品PR、バイヤーの開拓等の取組についても支援している。

　これらの取組に加え、林野庁では、各地における林産物の輸出に向けた取組事例を収集・整理し、「林産物の輸出取組事例集〜日本産木材を世界へ〜」として取りまとめて紹介している。

　地方公共団体においても、輸出促進のための協議会等を設置し、地域の企業同士の連携による共同出荷体制を構築する動きや、海外で日本の木造軸組構法の住宅建築セミナーを開催するなど、木材製品の輸出促進に向けた動きが広がっている（事例Ⅲ−2）。

新型コロナウイルス感染症への対応

　新型コロナウイルス感染症については、令和元（2019）年12月に中国で肺炎患者の集団発生が報告されていたが、令和2（2020）年1月以降、日本でも感染者が確認され、世界で感染が拡大している。

　我が国の経済・産業に影響が及んでおり、林業・木材産業分野においても木材の需要や流通への影響が生じている。感染の拡大により中国国内で移動が制限され、経済活動が停滞したことで、中国向けの丸太輸出が滞るとともに、同国からの住宅設備機器等の資材入手が困難となったため、住宅業界において工期延長や着工遅れが発生しており、今後の木材需要の不透明感が増している。また、きのこ類については、小学校等の臨時休校による給食休止に伴うキャンセルが発生するなどの影響が生じている。

　このような状況を受けて、林野庁では、令和2（2020）年3月に、林業・木材産業関連事業者が雇用する従業員に新型コロナウイルス感染症の患者が発生した時に、業務継続を図る際の基本的なポイントをまとめたガイドラインを策定し、関係者に周知している。

　新型コロナウイルス感染症の影響を受けている林業者等に対しては、株式会社日本政策金融公庫の農林漁業セーフティネット資金等の実質無利子・無担保等貸付けによる資金繰り支援を措置している。また、独立行政法人農林漁業信用基金において、実質無担保等により債務保証を行うとともに保証料を実質免除する措置を講じている。加えて、厚生労働省が措置した小学校休業等対応助成金等について、雇用保険等に未加入である林業経営体等についても、林野庁が事業所証明を行うことで助成の対象となるよう措置した。学校給食休止に伴い未利用となったきのこ等については、食品の通販サイトを通じた販売の支援を行っている。

　国有林においても、各森林管理局に設置されている国有林材供給調整検討委員会での意見を踏まえ、供給調整が必要とされる地域において、販売済みの立木の伐採・搬出期限を1年延長する措置を講じ、市況に応じた供給調整を可能とした。今後も、各地域での状況の推移を見つつ、機動的に対応することとしている。

　さらに、資金繰り支援の拡充、滞留している原木の保管費用等の支援、やむを得ない事情により行き場のなくなった大径材を付加価値の高い木材製品に転換するための加工施設整備への支援、公共施設等の木造化・木質化への支援、輸出力の維持・強化に向けた海外販路の開拓等への支援を行うこととしている。

森林・林業・木材産業への支援事業

輸出機会減少による
原木の滞留

原木の保管費用等
の支援

大径原木に対応した
加工施設の導入

大型バーカー
（樹皮むき機）　　大径材用ツイン
　　　　　　　　　バンドソー

公共施設等への木材活用

2．木材利用の動向

　木材の利用は、快適で健康的な室内環境等の形成に寄与するのみならず、地球温暖化の防止など森林の多面的機能の持続的な発揮及び地域経済の活性化にも貢献する。

　以下では、木材利用の意義について記述するとともに、建築・土木分野における木材利用及び木質バイオマスの利用における動向、消費者等に対する木材利用の普及の取組について記述する。

（1）木材利用の意義

（建築資材等としての木材の特徴）

　木材は、軽くて強いことから、我が国では建築資材等として多く用いられてきた。建築資材等としての木材には、いくつかの特徴がある*65。

　一つ目は、調湿作用である。木材には、湿度が高い時期には空気中の水分を吸収し、湿度が低い時期には放出するという調湿作用があり、室内環境の改善に寄与する。

　二つ目は、断熱性である。木材は他の建築資材に比べて熱伝導率が低く、断熱性が高いため、室内環境の改善や、建築物の省エネルギー化に寄与する*66。

　三つ目は、心理面での効果である。木材の香りには、血圧を低下させるなど体をリラックスさせる、ストレスを軽減し免疫細胞の働きを向上させるといった効果があると考えられているほか、木材への接触は生理的ストレスを生じさせにくいという報告や、事務所の内装に木材を使用することにより、視覚的に「あたたかい」、「明るい」、「快適」などの良好な印象を与えるという報告もある。このような木材による嗅覚、触覚、視覚刺激が人間の生理・心理面に与える影響については、近年、評価手法の確立や科学的な根拠の蓄積が進んできている。

　このほかにも、木材には、衝撃力を緩和する効果など、様々な特徴がある。転倒時の衝撃緩和、疲労軽減等の効果を期待して、教育施設や福祉施設に木材を使用する例もみられる。

（木材利用は地球温暖化の防止にも貢献）

　木材は、炭素の固定、エネルギー集約的資材の代替及び化石燃料の代替の3つの面で、地球温暖化の防止に貢献する。

　樹木は、光合成によって大気中の二酸化炭素を取り込み、木材の形で炭素を貯蔵している。このため、木材を住宅や家具等に利用しておくことは、大気中の二酸化炭素を固定することにつながる。例えば、木造住宅は、鉄骨プレハブ住宅や鉄筋コンクリート住宅の約4倍の炭素を貯蔵していることが知られている（資料Ⅲ−17）。

　また、木材は、鉄やコンクリート等の資材に比べて製造や加工に要するエネルギーが少ないことから、木材の利用は、製造及び加工時の二酸化炭素の排出削減につながる。例えば、住宅の建設に用いられる材料について、その製造時における二酸化炭素排出量を比較すると、木造は、鉄筋コンクリート造や鉄骨プレハブ造よりも、二酸化炭素排出量が大幅

資料Ⅲ−17　住宅一戸当たりの炭素貯蔵量と材料製造時の二酸化炭素排出量

	木造住宅	鉄骨プレハブ住宅	鉄筋コンクリート住宅
炭素貯蔵量	6炭素トン	1.5炭素トン	1.6炭素トン
材料製造時の炭素放出量	5.1炭素トン	14.7炭素トン	21.8炭素トン

資料：大熊幹章（2003）地球環境保全と木材利用, 一般社団法人全国林業改良普及協会: 54、岡崎泰男、大熊幹章（1998）木材工業, Vol.53-No.4: 161-163.

---

*65　岡野健ほか（1995）木材居住環境ハンドブック, 朝倉書店: 65-81.302-305.356-364.
　　　林野庁「平成28年度都市の木質化等に向けた新たな製品・技術の開発・普及委託事業」のうち「木材の健康効果・環境貢献等に係るデータ整理」による「科学的データによる木材・木造建築物のQ&A」（平成29（2017）年3月）

*66　木材は熱容量が小さく、蓄熱量が小さいという特徴もあり、ヒートアイランド現象の緩和等に寄与するとの研究結果もある。また、一定以上の大きさを持った木材には、燃えたときに表面に断熱性の高い炭化層を形成し、材内部への熱の侵入を抑制するという性質があり、木質構造部材の「燃えしろ設計」では、この性質が活かされている。

に少ないことが知られている（資料Ⅲ－17）。

したがって、従来、鉄骨造や鉄筋コンクリート造により建設されてきた建築物を木造や木造との混構造で建設することができれば、炭素の貯蔵効果及びエネルギー集約的資材の代替効果を通じて、二酸化炭素排出量の削減につながる。

さらに、「伐って、使って、植える」というサイクルを通じた木材のエネルギー利用は、大気中の二酸化炭素濃度に影響を与えない「カーボンニュートラル」な特性を有しており、資材として利用できない木材を化石燃料の代わりに利用すれば、化石燃料の燃焼による二酸化炭素の排出を抑制することにつながる。これに加えて、原材料調達から製品製造、燃焼までの全段階を通じた温室効果ガス排出量を比較した場合、木質バイオマス燃料は化石燃料よりも大幅に少ないという報告もある（資料Ⅲ－18）。

このほか、住宅部材等として使用されていた木材をパーティクルボード等として再利用できるなど、木材には再加工しやすいという特徴もある。再利用後の期間も含め、木材は伐採後も利用されることにより炭素を固定し続けている（資料Ⅲ－19）。

（国産材の利用は森林の多面的機能の発揮等に貢献）

国産材が利用され、その収益が林業生産活動に還元されることによって、伐採後も植栽等を行うこと

が可能となる。「伐って、使って、植える」というサイクルを通じて、森林の適正な整備・保全を続けながら、木材を再生産することが可能となり、森林の有する多面的機能を持続的に発揮させることにつながる（資料Ⅲ－20）。

また、国産材が木材加工・流通を経て住宅等の様々な分野で利用されることで、林業生産活動のみならず、木材産業・住宅産業を含めた国内産業の振興と森林資源が豊富に存在する山村地域の活性化にもつながる。

我が国の森林資源の有効活用、森林の適正な整備・保全と多面的機能の発揮、林業・木材産業と山村地域の振興といった観点から、更なる国産材の利用の推進が求められている。

（木材利用に関する国民の関心は高い）

令和元（2019）年に内閣府が実施した「森林と生活に関する世論調査」において、木材利用に関する国民の意識が調査されている（資料Ⅲ－21）。

森林の有する多面的機能のうち森林に期待する働きについて、「住宅用建材や家具、紙などの原材料となる木材を生産する働き」に対する期待は、平成11（1999）年調査では9位だったが、令和元（2019）年調査では5位まで上昇しており[67]、木材を生産する働きに対する国民の期待が高まっていることがう

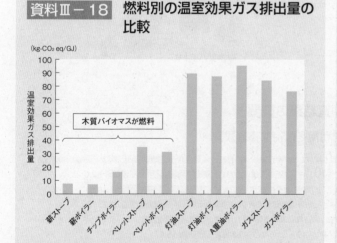

資料Ⅲ－18　燃料別の温室効果ガス排出量の比較

注：それぞれの燃料を専用の熱利用機器で燃焼した場合の単位発熱量当たりの原料調達から製造、燃焼までの全段階における二酸化炭素排出量。
資料：株式会社森のエネルギー研究所「木質バイオマスLCA評価事業報告書」（平成24（2012）年3月）

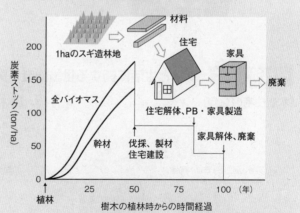

資料Ⅲ－19　木材利用における炭素ストックの状態

注：1haの林地に植林されたスギが大気中からCO₂を吸収して体内に炭素として固定し、伐採後も住宅や家具として一定期間利用されることで炭素を一定量固定し続けることを示している。
資料：大熊幹章（2012）山林, No.1541: 2-9.

*67　内閣府「森林と生活に関する世論調査」のうち、森林に期待する役割の変遷について詳しくは、第Ⅰ章第1節（1）の資料Ⅰ－6（56ページ）を参照。

かがえる。

　様々な建物や製品に木材を利用すべきかどうかについて尋ねたところ、「利用すべきである」と答えた者の割合が88.9%となり、その理由として「触れた時にぬくもりが感じられるため」「気持ちが落ち着くため」を挙げた者が約6割となった。

　今後住宅を建てたり、買ったりする場合に選びたい住宅について尋ねたところ、「木造住宅（昔から日本にある在来工法のもの）」及び「木造住宅（ツーバイフォー工法など在来工法以外のもの）」と答えた者の割合が73.6%となり、「非木造住宅（鉄筋、鉄骨、コンクリート造りのもの）」と答えた者の23.7%を大きく上回った。

　どのような施設に木材が利用されることを期待するか聞いたところ、「保育園・教育施設」が75.6%となったほか、「医療・福祉施設」、「宿泊施設」、「ス

資料Ⅲ−20　森林資源の循環利用（イメージ）

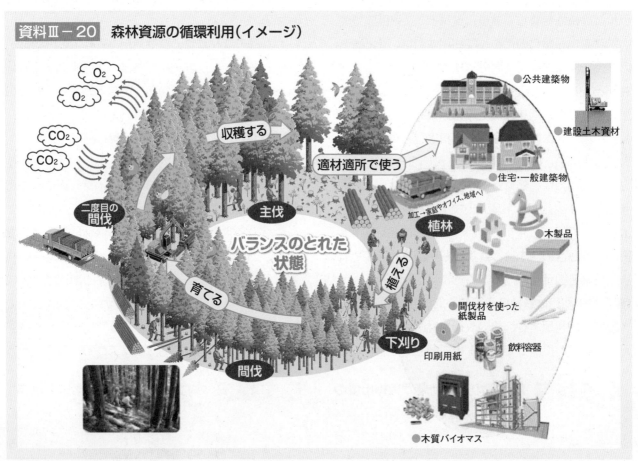

資料Ⅲ−21　森林と生活に関する世論調査　調査結果の概要

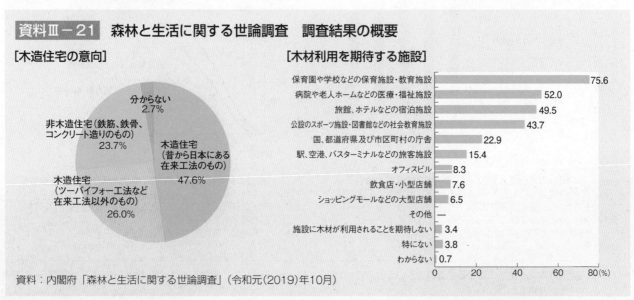

[木造住宅の意向]

- 分からない 2.7%
- 非木造住宅（鉄筋、鉄骨、コンクリート造りのもの） 23.7%
- 木造住宅（昔から日本にある在来工法のもの） 47.6%
- 木造住宅（ツーバイフォー工法など在来工法以外のもの） 26.0%

[木材利用を期待する施設]

施設	%
保育園や学校などの保育施設・教育施設	75.6
病院や老人ホームなどの医療・福祉施設	52.0
旅館、ホテルなどの宿泊施設	49.5
公設のスポーツ施設・図書館などの社会教育施設	43.7
国、都道府県及び市区町村の庁舎	22.9
駅、空港、バスターミナルなどの旅客施設	15.4
オフィスビル	8.3
飲食店・小型店舗	7.6
ショッピングモールなどの大型店舗	6.5
その他	—
施設に木材が利用されることを期待しない	3.4
特にない	3.8
わからない	0.7

資料：内閣府「森林と生活に関する世論調査」（令和元（2019）年10月）

ポーツ・社会教育施設」はいずれも４割以上となった。

このように、木材利用に関する国民の関心が高まっている中、森林環境譲与税が創設され、森林整備とともに木材利用の促進も使途に位置付けられたことで、都市部における木材利用が進み、山村部における森林整備との間の経済の好循環が生まれることや都市部住民の森林・林業に関する理解の醸成が進むことなどが期待されている。

（２）建築分野における木材利用

（建築分野全体の木材利用の概況）

我が国の建築着工床面積の現状を用途別・階層別にみると、１～３階建ての低層住宅の木造率は８割に上るが、４階建て以上の中高層建築及び非住宅建築の木造率はいずれも１割以下と低い状況にある（資料Ⅲ－22）。このことから、住宅が木材の需要、特に国産材の需要にとって重要であるとともに、中高層及び非住宅分野については需要拡大の余地がある。

（ア）住宅における木材利用
（住宅分野は木材需要に大きく寄与）

我が国の新設住宅着工戸数は、昭和48（1973）年に過去最高の191万戸を記録した後、長期的にみると減少傾向にあり、平成21（2009）年の新設住宅着工戸数は、昭和40（1965）年以来最低の79万戸であった。平成22（2010）年以降、我が国の新設住宅着工戸数は４年連続で増加した後、平成26（2014）年は前年比９％減の89万戸となったが、平成30（2018）年は前年比２％減の94万戸となっている。

資料Ⅲ－22　階層別・構造別の着工建築物の床面積

注：住宅とは居住専用建築物、居住専用準住宅、居住産業併用建築物の合計であり、非住宅とはこれら以外をまとめたものとした。
資料：国土交通省「建築着工統計調査2019年」より林野庁作成。

資料Ⅲ－23　新設住宅着工戸数と木造率の推移

[総数]

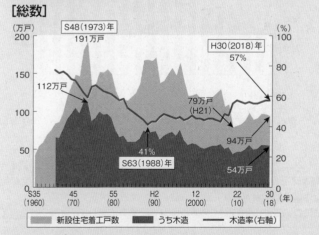

[建て方別]

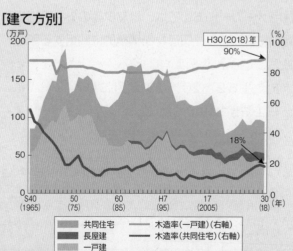

注１：新設住宅着工戸数は、一戸建、長屋建、共同住宅（主にマンション、アパート等）における戸数を集計したもの。
　２：昭和39（1964）年以前は木造の着工戸数の統計がない。
資料：国土交通省「住宅着工統計」

木造住宅の新設住宅着工戸数についても、昭和48（1973）年に112万戸を記録した後、全体の新設住宅着工戸数と同様の推移を経て、平成30（2018）年は前年比１％減の54万戸となっている。また、新設住宅着工戸数に占める木造住宅の割合（木造率）は、平成21（2009）年に上昇して以降はほぼ横ばいで、平成30（2018）年は57％となっている（資料Ⅲ－23）。そのうち、一戸建住宅における木造率は90％と高い水準にある（平成30（2018）年）。一方、共同住宅では18％となっている。その中で、木造３階建て以上の共同住宅の建築確認棟数は近年増加しており、平成25（2013）年の755棟から、平成30（2018）年には3,604棟となっている（資料Ⅲ－24）。平成の初期と比較すれば全体として減少はしているものの、住宅分野は依然として木材の大きな需要先である。

我が国における木造住宅の主要な工法としては、「在来工法（木造軸組構法）」、「ツーバイフォー工法（枠組壁工法）」及び「木質プレハブ工法」の３つが挙げられる[68]。令和元（2019）年における工法別のシェアは、在来工法が77％、ツーバイフォー工法が21％、木質プレハブ工法が２％となっている[69]。在来工法による木造戸建て注文住宅については、半数以上が年間供給戸数50戸未満の中小の大工・工務店により供給されたものであり[70]、中小の大工・工務店が木造住宅の建築に大きな役割を果たしている。

（住宅分野における国産材利用拡大の動き）

住宅メーカーにおいては、米マツ等の外材の価格上昇の影響もあり、国産材を積極的に利用する取組が拡大している（事例Ⅲ－3）。

また、平成27（2015）年３月には、ツーバイフォー工法部材のJASが改正[71]され、国産材（ス

ギ、ヒノキ、カラマツ）のツーバイフォー工法部材強度が適正に評価されるようになった。さらに、九州や東北地方においてスギのスタッド[72]の量産に取り組む事例がみられるなど、国産材のツーバイフォー工法部材の安定供給体制も整備されつつある[73]。

これらの取組により、これまであまり国産材が使

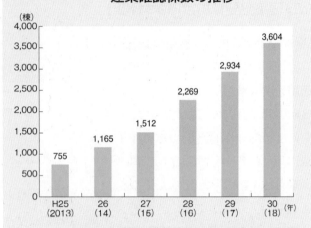

資料Ⅲ－24 木造３階建て以上の共同住宅の建築確認棟数の推移

（棟）

H25（2013）	26（14）	27（15）	28（16）	29（17）	30（18）
755	1,165	1,512	2,269	2,934	3,604

資料：国土交通省「木造３階建て住宅及び丸太組構法建築物の建築確認統計」

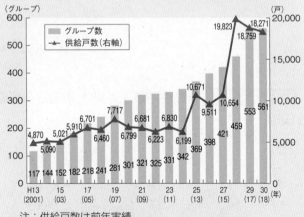

資料Ⅲ－25 「顔の見える木材での家づくり」グループ数及び供給戸数の推移

（グループ）　　　　　　　　　　　　　　　　　　　　（戸）

凡例：
- グループ数
- 供給戸数（右軸）

グループ数：
H13（2001）117、15（03）144、152、17（05）182、218、19（07）241、281、21（09）301、321、23（11）325、331、342、25（13）369、398、27（15）421、459、29（17）553、30（18）561

供給戸数：
4,870、5,090、5,021、5,910、6,701、6,460、7,717、6,799、6,681、6,223、6,830、6,199、10,671、9,511、10,654、19,823、18,759、18,271

注：供給戸数は前年実績。
資料：林野庁木材産業課調べ。

---

[68] 「在来工法」は、単純梁形式の梁・桁で床組みや小屋梁組を構成し、それを柱で支える柱梁形式による建築工法。「ツーバイフォー工法」は、木造の枠組材に構造用合板等の面材を緊結して壁と床を作る建築工法。「木質プレハブ工法」は、木材を使用した枠組の片面又は両面に構造用合板等をあらかじめ工場で接着した木質接着複合パネルにより、壁、床、屋根を構成する建築工法。

[69] 国土交通省「住宅着工統計」（令和元（2019）年）。在来工法については、木造住宅全体からツーバイフォー工法、木質プレハブ工法を差し引いて算出。

[70] 請負契約による供給戸数についてのみ調べたもの。国土交通省調べ。

[71] 「枠組壁工法構造用製材の日本農林規格の一部を改正する件」（平成27年農林水産省告示第512号）

[72] ツーバイフォー工法における間柱。

[73] 取組の事例については、「平成30年度森林及び林業の動向」第Ⅳ章第３節（2）の事例Ⅳ－8（199ページ）を参照。

われてこなかったツーバイフォー工法において、国産材利用が進んでいる。

（地域で流通する木材を利用した家づくりも普及）

平成の初め頃（1990年代）から、木材生産者や製材業者、木材販売業者、大工・工務店、建築士等の関係者がネットワークを構築し、地域で生産された木材や自然素材を多用して、健康的に長く住み続けられる家づくりを行う取組がみられるようになった[74]。

林野庁では、平成13（2001）年度から、森林所有者から大工・工務店等の住宅生産者までの関係者が一体となって、消費者の納得する家づくりに取り組む「顔の見える木材での家づくり」を推進している。平成30（2018）年度には、関係者の連携による家づくりに取り組む団体数は561、供給戸数は18,271戸となった（資料Ⅲ−25）。

また、国土交通省では、平成24（2012）年度から、「地域型住宅ブランド化事業」により、資材供給から設計・施工に至る関連事業者から成るグループが、グループごとのルールに基づき、地域で流通する木材を活用した木造の長期優良住宅[75]等を建設する場合に建設工事費の一部を支援してきた。平成27（2015）年度からは「地域型住宅グリーン化事業」により、省エネルギー性能や耐久性等に優れた木造住宅等を整備する地域工務店等に対して支援しており、平成31（2019）年3月現在、794のグループが選定され、約9,000戸の木造住宅等を整備する予定となっている。

総務省では、平成12（2000）年度から、都道府県や市町村による地域で流通する木材の利用促進の

事例Ⅲ−3 住宅メーカーによる国産材利用拡大に向けた取組

三菱地所ホーム株式会社は、森林資源の適正な利用と林業の持続的かつ健全な発展を図るため、これまで構造用合板や土台において国産材を採用してきた。

平成27（2015）年ツーバイフォー工法部材のJAS規格の改正、構造計算指針等の改定など、輸入材以外でもツーバイフォー工法の設計がしやすい環境が整ってきたこと、JAS規格品を安定的に調達できるルートを構築できたことから、平成30（2018）年11月以降の受注物件から、ツーバイフォー工法による新築注文戸建住宅において、壁枠組の縦枠及び上下枠に国産材を全棟標準採用[注1]した。同社の試算によると、1棟当たりの国産材使用率は82%[注2]を達成することとなる。

同社は、「合法木材、国産木材を積極的に活用した住宅仕様の採用」を促進し、持続可能な社会の実現に貢献していくとしている。

注1：一部商品を除く。
注2：同社商品ONE ORDERによる試算。
資料：三菱地所ホーム株式会社プレスリリース「新築注文住宅事業における国産材の利用促進　壁枠組に国産材を全棟標準採用」（平成30（2018）年10月16日付け）

構造材の国産材使用率

施工事例（市川ホームギャラリー）

---

[74] 嶋瀬拓也（2002）林業経済, 54（14）: 1-16.
[75] 構造の腐食、腐朽及び摩損の防止や地震に対する安全性の確保、住宅の利用状況の変化に対応した構造及び設備の変更を容易にするための措置、維持保全を容易にするための措置、高齢者の利用上の利便性及び安全性やエネルギーの使用の効率性等が一定の基準を満たしている住宅。

取組に対して地方財政措置を講じており、地域で流通する木材を利用した住宅の普及に向けて、都道府県や市町村が独自に支援策を講ずる取組が広がっている。平成30（2018）年8月現在、38府県と275市町村が、本制度を活用して地域で流通する木材を利用した住宅の普及に取り組んでいる[*76]。

（イ）非住宅・中高層分野における木材利用
（非住宅・中高層分野における木材利用の概要）

木造住宅については、近年55万戸程度で横ばいで推移しているものの、住宅取得における主たる年齢層である30歳代、40歳代[*77]の人口の減少[*78]や、住宅ストックの充実と中古住宅の流通促進施策の進展などにより、今後、我が国の新設住宅着工戸数は全体として減少する可能性がある。

このため、林業・木材産業の成長産業化を実現していくためには、中高層分野及び非住宅分野の木造化や内外装の木質化を進め、新たな木材需要を創出することが極めて重要である。

近年、新たな木質部材等の製品・技術の開発も進められてきており、中高層分野や非住宅分野で木材を利用できる環境が制度や技術面において整えられつつある。

例えば、建築物の木造・木質化に資する観点等から、「建築基準法」においては火災時の避難安全や延焼防止等のための、構造材としての木材の利用に対する制限について規模、用途、立地に応じて防耐火の基準が設けられているが、安全性を担保しつつ建築基準の合理化が進められている。

また、技術面では、CLTや木質耐火部材に係る製品・技術の開発が進んでおり、実際の建築物への利用がはじまりつつある[*79]。

（低層非住宅における木材利用の事例）

低層の非住宅建築は多くが鉄骨造で建築されているが、小規模建築では戸建て住宅と同様の工法で建設できるものもある。店舗等では柱のない大空間が求められる場合があるが、大断面集成材を使わず、一般流通材[*80]でも大スパンを実現できる構法の開発等により、材料費や加工費を抑え鉄骨造並みのコストで低層非住宅建築物を建設できるようになってきている。プレカット事業も営む住宅資材の総合商社である株式会社マルオカ（長野県長野市）は、令和元（2019）年5月に、さいたま市内の営業所を、一般流通材を用いた3階建て木造事務所に建て替えた。プレカット工場での特殊加工を必要としない一般流通材を用いることを前提にした設計や、建築主、設計者、工務店の密な連携により、建築工事費は鉄骨造でつくるのに比べ同等以下に抑えている。

（中高層建築物等における木材利用の事例）

中高層建築物等については、一般的に高い防耐火性能が求められるが、一定の性能を満たせば、木造でも建築することが可能となる。

一般流通材を用いて建設することにより建設コストを低減している事例があり、特に体育館やドーム等では天井を高くするなどの対応で木質耐火部材を用いない取組がみられる。大分県立武道スポーツセンター（大分県大分市）では、一般流通材を用い、コストを抑えた上で、屋根を支える約70mの梁（はり）を実現した。大分県産のスギ製材を用い、設計により耐火基準を満たし無垢材の梁（はり）を現（あらわ）しにした木造耐火建築物となっている。

一方で、多くの中高層建築物では、耐火部材を使うことで耐火建築物としている。令和元（2019）年8月に完成した長門市役所本庁舎（山口県長門（ながと）市）は、準防火地域に木造と鉄筋コンクリート造によるハイブリット構造の5階建てで建設された。木材は全て長門（ながと）市産材で、1～5階まで全て耐火木構造とし、特に1階の梁（はり）に2時間耐火部材を用いたのは全国初となる。木造と鉄筋コンクリート造のハイブリット構造にすることで、建物の重量を全て鉄筋コンクリート造にした場合の約77%に軽量化している。

欧米を中心として、CLTを壁や床等に活用した中高層建築物が建てられ、カナダでは18階建ての学生寮が建てられている。CLTは施工の容易さなどの利点があり、我が国においても中高層建築物で

---

*76　林野庁木材産業課調べ。
*77　国土交通省「平成29年度住宅市場動向調査」
*78　総務省「国勢調査」
*79　CLTや木質耐火部材に係る製品・技術の開発について詳しくは、第Ⅲ章第3節（9）210-212ページを参照。
*80　ここでは、住宅用に生産・流通しているサイズと長さと樹種の製材品を「一般流通材」としている。

180 ── 令和元年度森林及び林業の動向

の利用が期待される。

平成31（2019）年２月に完成したPARK WOOD高森（宮城県仙台市）は、木造と鉄骨造を組み合わせた国内初の高層10階建ての集合住宅で、２時間耐火構造の木質耐火部材を柱の一部に、CLTを床及び耐震壁に使用している。木造化による建物の軽量化で、地盤・基礎が合理化され、また同時にその軽量性による施工効率の向上で、鉄筋コンクリート造に比べ３か月程度の工期短縮が実現している。

（改修時における内外装木質化の事例）

新しく建築物を建てる場合だけでなく、建物の大規模改修に合わせて施設を木質化する例もみられる。

おりづるタワー屋上展望台「ひろしまの丘」（広島県広島市）は、都市部の鉄筋コンクリート造のビ

コラム　建築基準法における木造建築物に係る防火関係規定の変遷

「建築基準法」（昭和25年法律第201号）では、建築物の火災から人命、財産を保護するため、各種の防火関係規定が定められている。

木造建築物についても、例えば、防火上重要な柱、はり、壁等の主要構造部については、火災による倒壊等による周囲の建築物への加害を防止するため、その規模に応じた規定が定められている。そのほかにも、不特定や多数の者が利用する建築物（店舗、学校、共同住宅等）については、建築物の倒壊や延焼の防止による在館者の避難安全の確保のため、また、都市部で指定される防火地域等における一定規模以上の建築物については、周囲の建築物への延焼等による市街地火災を防止するため、それぞれ、火災による火熱に対して一定の性能を有することが求められる。

防火関係規定は、木造建築物について、過去の火災の経験からその利用を制限してきた一方、木材利用の観点から、技術的に安全が確認できたものについて合理化が進められてきた（表）。

例えば、昭和62（1987）年の改正では、従来、一定規模（高さ13m等）を超える木造建築物は禁止されていたところ、火災時の燃え残り部分で構造耐力を維持できる厚さを確保する燃えしろ設計が導入され、一定の技術的基準に適合する大断面木造建築物が可能となった。

また、平成10（1998）年の改正では、性能規定化によって木造の耐火建築物が可能となり、主要構造部の木材を防火被覆等により耐火構造とする方法のほか、設計上の工夫により、耐火性能検証法や大臣認定による高度な検証法を用いる方法が位置付けられた。これらの検証法は天井への延焼を防ぎやすい広い空間のある体育館やドーム建築で採用されることが多い。

直近では、平成30（2018）年の改正において、耐火構造等としなくてよい木造建築物の規模について、高さが13m以下から16m以下へ見直されるなどした。また、耐火構造等とすべき場合でも、延焼範囲を限定する防火の壁等の設置などの消火の措置の円滑化により、主要構造部について、木材をそのまま見せる「あらわし」とすることが可能となった。さらに、防火地域等において、耐火建築物とする方法に加え、外壁や窓の性能を高めること等により、内部の柱やはり等に木材を「あらわし」で利用する方法も可能となった。

これまで、建築基準法における防火関係規定等の合理化により、建築物に木材を利用できる範囲が拡大されてきた。今後、これらに基づき、都市部の中高層建築物や低層非住宅建築物等における木造化・木質化の一層の促進が期待される。

改正年	改正の概要
昭和62（1987）年	○燃えしろ設計による大断面木造建築物が可能に。
平成４（1992）年	○準耐火構造・準耐火建築物の規定が創設。 ○防火・準防火地域外で木造３階建て共同住宅が可能に。
平成10（1998）年	○性能規定化により、木造による耐火構造・耐火建築物が可能に。 ○準防火地域で木造３階建て共同住宅が可能に。
平成26（2014）年	○木造３階建て学校等が可能に。
平成30（2018）年	○耐火構造等とすべき木造建築物の対象の見直し。 　（高さ13m超・軒高９m超→高さ16m超・階数４以上） ○消火の措置の円滑化等により、中層の木造建築物を木材のあらわしで建築可能に。 ○防火地域等において、延焼防止性能を総合的に評価する設計が可能に。

表　木造建築物における防火関係規定の主な変遷

《非住宅・中高層分野での木材利用の事例》

[低層非住宅建築物]

屋久島町庁舎
（鹿児島県屋久島町）

ローソン館林木戸町店
（群馬県館林市）
（写真提供：石田　篤）

[中高層建築物等]

大分県立武道スポーツセンター
（大分県大分市）

株式会社マルオカ埼玉営業所
（埼玉県さいたま市）

長門市役所庁舎
（山口県長門市）

PARK WOOD 高森
（宮城県仙台市）

おりづるタワー屋上展望台「ひろしまの丘」
（広島県広島市）

糸魚川市駅北復興住宅
（新潟県糸魚川市）

ルを大規模改修し、内装や外装に木材を効果的に使用することで、新たな観光施設としてリニューアルした。床材に熱処理したヒノキ材、天井に不燃化処理したスギ材を使用し、耐久性や防耐火に対応している。

（非住宅分野における木材利用の課題）

中高層等の大規模な建築物において木材利用を進めるに当たっての課題としては、大断面集成材の使用や耐火建築物とすることによりコストがかかり増しになることや、まとまった量の地域材を活用して施設整備を行う場合に材の調達に時間を要することがあること、建築物の木造化・内装等の木質化に関する充分な知識・経験を有する設計者が少ないこと等が挙げられる。

地域材の調達に関しては、住宅に用いられる一般に流通している木材を用いて建築する試みがみられている。また、大断面集成材などで特注となる場合は、産地と結びついて、着工前の早い段階から集材

している例がみられる。特に公共建築物で地元の木材を使いたい場合で大規模な製材所がないときは、材の調達が難しいが、地元の林業や木材産業が結びついて、まとまった量を確保している事例がみられる（事例Ⅲ－4）。

また、一般社団法人中大規模木造プレカット技術協会は、一般流通材とプレカット技術を活用した経済的かつ地域の事業者が参加できる中大規模木造づくりの仕組みの整備や、中大規模木造に求められる技術の開発・標準化及びその普及に取り組むとともに中大規模木造建築普及のための設計・施工技術者の育成や支援を実施している。

（木材利用に向けた人材の育成、普及の取組）

木造建築物の設計を行う技術者等の育成も重要であり、林野庁では、国土交通省と連携し、平成22（2010）年度から、木材や建築を学ぶ学生等を対象とした木材・木造技術の知識習得や、住宅・建築分野の設計者等のレベルアップに向けた活動に対して

事例Ⅲ－4 「タニチシステム」を活用した地場産業の活性化に向けた取組

令和元（2019）年7月、山形県高畠町に木質部分の99％を町産のスギで作った町立図書館が開設された。

建築工事では、工事業者が材料調達と施工をあわせて工事を行う場合が多い。特に、公共案件では、年度内に建材を調達する必要があり、原木から建築部材に加工する納期が間に合わず、全ての部材を地域材で賄うことは困難である。

本プロジェクトでは、地域経済の活性化のために、原木供給、製材及び加工を地域で担うことにこだわり、谷知大輔氏[注1]が、地域の事業者延べ17業者と交渉し、流通コーディネートや、品質・コスト・納期の管理に加えて、関係者のモチベーションの向上にも取り組んだ。また、地域材の活用率向上やコスト削減のために、施工場所を選んで節あり材を意匠で使うなど歩留まりの向上に向けた工夫を行い、全ての事業者が適正な価格で仕事をできるようにした。

木材流通システムの最適化を通じて地場産業の活性化や人と人の絆の再構築を目指す「タニチシステム[注2]」は、今後の地域材の有効活用モデルとして注目されている。

注1：パワープレイス株式会社ウッドデザイナー
注2：武蔵野美術大学造形構想学部若杉浩一教授が命名。

高畠町立図書館の館内
（写真：太田　拓実）

関係者で打ち合わせする様子

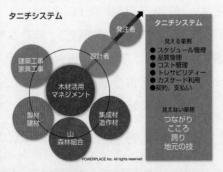

タニチシステムの概要

支援してきた*81。平成26（2014）年度からは、木造率が低位な非住宅建築物や中高層建築物等へのCLT等の新たな材料を含む木材の利用を促進するため、このような建築物の木造化・木質化に必要な知見を有する設計者等の育成に対して支援している。都道府県独自の取組としても、木造建築に携わる設計者等の育成が行われている。

また、CLT等の製造を行っている製材工場が設計に協力し、木材利用を進めている例がある。

（国産材の利用拡大に向けた取組の広がり）

建築物の施主となる企業等が、我が国の森林資源の有効活用や山村地域の振興といった観点から都市の木造化・木質化をテーマとしたシンポジウムを開催するなど、国産材利用の気運が高まってきている。このような中で、林業・木材産業に関わる金融機関、企業、団体及び大学研究機関が連携し、木材利用の拡大に向けた調査・研究・制作活動等を通じて各種の課題解決を図る取組が実施されている。

平成28（2016）年に、農林中央金庫が事務局となり、木材利用拡大に向けた各種課題の解決を図る「産・学・金」のプラットフォームとして、「ウッドソリューション・ネットワーク」が設立された。ウッドソリューション・ネットワークでは、①構造材への利用の拡大、②内装材への利用の拡大、③木材バリューチェーンにおける「川上」・「川中」・「川下」の相互間理解の深化に関する３つの分科会において、調査、研究、制作活動等を実施し、令和元（2019）年８月には、民間企業の経営層に向けて木造建築の意義やメリット、事業用建物の木造建築事例を紹介したアプローチブック*82を発行した。

平成30（2018）年には、全国知事会において国産木材活用の推進を目指すプロジェクトチームが結成され、都道府県（平成31（2019）年２月現在、45都道府県が参画）が連携して、新たな国産木材の需要の創出に向けた調査、研究を進めるとともに、国への提案・要望活動を行っていくこととされた*83。調査、研究を行う個別テーマの一つとして「ブ

ロック塀から木塀への転換」などが例示されており、東京都を始めとした複数の自治体で、木塀設置に向けた取組が実施されている。塀への木材利用の取組については、林野庁においても、住宅及び非住宅の外構部について、木質化を実証的に行う取組に対し支援を行っているほか、木材関連団体において、木塀の標準的なモデルや仕様を公表する動きが出てきている。

平成31（2019）年２月に、民間企業（建設事業者、設計事業者、施主等の木材の需要者）や関係団体、行政等が連携し、非住宅分野における木材利用促進に向けた懇談会である「ウッド・チェンジ・ネットワーク」を立ち上げ、需要サイドとしての木材利用を進めるための課題・条件の整理や、建築物への木材利用方策の検討等を進めている。同年４月には第２回会合が開催され、参加企業等が中心となって、低層小規模、中規模ビル、木質化の別にノウハウの共有等の取組を進めることとなった。令和２（2020）年３月の第３回会合では、今までワーキング・グループで検討した内容や各メンバーのウッド・チェンジの取組について情報共有し、民間非住宅建築物において更なる木材利用の取組を進めることとした。

さらに、令和元（2019）年11月には、公益社団法人経済同友会が中心となって、国産材利用拡大を目指すネットワーク組織「木材利用推進全国会議」が発足した。同会議には、各地経済同友会、都道府県、市町村、金融各社を含む企業・団体など、植林・伐採から木材加工、設計、施工、国産材の活用に至る全てのステークホルダーが連携することで、「木」を起点として、経済合理性と持続可能性を両立する豊かな地域社会の実現を目指すこととしている。

（ウ）公共建築物等における木材利用

（法律に基づき公共建築物等における木材の利用を促進）

我が国では、戦後、火災に強いまちづくりに向けて耐火性に優れた建築物への要請が強まるととも

---

*81　一般社団法人木を活かす建築推進協議会「平成25年度木のまち・木のいえ担い手育成拠点事業成果報告書」（平成26（2014）年３月）

*82　ウッドソリューション・ネットワーク「非住宅木造推進アプローチブック「時流をつかめ！企業価値を高める木造建築〜持続可能な木材利用を経営戦略に取り込もう〜」」（令和元（2019）年８月）

*83　全国知事会ホームページ「平成30年10月11日「国産木材活用プロジェクトチーム会議」の開催について」

に、戦後復興期の大量伐採による森林資源の枯渇や国土の荒廃が懸念されたことから、国や地方公共団体が率先して建築物の非木造化を進め、公共建築物への木材の利用が抑制されていた。このため、現在も公共建築物における木材の利用は低位にとどまっている。一方、公共建築物はシンボル性と高い展示効果があることから、公共建築物を木造で建設することにより、木材利用の重要性や木の良さに対する理解を深めることが期待できる。

このような状況を踏まえて、平成22（2010）年10月に、木造率が低く潜在的な需要が期待できる公共建築物に重点を置いて木材利用を促進するため、「公共建築物等における木材の利用の促進に関する法律*84」が施行された。同法では、国が「公共建築物における木材の利用の促進に関する基本方針」を策定して、木材の利用を進める方向性を明確化する*85とともに、地方公共団体や民間事業者等に対して、国の基本方針に即した取組を促す*86こととしている。

平成29（2017）年6月には、同法施行後の国、地方公共団体による取組状況を踏まえ、同基本方針を変更し、地方公共団体は、同基本方針に基づく措置の実施状況の定期的な把握や木材利用の促進のための関係部局横断的な会議の設置に努めること、国や地方公共団体はCLT、木質耐火部材等の新たな木質部材の積極的な活用に取り組むこと、3階建ての木造の学校等について一定の防火措置を行うことで準耐火構造等での建築が可能となったことから積極的に

木造化を促進すること等を規定した。

国では、23の府省等の全てが同法に基づく「公共建築物における木材の利用の促進のための計画」を策定しており、地方公共団体では、全ての都道府県と1,741市町村のうち92％に当たる1,601市町村が、同法に基づく「公共建築物における木材の利用の促進に関する方針」を策定している*87。

このほか、公共建築物だけでなく、公共建築物以外での木材利用も促進するため、森林の公益的機能発揮や地域活性化等の観点から、行政の責務や森林所有者、林業事業者、木材産業事業者等の役割を明らかにした条例を制定する動きが広がりつつある。令和2（2020）年1月末時点で、17県及び7市町村*88において、木材利用促進を主目的とする条例が施行されている。また、12道県及び18市町村*89が森林づくり条例等に木材利用促進を位置付

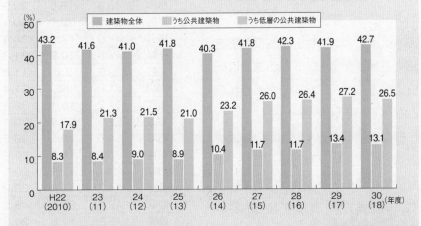

資料Ⅲ-26　建築物全体と公共建築物の木造率の推移

凡例：建築物全体　うち公共建築物　うち低層の公共建築物

年度	建築物全体	うち公共建築物	うち低層の公共建築物
H22（2010）	43.2	8.3	17.9
23（11）	41.6	8.4	21.3
24（12）	41.0	9.0	21.5
25（13）	41.8	8.9	21.0
26（14）	40.3	10.4	23.2
27（15）	41.8	11.7	26.0
28（16）	42.3	11.7	26.4
29（17）	41.9	13.4	27.2
30（18）	42.7	13.1	26.5

注1：国土交通省「建築着工統計調査2018年度」のデータを基に林野庁が試算。
　2：木造とは、建築基準法第2条第5号の主要構造部（壁、柱、床、はり、屋根又は階段）に木材を利用したものをいう。
　3：木造率の試算の対象には住宅を含む。また、新築、増築、改築を含む（低層の公共建築物については新築のみ）。
　4：「公共建築物」とは国及び地方公共団体が建築する全ての建築物並びに民間事業者が建築する教育施設、医療・福祉施設等の建築物をいう。
資料：林野庁プレスリリース「平成30年度の公共建築物の木造率について」（令和2（2020）年3月18日付け）

＊84　「公共建築物等における木材の利用の促進に関する法律」（平成22年法律第36号）
＊85　「公共建築物等における木材の利用の促進に関する法律」第7条第1項
＊86　「公共建築物等における木材の利用の促進に関する法律」第4条から第6条まで
＊87　方針を策定している市町村数は令和2（2020）年3月末現在の数値。
＊88　岩手県、秋田県、茨城県、栃木県、群馬県、新潟県、富山県、石川県、福井県、山梨県、兵庫県、岡山県、広島県、徳島県、香川県、愛媛県、高知県、徳島県三好市、高知県四万十町、梼原町、熊本県湯前町、山江村、宮崎県日南市、日之影町。
＊89　北海道、宮城県、長野県、岐阜県、静岡県、三重県、滋賀県、奈良県、和歌山県、福岡県、宮崎県、鹿児島県、北海道弟子屈町、石川県金沢市、岐阜県関市、揖斐川町、愛知県豊田市、新城市、設楽町、東栄町、豊根村、兵庫県丹波篠山市、鳥取県若桜町、島根県津和野町、岡山県津山市、鏡野町、西粟倉村、愛媛県久万高原町、高知県梼原町、長崎県対馬市。

けている。そのほか、5府県と1市[*90]で地球温暖化防止に関する条例に、温室効果ガスの吸収及び固定作用の観点から、適切な森林整備のための木材利用促進を位置付けており、3県と21市町村[*91]において地域活性化等に関する条例の中で、木材利用促進を位置付けている[*92]。

（公共建築物の木造化・木質化の実施状況）

　国、都道府県及び市町村が着工した木造の建築物は、平成30（2018）年度には2,340件であった。このうち、市町村によるものが1,923件と約8割となっている[*93]。同年度に着工された公共建築物の木造率（床面積ベース）は、13.1%となった。また、「公共建築物における木材の利用の促進に関する基本方針」により、積極的に木造化を促進することとされている低層（3階建て以下）の公共建築物においては、木造率は26.5%であった（資料Ⅲ-26）。さらに、都道府県ごとの木造率については、低層で5割を超える県がある一方、都市部では低位であるなど、ばらつきがある状況となっている（資料Ⅲ-27）。

　国の機関による木材利用の取組状況については、平成30（2018）年度に国が整備した公共建築物等のうち、同基本方針において積極的に木造化を促進するものに該当するものは98棟で、うち木造で整備を行った建築物は77棟であり、木造化率は78.6%であった。また、内装等の木質化を行った建築物は169棟であった。

　林野庁と国土交通省による検証チームは、平成30（2018）年度に国が整備した、積極的に木造化を促進するとされている低層の公共建築物等98棟のうち、各省各庁において木造化になじまないと判断された建築物21棟について、各省各庁にヒアリングを行い、木造化しなかった理由等について検証した。その結果、施設が必要とする機能等の観点から木造化が困難であったと評価されたものが13棟、木造化が可能であったと評価され

資料Ⅲ-27　都道府県別公共建築物の木造率（平成30（2018）年度）

都道府県	建築物全体	公共建築物	うち低層	都道府県	建築物全体	公共建築物	うち低層
		木造率(%)				木造率(%)	
北海道	46.9	17.0	29.4	滋賀	40.3	14.5	20.4
青森	60.6	25.0	30.1	京都	34.1	5.3	21.9
岩手	51.3	31.0	43.3	大阪	32.5	8.2	22.4
宮城	49.4	17.9	30.6	兵庫	41.6	8.5	25.0
秋田	60.7	25.4	38.9	奈良	52.2	14.7	15.6
山形	57.2	31.4	52.1	和歌山	44.0	13.1	23.9
福島	50.9	12.0	14.3	鳥取	53.6	18.8	28.8
茨城	53.6	31.2	48.4	島根	45.7	19.0	30.8
栃木	48.5	19.6	22.9	岡山	39.3	13.5	17.7
群馬	54.2	23.6	40.1	広島	43.3	11.8	25.2
埼玉	48.0	17.9	34.4	山口	44.7	15.8	30.7
千葉	43.8	10.9	21.3	徳島	48.6	10.9	20.6
東京	29.6	3.6	11.8	香川	49.8	7.8	15.1
神奈川	41.8	7.2	21.4	愛媛	51.8	24.0	41.1
新潟	52.2	15.1	32.5	高知	50.5	19.0	39.7
富山	52.0	20.9	30.4	福岡	36.7	11.7	24.0
石川	54.5	20.1	28.2	佐賀	52.7	23.8	35.8
福井	50.5	18.3	36.8	長崎	47.7	12.1	25.0
山梨	39.1	12.9	20.6	熊本	47.9	16.3	32.6
長野	54.2	17.9	28.9	大分	46.3	18.9	29.4
岐阜	49.2	25.5	48.5	宮崎	49.9	16.3	46.3
静岡	42.3	11.8	24.5	鹿児島	50.5	17.1	33.0
愛知	41.1	13.6	27.8	沖縄	7.0	0.6	1.6
三重	43.7	23.1	37.4	全国	42.7	13.1	26.5

注1：国土交通省「建築着工統計調査2018年度」のデータを基に林野庁が試算。
　2：木造とは、建築基準法第2条第5号の主要構造部（壁、柱、床、はり、屋根又は階段）に木材を利用したものをいう。
　3：木造率の試算の対象には住宅を含む。また、新築、増築、改築を含む（低層の公共建築物については新築のみ）。
　4：「公共建築物」とは国及び地方公共団体が建築する全ての建築物並びに民間事業者が建築する教育施設、医療・福祉施設等の建築物をいう。
資料：林野庁プレスリリース「平成30年度の公共建築物の木造率について」（令和2（2020）年3月18日付け）

---

*90　群馬県、山梨県、岐阜県、京都府、熊本県、京都府京都市。
*91　山形県、山口県、熊本県、北海道芦別市、日高町、下川町、美深町、津別町、雄武町、置戸町、岩手県紫波町、久慈市、秋田県北秋田市、滋賀県長浜市、東近江市、島根県隠岐の島町、山口県山口市、岩国市、萩市、徳島県上勝町、高知県梼原町、熊本県小国町、多良木町、南阿蘇村。
*92　林野庁調査「「木材利用促進に関する条例の施行・検討状況の調査について」の結果について」（令和2（2020）年3月25日）
*93　国土交通省「建築着工統計調査2018年度」

186── 令和元年度森林及び林業の動向

たものが8棟であった。木造化が可能であったと評価された8棟はおおむね自転車置場、車庫等の小規模な建築物であり、林野庁及び国土交通省では、これらについても木造化が徹底されるよう、各省各庁に対して働き掛けを行っていくこととしている。

これらの検証結果も踏まえ、平成30（2018）年度には、積極的に木造化を促進するとされている低層の公共建築物等のうち木造化が困難であったものを除いた木造化率は、90.6%となった（資料Ⅲ−28）。

低層の公共建築物については、民間事業者が整備する公共建築物が全体の6割以上を占めており、さらにその内訳をみると、医療・福祉施設が約8割となっている。今後、公共建築物への木材利用の一層の促進を図る上で、国や地方公共団体が整備する施設のみならず、これらの民間事業者が整備する施設の木造化・内装等の木質化を推進するための取組が必要である。このため、平成30（2018）年度と令和元（2019）年度の2年間にわたり、一般社団法人木を活かす建築推進協議会が医療・福祉施設における木材利用促進のための事例を収集するとともに、用途に応じた木材利用の基礎的な情報や留意事項等をとりまとめ、「木を活かした医療施設・福祉施設の手引き」を作成した*94。

（公共建築物の木造化・木質化における発注・設計段階からの支援）

林野庁では、公共建築物等の木造化・木質化の促進のため、地方公共団体等に木造化・木質化に係る事例

資料Ⅲ−28 国が整備する公共建築物における木材利用推進状況

整備及び使用実績	単位	平成28(2016)年度	平成29(2017)年度	平成30(2018)年度
基本方針において積極的に木造化を促進するとされている低層（3階建て以下）の公共建築物等 注1	棟数【A】	97	127	98
	延べ面積（㎡）	13,816	14,293	11,957
うち、木造で整備を行った公共建築物	棟数【B】	42	80	77
	延べ面積（㎡）	7,282	9,457	9,051
うち、各省各庁において木造化になじまない等と判断された公共建築物	棟数	55	47	21
うち、施設が必要とする機能等の観点から木造化が困難であったもの 注2	棟数【C】	35	23	13
うち、木造化が可能であったもの	棟数	20	24	8
木造化率【B/A】		43.3%	63.0%	78.6%
施設が必要とする機能等の観点から木造化が困難であったものを除いた木造化率【B/（A−C）】		67.7%	76.9%	90.6%
内装等の木質化を行った公共建築物 注3	棟数	189	171	169
木材の使用量 注4	㎡	3,689	3,139	4,206

注1：基本方針において積極的に木造化を促進するとされている低層の公共建築物等とは、国が整備する公共建築物（新築等）から、以下に記す公共建築物を除いたもの。
　　○建築基準法その他の法令に基づく基準において耐火建築物とすること又は主要構造部を耐火構造とすることが求められる公共建築物
　　○当該建築物に求められる機能等の観点から、木造化になじまない又は木造化を図ることが困難であると判断されると例示されている公共建築物
　　（例示）・災害時の活動拠点室等を有する災害応急対策活動に必要な施設
　　　　　・刑務所等の収容施設
　　　　　・治安上又は防衛上の目的から木造以外の構造とすべき施設
　　　　　・危険物を貯蔵又は使用する施設等
　　　　　・伝統的建築物その他の文化的価値の高い建築物
　　　　　・博物館内の文化財を収蔵し、若しくは展示する施設
　　○法施行前に非木造建築物として予算化された公共建築物
　　2：林野庁・国土交通省の検証チームにより、各省各庁において木造化になじまない等と判断された公共建築物について、各省各庁にヒアリングを行い、検証・分類した。
　　3：木造で整備を行った公共建築物の棟数は除いたもので集計。
　　4：当該年度に完成した公共建築物において、木造化及び木質化による木材使用量。木造で整備を行った公共建築物のうち、使用量が不明なものは、0.22㎡/㎡で換算した換算値。また、内装等に木材を使用した公共建築物で、使用量が不明なものについての木材使用量は未計上。
資料：林野庁と国土交通省による検証チームの検証結果等に基づき、林野庁木材利用課作成。

＊94　一般社団法人木を活かす建築推進協議会ホームページ「木を活かした医療施設・福祉施設の手引き」

やデータを幅広く情報提供している。

平成29（2017）年2月に作成した「公共建築物における木材利用優良事例集」では、近年建設された公共建築物における木材利用のモデル的な事例を収集・整理して紹介している。

このほか、木造公共建築物等の整備に係る支援として、木造建築の経験が少なく設計又は発注の段階で技術的な助言を必要とする地域に対し専門家を派遣して、発注者、木材供給者、設計者、施工者等の関係者と連携し課題解決に向けて取り組む事業を行った。同事業の結果、木材調達や発注に関するノウハウ等を得ることができた[95]。また、保育園建物と小学校建物について、木造と他構造のコスト比較等を行い、その結果、保育園建物については、木造と鉄骨造（木造と同等の内装木質化を実施）を比較した場合、スパンの小さい保育室では木造の方が安く、スパンの大きい遊戯室では同等の工事費となることが分かった[96]。小学校建物については、2教室と中廊下、2階建てを基本単位として、木造と鉄筋コンクリート造（内装木質化）のコストを比較した場合、木造の工事費の方が安くなることが分かった[97]。

（学校の木造化を推進）

学校施設は、児童・生徒の学習及び生活の場であり、学校施設に木材を利用することは、木材の持つ高い調湿性、温かさ、柔らかさ等の特性により、健康や知的生産性等の面において良好な学習・生活環境を実現する効果が期待できる[98]。

このため、文部科学省では、昭和60（1985）年度から、学校施設の木造化や内装の木質化を進めてきた。平成30（2018）年度に建設された公立学校施設の22.6%が木造で整備され、非木造の公立学校施設の50.5%（全公立学校施設の39.1%）で内装の木質化が行われている[99]。

文部科学省は、平成27（2015）年3月に、大規模木造建築物の設計経験のない技術者等でも比較的容易に木造校舎の計画・設計が進められるよう「木造校舎の構造設計標準（JIS A3301）」を改正するとともに、その考え方、具体的な設計例、留意事項等を取りまとめた技術資料を作成した。また、平成28（2016）年3月には、木造3階建ての学校を整備する際のポイントや留意事項をまとめた「木の学校づくり－木造3階建て校舎の手引－」を作成した。さらに、平成31（2019）年3月には「木の学校づくり－その構想からメンテナンスまで（改訂版）－」を、令和2（2020）年3月には「木の学校づくり 学校施設等のCLT活用事例」を作成した。

これらにより、地域材を活用した木造校舎や3階建て木造校舎の建設が進むだけでなく、木造校舎を含む大規模木造建築物の設計等の技術者の育成等が図られることにより、学校施設等での木材利用の促進が期待される。

また、文部科学省では、平成11（1999）年度以降、木材活用に関する施策紹介や専門家による講演等を行う「木材を活用した学校施設づくり講習会」を全国で開催し、林野庁では後援と講師の派遣を行っている。

さらに、文部科学省、農林水産省、国土交通省及び環境省が連携して行っている「エコスクール・プラス[100]」において、農林水産省では内装の木質化等の支援（令和元（2019）年度は1校が対象）を行っている。

---

*95　一般社団法人木を活かす建築推進協議会ホームページ「木造公共建築物等の整備に係る設計段階からの技術支援事業成果物「木造化・木質化に向けた20の支援ツール」」、「地域における民間部門主導の木造公共建築物等整備推進　報告書」
*96　一般社団法人木を活かす建築推進協議会ホームページ「平成28年度木造公共建築物誘導経費支援報告書」
*97　一般社団法人木を活かす建築推進協議会ホームページ「平成29年度木造公共建築物誘導経費支援報告書」
*98　林野庁「平成28年度都市の木質化等に向けた新たな製品・技術の開発・普及委託事業」のうち「木材の健康効果・環境貢献等に係るデータ整理」による「科学的データによる木材・木造建築物のQ&A」（平成29（2017）年3月）
*99　文部科学省ホームページ「公立学校施設における木材の利用状況（平成30年度）」（令和元（2019）年12月20日）
*100　学校設置者である市町村等が、環境負荷の低減に貢献するだけでなく、児童生徒の環境教育の教材としても活用できるエコスクールとして整備する学校を「エコスクール・プラス」として認定し、再生可能エネルギーの導入、省CO$_2$対策、地域で流通する木材の導入等の支援を行う事業であり、令和元（2019）年度には47校が認定されている。平成29（2017）年度に「エコスクールパイロット・モデル事業」を改称したもので、同事業における文部科学省との連携開始年度は、農林水産省が平成14（2002）年、国土交通省が平成24（2012）年、環境省が平成28（2016）年からとなっている。

（土木分野における木材利用）

　土木資材としての木材の特徴は、軽くて施工性が高いこと、臨機応変に現場での加工成形がしやすいことなどが挙げられる。

　土木分野では、かつて、橋や杭等に木材が利用されていたが、高度経済成長期を経て、主要な資材は鉄やコンクリートに置き換えられてきた。

　しかし、近年では、国産材針葉樹合板について、コンクリート型枠用、工事用仮囲い、工事現場の敷板等への利用が広がっているほか、木製ガードレール、木製遮音壁、木製魚礁、木杭等への木材の利用が進められている。

　このような中、「一般社団法人日本森林学会」、「一般社団法人日本木材学会」及び「公益社団法人土木学会」の3者は、平成19（2007）年に「土木における木材の利用拡大に関する横断的研究会」を結成し、平成25（2013）年3月に「提言「土木分野における木材利用の拡大へ向けて」」を発表している[101]。平成29（2017）年3月には、土木分野での木材利用の拡大の実現に向けた取組を進める中でみえてきた解決すべき課題に対処するため、土木分野における木材利用量の実態を把握すること等について、「提言「土木分野での木材利用拡大に向けて」－地球温暖化緩和・林業再生・持続可能な建設産業を目指して－」を発表している[102]。

（3）木質バイオマスの利用

　木質バイオマスは、従来から、製紙、パーティクルボード等の木質系材料やエネルギー用として利用されてきた。平成28（2016）年9月に閣議決定された「バイオマス活用推進基本計画」においては、木質系を含む各種のバイオマスについて利用率の目標が設定されるとともに、効率的なエネルギー変換・利用やマテリアル（素材）利用に向けた開発等を推進するとされている。

（ア）木質バイオマスのエネルギー利用

　木材は、昭和30年代後半の「エネルギー革命」以前は、木炭や薪の形態で日常的なエネルギー源として多用されていた。近年では、再生可能エネルギーの一つとして、燃料用の木材チップや木質ペレット等の木質バイオマスが再び注目されている[103]。

　平成28（2016）年5月に閣議決定された「森林・林業基本計画」では、令和7（2025）年における国内生産する燃料材（ペレット、薪、炭及び燃料用チップ）の利用目標を800万㎥と見込んでいる。その上で、木質バイオマスのエネルギー利用に向けて、「カスケード利用[104]」を基本としつつ、木質バイオマス発電施設における間伐材・林地残材等の利用、地域における熱電併給システムの構築等を推進していくこととしている。

　「バイオマス活用推進基本計画」では、「林地残材[105]」について、平成26（2014）年の年間発生量約800万トンに対し約9%となっている利用率を、令和7（2025）年に約30%以上とすることを目標として設定している（資料Ⅲ－29）。

（間伐材・林地残材等の未利用材には供給余力）

　近年では、木質バイオマス発電所の増加等により、エネルギーとして利用された木質バイオマスの量が年々増加している。平成30（2018）年には、木材チップ、薪、炭等を含めた燃料材の国内消費量は前年比16%増の902万㎥となっており、うち国内生産量は624万㎥（前年比4%増）、うち輸入量は277万㎥（前年比57%増）となっている[106]（資料Ⅲ－30）。

　「木質バイオマスエネルギー利用動向調査」によれば、平成30（2018）年にエネルギーとして利用された木材チップの量は、製材等残材[107]由来が

---

*101　土木における木材の利用拡大に関する横断的研究会ほか「提言「土木分野における木材利用の拡大へ向けて」」（平成25（2013）年3月12日）

*102　土木における木材の利用拡大に関する横断的研究会ほか「提言「土木分野での木材利用拡大に向けて」－地球温暖化緩和・林業再生・持続可能な建設産業を目指して－」（平成29（2017）年3月22日）

*103　林野庁が毎年取りまとめている「木材需給表」においても、平成26（2014）年からは、近年、木質バイオマス発電施設等での利用が増加している木材チップを加えて公表している。

*104　木材を建材等の資材として利用した後、ボードや紙等としての再利用を経て、最終段階では燃料として利用すること。

*105　「木質バイオマスエネルギー利用動向調査」における間伐材・林地残材等に該当する。

*106　林野庁「平成30年木材需給表」

*107　製材工場等で発生する端材。

181万トン、建設資材廃棄物[*108]由来が411万トン、木材生産活動から発生する間伐材・林地残材等由来が274万トン等となっており、合計930万トン（前年比７％増）となっている[*109]。このほか、木質ペレットで73万トン（前年比95％増）、薪で５万トン（前年比14％減）、木粉（おが粉）で37万トン（前年比９％減）等がエネルギーとして利用されている[*110]。

このうち、製材等残材については、その大部分が、製紙等の原料、発電施設の燃料や、自工場内における木材乾燥用ボイラー等の燃料として利用されている。「平成30年木材流通構造調査」によれば、工場残材の販売先別出荷割合は、「畜産業者等へ」が21.2％、「自社のチップ工場へ」が19.9％、「自工場で消費等」が15.5％、「チップ等集荷業者・木材流通業者等」が13.0％、「発電施設等」が8.1％等となっている。

また、建設資材廃棄物については、平成12（2000）年の「建設工事に係る資材の再資源化等に関する法律[*111]」により一定規模以上の建設工事で、分別解体・再資源化が義務付けられたことから再利用が進み、木質ボードの原料、木質資源利用ボイラーや木質バイオマス発電用の燃料等として再利用されている。

これに対して、間伐材・林地残材等については、近年、年間発生量に対する利用量の割合が上昇傾向にあるものの、全体では依然として低いことから、今後のエネルギー利用拡大に向けた余地がある（資料Ⅲ－29）。

（木質ペレットが徐々に普及）

木質ペレットは、木材加工時に発生するおが粉等を圧縮成形した燃料であり、形状が一定で取扱いやすい、エネルギー密度が高い、含水率が低く燃焼しやすい、運搬や貯蔵も容易であるなどの利点がある。

地球温暖化等の環境問題への関心の高まり等もあ

り、木質ペレットの国内生産量は増加傾向で推移してきた。平成30（2018）年については前年比４％増の13.1万トン、工場数は前年から７工場増の

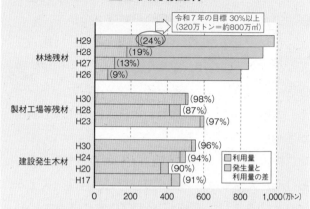

資料Ⅲ－29　木質バイオマスの発生量と利用量の状況（推計）

注１：林地残材の数値は、各種統計資料等に基づき算出（一部項目に推計値を含む）。
２：製材工場等残材の数値は、木材流通構造調査の結果による。
３：建設発生木材の数値は、建設副産物実態調査結果による。
４：製材工場等残材、林地残材については乾燥重量。建設発生木材については湿潤重量。
５：林地残材＝立木伐採種積約4,200万㎥－素材生産量2,200万㎥＝2,000万㎥＝800万トン（H26）
　　※令和７（2025）年の林地残材発生量は1,040万トンの見込み。
資料：バイオマス活用推進基本計画（原案）〔平成28年度第４回バイオマス活用推進専門家会議資料〕等に基づき林野庁作成。

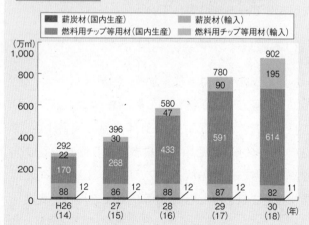

資料Ⅲ－30　燃料材の国内消費量の推移

注１：薪炭材とは、木炭用材及び薪用材である。
２：いずれも丸太換算値。
資料：林野庁「木材需給表」

＊108　建築物の解体等で発生する解体材・廃材。
＊109　ここでの重量は、絶乾重量。
＊110　林野庁プレスリリース「「平成30年木質バイオマスエネルギー利用動向調査」の結果（確報）について」（令和元（2019）年12月25日付け）
＊111　「建設工事に係る資材の再資源化等に関する法律」（平成12年法律第104号）

154工場となっている*112（資料Ⅲ－31）。これに対して、平成30（2018）年の木質ペレットの輸入量は、前年比109％増の106万トンであった*113。

（木質バイオマスによる発電の動き）

平成24（2012）年7月から、電気事業者に対して、木質バイオマスを含む再生可能エネルギー源を用いて発電された電気を一定の期間・価格で買い取ることを義務付ける「再生可能エネルギーの固定価格買取制度*114（FIT制度）」が導入された。

木質バイオマスにより発電された電気の平成30（2018）年4月以降にFIT認定された発電施設に関する買取価格（税抜き）は、「間伐材等由来の木質バイオマス」を用いる場合は40円/kWh（出力2,000kW未満）、32円/kWh（出力2,000kW以上）、「一般木質バイオマス」は24円/kWh（出力10,000kW未満）、入札制度により決定する価格（出力10,000kW以上）、「建設資材廃棄物」は13円/kWhと、それぞれの区分ごとに定められている。また、買取期間はいずれも20年間とされている*115。

これらの区分の下では、「間伐材等由来の木質バイオマス」及び「一般木質バイオマス」について適切な分別・証明が行われなければ、買取価格が適正に適用されない事態も懸念される。また、製材、合板、木質ボード、製紙用等の既存利用に影響を及ぼさないよう適切に配慮していく必要がある。このようなことを踏まえ、林野庁は、平成24（2012）年6月に、木質バイオマスが発電用燃料として適切に供給されるよう、留意すべき事項を「発電利用に供する木質バイオマスの証明のためのガイドライン」として取りまとめた。本ガイドラインでは、伐採又は加工・流通を行う者が、次の流通過程の関係事業者に対して、納入する木質バイオマスが「間伐材等由来の木質バイオマス」又は「一般木質バイオマス」であることを証明することとしている。また、上記

の証明を行う木質バイオマス供給の関係事業者が適切な取組ができることについては、当該事業者が構成員となる業界の団体等が、木質バイオマスの分別管理や書類管理の方針に関する「自主行動規範」を策定した上で、審査を行い認定することとしている*116。

また、FIT認定取得後の発電施設で用いられる間伐材等由来の木質バイオマスや一般木質バイオマス等の各区分の比率の変更については、これまで制度上の制約がなかったが、令和元（2019）年度以降は、FIT認定時の比率を基準として、調達価格の変更を含め、変更に一定の制約が設けられることとなった*117。

FIT制度の導入を受けて、各地で木質バイオマスによる発電施設が新たに整備されている。主に間伐材等由来のバイオマスを活用した発電施設については、令和元（2019）年6月末現在、出力2,000kW以上の施設42か所、出力2,000kW未満の施設32か所が同制度により売電を行っており、合計発電容

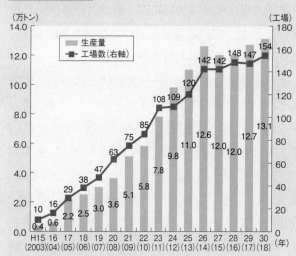

資料Ⅲ－31　木質ペレットの生産量の推移

資料：平成21（2009）年までは、林野庁木材利用課調べ。平成22（2010）年以降は、林野庁「特用林産基礎資料」。

＊112　林野庁「平成30年特用林産基礎資料」
＊113　財務省「貿易統計」における「木質ペレット」（統計番号：4401.31-000）の輸入量。
＊114　平成23（2011）年8月に成立した「電気事業者による再生可能エネルギー電気の調達に関する特別措置法」（平成23年法律第108号）に基づき導入されたもの。
＊115　「電気事業者による再生可能エネルギー電気の調達に関する特別措置法の規定に基づき調達価格等を定める件」（平成29年経済産業省告示第35号）
＊116　林野庁「発電利用に供する木質バイオマスの証明のためのガイドライン」（平成24（2012）年6月）
＊117　資源エネルギー庁「既認定案件による国民負担の抑制に向けた対応（バイオマス比率の変更への対応）」（平成30（2018）年12月21日）

量は390,062kWとなっている[118]。これによる年間の発電量は、一般家庭約86万世帯分の電力使用量に相当する試算になる[119]。さらに、全国で合計45か所の発電設備の新設計画が同制度の認定を受けている。

（木質バイオマスの熱利用）

木質バイオマス発電におけるエネルギー変換効率は、蒸気タービンの場合、通常は20%程度にすぎず、高くても30%程度となっている。エネルギー変換効率を上げるためには、発電施設の大規模化が必要だが、大規模な施設を運転するには、広い範囲から木質バイオマスを収集することが必要になる。これに対して、熱利用・熱電併給は、初期投資の比較的少ない小規模な施設であっても、80%以上のエネルギー変換効率を実現することが可能である。

一方で、熱利用・熱電併給の取組の開始に当たっては、①事業者自らが熱の需要先を開拓する必要があること、②熱の販売価格が固定されていないこと等から、関係者による十分な検討が必要となる。林野庁では、これらの課題を乗り越えて熱利用・熱電併給の普及を促進するため、平成29（2017）年10月に「木質バイオマス熱利用・熱電併給事例集」を取りまとめ、各地の取組における実施体制や燃料、熱利用施設、収支等の情報を紹介している。

近年では、公共施設や一般家庭等において、木質バイオマスを燃料とするボイラーやストーブの導入が進んでいる。平成30（2018）年における木質バイオマスを燃料とするボイラーの導入数は、全国で2,064基となっている（資料Ⅲ－32）。業種別では、農業が410基、製材業・木製品製造業が287基、公衆浴場業が168基、種類別では、ペレットボイラーが964基、木くず焚きボイラーが797基、薪ボイラーが166基等となっている[120]。

また、欧州諸国においては、燃焼プラントから複数の建物に配管を通し、蒸気や温水を送って暖房等を行う「地域熱供給」に、木質バイオマスが多用されている[121]。例えば、オーストリアでは、2017年における総エネルギー消費量1,442PJ（ペタジュール[122]）のうち、13%が木質バイオマスに由来するものとなっている。同国では1990年代後半以降、小規模なものを中心に木質バイオマスボイラーの導入が増加した[123]。エネルギー変換効率が高く、排気中の有害物質が少ない高性能なボイラーの技術開発が進み、2017年には全世帯数の19%で戸別の木質バイオマスボイラーによる暖房等が導入されているほか、28%で地域熱供給が行われている[124]。

我が国においても、一部の地域では木質バイオマスを利用した地域熱供給等の取組がみられる[125]（資料Ⅲ－33）。

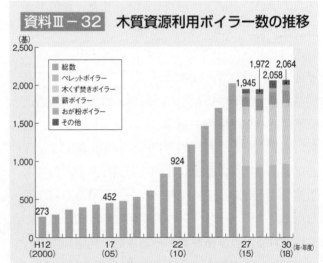

資料Ⅲ－32　木質資源利用ボイラー数の推移

（基）

凡例：
- 総数
- ペレットボイラー
- 木くず焚きボイラー
- 薪ボイラー
- おが粉ボイラー
- その他

273（H12/2000）
452（17/05）
924（22/10）
1,945（27/2015）
1,972
2,058
2,064（30/18）

注：平成26（2014）年以前は、各年度末時点の数値。平成27（2015）年以降は、各年末時点の数値。
資料：平成26（2014）年度までは、林野庁木材利用課調べ。平成27（2015）年以降は、林野庁「木質バイオマスエネルギー利用動向調査」。

---

[118] 「電気事業者による新エネルギー等の利用に関する特別措置法」（平成14年法律第62号）に基づくRPS制度からの移行分を含む。発電容量については、バイオマス比率を考慮した数値。

[119] 発電施設は1日当たり24時間、1年当たり330日間稼働し、一般家庭は1年当たり3,600kWhの電力量を使用するという仮定のもと試算。

[120] 林野庁プレスリリース「「平成30年木質バイオマスエネルギー利用動向調査」の結果（確報）について」（令和元（2019）年12月25日付け）

[121] 欧州での地域熱供給については、「平成23年度森林及び林業の動向」第Ⅰ章第3節（2）37ページを参照。

[122] 1PJ＝約2.8億kWh＝約7.7万世帯の年間電力使用量に相当。

[123] Woodheat solutions（2010）Sustainable wood energy supply

[124] Austrian Energy Agency「Basisdaten 2017 Bioenergie」

[125] 「平成25年度森林及び林業の動向」第Ⅴ章第3節（4）の事例Ⅴ－8（181ページ）、「平成27年度森林及び林業の動向」第Ⅳ章第3節（4）の事例Ⅳ－11（163ページ）も参照。

今後は、小規模分散型の熱供給システムとして、このような取組を推進していくことが重要である。

（「地域内エコシステム」の構築）

今後の木質バイオマスの利用推進に当たっては、地域の森林資源を再びエネルギー供給源として見直し、地域の活性化につながる低コストなエネルギー利用をどのように進めていくかということが課題となっている。

このため、農林水産省及び経済産業省は、森林資源をエネルギーやマテリアルとして地域内で持続的に活用するための担い手確保から、発電・熱利用に至るまでの「地域内エコシステム」の構築に向けた検討を行い、平成29（2017）年7月に報告書「「地域内エコシステム」の構築に向けて」を取りまとめた[126]。

同報告書では、同システムの在るべき方向として、①地産地消型の持続可能なシステムが成り立つ規模である集落を主たる対象とすること、②地域関係者

の協力体制を構築すること、③薪等の低加工度の燃料の活用等コストの低減により地域への還元利益を最大限確保すること、④系統接続をしない小電力の供給システムを開発することや行政が中心となり熱利用の安定的な需要先を確保すること等が整理されている。

これを踏まえ、農林水産省では、平成29（2017）年度から「地域内エコシステム」のモデル構築に向けて、全国の21地域で事業の実現可能性調査（F/S調査）を行い、9地域でより詳細かつ具体的に検討するための地域協議会の運営を支援する取組などを実施し、その成果や課題を検証している[127]。

（効率的なエネルギー利用に向けた取組）

木質バイオマスの効率的なエネルギー変換・利用に向けては、木質バイオマスのエネルギー利用量が増加する中、ガス化炉による小規模で高効率な熱電併給システム、竹の燃料としての利用、熱効率の高い固形燃料の製造や利用等に関する技術開発が行わ

資料Ⅲ－33 木質バイオマスを利用した地域熱供給の取組事例（山形県最上町）

GISシステムによる
計画的な間伐を実践

高性能林業機械による
伐採収集運搬

町内工場で
間伐材をチップ化

エネルギーの利用・最終利用システム

特別養護老人ホーム、給食センター
・暖房　・冷房　・給湯

老人集合住宅　老人保健施設
・暖房
・冷房
・給湯　最上病院

健康センター

既設化石プラント

木質チップボイラー
への搬入

---

*126　「地域内エコシステム」の構築に向けた取組については、「平成29年度森林及び林業の動向」トピックス3（6-7ページ）も参照。

*127　一般社団法人日本森林技術協会「ゼロからはじめる「地域内エコシステム」～木質バイオマスエネルギーの小規模利用導入に向けて～」（平成31（2019）年3月）

れている*128。

(イ)木質バイオマスのマテリアル利用

化石資源由来の既存製品等からバイオマス由来の製品等への代替を進めるため、木質バイオマスから新素材等を製造する技術やこれらの物質を原料とした具体的な製品の開発が進められている。マテリアル利用が促進されれば、未利用木材等の高付加価値化につながることが期待される。

令和元(2019)年6月に閣議決定された「成長戦略フォローアップ」において、セルロースナノファイバー(以下「CNF*129」という。)、改質リグニン等の木材由来の新素材の製造プロセス及び新素材を用いた製品の研究開発・実装等を進めることとされた。さらに、令和元(2019)年6月に閣議決定された「パリ協定に基づく成長戦略としての長期戦略」に基づき策定された「革新的環境イノベーション戦略」(令和2(2020)年1月21日統合イノベーション戦略推進会議決定)において、バイオマスによる原料転換技術の開発として、改質リグニン、CNF等の用途拡大に向けた量産・低コスト製造技術の開発を進めることとされた。また、令和元(2019)年12月に林野庁より「林業イノベーション現場実装推進プログラム」において、新素材の技術開発の現状や課題及びタイムラインを整理したロードマップが公表された。

CNFは、木材の主要成分の一つであるセルロースの繊維をナノ(10億分の1)メートルレベルまでほぐしたもので、樹脂やゴム等との複合材料等は軽量ながら高強度、膨張・収縮しにくい、ガスバリア性が高いなどの特性を持つ素材である。プラスチックの補強材料、電子基板、食品包装用フィルム等への利用が期待されており、一部で実用化も進んでいる*130。林野庁では、国産材のスギを原料とし、中

山間地域に適応した小規模・低環境負荷な製法でパルプ化からナノ化までを行い木材チップからCNFを一貫製造する技術開発や、この製法で生産されたCNFの用途開発を支援している。農林水産省においても、CNF等の農林水産・食品産業の現場での活用に向けた研究開発を推進している。CNFの実用化・利用拡大に向け、関係する農林水産省、経済産業省、環境省及び文部科学省が連携しつつ、施策を進めている*131。

リグニンは、木材の主要成分の一つであり、高強度、耐熱性、耐薬品性等の特性を有する高付加価値材料への展開が期待される樹脂素材である。これまでも木材パルプを製造する際に抽出されていたものの、その化学構造が非常に多様であるため、工業材料としての利用が困難だった。国立研究開発法人森林研究・整備機構森林総合研究所等を代表とする研究コンソーシアム「SIPリグニン」*132では、化学構造が比較的均質なスギリグニンを原料に、安全性の高い薬剤を使用するなど地域への導入を見据えた改質リグニンの製造システムの開発に成功した。平成31(2019)年4月には、SIPリグニンの活動を引き継ぐ新たなコンソーシアム「地域リグニン資源開発ネットワーク(リグニンネットワーク)」が設立され、林業や木材産業に加え、化学産業や電気機器産業など幅広い業種が参画している*133。自動車の内外装部品、電子基板やタッチセンサーへの展開が可能なハイブリッド膜、防水性能が高い排水管用シーリング材など改質リグニンの実用化に向けた製品開発が進んでおり、令和2(2020)年2月には実証プラント建設が開始され、運転の連続性、効率性、安全性等に関する試験など、商用生産に向けた取組を進めていくこととしている。

---

*128　一般社団法人日本木質バイオマスエネルギー協会ホームページ

*129　「Cellulose Nano Fiber」の略。

*130　数百トンの生産能力を持つ量産施設を含むCNF製造設備が各地で稼動しているほか、紙おむつ、筆記用インク、運動靴、化粧品、食品、建築資材等一部で社会実装されてきている。

*131　CNFに関する研究開発について詳しくは、「平成27年度森林及び林業の動向」第Ⅳ章第2節(8)148ページも参照。

*132　SIPリグニンとは、総合科学技術・イノベーション会議の戦略的イノベーション創造プログラム(SIP)の課題のうち、「次世代農林水産業創造技術」の「地域のリグニン資源が先導するバイオマス利用システムの技術革新」の課題を担当する産学官連携による研究コンソーシアム(研究実施期間は平成26(2014)～平成30(2018)年度)。

*133　令和2(2020)年1月現在、民間企業80社、大学等50名、公的機関12機関がリグニンネットワークに参画。令和元(2019)年度はセミナーや公開シンポジウムを開催。

（4）消費者等に対する木材利用の普及

（「木づかい運動」を展開）

　林野庁は、平成17（2005）年度から、広く一般消費者を対象に木材利用の意義を広め、木材利用を拡大していくための国民運動として、「木づかい運動」を展開している。同運動では、パンフレット等による広報活動や、国産材を使用した製品等に添付し木材利用をPRする「木づかいサイクルマーク」の普及活動等を行っている[134]（資料Ⅲ－34）。「木づかいサイクルマーク」は、令和元（2019）年3月末現在、401の企業や団体で使用されている。

　また、毎年10月の「木づかい推進月間」を中心として、シンポジウムの開催や広報誌等を活用した普及啓発活動を行っており、各都道府県においても地方公共団体や民間団体により様々なイベントが開催されている。

　さらに、林野庁では、令和元（2019）年度には、環境にやさしい「木のストロー」制作のワークショップを様々なイベントに出展するなど、SDGsへの貢献や、人や社会・環境に配慮した消費行動「倫理的消費（エシカル消費）」の考え方を取り入れた普及啓発活動を実施している。

　平成27（2015）年度から、新たな分野における木材利用の普及や消費者の木材利用への関心を高めることを目的として開始された「ウッドデザイン賞」は、木の良さや価値を再発見させる建築物、木製品、又は木材を利用して地域の活性化につなげている取組等について、特に優れたものを消費者目線で評価・表彰するもので、5回目となる令和元（2019）年度は、197点が同賞を受賞した。展示会等における受賞作品の展示、ウェブサイトでの情報発信やコンセプトブックの作成・配布等により同賞の周知が図られている。また、林業・木材産業関係者とデザインや異業種の事業者等の、同賞をきっかけとした新たな連携もみられており、木材利用の拡大につながることが期待されている。

　また、平成30（2018）年度から、インバウンドの増加等を背景に、国内外への更なる木材利用のPRを図るため、日本が培ってきた「木の文化」を活かした「木のおもてなし」を創造・発信する取組を進めている（事例Ⅲ－5）。地域材の利用促進だけでなく、観光やまちづくりにも活用できる、日本各地に存在する木の文化を再整理・再編集した「木の文化・木のおもてなしガイドブック」を制作した。

　木材利用推進中央協議会では、木材利用の一層の推進を図る目的で、木造施設や内装を木質化した建築物等を対象に「木材利用優良施設コンクール」を毎年開催し、その整備主体等（施主、設計者、施工者）に農林水産大臣賞等を授与してきたが、平成30（2018）年度には新たに内閣総理大臣賞が、令和元（2019）年度には新たに国土交通大臣賞及び環境大臣賞が創設され、木造建築物等の建設がより一層奨励されることとなった。

（「木育」の取組の広がり）

　「木育[135]」の取組は全国で広がっており、木のおもちゃに触れる体験や木工ワークショップ等を通じた木育活動や、それらを支える指導者の養成のほか、関係者間の情報共有やネットワーク構築等を促すイベントの開催など、様々な活動が行政、木材関連団体、NPO、企業等の幅広い連携により実施されて

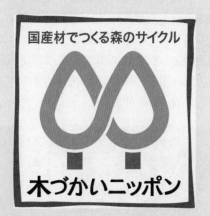

資料Ⅲ－34　木づかいサイクルマーク

国産材でつくる森のサイクル

木づかいニッポン

提供：一般財団法人日本木材情報総合センター

---

[134]　パンフレット（平成29（2017）年にリニューアル）の内容など、「木づかい運動」に関する情報は、林野庁ホームページ「木づかい運動　～木の香りで心も体もリラックス～」を参照。

[135]　「木育」については、多様な主体が様々な目的を持ち、活動を行っている。木育に関する情報は「木育ラボ」ホームページ、「木育.jp」ホームページを参照。

いる。

林野庁においても、子供から大人までを対象に、木材や木製品との触れ合いを通じて木材への親しみや木の文化への理解を深めて、木材の良さや利用の意義を学んでもらうという観点から、木育の推進に資する各種活動への支援を行っている。これらの支援により、木材に関する授業と森林での間伐体験や木工体験を組み合わせた小中学生向けの「木育プログラム」が開発され、平成30（2018）年度までに、延べ308校で実施されている。また、地域における木育推進のための活動である木育円卓会議が毎年各地で開催され、木育の普及や地域での具体的な取組の促進につながっている。このほか、例年1回開催されている「木育サミット」は令和2（2020）年2月に第7回目を、「木育・森育楽会」は令和元（2019）年11月に第5回目を迎え、木育の最新の取組に関する意見交換等が行われており、関係者間の情報共有やネットワーク構築につながっている

（事例Ⅲ－6）。また、実践的な木育活動の一つとして、木工体験等のきっかけの提供により、木材利用の意義に対する理解を促す取組等も行われている。例えば、日本木材青壮年団体連合会等は、児童・生徒を対象とする木工工作のコンクールを行っており、令和元（2019）年度には約2万7,700点の応募があった。

事例Ⅲ－5　「木の文化」を活かした「木のおもてなし」の取組の推進

インバウンドの増加等を背景に、国内外への更なる木材利用の普及を図るため、平成30（2018）年度から、日本が培ってきた「木の文化」とそれを活かした多様な「木のおもてなし」について、主に来日観光客等の視点から再評価し、新たな形の「木の文化」と「木のおもてなし」を創造・発信する取組を進めている。

平成30（2018）年度には、全国各地の木の文化の事例を収集し紹介した「木の文化・木のおもてなしガイドブック」を制作し、地域材の価値を高めるだけでなく、観光やまちづくりに関する事業やサービス等への活用を目指し、地方公共団体や旅行・観光事業者等にガイドブックの普及を行った。

また、令和元（2019）年度には、ガイドブックの趣旨に沿う形で、4地域（秋田県大館市、岐阜県飛騨市・中津川市加子母、京都府）にて、地域内の林業・木材産業関係者と観光・まちづくり関係者等が連携し、地域内に集積された「木の文化」を再整理・編集し、「木のおもてなし」を試行体験するモデル的なワークショップやツアー等を実施した。例えば大館市では、大館北秋田地域林業成長産業化協議会と一般社団法人秋田犬ツーリズムが連携し、天然秋田杉の森林やそれを活かした木造建築物の見学、伝統的工芸品の大館曲げわっぱの製作体験等を行う試行的なツアーを開催した。

「木の文化・木のおもてなしガイドブック」

大館市での試行的ツアー実施の様子

事例Ⅲ－6　木育（もくいく）関係者間の情報共有やネットワークづくりの推進

　令和2（2020）年2月、第7回目となる「木育サミットin新木場[注]」が東京都江東区の木材会館で開かれ、全国の行政、森林・林業・木材産業関係者、保育関係者等約400名が参加した。

　木育サミットは、木育の活動を多くの方に知っていただく場として、平成25（2013）年度から開催されており、今回は木材の消費地としての役割が期待される東京において、木育の取組が環境や社会にどう貢献するのかを考えるための様々な取組事例が紹介された。

　基調シンポジウムでは、令和3（2021）年に「檜原森（ひのはら）のおもちゃ美術館」がオープンする東京都檜原村（ひのはらむら）のトイビレッジ構想の実現に向け、森での体験、おもちゃづくり及び美術館での木とのふれあいという「林業×木工業×観光業」を三位一体とする取組を紹介した。

　また、分科会の一つでは「SDGsに企業の木育がどのように貢献できるのか」と題して、日本マクドナルド株式会社からは、国際認証マークにより証明された持続可能な食材や紙製品の利用等による環境対策について、株式会社GRiP'Sからは、携帯電話販売店舗への木育広場の導入が、顧客及び従業員に及ぼす好影響に加え、地域の活性化にもつながる可能性等について事例紹介があった。

　このような機会を契機として、関係者間の情報共有やネットワーク形成のほか、地域や企業・団体の垣根を越えた連携につながることが期待される。

注：認定NPO法人 芸術と遊び創造協会／東京おもちゃ美術館　主催

「木育サミットin新木場」
基調シンポジウムの様子

分科会「小学校中学校における木育活動の意義」の様子

3．木材産業の動向

我が国の木材産業では、製材生産の大規模工場への集中、合板生産に占める国産材の割合の上昇等の動きがみられる中で、需要者のニーズに応じた製品の安定供給や安定的かつ効率的な原木調達が課題となっている。

以下では、木材産業の概況とともに、製材、集成材、合板、木材チップ、木材流通等の各部門及び新たな製品・技術の開発・普及の動向について記述する[136]。

（1）木材産業の概況

（木材産業の概要）

木材産業は、林業によって生産される原木を加工して様々な木材製品（製材、集成材、合板、木材チップ等）を製造・販売することで、消費者・実需者に

よる木材利用を可能としている（資料Ⅲ−35）。原木は、木材流通業者（木材市売市場、木材販売業者等）、又は木材流通業者を介さない直接取引を通じて、製材工場、合板工場、木材チップ工場で加工される。その中には集成材工場やプレカット工場等で二次加工されるものもある。これらにより加工された木材製品は、住宅メーカー、工務店、製紙工場、発電・熱利用施設等の実需者に供給され、最終的には住宅・公共建築物、紙・板紙、エネルギー等として消費者に利用される。

木材産業は、原木の供給元である森林所有者や素材生産業者等の供給者（川上）との関係では、原木の購入を通じて林業を支える役割を担っており、木材製品の販売先である工務店・住宅メーカー等の実需者（川下）との関係では、ニーズに応じて木材製品を供給しているほか、新たな木材製品の開発等によって社会における木材利用を推進する役割も担ってい

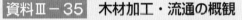

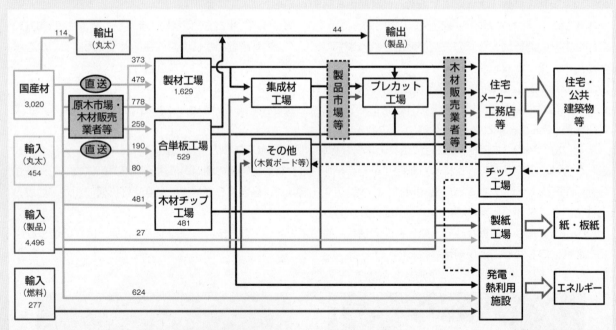

資料Ⅲ−35　木材加工・流通の概観　　　単位：万㎥（丸太換算）

注１：主な加工・流通について図示。また、図中の数値は平成30（2018）年の数値で、統計上明らかなものを記載している。
　２：「直送」を通過する矢印には、製材工場及び合単板工場が入荷した原木のうち、素材生産業者等から直接入荷した原木のほか、原木市売市場との間で事前に取り決めた素材の数量、造材方法等に基づき、市場の土場を経由せず、伐採現場や中間土場から直接入荷した原木が含まれる。詳しくは、第Ⅲ章第3節（8）209-210ページを参照。
　３：点線の枠を通過する矢印には、これらを経由しない木材の流通も含まれる。また、その他の矢印には、木材販売業者等が介在する場合が含まれる（ただし、「直送」を通過するものを除く。）。
資料：林野庁「平成30年木材需給表」等を基に林野庁企画課作成。

---

[136]　以下のデータは、特記のある場合を除いては、林野庁「平成30年木材需給表」、農林水産省「平成30年木材需給報告書」、「平成30年木材流通構造調査」、財務省「貿易統計」等による。

る*137。

また、木材産業は、一般的に森林資源に近いところに立地し、その地域の雇用の創出と経済の活性化に貢献する。国産材を主原料とする場合には森林資源が豊富な山間部に、輸入材を原料とする場合には港湾のある臨海部に立地することが多い。

（木材産業の生産規模）

我が国の木材産業の生産規模を木材・木製品製造業の製造品出荷額等でみると*138、長期的な減少傾向にあったが、平成22（2010）年からは回復傾向で推移し、平成29（2017）年は前年比2.3%増の約2兆7,173億円であった*139（資料Ⅲ−36）。

このうち、製材業の製造品出荷額等は6,245億円、集成材製造業は1,877億円、合板製造業は3,836億円、木材チップ製造業は998億円となっている*140。

また、木材・木製品製造業の付加価値額*141は8,214億円となった。また、平成30（2018）年6月1日現在の従業者数は90,819人となっている。

（2）需要者ニーズへの対応に向けた木材産業の取組

（品質・性能の確かな製品の供給）

近年、木造住宅の品質・性能に対する消費者ニーズが高まっており、品質・性能の確かな木材製品の供給が求められるようになっている。

木造住宅の建築現場においては、柱や梁の継手や仕口を工場で機械加工した「プレカット材」が普及してきている。プレカット材は、部材の寸法が安定し、狂いがないことを前提に機械で加工する物であ

り、含水率の管理された人工乾燥材*142や集成材が使用される。加えてプレカット材は施工期間の短縮や施工コストの低減等のメリットがあることから利用が拡大しており、木造軸組構法におけるプレカットの利用率は平成26（2014）年から9割を超えて推移している。

また、木材の品質については、「日本農林規格等に関する法律」（JAS法）に基づく「日本農林規格（JAS（ジャス））」として、製材、集成材、合板、フローリング、CLT（直交集成板）、接着重ね材、接着合せ材等の11品目*143の規格が定められている。JAS制度では、登録認証機関*144から製造施設や品質管理及び製品検査の体制等が十分であると認証された者（認証事業者）が、自らの製品にJASマー

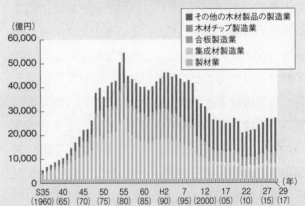

資料Ⅲ−36 **木材・木製品製造業における製造品出荷額等の推移**

注1：従業者4人以上の事業所に関する統計表。
　2：平成13（2001）年以前は「合板製造業」の額に「集成材製造業」の額が含まれる。
資料：経済産業省「工業統計表」（産業編及び産業別統計表）、総務省・経済産業省「経済センサス-活動調査」（産業別集計（製造業）「産業編」）。

*137　木材産業の役割について詳しくは、「平成26年度森林及び林業の動向」第Ⅰ章第1節（1）9-10ページを参照。
*138　製造品出荷額等、付加価値額、従業者数について、経済産業省「平成30年工業統計表」（産業別統計表）における「木材・木製品製造業（家具を除く）」（従業者4人以上）の数値。
*139　製造品出荷額等には、製造品出荷額のほか、加工賃収入額、くず廃物の出荷額、その他収入額が含まれる。
*140　製材業、集成材製造業、合板製造業、木材チップ製造業の製造品出荷額等については、それぞれ経済産業省「平成30年工業統計表」（産業別統計表）における「一般製材業」、「集成材製造業」、「単板（ベニヤ）製造業と合板製造業の合計」、「木材チップ製造業」の数値である。
*141　製造品出荷額等から原材料、燃料、電力の使用額等及び減価償却費を差し引き、年末と年初における在庫・半製品・仕掛品の変化額を加えたものである。
*142　建築用材等として使用する前に、あらかじめ乾燥させた木材。乾燥させることにより、寸法の狂いやひび割れ等を防止し、強度を向上させる効果がある。
*143　製材、枠組壁工法構造用製材及び枠組壁工法構造用たて継ぎ材、集成材、直交集成板、単板積層材、構造用パネル、合板、フローリング、素材、接着重ね材及び接着合せ材。CLT（直交集成板）について詳しくは、第Ⅲ章第3節（9）210-212ページを参照。
*144　ISO/IECが定めた製品の認証を行う機関に関する基準等に適合する法人として、農林水産大臣の登録を受けた法人（ISOは「国際標準化機構（International Organization for Standardization）」、IECは「国際電気標準会議（International Electrotechnical Commission）」）。

クを付けることができる[145]。

　木材の新たな需要先として非住宅分野等の大規模な建築物の木造化が期待されているが、このような建築物には、設計時に構造計算が求められる。近年高まっている住宅の品質・性能に対する消費者ニーズに加えて、非住宅分野等への木材利用の拡大を図るためにも、このような品質・性能の確かな部材としてのJAS製品等の供給体制の整備を着実に進めていくことが必要である。林野庁では、JAS構造材の積極的な活用を促進するため、令和元（2019）年度に「JAS構造材活用拡大宣言」を行う建築事業者等の登録及び公表による事業者の見える化及びJAS構造材の実証支援を実施した。

（需要者のニーズに応じた製品の安定供給）

　大手住宅メーカー等においても国産材を積極的に利用する動きが見られる中、実需者（住宅メーカーや工務店）のニーズに応じた製品を安定的に供給する体制の構築が求められている。そのためには、実需者の求める需要規模に応じた木材加工・流通体制の整備を進めることが重要であり、製材業者等はそれぞれの規模ごとの強みを活かして、①大型工場単独での規模拡大、②複数の工場との連携による生産の効率化、③地域ごとに木材生産者、製材工場、工務店等が連携して、特色のある家づくりを行う取組[146]等を進めている。

　林野庁では、木材製品の安定的・効率的な供給体制構築に資する加工・流通施設の整備、地域の林業・木材生産者から工務店等の関係者までが連携し地域で流通する材を利用した家づくり（顔の見える木材での家づくり）や付加価値の高い内装材、家具、建具等の利用拡大に向けた取組に対して支援を行っている。

（原木の安定供給体制の構築に向けた取組）

　近年、国産材を主な原料とする年間素材消費量が数万㎥から10万㎥を超える規模の大型の製材・合板工場等の整備が進み（資料Ⅲ－37）、また、木質バイオマスエネルギー利用が拡大の傾向をみせる中、木材産業においては安定的かつ効率的な原木調達が更に重要となっている。

　このような需要に対する原木の安定供給体制の構築に向けて、林野庁では、川上側である素材生産業者や森林組合による原木供給力の増大を進める取組と併せて、原木流通の効率化や需給情報の共有を推進するための取組を行っている。

　具体的には、製材・合板工場等、素材生産業者、木材流通業者等との原木安定供給のための協定締結の推進、川上（供給側の森林所有者、素材生産業者）、川中（需要側の工場等）及び川下（国産材製品の実需者である木造の建築物や住宅を建設しようとする工務店・住宅メーカー等）のマッチングや需給情報の共有化の推進により、原木の安定供給体制の構築を図ることとしている[147]。このような中、需要者ニーズにきめ細やかな選木を行いつつ、集荷・販売能力を高め、原木の安定供給体制を構築する取組もみら

資料Ⅲ－37　近年整備された大型木材加工工場及びCLT工場の分布状況

凡例：
● 製材
◆ 合板・LVL
▲ 集成材
■ CLT

LVL工場①
LVL工場②
（青森県　六戸町）

合板工場
（岩手県　北上市）

製材工場
（秋田県　秋田市）

集成材工場
（山形県　新庄市）

製材工場
（長野県　塩尻市）

CLT工場
（石川県　能美市）

製材工場
（岐阜県　郡上市）

CLT工場
（鳥取県　南部町）

CLT工場
（岡山県　真庭市）

合板工場
（大分県　玖珠郡）

製材工場
（鹿児島県　霧島市）

CLT工場
（鹿児島県　肝付町）

製材工場
（鹿児島県　志布志市）

CLT工場
（北海道　北見市）

CLT工場
（宮城県　石巻市）

集成材工場
（栃木県　真岡市）

合板工場
（山梨県　南巨摩郡）

合板工場
（静岡県　富士市）

製材工場
（愛知県　豊田市）

合板工場
（三重県　多気市）

製材工場
（徳島県　小松島市）

製材工場
（高知県　大豊町）

CLT工場
（愛媛県　西条市）

製材工場
（愛媛県　大洲市）

製材工場（建設中）
（宮崎県　高原町）

製材工場
集成材工場
（宮崎県　日向市）

CLT工場
（宮崎県　日南市）

注：製材、合板・LVL、集成材工場については、平成24（2012）年度以降に新設された工場で、令和2（2020）年2月現在で、年間の国産材消費量3万㎥以上（原木換算）のものを記載。CLTについては、令和2（2020）年2月末現在の主な生産工場を記載。
資料：林野庁木材産業課調べ。

＊145　「日本農林規格等に関する法律」（昭和25年法律第175号）第14条第1項
＊146　詳しくは、第Ⅲ章第2節（2）179-180ページを参照。
＊147　「森林・林業基本計画」（平成28（2016）年5月）。安定供給体制の構築に向けた取組の現状と今後の課題について詳しくは、「平成27年度森林及び林業の動向」第Ⅰ章第3節18-37ページを参照。

れる（事例Ⅲ－7）。

このほか、林野庁では、国有林野事業等による立木や素材等の協定取引を進めている*148。

また、全国において、持続的な林業や将来にわたる原木の安定供給に向けて、木材の生産、流通、利用等に関わる事業者が、それぞれ協力金を拠出して基金等を造成し、再造林経費を助成する仕組みを創設する動きもみられる。

（ICTによる流通全体の効率化）

我が国の林業・木材産業をめぐる状況は、川上の林業経営体と、川中・川下の製材・合板業者、工務店等の需要者との連携が十分でないことなど、流通の合理化が進んでいないこと等により、木材の加工流通コストが海外に比べて割高という状況にある。

林業の成長産業化を進めるためには、木材製品の需要動向に応じて、需要者側の求めている品質、数量の木材を的確に生産し、必要なときに迅速かつ有利に供給できるような、マーケットインの発想に基づく川上から川下までを通じたサプライチェーンの再構築により、森林から建築等の現場に至る流通全体の効率化を図ることが必要である。素材生産事業者等の川上から工務店等の川下までのサプライチェーンを通じた需給情報の共有により、丸太の採材や在庫管理、木材の運搬等の効率化や、生産・流通の各段階における製品の付加価値の向上が求められる。また、サプライチェーンに携わる多様な担い手や消費者が、森林の機能、成長段階、利用状況等を把握し、理解できるような情報の整理及び集約が図られるようにすることも必要である。

そのためには、情報通信技術（ICT）の利活用による、森林調査及び施業計画の高度化等の森林資源のデータベースの整備やスマート林業を推進するとと

事例Ⅲ－7 **需要者ニーズに応じた原木の安定供給体制の構築**

東信木材センター協同組合連合会（長野県小諸市）は、「一目選木」と呼ばれる細やかな仕分けにより、需要者に合わせた原木の安定供給体制を構築している。

同センターでは、持ち込まれてくるA～D材全てを無駄なく活用するため、細やかな仕分けを行い、一般建築用から集成材、合板用、土木用、チップ・バイオマス燃料用と多岐にわたる需要に対応している。

「一目選木」では、同センターに運び込まれてきた末口6～14cmの小径木を、直材と曲がり材に大別した後、自動選別機により1cm刻みで選別して販売している。需要者側としては、選別する手間が省け、選別の作業効率が向上するメリットがある。

また、需要者が必要な時に品質・量を揃えて原木を供給できる体制があることにより、県内のみならず県外の大口需要者からの受注も増え、平成30（2018）年度の同センターの取扱量は17万㎥を超え過去最高となった。

同センターでは、今後も取扱量の更なる拡大を目指しつつ、売上の一部を山元へ還元することで、循環林業の推進にも寄与していきたいとしている。

資料：平成28（2016）年6月8日付け林政ニュース: 14-17、平成28（2016）年6月22日付け林政ニュース: 15-18、平成31（2019）年4月18日付け日刊木材新聞16面、令和2（2020）年1月15日付け日刊木材新聞17面

「一目選木」された丸太

トラックに積み込まれる丸太

---

*148　詳しくは、第Ⅳ章第2節（2）230-231ページを参照。

もに、それを基盤として川上から川下までの事業者が相互に需給情報を共有でき、互いに連携することのできる情報共有プラットフォームの構築を図っていく必要がある(資料Ⅲ−38)。

そのようなプラットフォームの構築に向けて、流通の各段階におけるサプライチェーン構築に意欲のある事業者同士のマッチングの推進や需給情報の共有化の取組を支援している。

(3)製材業

(製材品出荷量はほぼ横ばい)

我が国における近年の製材品出荷量の推移をみると、平成21(2009)年までは減少を続け、その後はほぼ横ばいとなっており、平成30(2018)年には前年比2.7%減の920万㎥であった。平成30(2018)年の製材品出荷量の用途別内訳をみると、建築用材(板類、ひき割類、ひき角類)が747万㎥(81%)、土木建設用材が38万㎥(4%)、木箱仕組板・こん包用材が113万㎥(12%)、家具・建具用材が6万㎥(1%)、その他用材が17万㎥(2%)と

なっており、建築用が主な用途となっている(資料Ⅲ−39)。

製材工場における製材用素材入荷量は平成30(2018)年には1,667万㎥となっており、このうち国産材は前年比0.5%減の1,256万㎥であった。製材用素材入荷量に占める国産材の割合は75%となっている。

また、輸入材は前年比1.5%減の411万㎥であり、このうち米材が322万㎥、ニュージーランド材が42万㎥、北洋材が24万㎥、南洋材4万㎥、その他が18万㎥となっている(資料Ⅲ−40)。

これに対し、製材品の輸入量は平成30(2018)年には597万㎥であり[149]、製材品の消費量[150]に占める輸入製材品の割合は約4割となっている。製材品の主な輸入先国は、カナダ(179万㎥)、フィンランド(93万㎥)、ロシア(85万㎥)、スウェーデン(74万㎥)等となっている。

品質・性能の確かな製品の供給が求められる中、製材品出荷量に占める人工乾燥材の割合は増加傾向にあり、平成30(2018)年には42.7%となってい

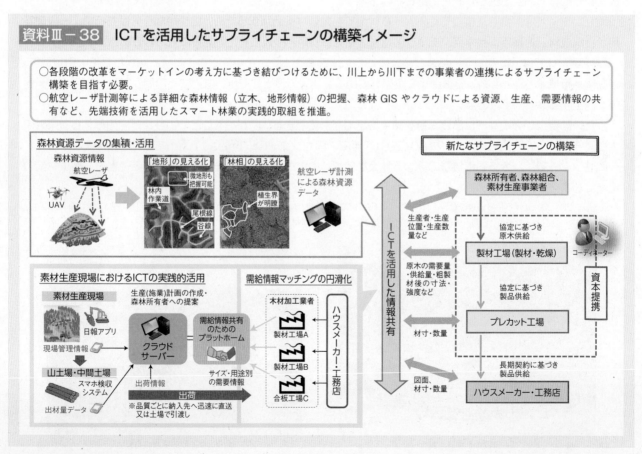

資料Ⅲ−38　ICTを活用したサプライチェーンの構築イメージ

○各段階の改革をマーケットインの考え方に基づき結びつけるために、川上から川下までの事業者の連携によるサプライチェーン構築を目指す必要。
○航空レーザ計測等による詳細な森林情報(立木、地形情報)の把握、森林GISやクラウドによる資源、生産、需要情報の共有など、先端技術を活用したスマート林業の実践的取組を推進。

*149　財務省「貿易統計」
*150　製材品出荷量920万㎥と製材品輸入量597万㎥の合計。

る。製材品出荷量のうち、特に乾燥が求められる建築用材に占める人工乾燥材の割合は52.2%となっている(資料Ⅲ-39)。

　一方、JAS制度に基づく認証を取得した事業者の割合は、合板工場では7割を超えているものの、製材工場では1割程度にすぎず、JAS製材品の供給体制は十分ではない[*151]。

（大規模製材工場に生産が集中）

　我が国の製材工場数は、平成30（2018）年末現在で4,582工場であり、前年より232工場減少した。出力階層別にみると、300kW以上の階層で増加し、それ以外の階層では減少した。

　平成30（2018）年の出力階層別の素材消費量[*152]をみると、「出力規模300.0kW以上」の工場の消

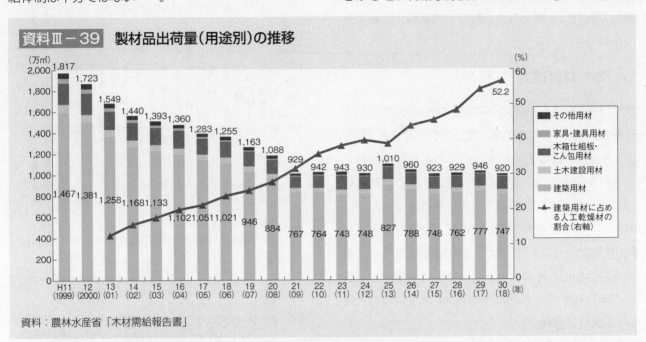

資料Ⅲ-39　製材品出荷量（用途別）の推移

資料：農林水産省「木材需給報告書」

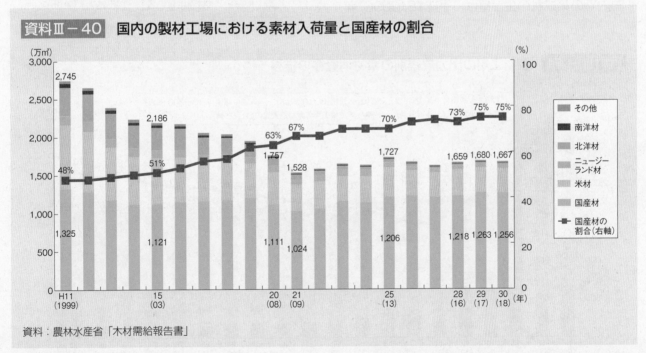

資料Ⅲ-40　国内の製材工場における素材入荷量と国産材の割合

資料：農林水産省「木材需給報告書」

*151　合板工場については、公益財団法人日本合板検査会調べによるJAS認証工場数（平成30（2018）年3月末現在）を全合板工場数（平成30（2018）年12月末現在）で除した割合。製材工場については、農林水産省、一般社団法人全国木材検査・研究協会及び一般社団法人北海道林産物検査会調べによる製材等JAS認証工場数（平成30（2018）年3月現在）を全製材工場数（平成29（2017）年12月末現在）で除した割合。

*152　製材工場出力数と年間素材消費量の関係の目安は次のとおり。75.0kW未満：2千㎥未満、75.0kW以上300.0kW未満：2千㎥以上1万㎥未満、300.0kW以上：1万㎥以上。

費量の割合が73%、「出力規模1,000.0kW以上」の大規模工場の消費量の割合は42%となっており、製材の生産は大規模工場に集中する傾向がみられる（資料Ⅲ－41）。平成28（2016）年の販売金額規模別の製材工場数をみても、5年前の平成23（2011）年と比べて、1億円未満の工場が約6割減の1,770工場であるのに対して、1億円以上の工場はほぼ倍増して3,163工場となっており、大規模化の傾向がみられる[*153]。

（4）集成材製造業

（集成材における国産材の利用量は徐々に増加）

集成材は、一定の寸法に加工されたひき板（ラミナ）を複数、繊維方向が平行になるよう集成接着した木材製品である。集成材は、狂い、反り、割れ等が起こりにくく強度も安定していることから、プレカット材の普及を背景に住宅の柱、梁及び土台にも利用が広がっている。また、集成接着することで製材品では製造が困難な大断面・長尺材や湾曲した形状の用材も生産できる。近年は耐火集成材等の木質耐火部材も開発されている[*154]。

国内での集成材の生産量は、平成18（2006）年

以降は減少傾向で推移したが、平成22（2010）年以降は住宅着工戸数の回復等を受けて増加傾向に転じ、平成30（2018）年は192万㎥であった（資料Ⅲ－42）。平成30（2018）年の集成材生産量を品目

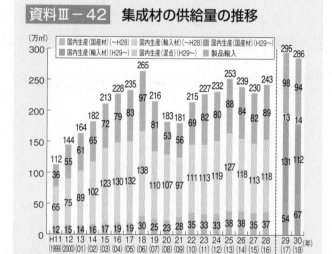

資料Ⅲ－42　集成材の供給量の推移

注1：「国内生産（輸入材）（～H28）」と「国内生産（国産材）（～H28）」は集成材原材料の地域別使用比率から試算した値。
　2：「製品輸入」は輸入統計品目表4412.10号910、4412.94号120、190、4412.99号120～190、4418.91号291、4418.99号231～239の合計。
　3：計の不一致は四捨五入による。
資料：国内生産の集成材については、平成28（2016）年までは、日本集成材工業協同組合調べ。平成29（2017）年以降は、農林水産省「木材需給報告書」。「製品輸入」については、財務省「貿易統計」。

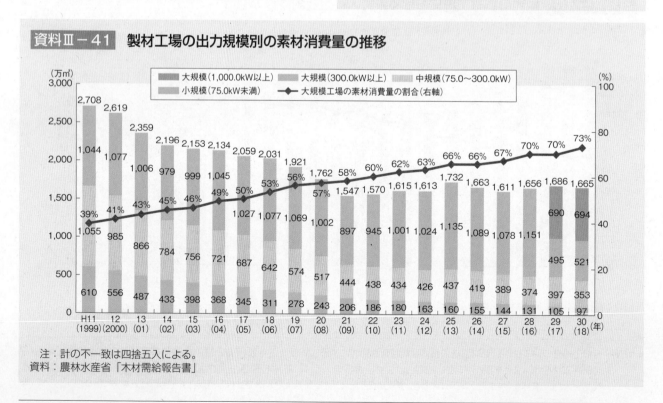

資料Ⅲ－41　製材工場の出力規模別の素材消費量の推移

注：計の不一致は四捨五入による。
資料：農林水産省「木材需給報告書」

[*153]　農林水産省「平成28年木材流通構造調査報告書」
[*154]　木質耐火部材の開発について詳しくは、第Ⅲ章第3節（9）212ページを参照。

別にみると、造作用が7万㎡、構造用が185万㎡となっており、構造用が大部分を占めている[155]。同年の集成材生産向けラミナ消費量の内訳をみると、国産材が39%、輸入材が61%となっている[156]。一方で、集成材の製品輸入は、平成30（2018）年には94万㎡となっている。

集成材供給量のうち、国産材を原料としたものの割合は、平成21（2009）年以降はほぼ横ばいで推移しているが長期的には増加傾向にある。平成30（2018）年には、集成材供給量286万㎡うち、国産材を原料としたものの割合は23%（67万㎡）、国産材と輸入材を混合したものは5%（14万㎡）となり、平成29（2017）年と比較して増加している（資料Ⅲ－42）。

構造用集成材の輸入量は81万㎡となっており、構造用集成材の供給量に占める輸入製品の割合は31%となっている。構造用集成材の主な輸入先国及び輸入量は、フィンランド（31万㎡）、ルーマニア（15万㎡）、オーストリア（11万㎡）等となっている[157]。

（集成材工場数は横ばい、工場は大規模化の傾向）

我が国における集成材工場数は、平成30（2018）年時点で、前年と同じく165工場となっている[158]。集成材工場数は、平成15（2003）年まで増加してきたが、近年は減少傾向にある。

一方、平成28（2016）年の販売金額規模別の集成材工場数をみると、5年前の平成23（2011）年と比べて、10億円未満の工場が約3割減の176工場であるのに対して、10億円以上の工場はほぼ倍増して79工場となっており、大規模化の傾向がみられる[159]。

（5）合板製造業

（国内合板生産のほとんどは針葉樹構造用合板）

合板は、木材を薄く剥いた単板を3枚以上、繊維方向が直角になるよう交互に積層接着した板である。狂い、反り、割れ等が起こりにくく強度も安定しており、また、製材品では製造が困難な大きな面材が生産できることから、住宅の壁・床・屋根の下地材やフロア台板、コンクリート型枠等、多様な用途に利用される。

普通合板[160]の生産量は、平成30（2018）年には前年比0.3%増の330万㎡であった。このうち、針葉樹合板は全体の96%を占める315万㎡となっている。また、厚さ12mm以上の合板の生産量は全体の84%を占める277万㎡となっている[161]。また、平成30（2018）年におけるLVLの生産量は18万㎡となっている[162]。

用途別にみると、普通合板のうち、構造用合板[163]が288万㎡、コンクリート型枠用合板が5万㎡等となっており、構造用合板が大部分を占めている[164]。フロア台板用合板については、技術開発の進展や主要な供給元である南洋材合板の供給不安や価格の高騰により、国産材針葉樹合板の需要が増えている。コンクリート型枠用合板では、輸入製品が大きなシェアを占めており[165]、この分野における国産材利用の拡大が課題となっている。

（国産材を利用した合板生産が増加）

かつて、国内で生産される合板の原料のほとんどは南洋材であったが、輸出国における丸太輸出規制等の影響により北洋材へと転換した。その後ロシアによる丸太に対する輸出税率の引上げ等の影響もあり、スギ、ヒノキ、カラマツを中心とする国産材針

---

*155　造作用とは、建築物の内装用途のこと。構造用とは、建築物の耐力部材用途のこと。
*156　農林水産省「平成30年木材需給報告書」
*157　財務省「貿易統計」
*158　農林水産省「平成30年木材需給報告書」
*159　農林水産省「平成28年木材流通構造調査報告書」
*160　表面加工を施さない合板。用途は、コンクリート型枠用、建築（構造）用、足場板用・パレット用、難燃・防炎用等。
*161　農林水産省「平成30年木材需給報告書」
*162　農林水産省「平成30年木材需給報告書」
*163　合板のうち、建築物等の構造として利用されるもの。
*164　農林水産省「平成30年木材需給報告書」
*165　日本複合・防音床材工業会、日本合板検査会調べ。

葉樹に転換する動きが急速に進んだ。

　平成30（2018）年における合板製造業への素材供給量は前年比6％増の529万㎥[*166]であったが、このうち国内生産における国産材の割合は前年比9％増の449万㎥（85％）、輸入材は前年比10％減の80万㎥（15％）となっている（資料Ⅲ-43）。国産材のうち、スギは64％、カラマツは18％、ヒノキは8％、アカマツ・クロマツは4％、エゾマツ・トドマツは5％で、輸入材のうち、米材は66％、南洋材は17％、北洋材は15％となっている[*167]。

　一方、輸入製品を含む合板用材の需要量全体をみると、平成30（2018）年の需要量1,100万㎥のうち、国産材丸太は449万㎥（合板用材全体に占める割合は41％）、輸入丸太は80万㎥（同7％）、輸入製品は572万㎥（同52％）となっている。輸入製品の主な輸入先国（及び輸入量（丸太換算値））は、マレーシア（176万㎥）、インドネシア（168万㎥）、中国（148万㎥）等となっている（資料Ⅲ-44）。

（合単板工場は減少、大規模化の傾向）

　我が国の合単板工場数は、平成30（2018）年末時点で、前年より1工場減の180工場となっている。このうち、単板のみを生産する工場が10工場、普通合板のみが33工場、特殊合板[*168]のみが136工場、普通合板と特殊合板の両方を生産する工場が1工場となっている。

　平成28（2016）年の販売金額規模別の合単板工場数をみると、5年前の平成23（2011）年と比べて、20億円未満の工場が約2割減の130工場であるのに対して、20億円以上の工場は約2割増の53工場となっており、大規模化の傾向がみられる[*169]。

　また、平成30（2018）年末におけるLVL工場は11工場となっている[*170]。

　かつて合単板工場の多くは原料丸太の輸入材依存により沿岸部に設置されてきたが、国産材への原料転換に伴い国内森林資源に近接する内陸部に設置される動きがみられる。

（合板以外のボード類の動向）

　木質ボードにはパーティクルボード（削片板）、

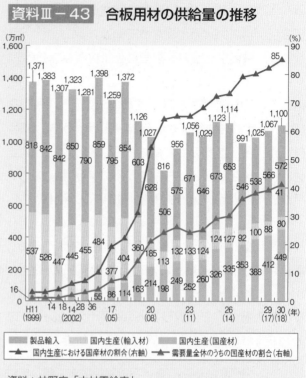

資料Ⅲ-43　合板用材の供給量の推移

資料：林野庁「木材需給表」

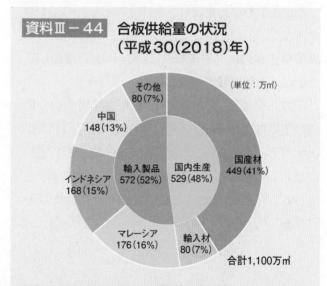

資料Ⅲ-44　合板供給量の状況（平成30（2018）年）

その他 80（7％）
中国 148（13％）
インドネシア 168（15％）
マレーシア 176（16％）
輸入製品 572（52％）
国内生産 529（48％）
国産材 449（41％）
輸入材 80（7％）
合計1,100万㎥

注1：数値は合板用材の供給量で丸太換算値。
　2：薄板、単板及びブロックボードに加工された木材を含む。
　3：計の不一致は四捨五入による。
資料：林野庁「平成30年木材需給表」、財務省「貿易統計」

---

*166　LVL分を含む。
*167　農林水産省「平成30年木材需給報告書」。LVL分を含む。
*168　普通合板の表面に美観、強化を目的とする薄板の張り付け、オーバーレイ、プリント、塗装等の加工を施した合板。
*169　農林水産省「平成28年木材流通構造調査報告書」
*170　農林水産省「平成30年木材需給報告書」

ファイバーボード（繊維板）等がある。

　パーティクルボードは、細かく切削した木材に接着剤を添加して熱圧した板製品である。遮音性、断熱性及び加工性に優れることから、家具や建築用に利用されている。平成30（2018）年におけるパーティクルボードの生産量は前年比２％減の107万㎥[171]、輸入量は同程度の26万㎥[172]となっている。

　ファイバーボードは密度によって種類があり、密度の高い高密度繊維板（ハードボード）は建築、梱包、自動車内装等に、中密度繊維板（MDF[173]）は建築、家具・木工、住設機器等に、密度の低い低密度繊維板（インシュレーションボード）は畳床等に利用される。平成30（2018）年におけるファイバーボードの生産量は、前年比２％減の77万㎥となっている[174]。

（6）木材チップ製造業

（木材チップ生産量の動向）

　木材チップは、木材を切削し、又は破砕した小片であり、原木や工場残材[175]等を原料とする切削チップと、住宅等の解体材、梱包資材やパレットの廃材を原料とする破砕チップがある。製紙用[176]には主に切削チップが、チップボイラー等の燃料及び木質ボードの原料には主に破砕チップが用いられる。

　木材チップ工場における木材チップの生産量[177]は、平成22（2010）年以降は増加傾向にあったが、平成26（2014）年に減少してからはほぼ横ばいで推移し、平成30（2018）年には前年比４％減の571万トンであった。原材料別の生産量は、素材（原木）は前年比３％減の248万トン（生産量全体の

44%）、工場残材は前年比４％減の210万トン（同37%）、林地残材は前年比17％減の11万トン（同２%）、解体材・廃材は前年比６％減の102万トン（同18%）となっている（資料Ⅲ－45）。

　原材料のうち、木材チップ用素材の入荷量[178]は、平成30（2018）年には前年比２％減の459万㎥であり、そのほとんどが国産材となっている。国産材のうち、針葉樹は257万㎥（56%）、広葉樹は202万㎥（44%）となっている。国産材の木材チップ用素材は、近年では針葉樹が増加し、広葉樹を上回っている（資料Ⅲ－46）。

　一方、木材チップの輸入量[179]は、平成30（2018）年には1,245万トンであり、木材チップの消費量[180]に占める輸入された木材チップの割合は69%であった[181]。木材チップの主な輸入先国（及び輸入量）は、ベトナム（332万トン）、オーストラリア（262万トン）、チリ（187万トン）等となっている[182]。

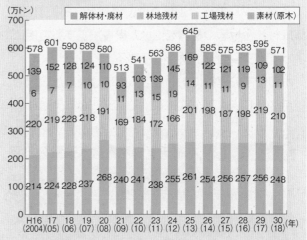

資料Ⅲ－45　木材チップ生産量の推移

（万トン）

凡例
解体材・廃材　林地残材　工場残材　素材（原木）

	H16 (2004)	17 (05)	18 (06)	19 (07)	20 (08)	21 (09)	22 (10)	23 (11)	24 (12)	25 (13)	26 (14)	27 (15)	28 (16)	29 (17)	30 (18)
合計	578	601	590	589	580	513	541	563	586	645	585	575	583	595	571
解体材・廃材	139	152	128	124	110	93	103	139	145	169	122	121	119	109	102
林地残材	6	7	7	10	10	11	13	15	19	14	11	11	9	13	11
工場残材	220	219	228	218	191	169	184	172	166	201	198	187	198	219	210
素材（原木）	214	224	228	237	268	240	241	238	255	261	254	256	257	256	248

注：燃料用チップを除く。
資料：農林水産省「木材需給報告書」

＊171　経済産業省「平成30年経済産業省生産動態統計年報　資源・窯業・建材統計編」
＊172　財務省「貿易統計」
＊173　「Medium Density Fiberboard」の略。
＊174　経済産業省「平成30年経済産業省生産動態統計年報　資源・窯業・建材統計編」
＊175　製材業や合板製造業等において製品を製造した後に発生する端材等をいう。
＊176　紙は木材を、板紙は木材のほか古紙等を主原料として生産される。
＊177　農林水産省「平成30年木材需給報告書」。重量は絶乾重量で、燃料用チップを除く。
＊178　農林水産省「平成30年木材需給報告書」。燃料用チップを除く。
＊179　財務省「貿易統計」
＊180　木材チップ生産量571万トンと木材チップ輸入量1,245万トンの合計。
＊181　第Ⅲ章第1節（2）161ページ（及び資料Ⅲ－7）における輸入木材チップの割合（71%）は、パルプ生産に利用された木材チップに占める割合であることから、ここでの割合とは一致しない。
＊182　財務省「貿易統計」

（木材チップ工場は減少、大規模化の傾向）

我が国の木材チップ工場数は、平成30（2018）年時点で、前年より61工場減の1,303工場となっている。このうち、製材又は合単板工場等との兼営が959工場、木材チップ専門工場が344工場となっている。

一方、平成28（2016）年の販売金額規模別の木材チップ工場数をみると、5年前の平成23（2011）年と比べて、5,000万円未満の工場が約6割減の448工場であるのに対して、5,000万円以上の工場はほぼ倍増して945工場となっており、大規模化の傾向がみられる*183。

（7）プレカット加工業

（プレカット材の利用が拡大）

プレカット材は、木造軸組住宅等を現場で建築しやすいよう、住宅に用いる柱や梁、床材や壁材等の部材について、継手や仕口*184といった部材同士の接合部分等をあらかじめ一定の形状に加工したものである。プレカット工場では、部材となる製材品、集成材、合板等の材料を工場で機械加工することによって、プレカット材を生産する。

木造住宅の建築においては、従来は大工が現場で継手や仕口を加工していたが、昭和50年代になる

とプレカット材が開発され、さらに昭和60年代には、コンピューターに住宅の構造を入力すると部材加工の情報が自動で生成され、これを基にコンピューター制御により機械で加工するシステム（プレカットCAD/CAMシステム）が開発された。プレカット材は、施工期間の短縮や施工コストの低減等のメリットがあることから利用が拡大している。また、プレカット加工を施した木材を一戸ごとに梱包・販売する業形態へ変化している。

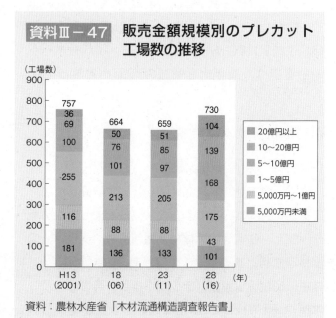

資料Ⅲ－47　販売金額規模別のプレカット工場数の推移

資料：農林水産省「木材流通構造調査報告書」

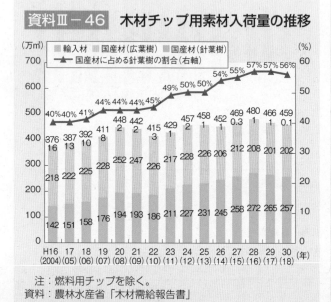

資料Ⅲ－46　木材チップ用素材入荷量の推移

注：燃料用チップを除く。
資料：農林水産省「木材需給報告書」

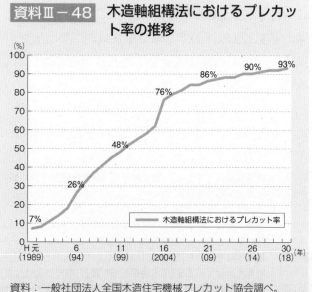

資料Ⅲ－48　木造軸組構法におけるプレカット率の推移

資料：一般社団法人全国木造住宅機械プレカット協会調べ。

*183　農林水産省「平成28年木材流通構造調査報告書」
*184　「継手」とは、2つの部材を継ぎ足して長くするために接合する場合の接合部分で、「仕口」とは、2つ以上の部材を角度をもたせて接合する場合の接合部分をいう。

（工場は大規模化の傾向）

プレカット工場における材料入荷量は増加しており、平成30（2018）年には673万㎡で、その内訳は、国産材が256万㎡（38%）、輸入材が417万㎡（62%）となっている。材料入荷量673万㎡のうち、人工乾燥材は289万㎡（43%）、集成材は292万㎡（43%）となっている[185]。使用される集成材については、これまで輸入集成材や輸入ラミナを用いて国内で集成材に加工したものが多く利用されてきたが、国産材ラミナ及びそれを用いた集成材の安定供給の見通しが立ったことなどから、これまで輸入集成材を扱っていたプレカット工場が国産材の集成材に転換する動きがみられる。

また、平成28（2016）年の販売金額規模別のプレカット工場数をみると、5年前の平成23（2011）年と比べて、5億円未満の工場が約3割減の319工場であるのに対して、5億円以上の工場は約8割増の411工場となっており、大規模化の傾向がみられる[186]（資料Ⅲ－47）。

プレカット材の利用率も上昇しており、平成30（2018）年には、木造軸組構法におけるプレカット材の利用率は93%に達している（資料Ⅲ－48）。

（8）木材流通業

木材流通業者は、素材生産業者等から原木を集荷し、樹種、径級、品質、長さ等によって仕分けた上で、個々の木材加工業者が必要とする規格や量に取りまとめて供給し、また、木材加工業者から木材製品を集荷し、個々の実需者のニーズに応じて供給する[187]。具体的には、木材市売市場や木材販売業者

等がある。

（木材市売市場の動向）

木材市売市場には、原木市売市場[188]と製品市売市場がある。木材市売市場は、生産者等から集荷した商品（原木又は製品）を保管し、買方を集めてセリ等にかけ、最高値を提示した買方に対して販売を行う[189]。販売後は、商品の保管、買方への引渡し、代金決済等の一連の業務を行い、主として出荷者からの手数料により運営している。木材市売市場等[190]の数は、平成28（2016）年には413事業所となっている。

原木市売市場は、主に原木の産地に近いところに立地し、素材生産業者等（出荷者）によって運び込まれた原木を、樹種、長さ、径級、品質、直材・曲がり材等ごとに仕分けをし、土場に椪積（はいづみ）して、セリ等により販売する。原木の仕分けに当たっては、自動選木機[191]を使用する市場が増えている。平成30（2018）年における原木取扱量[192]は、1,090万㎡となっている。

原木市売市場における国産材の主な入荷先については、自ら素材生産したもの（16%）の割合が上昇傾向である。

また、原木市売市場は、国産材原木の流通において、素材生産業者の出荷先のうち39%、製材工場の入荷先のうち43%を占めている。製材工場へ入荷する国産材のうち、14%は伐採現場等から直接入荷[193]されており、市場の土場を経由しないで工場まで流通する原木の割合は増加傾向にある。

一方、製品市売市場は、主に木材製品の消費地に近いところに立地し、製材工場や木材販売業者[194]

---

*185　農林水産省「平成30年木材流通構造調査」
*186　農林水産省「平成28年木材流通構造調査報告書」
*187　以下のデータは、農林水産省「平成28年木材流通構造調査報告書」、「平成30年木材流通構造調査」による。
*188　森林組合が運営する場合は「共販所」という。
*189　このほか、相対取引（売方と買方の直接交渉により価格を決める売買方法）により販売を行う場合もある。また、市場自らが商品を集荷し、販売を行う場合もある。
*190　「木材センター」（二つ以上の売手（センター問屋）を同一の場所に集め、買手（木材販売業者等）を対象として相対取引により木材の売買を行わせる卸売機構）を含む。
*191　原木の径級、曲がり等により自動で仕分けをする機械。
*192　統計上は入荷量。「木材センター」の入荷量を含まない。
*193　製材工場が、原木市売市場との間で事前に取り決めた素材の数量、造材方法等に基づき、市場の土場を経由せず、伐採現場や中間土場から直接入荷する場合。市場を経由する輸送やセリ等に係るコストの削減が図られる。
*194　製材工場等から製品を集荷し、それらをまとめて製品市売市場に出荷する木材販売業者（木材問屋）のことを、特に「市売問屋」という。

（出荷者）によって運び込まれた製品や市場自らが集荷した製品を、出荷者ごと等に陳列してセリ等により販売する。平成30（2018）年における製材品取扱量[195]は、183万㎥となっている。

（木材販売業者の動向）

　木材販売業者は、自ら木材（原木又は製品）を仕入れた上で、これを必要とする者（木材市売市場、木材加工業者、消費者・実需者）に対して販売を行う。木材販売業者には木材問屋や材木店・建材店があり、その数は平成28（2016）年には7,487事業所となっている。このうち木材問屋は、素材生産業者等から原木を仕入れ、製材工場等に販売し、また、製材工場等から製品を仕入れ、材木店・建材店等に販売する。材木店・建材店は、製品市売市場や木材問屋を通じて仕入れた製品を、工務店等の建築業者等に販売するほか、これらの実需者に対して木材製品に係る様々な情報等を直接提供する立場にある。

　平成30（2018）年における木材販売業者の原木取扱量[196]は1,581万㎥、製材品取扱量[197]は1,673万㎥となっている[198]。

（9）CLT等新たな製品・技術の開発・普及

　従来木材が余り使われてこなかった分野における木材需要を創出する、新たな製品・技術の開発・普及が進んでいる[199]。

（CLTの利用と普及に向けた動き）

　一定の寸法に加工されたひき板（ラミナ）を繊維方向が直交するように積層接着したCLT[200]（直交集成板）が、近年、新たな木材製品として注目されている。地球温暖化への関心の高まりから、欧米を中心として木材を使った建築の需要が拡大する動きの中で、CLTを壁、床、階段等に活用した中高層を含む木造建築物が建てられており、我が国において

も共同住宅、ホテル、オフィスビル、校舎等がCLTを用いて建築されており[201]、400件近くの建物でCLTが採用されている。

　CLTを使用する利点は、コンクリートなどと比べて養生期間が不要であるため工期の短縮が期待できることや、建物重量が軽くなり基礎工事の簡素化が図られることが挙げられる。また、CLTはコンクリートに比べて断熱性が高く、床や壁にパネルとして使用すれば、一定の断熱性能を確保することもできる。

　CLTの普及に当たっては、平成26（2014）年11月に「CLTの普及に向けたロードマップ[202]」を林野庁と国土交通省の共同で作成し、基準強度や一般的な設計法の告示の整備や、実証的建築による施工ノウハウの蓄積、令和6（2024）年度までの年間50万㎥程度の生産体制構築などを、目指すべき成果として掲げた。

　平成28（2016）年6月には、「CLT活用促進に関する関係省庁連絡会議」を設置し、政府を挙げてCLTの普及に取り組んでいる。同年9月には内閣官房に、事業者や地方公共団体からのCLTの活用に関する問合せに対応する政府の「一元窓口[203]」を設けている。また、平成29（2017）年1月には、新たに「CLTの普及に向けた新たなロードマップ〜需要の一層の拡大を目指して〜」が作成され、建築意欲の向上、設計・施工者の増加、技術開発の推進、コストの縮減等を連携・協力して一層進めていくこととされた（資料Ⅲ−49）。これまでの普及に向けた取組のうち、告示の整備については、平成28（2016）年3月及び4月に、それまでの林野庁及び国土交通省の事業による実験等を通じてCLTの構造や防火に関する技術的知見が得られたことから、CLTを用いた建築物の一般的な設計法等に関

---

[195]　統計上は入荷量。「木材センター」の入荷量を含まない。
[196]　統計上は入荷量。
[197]　統計上は出荷量。
[198]　原木取扱量（入荷量）及び製材品取扱量（出荷量）のいずれも、木材販売業者間の取引も含めて集計された延べ数量である。
[199]　林野庁が策定している「森林・林業・木材産業分野の研究・技術開発戦略」について詳しくは、第Ⅰ章第1節（4）67ページを参照。
[200]　「Cross Laminated Timber」の略。
[201]　CLTを活用した建築事例については、第Ⅲ章第2節（2）180-182ページも参照。
[202]　農林水産省プレスリリース「CLTの普及に向けたロードマップについて」（平成26（2014）年11月11日付け）
[203]　内閣官房ホームページ（https://www.cas.go.jp/jp/seisaku/cltmadoguchi/）

する告示[*204]が公布・施行された[*205]。これにより、告示に基づく構造計算を行うことで、国土交通大臣の認定を個別に受けることなく、CLTを用いた建築が可能となった。また、この告示に基づく仕様とすることによって、「準耐火建築物[*206]」として建設することが可能な建築物については、燃えしろ設計[*207]により防火被覆を施すことなくCLTを用いることが可能となった。平成29（2017）年9月には、枠組壁工法[*208]に係る改正告示[*209]が公布・施行され、告示に基づく構造計算を行うことで同工法の床

版及び屋根版にCLTを用いることが可能となった。平成31（2019）年3月には、構造計算に用いる基準強度に係る改正告示[*210]が施行され、従来のスギより強度のあるヒノキ、カラマツ等の基準強度が位置付けられ、樹種の強度に応じた設計が可能となった。そのほかに、林野庁では、民間建築物におけるCLTの普及に向けて、CLT建築物の企画段階からの設計支援を行う専門家の派遣、CLTを用いた先駆的な建築にかかる費用への支援、施工マニュアル等の整備や実務設計者向けの講習会の実施、CLT

資料Ⅲ-49　CLTの普及に向けた新たなロードマップ～需要の一層の拡大を目指して～

目標		取組事項	2017年度	2018年度	2019年度	2020年度	目指す姿
CLTの需要の一層の拡大	CLTを用いた建築物の建築意欲を高める	CLTを用いた建築物に取り組みやすい環境を整備	一般的な設計・施工ノウハウを蓄積するためのCLTを活用した先導的建築や実験棟、実証的建築、性能検証等への支援				CLT人気の盛り上がりと定着
		先駆性の高いCLTを用いた建築物の周知による普及・啓発活動の実施	先駆性の高い建築物・製品の顕彰制度の創設・実施		引き続き実施		
	CLTを用いた建築物の設計や施工ができる者を増やす	設計者・施工者が木造建築物について学べる環境を整備	中大規模建築物の木造化に意欲的に取り組む設計者・施工者を確保するための講習会・研修会等の実施				CLTを適材適所で自在に活用
		標準的な設計・施工に係る情報の共有	効率的な設計を可能とするCLTを用いた建築物の情報収集・整理	国の営繕基準への反映			
		設計業務の円滑化により新規事業者の参入を加速	設計や積算に必要な実務資料の整理	設計・積算ツールの検討・作成	更新・充実		
	CLTを使い易くする	中高層建築物におけるCLTの利用が容易になるよう建築部材等の開発を促進	耐火性能の向上に向けた技術開発・国交大臣認定の取得（2時間耐火構造床・壁の開発等）、混構造建築物の設計・施工技術の開発	大臣認定仕様を普及させるための講習会等の実施	引き続き実施		中高層建築に木が使われる時代の到来
		樹種に応じた基準強度やより幅広い層構成により合理的な設計を可能にする	追加の強度試験データを収集し、整理ができ次第、追加告示化		引き続き実施		
	材料コストや建築コストを下げる 2024年度までに年間50万㎥程度の生産体制を構築 CLT製品価格を半減（7～8万円/㎥）し、施工コストを他工法並に	需給動向を踏まえつつ全国的な生産体制の構築	地方ブロックバランスを考慮した工場整備 生産能力 2016年度：5万㎥/年→2017年度：6万㎥/年→2020年度：10万㎥/年				CLTの普及が先進地の欧米並みに充実
		CLTの標準化による効率量産体制への移行	施工性・汎用性の高いパネルサイズ等の情報収集・整理	標準規格の検討・作成			
		まとまった需要を確保してコストを下げ、広く民間建築物等におけるCLTの需要を創出	「基本方針」※1にCLT活用を明記	公共建築物等への積極的な活用　※2			

※1　「基本方針」とは、公共建築物における木材の利用の促進に関する基本方針
※2　需要創出の加速化に向けて、2018年度までに各都道府県に少なくとも1棟を整備しつつ、身近なモデル施設の一層の整備に取り組む。

資料：CLTの活用促進に関する関係省庁連絡会議

---

*204　平成28年国土交通省告示第561号、平成28年国土交通省告示第562号、平成28年国土交通省告示第563号、平成28年国土交通省告示第564号及び平成28年国土交通省告示第611号
*205　国土交通省プレスリリース「CLTを用いた建築物の一般的な設計方法等の策定について」（平成28（2016）年3月31日付け）
*206　火災による延焼を抑制するために主要構造部を準耐火構造とするなどの措置を施した建築物（「建築基準法」第2条第7号の2及び第9号の3）
*207　木材は表面に着火して燃焼しても、その部分が炭化して断熱層を形成し、内部まで燃焼が及びにくくなる性質があるが、その性質を利用して、部材の断面を設計する手法。
*208　木造住宅の工法について詳しくは、第Ⅲ章第2節（2）178ページを参照。
*209　平成29年国土交通省告示第867号
*210　平成30年国土交通省告示第1324号

の汎用性拡大に向けた強度データ等の収集等を行って、普及を促進している。

また、生産体制については、平成31（2019）年期首には、北海道、宮城県、石川県、鳥取県、岡山県、愛媛県、宮崎県及び鹿児島県において、JAS認証を取得したCLT工場が稼働しており、年間8万㎥の生産体制となっている。

（木質耐火部材の開発）

建築基準法[*211]に基づき所要の性能を満たす木質耐火部材を用いれば、木造でも大規模な建築物を建設することが可能である。木質耐火部材には、木材を石膏ボードで被覆したものや、モルタル等の燃え止まり層を備えたもの、鉄骨を木材で被覆したものなどがある（資料Ⅲ-50）。

耐火部材に求められる耐火性能は、同法において、建物の最上階から数えた階数に応じて定められている。こうした中、木造の1時間耐火構造の例示仕様が告示へ追加されたほか、2時間耐火構造の開発が進んでいる。平成29（2017）年12月には規定上最も長い3時間の耐火性能を有する木質耐火部材の大臣認定が取得される事例が生まれるなど、これまでの木質耐火部材の開発の成果が出てきている。

（建築資材等として国産材を利用するための技術）

低層住宅建築のうち木造軸組構法[*212]では、構造用合板や柱材と比較して、梁や桁等の横架材において、一部の工務店を除き、国産材の使用割合は低位にとどまっている（資料Ⅲ-51）。横架材には高いヤング率[*213]や多様な寸法への対応が求められるため、米マツ製材やレッドウッド（ヨーロッパアカマツ）集成材等の輸入材が高い競争力を持つ状況となっている。この分野での国産材利用を促進する観点から、各地で、乾燥技術の開発や心去り[*214]等による品質向上や、柱角等の一般流通材を用いた重ね梁の開発等が進められている。

また、一般流通材を用いたトラス梁[*215]や縦ログ工法[*216]、国産材を使用したフロア台板用合板[*217]や木製サッシ部材等の開発・普及、施工が容易で室内に無垢材であらわし利用できる内装材の開発等も進められ、非住宅分野や中高層分野の木造化・木質

資料Ⅲ-50　木質耐火構造の方式

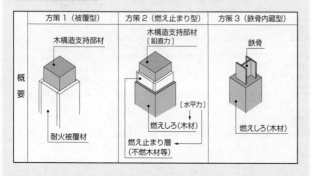

資料：一般社団法人木を活かす建築推進協議会（2013）「ここまでできる木造建築の計画」

資料Ⅲ-51　木造軸組住宅の部位別木材使用割合

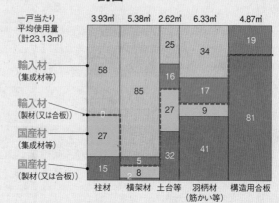

一戸当たり平均使用量（計23.13㎡）	3.93㎡	5.38㎡	2.62㎡	6.33㎡	4.87㎡

注1：国産材と輸入材の異樹種混合の集成材等・合板は国産材として計上。
　2：割合の計、平均使用量の計の不一致は、単位未満の四捨五入による。
資料：一般社団法人日本木造住宅産業協会「木造軸組工法住宅における国産材利用の実態調査報告書（第5回）（2019）」より林野庁木材産業課作成。

---

*211　「建築基準法」第2条
*212　木造住宅の工法について詳しくは、第Ⅲ章第2節（2）178ページを参照。
*213　材料に作用する応力とその方向に生じるひずみとの比。このうち、曲げヤング率は、曲げ応力に対する木材の変形（たわみ）しにくさを表す指標。
*214　丸太の中心部である心材を外して木取りをする技術。乾燥しても割れが生じにくい長所がある。
*215　三角形状の部材を組み合わせて、外力に対する抵抗を強化した骨組み構造の梁。
*216　製材を縦に並べることによって壁を構成する工法。
*217　フロア台板用合板に係る取組事例については、「平成29年度森林及び林業の動向」第Ⅳ章第2節（4）の事例Ⅳ-4（151ページ）を参照。

化にも貢献することが期待されている。

　建築や土木工事に使用されるコンクリート型枠用
合板については、表面の平滑性や塗装が必要なため
に、現在も南洋材合板がその大半を占めているが、
単板の構成を工夫するなど、国産材を使用した型枠
用合板の性能を向上させる技術の導入が進んでい
る。表面塗装を施した国産材を使用した型枠用合板
については、南洋材型枠用合板と比較しても遜色の
ない性能を有していることが実証されている[218]。

（10）合板・製材・構造用集成材等の木材製品の国際競争力強化

　平成27（2015）年10月の12か国によるTPP交
渉の大筋合意を受けて同年11月に決定された「総
合的なTPP関連政策大綱」に基づき、合板・製材
の国際競争力強化対策が実施されてきた。
　さらに、平成29（2017）年7月の日EU・EPA（経

済連携協定）の大枠合意及び同年11月の11か国に
よるTPP11協定の大筋合意を踏まえ、同年11月
24日にTPP等総合対策本部において同大綱を改訂
し、「総合的なTPP等関連政策大綱」として決定し
た。その後、令和元（2019）年10月の日米貿易協
定の署名に加え、TPP11、日EU・EPA発効後の
動向も踏まえ、同年12月5日に大綱を改訂した。
この大綱に基づき、林野庁は、強い農林水産業の構
築（体質強化対策）の一つとして、原木供給の低コス
ト化を含めて合板・製材の生産コスト低減を進める
とともに、構造用集成材等の木材製品の競争力を高
めるため、加工施設の生産性向上支援、競争力のあ
る品目への転換支援、木材製品の国内外での消費拡
大対策、違法伐採対策[219]に取り組んでいるほか、
木材製品等の輸出促進対策に取り組んでいる（資料
Ⅲ－52）。

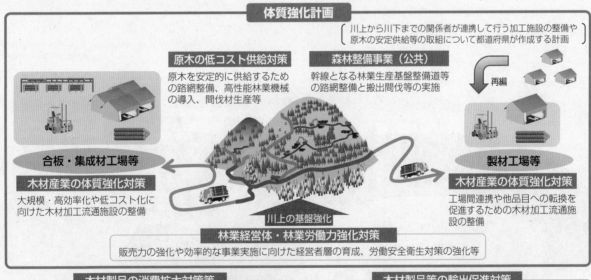

資料Ⅲ－52　合板・製材・構造用集成材等の木材製品の国際競争力強化

体質強化計画

川上から川下までの関係者が連携して行う加工施設の整備や
原木の安定供給等の取組について都道府県が作成する計画

原木の低コスト供給対策
原木を安定的に供給するため
の路網整備、高性能林業機械
の導入、間伐材生産等

森林整備事業（公共）
幹線となる林業生産基盤整備道等
の路網整備と搬出間伐等の実施

再編

合板・集成材工場等

製材工場等

木材産業の体質強化対策
大規模・高効率化や低コスト化に
向けた木材加工流通施設の整備

木材産業の体質強化対策
工場間連携や他品目への転換を
促進するための木材加工流通施
設の整備

川上の基盤強化

林業経営体・林業労働力強化対策
販売力の強化や効率的な事業実施に向けた経営者層の育成、労働安全衛生対策の強化等

木材製品の消費拡大対策等
・JAS構造材等の普及・実証、CLT建築等の
　実証や木質建築部材の技術開発等を支援
・クリーンウッド法の定着実態調査等の実施

非住宅建築物等
の木造化

木材製品等の輸出促進対策
・海外への輸出に向け、付加価値の高い
　木材製品やきのこ等の生産施設整備、
　海外見本市への出展等のPR活動など
　を支援

海外見本市への出展

林業分野における新技術推進対策
・木質新素材（改質リグニン等）の実証プラントの整備
・革新的な森林づくりに向けた異分野の技術導入の促進・実証

---

[218]　地域材を原料とする型枠用合板の強度の実証について詳しくは、「平成28年度森林及び林業の動向」第Ⅰ章第2節（3）の事例Ⅰ－
　　　　7（27ページ）を参照。
[219]　合法伐採木材等の利用推進のため、クリーンウッド法の定着実態調査や生産国における現地情報の収集等を実施。

健全な森林づくりに収益を還元

建築物や木製品
紙や燃料など
地域を挙げて
木材を活かす

伐って・使って・植える
を繰り返す
持続可能な林業

木材を様々な用途に
無駄なく加工

新潟県上越市黒倉山国有林内

国有林野の管理経営

国有林野は、我が国の国土の約2割、森林面積の約3割を占めており、国土の保全、水源の涵養、生物多様性の保全を始め、広く国民全体の利益につながる多面的機能を有している。

国有林野は、重要な国民共通の財産であり、林野庁が国有林野事業として一元的に管理経営を行っている。国有林野事業では、平成25（2013）年4月の一般会計化等を踏まえ、公益重視の管理経営の一層の推進、林業の成長産業化に向けた貢献等に取り組んでいる。

本章では、国有林野の役割や国有林野事業の具体的取組について記述する。

1．国有林野の役割

（1）国有林野の分布と役割

国有林野は、758万haの面積を有しており、これは我が国の国土面積（3,780万ha）の約2割、森林面積（2,505万ha）の約3割に相当する。土地面積に占める国有林野の割合は地域によって異なり、北海道森林管理局及び東北森林管理局管内では3割以上であるのに対し、近畿中国森林管理局管内では1割未満等となっている（資料Ⅳ－1）。

国有林野は、奥地脊梁山地や水源地域に広く分布しており、国土の保全、水源の涵養等の公益的機能の発揮に重要な役割を果たしている。また、国有林野は、人工林、原生的な天然林等の多様な生態系を有し、希少種を含む様々な野生生物の生育・生息の場となっている。さらに、国有林野の生態系は、里山林、渓畔林、海岸林等として、農地、河川、海洋等の森林以外の生態系とも結び付いており、我が国全体の生態系ネットワークの根幹として、生物多様性の保全を図る上で重要な位置を占めている。

一方、国有林野は都市近郊（北海道野幌、東京都高尾山、京都府嵐山等）や海岸付近（福井県気比の松原、佐賀県虹の松原等）にも分布し、保健休養や森林との触れ合いの場を提供している。

このような国有林野の有する公益的機能は、広く国民全体の利益につながるものであり、昨今の頻発する自然災害への対応や地球温暖化の防止に対する国民の強い関心等も踏まえて、適切に発揮させることが求められている。

（2）国有林野の管理経営の基本方針

国有林野は重要な国民共通の財産であり、林野庁が国有林野事業として一元的に管理経営を行っている。国有林野の管理経営は、①国土の保全その他国有林野の有する公益的機能の維持増進、②林産物の持続的かつ計画的な供給、③国有林野の活用による地域の産業振興又は住民福祉の向上への寄与を目標として行うこととされている[*1]。

国有林野事業は、戦後は林産物の供給に重点が置かれ、その事業を企業的に運営するため特別会計（国有林野事業特別会計）において経理されてきたが、平成10（1998）年度の抜本的改革で「公益的機能の維持増進」を旨とする管理経営方針に大きく転換した。平成25（2013）年度には、公益重視の管理経営を一層推進するとともに、その組織、技術力及び資源を活用して我が国の森林・林業の再生へ貢献するため、国有林野事業は一般会計で行う事業に移行した。

林野庁では、国有林野の管理経営の基本方針等を明らかにするため、5年ごとに10年を1期とする「国有林野の管理経営に関する基本計画」（以下「管理経営基本計画」という。）を策定している。令和元（2019）年度の国有林野の管理経営は、平成31（2019）年4月から令和11（2029）年3月までの10年間を計画期間とする管理経営基本計画（平成30（2018）年12月策定）に基づいて推進された。

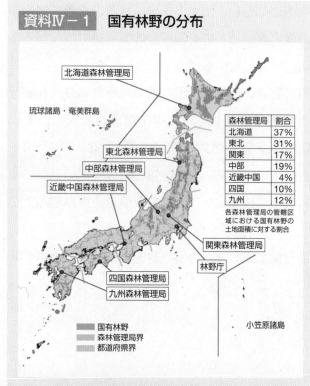

資料Ⅳ－1　国有林野の分布

北海道森林管理局
琉球諸島・奄美群島
東北森林管理局
中部森林管理局
近畿中国森林管理局
関東森林管理局
林野庁
四国森林管理局
九州森林管理局
小笠原諸島

森林管理局	割合
北海道	37%
東北	31%
関東	17%
中部	19%
近畿中国	4%
四国	10%
九州	12%

各森林管理局の管轄区域における国有林野の土地面積に対する割合

■ 国有林野
■ 森林管理局界
■ 都道府県界

資料：国有林野の面積は農林水産省「平成30年度　国有林野の管理経営に関する基本計画の実施状況」、土地面積は国土交通省「令和元年全国都道府県市区町村別面積調（7月1日時点）」。

[*1]　「国有林野の管理経営に関する法律」（昭和26年法律第246号）第3条

2. 国有林野事業の具体的取組

（1）公益重視の管理経営の一層の推進

森林に対する国民の期待は、国土の保全や水源の涵養に加え、地球温暖化の防止、生物多様性の保全等、公益的機能の発揮を中心として多岐にわたっている（資料Ⅳ－2）。

このため、国有林野事業では、公益重視の管理経営を一層推進するとの方針の下、重視される機能に応じた管理経営を推進するとともに、民有林との一体的な整備・保全を実施し、民有林を含めた面的な機能発揮に積極的に取り組んでいる。

（ア）重視すべき機能に応じた管理経営の推進
（重視すべき機能に応じた森林の区分と整備・保全）

国有林野の管理経営に当たっては、個々の国有林野を重視すべき機能に応じて「山地災害防止タイプ」、「自然維持タイプ」、「森林空間利用タイプ」、「快適環境形成タイプ」及び「水源涵養タイプ」の5つに区分した上で、それぞれの流域の自然的特性等を勘案しつつ、これらの区分に応じて森林の整備・保全を推進することとしている（資料Ⅳ－3）。また、木材等生産機能については、これらの区分に応じた適切な施業の結果として得られる木材を、木材安定供給体制の整備等の施策の推進に寄与するよう計画的に供給することにより、その機能を発揮するものと位置付けている。

国有林野においては、森林資源の成熟に伴う伐採面積の増加が見込まれる中、効率的かつ効果的な再造林手法の導入・普及等に努めながら、主伐後の確実な更新に取り組むとともに、森林生態系全般に着目し、公益的機能の向上に配慮した施業を行っていくなど、機能に応じた多様で健全な森林づくりが必要である。このため、同一空間内、あるいは、一定の範囲内における小面積・モザイク的配置からなる複層林や針広混交林へと誘導していく施業、伐採年

資料Ⅳ－3　機能類型区分ごとの管理経営の考え方

機能類型区分	管理経営の考え方
山地災害防止タイプ 146万ha	根や表土の保全、下層植生の発達した森林の維持
自然維持タイプ 170万ha	良好な自然環境を保持する森林、希少な生物の生育・生息に適した森林の維持
森林空間利用タイプ 48万ha	保健・文化・教育的利用の形態に応じた多様な森林の維持・造成
快適環境形成タイプ 0.2万ha	汚染物質の高い吸着能力、抵抗性がある樹種から構成される森林の維持
水源涵養タイプ 393万ha	人工林の間伐や伐期の長期化、広葉樹の導入による育成複層林への誘導等を推進し、森林資源の有効活用にも配慮

注：面積は、平成31（2019）年4月1日現在の数値である。
資料：農林水産省「平成30年度　国有林野の管理経営に関する基本計画の実施状況」

資料Ⅳ－2　国有林が果たすべき役割（複数回答3つまで）

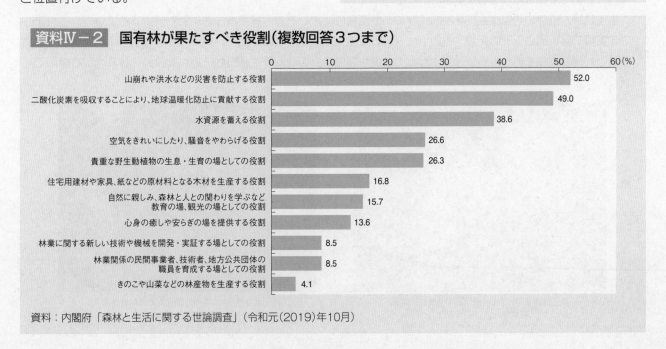

資料：内閣府「森林と生活に関する世論調査」（令和元（2019）年10月）

齢の長期化等に取り組んでいる。

（治山事業の推進）

国有林野には、公益的機能を発揮する上で重要な森林が多く存在し、平成30（2018）年度末現在で国有林野面積の約9割に当たる685万haが水源かん養保安林や土砂流出防備保安林等の保安林に指定されている。国有林野事業では、国民の安全・安心を確保するため、自然環境保全への配慮やコストの縮減を図りながら、治山事業による荒廃地の整備や災害からの復旧、保安林の整備等を計画的に進めている。

国有林内では、集中豪雨や台風等により被災した山地の復旧整備、機能の低下した森林の整備等を推進する「国有林直轄治山事業」を行っている（事例Ⅳ－1）。

民有林内でも、大規模な山腹崩壊や地すべり等の復旧に高度な技術が必要となる箇所等では、地方公共団体からの要請を受けて、「民有林直轄治山事業」と「直轄地すべり防止事業」を行っており、令和元（2019）年度においては、17県22地区の民有林で

これらの事業を実施した。

また、民有林と国有林との間での事業の調整や情報の共有を図るため、各都道府県を単位とした「治山事業連絡調整会議」を定期的に開催するとともに、民有林と国有林の治山事業実施箇所が近接している地域においては、流域保全の観点から一体的な全体計画を作成し、民有林と国有林が連携して荒廃地の復旧整備を行っている。

さらに、大規模な山地災害が発生した際には、国有林野内の被害状況を速やかに調査する一方で、被災した地方公共団体に対する調査職員の派遣や、ヘリコプターによる広域的な被害状況の調査等、早期復旧に向けた迅速な対応に加え、地域住民の安全・安心の確保のための取組を通して、地域への協力・支援に取り組んでいる。

（路網整備の推進）

国有林野事業では、機能類型に応じた適切な森林の整備・保全や林産物の供給等を効率的に行うため、林道及び森林作業道を、それぞれの役割や自然条件、作業システム等に応じて組み合わせた路網整備を進

事例Ⅳ－1　流木災害防止緊急治山対策プロジェクトの推進

平成29（2017）年の九州北部豪雨等による流木災害の発生を受け、林野庁は、全国の流木対策が必要な地区において、流木捕捉式治山ダムの設置等の流木対策を実施している。

中でも、中部森林管理局は、より効率的な工法の開発に取り組んでおり、平成30（2018）年度から、既存の治山ダムを活用した流木捕捉工の実証的施工に取り組み、令和元（2019）年度は、富山森林管理署（富山県富山市）管内において着手したところである。

本工法は、既存の治山ダムに手を加えずに、上流側に近接して流木捕捉施設を単独で設置する工法で、これまでの実証では、治山ダムの新設や既設治山ダムの機能強化をする場合に比べ、経済性及び施工性の面で有利であることが確認されており、今後は流木捕捉の効果や渓岸侵食の状況等を検証し、更なる改良・普及へ取り組んで行くこととしている。

施工地全景（中部森林管理局中信森林管理署（平成30（2018）年施工））

施工地全景（中部森林管理局東濃森林管理署（平成30（2018）年施工））

めている。このうち、基幹的な役割を果たす林道については、平成30（2018）年度末における路線数は1万3,362路線、総延長は4万5,828kmとなっている。

路網の整備に当たっては、地形に沿った路線線形にすることで切土・盛土等の土工量や構造物の設置数を必要最小限に抑えるとともに、現地で発生する木材や土石を土木資材として活用することにより、コスト縮減に努めている。また、橋梁等の施設について、長寿命化を図るため、点検、補修等に関する計画の策定を進めている。

さらに、民有林と国有林が近接する地域においては、民有林と連携して計画的かつ効率的な路網整備を行っている（事例Ⅳ－2）。

（イ）地球温暖化対策の推進
（森林吸収源対策と木材利用の推進）

国有林野事業では、森林吸収源対策を推進する観点から、引き続き間伐の実施に取り組むとともに、保安林等に指定されている天然生林の適切な保全・管理に取り組んでいる。平成30（2018）年度には、全国の国有林野で約10万haの間伐を実施した（資料Ⅳ－4）。

また、今後、資源の充実に伴う伐採面積の増加が見込まれる中、将来にわたる二酸化炭素の吸収作用の保全及び強化を図る必要があることから、主伐後の確実な再造林に取り組むこととしている。平成30（2018）年度の人工造林面積は、全国の国有林野で約0.9万haとなっている。

さらに、間伐材等の木材利用の促進は、間伐等の森林整備の推進に加え、木材による炭素の貯蔵にも貢献することから、林道施設や治山施設の森林土木工事等において、間伐材等を資材として積極的に利用している。平成30（2018）年度には、林道施設で約0.5万㎥、治山施設で約3.6万㎥の木材・木製品を使用した。また、老朽化が進んだ森林管理署等の庁舎についても、原則として木造建築物としての建て替えを進めている。

（ウ）生物多様性の保全
（国有林野における生物多様性の保全に向けた取組）

国有林野事業では、森林における生物多様性の保

事例Ⅳ－2 民有林と連携した路網の整備

四国森林管理局嶺北森林管理署（高知県本山町）では、高知県いの町において、国有林と隣接する民有林を所有する住友林業株式会社新居浜山林事業所（愛媛県新居浜市）と「いの町本川地域（葛原団地）森林整備推進協定」（区域面積430ha）を平成21（2009）年8月に締結し、効率的な路網整備と間伐等の森林施業を連携して推進している。

この協定に基づき、令和5（2023）年度までに2,690m（うち国有林：1,662m）の林業専用道の開設を計画し、令和元（2019）年度までに2,240m（うち国有林：1,597m）を開設した。当該林業専用道を活用し、令和元（2019）年度に3,000㎥の出材が行われており、今後民有林、国有林合わせて1万700㎥の出材を計画している。

このように、民有林と国有林が連携することで施業地の一体化を図り、効率的な路網整備と森林施業を進め、林業の成長産業化に取り組んでいくこととしている。

民有林に接続する林業専用道を開設

協定団地における林業専用道整備予定

全を図るため、「保護林」や「緑の回廊」における
モニタリング調査等を通じた適切な保全・管理を推
進するとともに、多様な森林づくりの推進、森林の
適切な保全・管理、施業現場における生物多様性へ
の配慮等に取り組んでいる。これらの取組は、平成
24（2012）年に閣議決定された「生物多様性国家
戦略2012-2020」にも、生物多様性の保全と持続
的な利用を実現するための具体的施策として位置付
けられている。

各森林管理局の森林生態系保全センターや森林ふ
れあい推進センター等では、地域の関係者等との協
働・連携による森林生態系の保全・管理や自然再生、
希少な野生生物の保護等の取組を進めている。また、
登山利用などによる来訪者の集中により植生の荒廃
等が懸念される国有林野においては、「グリーン・
サポート・スタッフ（森林保護員）」による巡視やマ
ナーの啓発活動を行い、貴重な森林生態系の保全・
管理に取り組んでいる。

（保護林の設定）

国有林野事業では、我が国の気候又
は森林帯を代表する原生的な天然林や
地域固有の生物群集を有する森林、希
少な野生生物の生育・生息に必要な森
林を「保護林」に設定している（資料
Ⅳ-5）。平成31（2019）年4月現在
の保護林の設定箇所数は667か所、設
定面積は97.8万haとなっており、国
有林野面積の13%を占めている。

これら保護林では、森林の厳格な保
護・管理を行うとともに、森林や野生
生物等の状況変化に関する定期的なモ
ニタリング調査を実施して、森林生態
系等の保護・管理や区域の見直し等に
役立てている。

（緑の回廊の設定）

国有林野事業では、野生生物の生育・
生息地を結ぶ移動経路を確保すること
により、個体群の交流を促進し、種の
保全や遺伝子多様性を確保することを
目的として、民有林関係者とも連携し
つつ、保護林を中心にネットワークを

形成する「緑の回廊」を設定している。平成31
（2019）年4月現在、国有林野内における緑の回廊
の設定箇所数は24か所、設定面積は58.4万haであ
り、国有林野面積の8%を占めている。

これら緑の回廊では、野生生物の保護等のための

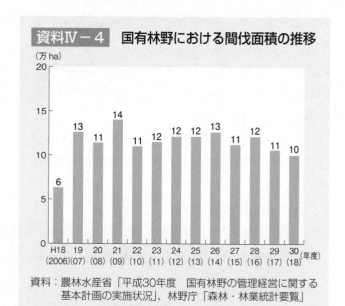

資料Ⅳ-4　国有林野における間伐面積の推移

（万ha）

資料：農林水産省「平成30年度　国有林野の管理経営に関する
基本計画の実施状況」、林野庁「森林・林業統計要覧」

資料Ⅳ-5　「保護林」と「緑の回廊」の位置図

（名称は、保護林のうち森林生態系保護地域の名称を記載）

注：平成31（2019）年4月1日現在。
資料：農林水産省「平成30年度　国有林野の管理経営に関する基本計画の実施
状況」

巡視、モニタリング調査、生育・生息環境の保全・整備等を研究機関、自然保護団体等の参加・協力も得て実施している。

（世界遺産等における森林の保護・管理）

世界遺産一覧表に記載された我が国の世界自然遺産は、その陸域のほぼ全域（95%）が国有林野である（資料Ⅳ-6）。国有林野事業では、遺産区域内の国有林野のほとんどを世界自然遺産の保護担保措置の対象となっている「森林生態系保護地域」（保護林の一種）に設定し、厳格な保護・管理に努めるとともに、世界自然遺産*2登録地域を、関係する機関とともに管理計画等に基づき適切に保護・管理しており、外来植物の駆除や植生の回復事業、希少種保護のための巡視等を行っている。例えば、「白神山地」（青森県及び秋田県）の国有林野では、世界自然遺産地域への生息範囲拡大が懸念されるシカについて、環境省と連携し、センサーカメラによるモニタリングを実施している。「小笠原諸島」（東京都）の国有林野では、アカギやモクマオウなど外来植物の駆除を実施し、小笠原諸島固有の森林生態系の修復に取り組んでいる。また、平成31（2019）年2月に自然遺産として世界遺産一覧表へ記載するための推薦書をユネスコに再提出した「奄美大島、徳之島、沖縄島北部及び西表島」についても、その推薦区域の約7割が国有林野である。国有林野事業では、推薦区域の生物多様性の保全を図るため、国有林野のほとんどを森林生態系保護地域に設定し、関係する機関と連携して、イリオモテヤマネコ等の希少種保護のための巡視や、ギンネム等の外来植物の分布状況調査及び駆除などに取り組んでいる。

このほか、世界文化遺産についても、「富士山-信仰の対象と芸術の源泉」（山梨県及び静岡県）など、その構成資産等に国有林野が含まれるものが少なくない。国有林野事業では、これらの国有林野についても厳格な保護・管理や森林景観等に配慮した管理経営を行っている。

さらに、「世界文化遺産貢献の森林」として、京

都市内や奈良盆地、紀伊山地及び広島県の宮島における約4,600haの国有林野を設定し、文化財修復資材の供給、景観の保全、檜皮採取技術者養成フィールドの提供、森林と木造文化財の関わりに関する学習の場の提供等に取り組んでいる。

また、「ユネスコエコパーク*3」に所在する国有林野については、「森林生態系保護地域」を始めとした保護林や緑の回廊に設定することなどにより、生態系の保全と持続可能な利活用の調和（自然と人間社会の共生）を目指す地方公共団体等の取組に貢献している。

（希少な野生生物の保護と鳥獣被害対策）

国有林野事業では、国有林野内を生育・生息の場とする希少な野生生物の保護を図るため、野生生物の生育・生息状況の把握、生育・生息環境の維持、改善等に取り組んでいる。一方、近年、シカによる森林植生への食害やクマによる樹木の剥皮等の、野生鳥獣による森林被害は依然として深刻であり、希少な高山植物など、他の生物や生態系への脅威ともなっている。

このため、国有林野事業では、野生鳥獣による森林被害対策として、防護柵の設置、被害箇所の回復措置を実施するとともに、GPSや自動撮影カメラ等によるシカの生息・分布調査や被害調査、職員によるくくりわな等による捕獲、効果的な捕獲技術の実用化や普及活動の推進、猟友会等と連携した捕獲

資料Ⅳ-6　我が国の世界自然遺産の陸域に占める国有林野の割合

遺産名	陸域面積（ha）	国有林野面積（ha）	国有林野の割合
知床	48,700	45,989	94%
白神山地	16,971	16,971	100%
屋久島	10,747	10,260	95%
小笠原諸島	6,358	5,170	81%
計	82,776	78,390	95%

資料：林野庁経営企画課調べ。

*2　現在、我が国の世界自然遺産は、「知床」（北海道）、「白神山地」（青森県及び秋田県）、「小笠原諸島」（東京都）及び「屋久島」（鹿児島県）の4地域となっている。

*3　ユネスコの「生物圏保存地域」の国内呼称で、1976年に、ユネスコの自然科学セクターの「ユネスコ人間と生物圏計画」における一事業として開始された。生態系の保全と持続可能な利活用の調和（自然と人間社会の共生）を目的としている。詳しくは第Ⅰ章第3節（3）84-85ページを参照。

推進体制の構築等に取り組んでいる。

また、地域における農林業被害の軽減・防止へ貢献するため、捕獲鳥獣のジビエ利用、わなの貸与等の捕獲への協力も行っている（事例Ⅳ－3）。

（自然再生の取組）

国有林野事業では、シカやクマ等の野生鳥獣や、松くい虫等の病害虫、強風や雷等の自然現象によって被害を受けた森林について、その再生及び復元に努めている。

また、地域の特性を活かした効果的な森林管理が可能となる地区においては、地域、ボランティア、NPO等と連携し、生物多様性についての現地調査、荒廃した植生回復等の森林生態系の保全等の取組を実施している。

さらに、国有林野内の優れた自然環境を保全し、希少な野生生物の保護を行うため、環境省や都道府県の環境行政関係者との連絡調整や意見交換を行いながら、「自然再生事業実施計画[*4]」や「生態系維持回復事業計画[*5]」を策定し、連携した取組を進めている。

事例Ⅳ－3　地域と連携したシカ被害対策の取組

広島北部森林管理署（広島県三次市）管内の安芸高田市は、ニホンジカが多く、農林業被害が多く発生している地域であり、令和元（2019）年10月、同森林管理署、安芸高田市及び安芸高田市有害鳥獣捕獲班連絡協議会の三者による「シカ被害対策推進協定」を締結し、民有林と国有林が連携してシカ被害対策に取り組む活動を始めた。

同協定は、安芸高田市内の民有林及び国有林を対象区域とし、同森林管理署は、シカ捕獲に必要な「わな」の無償貸与、捕獲場所としての国有林野の提供、捕獲方法及び安全対策の指導等を行っている。同協議会は、「わな」等によりシカを捕獲し、ジビエ利用等、有効活用に努めている。

特に、近畿中国森林管理局和歌山森林管理署の職員が開発した「小林式誘引捕獲わな」[注1]及び四国森林管理局森林技術・支援センターが開発した小型囲いわな[注2]による効率化と技術の向上により捕獲を促進し、地域の農林業被害及び森林生態系被害の防止を目指している。

今後は、同協定の成果を踏まえ、周辺地域にも取組を拡大していくこととしている。

注1：シカの採食時の習性を利用して確実に捕獲できるよう工夫したわな
注2：誤ってわなにかかったクマが柵の上部から脱出できるような構造の囲いわな

協定締結調印式

小林式誘引捕獲わな

小型囲いわな

---

*4　「自然再生推進法」（平成14年法律第148号）に基づき、過去に損なわれた生態系その他の自然環境を取り戻すことを目的とし、地域の多様な主体が参加して、森林その他の自然環境を保全、再生若しくは創出、又はその状態を維持管理することを目的とした自然再生事業の実施に関する計画。

*5　「自然公園法」（昭和32年法律第161号）に基づき、国立公園又は国定公園における生態系の維持又は回復を図るために、国又は都道府県が策定する計画。

(エ)民有林との一体的な整備・保全

(公益的機能維持増進協定の推進)

国有林野に隣接・介在する民有林の中には、森林所有者等による間伐等の施業が十分に行われず、国土の保全等の国有林野の公益的機能の発揮に悪影響を及ぼす場合や、民有林における外来樹種の繁茂が国有林野で実施する駆除に支障となる場合もみられる。このような民有林の整備・保全については、森林管理局長が森林所有者等と協定を締結して、国有林野事業により一体的に整備及び保全を行う「公益的機能維持増進協定制度」が、平成25(2013)年度に開始された。

国有林野事業では、同制度の活用により、隣接・介在する民有林と一体となった間伐等の施業の実施や、世界自然遺産地域における生物多様性保全に向けた外来樹種の駆除等に向け、民有林所有者等との合意形成を進めており、平成31(2019)年3月末現在までに20か所(595ha)の協定が締結された(資料Ⅳ−7)。

(2)林業の成長産業化への貢献

現在、施業の集約化等による低コスト化や担い手の育成を始め、林業の成長産業化に向けた取組の推進が課題となっている。このため、国有林野事業では、その組織、技術力及び資源を活用し、多様な森林整備を積極的に推進する中で、森林施業の低コスト化を進めるとともに、民有林関係者等と連携した施業の推進、施業集約化への支援、林業事業体や森林・林業技術者等の育成及び林産物の安定供給等に取り組んでいる。

(低コスト化等に向けた技術の開発・普及)

国有林野事業では、事業発注を通じた施策の推進や全国における多数の事業実績の統一的な分析等が可能であることから、その特性を活かし、植栽本数や下刈り回数・方法の見直し、情報通信技術(ICT)等を活用した効率的な森林管理、シカ防護対策の効率化、早生樹の導入等による林業の低コスト化等に向け、先駆的な技術等について各森林管理局が中心となり、地域の研究機関等と連携しつつ事業レベル

での試行を進めている(事例Ⅳ−4)。さらに、現地検討会等の開催による地域の林業関係者との情報交換や、地域ごとの地形条件や資源状況の違いに応じた低コストで効率的な作業システムの提案及び検証を行うなど、民有林における普及と定着に努めている(資料Ⅳ−8、事例Ⅳ−5)。令和元(2019)年6月には、国有林において行う技術開発の成果を、体系的に整理しデータベース化した「国有林野事業技術開発総合ポータルサイト」を公開し、国有林野の管理経営に役立てるとともに、森林・林業・木材産業関係者等への情報発信に取り組んでいる。

特に近年は、施工性に優れたコンテナ苗の活用による効率的かつ効果的な再造林手法の導入・普及等を進めるとともに、植栽適期の長さ等のコンテナ苗の優位性を活かして伐採から造林までを一体的に行う「伐採と造林の一貫作業システム*6」の実証・普及に取り組んでいる。この結果、国有林野事業では、

| 資料Ⅳ−7 | 公益的機能維持増進協定の締結状況 |

概要	森林管理局	協定区域の管轄署等	協定数	協定面積(ha)
森林整備(間伐)の実施	東北	上小阿仁支署	1	31
		仙台森林管理署	1	7
	関東	天竜森林管理署	2	60
		塩那森林管理署	1	24
		茨城森林管理署	2	65
		日光森林管理署	4	231
	中部	北信森林管理署	2	27
	近畿中国	奈良森林管理事務所	1	27
		広島北部森林管理署	1	14
	四国	嶺北森林管理署	1	47
	九州	鹿児島森林管理署	1	38
		北薩森林管理署	1	21
外来種の駆除	関東(小笠原)	関東森林管理局(局直轄)	1	2
	九州	屋久島森林管理署	1	1
計			20	595

注1:計の不一致は四捨五入による。
　2:平成31(2019)年3月末現在の状況。
　3:協定数20のうち、上小阿仁支署、天竜署、日光署2か所、奈良所、嶺北署、鹿児島署、関東局(局直轄)、屋久島署の協定は終了している。
資料:農林水産省「平成30年度　国有林野の管理経営に関する基本計画の実施状況」

---

*6　伐採と造林の一貫作業システムとは、伐採から植栽までを一体的に行う作業システムのこと。詳細については、第Ⅱ章第1節(4)134ページを参照。

平成30（2018）年度には2,431haでコンテナ苗等を植栽し（資料Ⅳ－9）、948haで伐採と造林の一貫作業を実施した（資料Ⅳ－10）。

これらの植栽の実証を通じて、我が国でのコンテ

ナ苗の普及に向け、技術的課題の把握、使用方法の改善等に取り組んでいる。

また、近年、森林・林業分野でも活用が期待されている、効率的に上空から森林の状況把握を行うこ

資料Ⅳ－8　国有林野事業の現場を活用した現地検討会等の実施状況

区　分		実施状況
実施回数		293回
延べ参加人数		9,979人
	うち民有林関係者	5,943人

注1：平成30（2018）年度に、森林管理局や森林管理署等が主催又は共催した、作業システム、低コスト造林等をテーマとした現地検討会等の実施状況。
　2：民有林関係者とは、国有林野事業職員以外で、地方公共団体や林業事業体の職員等。
資料：農林水産省「平成30年度　国有林野の管理経営に関する基本計画の実施状況」

資料Ⅳ－9　国有林野におけるコンテナ苗の植栽面積の推移

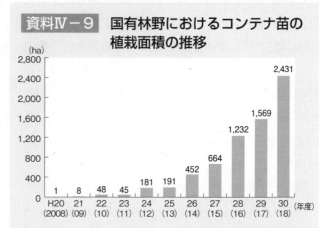

資料：平成25（2013）年度までは、林野庁業務課調べ。平成26（2014）年度以降は、農林水産省「平成30年度　国有林野の管理経営に関する基本計画の実施状況」。

事例Ⅳ－4　IoTを活用した鳥獣被害対策

四国森林管理局は、平成29（2017）年度から高知県梼原町（ゆすはらちょう）において、わな巡視作業の軽減と有害鳥獣のジビエ活用を推進するため、有害鳥獣がわなに捕獲されるとLPWA（低消費広域通信）とモバイルデータ通信を介して瞬時に狩猟者等の携帯端末等へ通知されるシステムを導入している。

当該システムの利用により、これまで携帯電話の受信範囲に限られていた捕獲通知情報を、中継機を通じて携帯圏外エリアに設置したわなからでも受信することが可能になった。その結果、狩猟者等によるわな巡視の負担軽減、及び捕獲の効率化に加え、行政担当者による狩猟・有害鳥獣駆除に係る事務の効率化にもつながった。

今後は、引き続き、鳥獣被害対策関係者を対象とした当該システムに関する勉強会等の開催を通じて地域との連携や信頼関係の構築に努めるとともに、若年狩猟者の不足や鳥獣被害に対する認識を深めるため、中学生や高校生に対する森林環境教育講座も継続して実施していくこととしている。

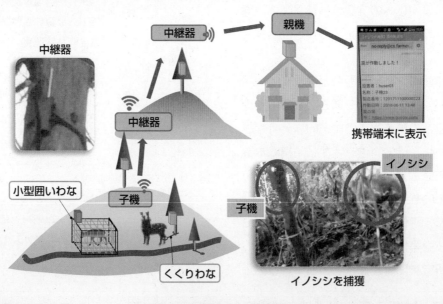

IoTを活用した捕獲通知システムのイメージ

とのできるドローンについて、山地災害の被害状況及び事業予定のある森林の概況の調査等への活用や実証に取り組んでいる。

（民有林と連携した施業）

国有林野事業では、地域における施業集約化の取組を支援し、森林施業の低コスト化に資するため、民有林と連携することで事業の効率化や低コスト化等を図ることのできる地域においては、「森林共同施業団地」を設定し、民有林と国有林を接続する路網の整備や相互利用、連携した施業の実施、民有林材と国有林材の協調出荷等に取り組んでいる。

平成31（2019）年３月末現在、森林共同施業団地の設定箇所数は168か所、設定面積は約42万ha（うち国有林野は約24万ha）となっている（資料Ⅳ－11、12）。

（林業事業体及び森林・林業技術者等の育成）

国有林野事業は、国内最大の森林を管理する事業発注者であるという特性を活かし、林業事業体への

事業の発注を通じてその経営能力の向上等を促すこととしている。

具体的には、総合評価落札方式や２か年又は３か年の複数年契約、事業成績評定制度の活用等により、林業事業体の創意工夫を促進している。このほか、作業システムや路網の作設に関する現地検討会の開

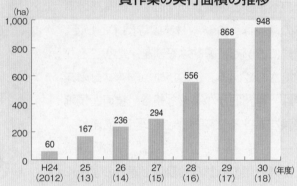

資料Ⅳ－10　国有林野における伐採と造林の一貫作業の実行面積の推移

（ha）

年度	H24（2012）	25（13）	26（14）	27（15）	28（16）	29（17）	30（18）
面積	60	167	236	294	556	868	948

資料：平成25（2013）年度までは、農林水産省「平成29年度国有林野の管理経営に関する基本計画の実施状況」。平成26（2014）年度以降は、農林水産省「平成30年度　国有林野の管理経営に関する基本計画の実施状況」。

事例Ⅳ－5　コウヨウザン植栽現地検討会を実施

早生樹として注目されているコウヨウザン[注1]は、西日本では試験植栽や利用方法についての試験が進んでいるが、東日本では植栽事例が少なく、試験植栽もあまり進んでいなかった。

こうした中、関東森林管理局利根沼田森林管理署（群馬県沼田市）では、群馬県林業試験場との共同で、令和元（2019）年11月に、群馬県北部地域の気候や地理条件の中でコウヨウザンの育苗・造林技術の検証を行うこと、コウヨウザンを広く認知してもらうことを目的として、コウヨウザンの試験植栽及び現地検討会を開催した。

現地検討会では、実際に参加者が鍬で地面に植穴を掘り、計30本の苗木[注2]を植栽した。比較的温暖な地域が生育適地とされているコウヨウザンであるが、利根沼田地域で成長調査や試験植栽等を継続し、寒冷地で成林する条件や可能性について検証していくこととしている。

注１：コウヨウザンについては、第Ⅱ章第１節（４）137ページを参照。
注２：広島県産１年生・２年生の普通苗・コンテナ苗、群馬県林業試験場育苗の挿し木普通苗を植栽。

現地検討会での植栽作業の様子（左）と植栽後の状況（右）

催により（事例Ⅳ－6）、林業事業体の能力向上や技術者の育成を支援するとともに、市町村単位での今後5年間の伐採量の公表や森林整備及び素材生産の発注情報を都道府県等と連携して公表することにより、林業事業体の事業展開に効果的な情報発信に取り組んでいる（事例Ⅳ－7）。

また、近年、都道府県や市町村の林務担当職員の不在、森林・林業に関する専門知識の不足などの課題がある中、国有林野事業の職員は、森林・林業の専門家として、地域において指導的な役割を果たすことが期待されている。このため、国有林野事業では、専門的かつ高度な知識や技術と現場経験を有する「森林総合監理士（フォレスター）」等を系統的に育成し、森林管理署と都道府県の森林総合監理士等との連携による「技術的援助等チーム」の設置等により、市町村行政に対し「市町村森林整備計画」の策定とその達成に向けた支援等を行っている（事例Ⅳ－8）。

さらに、国有林野の多種多様なフィール

ドの提供を通じた研修等の開催により民有林の人材育成を支援するとともに、大学や林業大学校など林業従事者等の育成機関と連携して、森林・林業に関する技術指導に取り組んでいる。

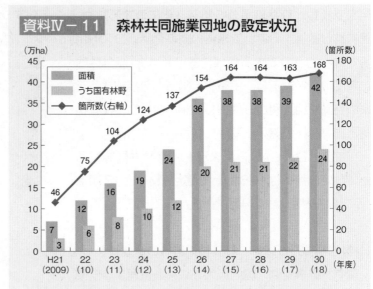

資料Ⅳ－11　森林共同施業団地の設定状況

注：各年度末の数字であり、協定期間が終了したものは含まない。平成29（2017）年度に3か所で事業が終了し、平成30（2018）年度に新たに8か所で森林共同施業団地を設定（1.3万haうち国有林0.8万ha）して事業を開始。
資料：農林水産省「平成30年度　国有林野の管理経営に関する基本計画の実施状況」

資料Ⅳ－12　各森林管理局の森林共同施業団地の取組例

森林管理局	団地名	民有林側協定締結者	概要
北海道森林管理局 石狩森林管理署	婦美共同施業団地 余別共同施業団地	積丹町など2者	トラック運搬にも活用可能な効果的な路網整備
東北森林管理局 岩手北部森林管理署	八幡平市田沢・曲田地域森林共同施業団地	八幡平市など2者	搬出拠点に接続した効率的な路網整備
関東森林管理局 下越森林管理署村上支署	村上市笹平地区森林共同施業団地	下越流域森林・林業活性化センターなど2者	連結路網[注1]の整備及び現地検討会を通じた路網作設技術の普及
中部森林管理局 木曽森林管理署 木曽森林管理署南木曽支署	木祖村団地、木曽町団地、木曽町開田団地、王滝村団地、上松町団地、大桑村団地、南木曽町団地	木曽谷流域6町村など13者	連結路網[注1]の整備及び協調出荷
近畿中国森林管理局 三重森林管理署	悟入谷・古野裏山地域森林共同施業団地	岐阜県森林公社など5者	2つの県をまたがる搬出路網の整備
四国森林管理局 嶺北森林管理署	いの町本川（葛原）地域森林共同施業団地	民間企業1者	連結路網[注1]の整備及び連携した森林施業
九州森林管理局 熊本南部森林管理署	五木地域森林共同施業団地	民間企業など10者	事業連携に資する共通図面作成及び協調出荷

注1：「連結路網」とは、民有林と国有林を接続させた路網のこと。
　　2：各局の取組の詳細は、北海道局（平成30年度）、東北局（平成26年度）、近畿中国局（平成28年度）、四国局（令和元年度）及び九州局（平成30年度）は括弧内各年度の「森林及び林業の動向」を、関東局（平成29年度）及び中部局（平成26年度）は括弧内各年度の「国有林野の管理経営に関する基本計画の実施状況」を参照。

（森林経営管理制度への貢献）

平成31（2019）年４月から運用を開始した森林経営管理制度が、効率的に機能するよう、国有林野事業においても積極的に貢献していく必要がある。このため、市町村が集積・集約した森林の経営管理を担うこととなる林業経営者に対する国有林野事業の受注機会の拡大へ配慮するほか、市町村林務行政に対する技術的支援や公的管理を行う森林の取扱手法の普及、地域の方々の森林・林業に対する理解の促進への寄与等に取り組むこととしている。また、国有林野事業で把握している林業経営者の情報を、市町村に提供することとしており、これらの取組を通じて地域の林業経営者の育成を支援することとしている。

（森林経営管理制度を円滑に進めるため、国有林野の管理経営に関する法律等の一部を改正）

森林経営管理制度を円滑に進めるためには、川上側の林業と川中・川下側の木材関連産業との連携強化を進め、木材需要の拡大を図りながら、森林経営管理制度の要となる林業経営者を育成することが重要となっている。このことを踏まえ、平成30（2018）年11月に「農林水産業・地域の活力創造本部」において改訂された「農林水産業・地域の活力創造プラン（農林水産業・地域の活力創造本部決定）」では、国有林野の一定の区域で、公益的機能を確保しつつ、意欲と能力のある林業経営者（森林組合、素材生産業者、自伐林家等）が、長期・安定的に立木の伐採を行うことができる仕組みや、意欲と能力を有する林業経営者と連携する川下事業者に対する資金供給の円滑化を図る仕組みを創設することが位置付けられた。これらの仕組みについては、林政審議会における審議を経て、「国有林野の管理経営に関する法律等の一部を改正する法律[*7]」案として国会での審議が行われた。これらの審議の過程

事例Ⅳ−6　高性能林業機械タワーヤーダ集材現地検討会

四国森林管理局香川森林管理事務所（香川県高松市）及び徳島森林管理署（徳島県徳島市）では、令和元（2019）年６月、美馬森林組合の協力を得て、香川県まんのう町の国有林において、タワーヤーダによる集材についての現地検討会を開催した。

同地域では急峻な地形が多いことから、森林作業道の作設が困難な森林に対応できる生産技術の開発と、技術者の育成が課題となっている。タワーヤーダは架線を利用する集材機械であり、集材距離が比較的長いことから森林作業道の作設が困難な急傾斜地での集材を可能にすること、また少人数での作業が可能であること等の利点があるとされ、同地域において活躍が期待されている。

現地検討会には香川県、徳島県、両県内の市町村、林業事業体、森林管理署等から65名が参加し、参加者からは「急傾斜地での作業道の作設が不要になることから、環境負荷が軽減され、森林保全につながる」等の意見が出された。同森林管理事務所及び同森林管理署では、今後も関係者と連携しながら、高性能林業機械の普及と林業技術者の育成に取り組むこととしている。

高性能林業機械タワーヤーダ集材の実演の様子

[*7]　国有林野の管理経営に関する法律等の一部を改正する法律（令和元年法律第31号）

においては、国有林野の管理経営の在り方について幅広い議論がなされ、改めて国有林野の公共性が認識されることとなった。この法律は、令和元（2019）年6月5日に国会で成立し、令和2（2020）年4月から施行されることとなり、森林経営管理制度の要となる林業経営者を育成するため、国有林野の一定の区域において、一定期間、安定的に樹木を採取できる「樹木採取権制度」が創設された。

樹木採取権の設定を受けることにより、長期的な事業量の見通しが立ち、計画的な雇用や林業機械の導入が促進され、経営基盤の強化につながり、森林経営管理制度の要となる林業経営者の育成が図られることが期待される。

（「樹木採取権制度」の概要）

同制度では、樹木採取区として指定した国有林野の一定の区域において、一定期間、安定的に樹木を伐採して取得（採取）する「樹木採取権」を公募によって選定された者に設定する（権利の存続期間10年程度、区域面積200〜300haを基本に運用）。樹木採

取権の設定を受ける者は、都道府県の公表する経営管理実施権の設定を受けることを希望する民間事業者又は同等の能力を有する者であること、川中・川下事業者と連携すること等を要件としており、樹木の対価である樹木料の額の多寡のほか、雇用の増大等の地域の産業の振興への寄与等を総合的に評価して選定することとしている。

樹木の採取に当たっては、一箇所当たりの伐採面積の上限や渓流沿いの保護樹帯の設置等、国有林の伐採ルールに則り、国が樹木採取区ごとに定める基準や国有林野の地域管理経営計画に適合しなければならないこととしており、公益的機能の確保に支障を及ぼさない仕組みとしている。また、樹木採取権者がこれらに違反した場合は樹木採取権を取り消すことも可能としている。

一方、樹木の採取跡地における植栽については従来どおり国が確実に実施することとしている。この場合、伐採と造林の一貫作業システムにより採取と植栽を一体的に行うことが効率的である。このため、

事例Ⅳ－7　県と連携した林業の低コスト化の取組

青森県の民有林では、再造林の推進が課題となっており、また林業における人手不足は民有林、国有林を問わず深刻であり、再造林の推進や人材確保のため、林業全般におけるコスト低減を通じた収益性の向上が課題となっている。このため青森森林管理署（青森県青森市）は、青森県と連携して、伐採から育林まで各段階における低コスト化に向けたセミナー及び現地検討会を、林業事業体並びに県及び市町村職員を対象に行った。

同森林管理署が中心となって、令和元（2019）年7月に作業システムセミナー、同年9月に下刈り省略の現地検討会を開催する一方、青森県の主催により循環型林業を担う林業事業体育成のためのセミナーを同年9月に、一貫作業システムの現地研修会を同年11月に開催し、同森林管理署と青森県が相互に参加して幅広く情報提供を行うとともに、林業事業体同士の情報交換の機会を提供するなど、全体としての取組の効果を高めるよう工夫した。

今後もそれぞれの取組の効果を高めるため、取組の計画の初期段階から両者の情報交換や調整を緊密に行うこととしている。

作業システムセミナー（国・県共催）

下刈り省略の現地検討会（国・県共催）

樹木採取区の指定（国）

効率的かつ安定的な林業経営の育成を図るため、基準に該当する国有林野を指定

- ●樹木の採取に適する相当規模の森林資源が存在する一団の国有林野
- ●国有林と民有林に係る施策を一体的に推進することにより産業の振興に寄与すると認められるものであること

等の基準に該当する必要

公募～審査・評価～選定（国）

審査要件に適合している者の中から、申請内容を総合的に評価して、関係都道府県知事に協議の上、権利を受ける者を選定

（単独による申請の他、複数の事業者が水平連携して協同組合等の法人として申請することも可能）

（審査要件）
- ●意欲と能力のある林業経営者又は同等の能力を有する者
- ●川中事業者、川下事業者と連携する者　等

（総合的な評価の項目例）
- 樹木料の申請額、事業の実施体制（同種事業の実績等）、地域の産業の振興に対する寄与（雇用の増大等）　等

樹木採取権の設定（国⇒樹木採取権者）

権利設定料の納付、
運用協定の締結（権利存続期間満了まで）

5年ごとに繰り返し

施業の計画を含む5年間の実施契約の締結（国⇔樹木採取権者）

樹木料の納付（毎年度、伐採箇所を確定して算定）

- ●国が樹木採取区ごとに定める基準や地域管理経営計画に適合する必要
  公益的機能の確保の観点から、現行の国有林のルールを厳守
- （例）●一箇所当たりの皆伐面積の上限（5ha）
  　　　●尾根や渓流沿いへの保護樹帯（50m以上）の設置　等
- ●樹木採取権者は伐採と一体的に植栽を実施

樹木採取権の行使（樹木採取権者）

毎年度の実施状況の報告（樹木採取権者⇒国）

- ●定期報告に加え、必要に応じて、国から樹木採取権者に対して報告を求め、調査し、指示
- ●重大な契約違反や指示に従わない場合は権利を取消し

権利存続期間満了

事例Ⅳ－8　五島地域の林業活性化に向けた民有林と国有林の連携

　九州森林管理局長崎森林管理署（長崎県諫早市）では、平成28（2016）年度に、同森林管理者、五島市、長崎県五島振興局及び五島森林組合の4者により「五島市森林づくり推進チーム」を設立し、平成29（2017）年度が始期となる「五島市森林整備計画」の策定支援を行った。

　この整備計画を達成するため、推進チームは、地域の課題である林業労働力不足の解消に向けて、新規参入も支援できるよう、平成30（2018）年度から継続して、他業種を対象に森林整備等の講習会を開催してきた。さらに、限られた労働力の下では、施業の効率化を図ることが重要であることから、令和元（2019）年度には、手入れが行き届いていない民有林の整備を進めるため、五島地域森林共同施業団地（平成29（2017）年度設定（941ha））の拡大による施業集約化に取り組むこととし、地域の林業経営体等に参加を促し、多くの賛同を得た。

　今後は、拡大した施業団地における効率的な森林整備の推進と、他業種への講習会を継続していく。

森林整備等の講習会の様子
（令和元（2019）年9月開催）

施業団地の拡大に向けた説明会の様子
（令和元（2019）年9月開催）

樹木採取権者に植栽の作業を行わせることとし、樹木採取権の申請時に、設定を受けた際には国と委託契約を結び採取跡地に適切に植栽を行う旨の書面を国に提出させることで、採取と一体的な植栽の実施を進めていくこととしている（資料Ⅳ-13）。

（林産物の安定供給）

国有林野事業では、公益重視の管理経営の下で行われる施業によって得られる木材について、持続的かつ計画的な供給に努めることとしている。

国有林野事業から供給される木材は、国産材供給量の約2割を占めており、平成30（2018）年度の木材供給量は、立木によるものが167万㎥（丸太換算）、素材（丸太）によるものが261万㎥となっている。

国有林野事業からの木材の供給に当たっては、集成材・合板工場や製材工場等と協定を締結し、林業事業体の計画的な実行体制の構築に資する国有林材を安定的に供給する「システム販売」を進めている（事例Ⅳ-9）。システム

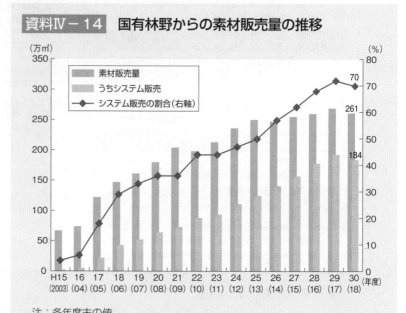

資料Ⅳ-14　国有林野からの素材販売量の推移

（凡例）
- 素材販売量
- うちシステム販売
- システム販売の割合（右軸）

注：各年度末の値。
資料：平成25（2013）年度までは、林野庁業務課調べ。平成26（2014）年度以降は、農林水産省「平成30年度　国有林野の管理経営に関する基本計画の実施状況」。

事例Ⅳ-9　丸太の高付加価値化に向けた取組

北海道では、生産されるトドマツやカラマツ等の丸太のうち約5割が製材用であるが、主な用途は、梱包材等の産業用資材や、建築用の間柱・垂木などの羽柄材が中心となっており、付加価値の高い構造用材（柱や梁など）としての利用は少ない状況となっている。

北海道内の人工林は一般的な主伐期を超えた高齢級化が進んでおり、公益的機能の持続的発揮と森林資源の循環利用の観点からは、高齢級の大径木が付加価値の高い構造用材として利用されることによって、齢級構成を平準化していくことが必要であると考えられる。

そのため、北海道森林管理局では、令和元（2019）年度のシステム販売の一部において、一定の径級（24cm以上）及び品質を確保した良材のみを選別し、構造用材として使用することを条件とした販売を試行的に実施した。

このような取組は、国有林を起点としたサプライチェーンの確立と木材のトレーサビリティの強化にもつながると考えられることから、北海道森林管理局では、更なる高付加価値化を目指すとともに、民有林へも協調出荷を促していくこととしている。

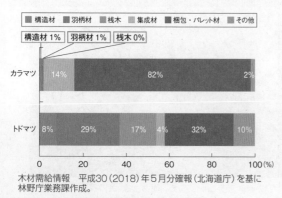

木材需給情報　平成30（2018）年5月分確報（北海道庁）を基に林野庁業務課作成。

製材の用途別出荷割合（数量ベース）

選別され椪積されたカラマツ

販売による丸太の販売量は増加傾向で推移しており、平成30（2018）年度には丸太の販売量全体の70％に当たる184万㎡となった（資料Ⅳ－14）。また、システム販売の実施に当たっては、民有林所有者等との連携による協調出荷に取り組むとともに、新規需要の開拓に向けて、燃料用チップ等を用途とする未利用間伐材等の安定供給にも取り組んでいる。

さらに、国有林野事業については、全国的なネットワークを持ち、国産材供給量の約2割を供給し得るという特性を活かし、地域の木材需要が急激に変動した場合に、地域の需要に応える供給調整機能を発揮することが重要となっている。このため、平成25（2013）年度から、林野庁及び全国7つの森林管理局において、学識経験者のほか川上、川中及び川下関係者等から成る「国有林材供給調整検討委員会」を開催することにより、地域の木材需給を迅速かつ適確に把握し、需給に応じた国有林材の供給に取り組むこととしている。また、平成27（2015）年度から、全国7ブロックで開催されている「需給情報連絡協議会」に各森林管理局も参画するなど、地域の木材価格や需要動向の適確な把握に努めている。

このほか、ヒバや木曽ヒノキなど民有林からの供給が期待しにくい樹種や広葉樹の材を、多様な森林を有しているという国有林野の特性を活かして、供給している（事例Ⅳ－10）。

（3）「国民の森林」としての管理経営等

国有林野事業では、国有林野を「国民の森林」として位置付け、国民に対する情報の公開、フィールドの提供、森林・林業に関する普及啓発等により、国民に開かれた管理経営に努めている。

また、国有林野が、国民共通の財産であるとともに、それぞれの地域における資源でもあることを踏まえ、地域振興へ寄与する国有林野の活用にも取り組んでいる。

さらに、東日本大震災からの復旧及び復興へ貢献するため、国有林野等における被害の復旧に取り組むとともに、被災地のニーズに応じて、海岸防災林の再生や原子力災害からの復旧等に取り組んでいる。

事例Ⅳ－10 里山広葉樹林活用・再生プロジェクト

かつては長くて20～30年間隔で伐採されていた里山の森林は、薪等として利用されなくなり、幹が太く樹高の高い森林に変化し、ナラ枯れ被害の増長も懸念されていることから、適切な管理が必要である。近畿中国森林管理局では、里山の森林を活用しつつ若返らせることによって林業の成長産業化や地域振興等に寄与することを目標として、岡山大学の協力を得ながら「里山広葉樹林活用・再生プロジェクト」に取り組んでおり、岡山県内のコナラやアベマキ等から成る里山林において丸太を生産し販売することによって事業としての採算性やニーズを把握するとともに、伐採跡地の天然更新に関する検証、里山広葉樹の需要拡大に向けた検討を進めている。

令和元（2019）年度には、平成29（2017）年度に続いて2度目の丸太生産を行い、伐採方法を抜き伐りから帯状の伐採に変更するとともに、造材方法をチェーンソーから高性能林業機械に変更することで、コストの削減と新たな需要の開拓による利益の向上等について検証を行った。

伐採前後の里山林

現地検討会の様子

（ア）「国民の森林」としての管理経営

（国有林野事業への理解と支援に向けた多様な情報受発信）

国有林野事業では、「国民の森林」としての管理経営の推進と、その透明性の確保を図るため、事業の実施に係る情報の発信や森林環境教育の活動支援等を通じて、森林・林業に関する情報提供や普及・啓発に取り組んでいる。

また、各森林管理局の「地域管理経営計画」等の策定に当たっては、計画案についてパブリックコメント制度を活用するとともに、計画案の作成前の段階から広く国民の意見を集めるなど、対話型の取組による双方向の情報受発信を推進している。

さらに、国有林野における活動全般について国民の意見を聴取するため、一般公募により「国有林モニター」を選定し、「国有林モニター会議」や現地見学会、アンケート調査等を行っている。国有林モニターには、平成31（2019）年4月現在、全国で337名が登録している（事例Ⅳ－11）。

このほか、ホームページの内容の充実に努めるとともに、森林管理局の新たな取組や年間の業務予定等を公表するなど、国民への情報発信に積極的に取り組んでいる。

（森林環境教育の推進）

国有林野事業では、森林環境教育の場としての国有林野の利用を進めるため、森林環境教育のプログラムの整備、フィールドの提供等に取り組んでいる。

この一環として、学校等と森林管理署等が協定を結び、国有林野の豊かな森林環境を子供たちに提供する「遊々の森」を設定している。平成30（2018）年度末現在、153か所で協定が締結されており、地域の地方公共団体、NPO等の主催により、森林教室や自然観察、体験林業等の様々な活動が行われている（事例Ⅳ－12）。

また、環境教育に取り組む教育関係者の活動を支援するため、教職員やボランティアのリーダー等に対する技術指導、森林環境教育のプログラムや教材の提供等に取り組んでいる。

（地域やNPO等との連携）

国有林野事業では、国民参加の森林づくりの推進

事例Ⅳ－11　国有林モニター制度を活用した情報受発信の取組

北海道森林管理局では、令和元（2019）年7月、空知森林管理署管内の国有林（北海道岩見沢市）において、令和元年度国有林モニター現地見学会を開催した。

現地見学会には、24名のモニターが出席し、管内の採種園や防風林、列状間伐の実施箇所、自然休養林を見学した。このうち、防風林では、農耕地を気象害から守るために戦前から造成されてきた歴史と、老齢化に伴う倒木、落枝や防風機能の低下などへの課題に対応するための更新・保育といった取組について、職員が作成したパネルを用いて説明したほか、防風林の手入れの1つとして実施している下刈り作業を見学した。

参加したモニターからは、「防風林の施業など、なかなか知ることのない国有林の仕事について勉強になった」といった意見が出された。

パネルを用いた防風林の説明
（北海道森林管理局）

のため、NPO等が行う自主的な森林整備等へのフィールド提供のほか、NPO等に継続的に森林づくり活動に参加してもらえるよう、技術指導や助言及び講師の派遣等の支援に取り組んでいる。

地域の森林の特色を活かした効果的な森林管理が期待される地域においては、各森林管理局が、地方公共団体、NPO、自然保護団体等と連携して森林整備・保全活動を行う「モデルプロジェクト」を実施している。

例えば、群馬県みなかみ町に広がる国有林野約1万haを対象にした「赤谷プロジェクト」は、平成15（2003）年度から、関東森林管理局、地域住民で組織する「赤谷プロジェクト地域協議会」及び公益財団法人日本自然保護協会の協働により、生物多様性の復元と持続可能な地域づくりを目指した森林管理を実施している。

また、自ら森林づくりを行うことを希望するNPO等と協定を締結して森林づくりのフィールドを提供する「ふれあいの森」を設定しており、平成30（2018）年度末現在、全国で126か所が設定されている。

このほか、企業の社会的責任（CSR）活動等を目的とした森林づくり活動へのフィールドを提供する「社会貢献の森」、森林保全を目的とした森林パトロール、美化活動等のフィールドを提供する「多様な活動の森」を設定しており、平成30（2018）年度末現在、全国でそれぞれ168か所、70か所が設定されている。さらに、国有林野事業では、歴史的に重要な木造建造物や各地の祭礼行事、伝統工芸等の次代に引き継ぐべき木の文化を守るため、「木の文化を支える森」を設定している（資料Ⅳ－15）。「木の文化を支える森」には、歴史的木造建造物の修復等に必要となる木材を安定的に供給することを目的とする「古事の森」、神社の祭礼で用いる資材の供給を目的とする「御柱の森」等がある。

「木の文化を支える森」は、平成30（2018）年度末現在、全国で合計24か所が設定されており、地元の地方公共団体等から成る協議会が、作業見学会の開催や下刈り作業の実施等に継続的に取り組むなど、国民参加による森林づくり活動が進められている。

事例Ⅳ－12 「UWC ISAK JAPAN 大日向遊々の森」協定の締結

平成31（2019）年3月6日、中部森林管理局東信森林管理署（長野県佐久市）は、軽井沢町浅間山国有林に隣接する、UWC ISAK JAPAN注と「遊々の森」の協定を締結した。

この協定は、同校の生徒から出された「隣接する国有林で林業体験や森林レクリエーションを行いたい」との要望を受けて、森林管理署職員と生徒が一年以上かけて現地の踏査や検討を行い、校舎西隣の国有林約30haを「UWC ISAK JAPAN 大日向遊々の森」として設定し、締結することとなった。

調印式典は生徒集会で開催され、生徒200人が見守る中、森林管理署長と学校長が協定書に署名し、全校生徒で記念撮影を行った。

また、協定締結後は、同校生徒が藪刈り作業を行うなど林業体験の場として活用している。

注：学校法人ユナイテッド・ワールド・カレッジ・ISAK（アイザック）ジャパン（インターナショナルスクール）

協定締結の様子

藪刈り作業の様子

（分収林制度による森林づくり）

国有林野事業では、将来の木材販売による収益を分け合うことを前提に、契約者が苗木を植えて育てる「分収造林」や、契約者が費用の一部を負担して国が森林を育てる「分収育林」を通じて、国民参加の森林づくりを進めている。平成30（2018）年度末現在の設定面積は、分収造林で約10.6万ha、分収育林で約1.3万haとなっている[*8]。

分収育林の契約者である「緑のオーナー」に対しては、契約対象森林への案内や植樹祭等のイベントへの招待等を行うことにより、森林と触れ合う機会の提供等に努めるとともに、契約者からの多様な意向に応えるため、契約期間をおおむね10年から20年延長することも可能としている。

また、分収林制度を活用し、企業等が契約者となって社会貢献、社員教育及び顧客との触れ合いの場として森林づくりを行う「法人の森林」も設定している。平成30（2018）年度末時点で、「法人の森林」の設定箇所数は471か所、設定面積は約2.3千haとなっている。

（イ）地域振興への寄与

（国有林野の貸付け・売払い）

国有林野事業では、農林業を始めとする地域産業の振興、住民の福祉の向上等に貢献するため、地方公共団体、地元住民等に対して、国有林野の貸付けを行っている。平成30（2018）年度末現在の貸付面積は約7.1万haで、道路、電気・通信、ダム等の公用、公共用又は公益事業用の施設用地が49％、農地や採草放牧地が14％を占めている。

このうち、公益事業用の施設用地については、「FIT制度[*9]」に基づき経済産業省から発電事業の認定を受けた事業者も貸付対象としており、平成30（2018）年度末現在で約242haの貸付けを行っている。

また、国有林野の一部に、地元住民を対象として、薪炭材等の自家用林産物採取等を目的とした共同利用を認める「共用林野」を設定している。共用林野は、自家用の落葉や落枝の採取、地域住民の共同のエネルギー源としての立木の伐採、山菜やきのこ類の採取等を行う「普通共用林野」、自家用薪炭のた

資料Ⅳ－15　全国の「木の文化を支える森」

注：平成30（2018）年度末現在のデータである。
資料：農林水産省「平成30年度　国有林野の管理経営に関する基本計画の実施状況」

[*8]　個人等を対象とした分収育林の一般公募は、平成11（1999）年度から休止している。

[*9]　同制度について詳しくは、第Ⅲ章第2節（3）191-192ページを参照。

めの原木採取を行う「薪炭共用林野」及び家畜の放牧を行う「放牧共用林野」の3つに区分される。これらに加えて、平成31（2019）年4月に成立した「アイヌの人々の誇りが尊重される社会を実現するための施策の推進に関する法律[*10]」に基づき、アイヌ文化の振興等に必要な林産物の採取を行う新たな共用林野の設定が可能となった。共用林野の設定面積は、平成30（2018）年度末現在で、119万haとなっている。

さらに、国有林野のうち、地域産業の振興や住民福祉の向上等に必要な森林、苗畑及び貯木場の跡地等については、地方公共団体等への売払いを行っている。平成30（2018）年度には、ダム用地や道路用地等として、計178haの売払い等を行った。

（公衆の保健のための活用）

国有林野事業では、優れた自然景観を有し、森林浴、自然観察、野外スポーツ等に適した国有林野について、平成31（2019）年4月現在、全国で727か所、約29万haを「自然休養林」、「自然観察教育林」等の「レクリエーションの森」に設定している（資料Ⅳ－16）。平成30（2018）年度には、「レクリエーションの森」において、延べ約1.4億人の利用があった。

「レクリエーションの森」では、地元の地方公共団体を核とする「「レクリエーションの森」管理運営協議会」を始めとした地域の関係者と森林管理署等が連携しながら、利用者のニーズに即した管理運営を行っている。

管理運営に当たっては、利用者からの「森林環境整備推進協力金」による収入や、「サポーター制度」に基づく企業等からの資金も活用している。このうち、サポーター制度は、企業等がCSR活動の一環として、「「レクリエーションの森」管理運営協議会」との協定に基づき、「レクリエーションの森」の整備に必要な資金や労務を提供する制度であり、平成30（2018）年度末現在、全国10か所の「レクリエーションの森」において、延べ14の企業等がサポーターとなっている（事例Ⅳ－13）。

（観光資源としての活用の推進）

平成29（2017）年4月、観光資源としての潜在的魅力がある「レクリエーションの森」を「日本美しの森 お薦め国有林」として全国で93か所選定した[*11]（資料Ⅳ－17）。これらについては、外国人観光客も含めた利用者の増加を目的に、標識類等の多言語化、施設整備等の重点的な環境整備やウェブサイト等による情報発信の強化に取り組んでいる。

資料Ⅳ－16 「レクリエーションの森」の設定状況

レクリエーションの森の種類	箇所数	面積（千ha）	利用者数（百万人）	代表的なレクリエーションの森（都道府県）
自然休養林	83	96	11	高尾山（東京）、赤沢（長野）、剣山（徳島）、屋久島（鹿児島）
自然観察教育林	107	26	16	白神山地・暗門の滝（青森）、ブナ平（福島）、金華山（岐阜）
風景林	246	103	84	えりも（北海道）、芦ノ湖（神奈川）、嵐山（京都）
森林スポーツ林	32	3	3	御池（福島）、滝越（長野）、扇ノ仙（鳥取）
野外スポーツ地域	173	50	15	天狗山（北海道）、裏磐梯デコ平（福島）、向坂山（宮崎）
風致探勝林	86	15	8	温身平（山形）、駒ヶ岳（長野）、虹ノ松原（佐賀）
合　　計	727	292	137	

注1：箇所数及び面積は、平成31（2019）年4月1日現在の数値であり、利用者数は平成30（2018）年度の参考値である。
　2：計の不一致は四捨五入による。
資料：農林水産省「平成30年度　国有林野の管理経営に関する基本計画の実施状況」

[*10]　アイヌの人々の誇りが尊重される社会を実現するための施策の推進に関する法律（平成31年法律第16号）
[*11]　「日本美しの森　お薦め国有林」の選定について詳しくは、「平成29年度森林及び林業の動向」トピックス4（8-9ページ）を参照。

特に、令和元（2019）年9月には全国4か所の「日本美しの森 お薦め国有林」について、ドローンで撮影した動画をホームページで公開したほか、それぞれの「日本美しの森 お薦め国有林」における四季折々の姿や地元のイベント等を最新情報として紹介するなど魅力の発信に取り組んでいる[＊12]。

（ウ）東日本大震災からの復旧・復興

（応急復旧と海岸防災林の再生）

平成23（2011）年3月に発生した東日本大震災からの復旧・復興に当たって、森林管理局や森林管理署等では、地域に密着した国の出先機関として地域の期待に応えるため、震災直後には、ヘリコプターによる現地調査、担当官の派遣、支援物資の搬送などの様々な取組を行ってきた。

中でも海岸防災林の再生については、国有林における海岸防災林の復旧工事を行うとともに、民有林においても民有林直轄治山事業等により復旧に取り組んでいるほか、海岸防災林の復旧工事に必要な資材として使用される木材について、国有林野からの

資料Ⅳ-17 「日本美しの森 お薦め国有林」の例

然別自然休養林

野反自然休養林

千本山風景林

焼走り自然観察教育林

近江湖南アルプス自然休養林

森林管理局	箇所数	代表例
北海道	20	ポロト、然別、えりも、ニセコ・神仙沼
東北	11	白神山地・暗門の滝、焼走り、温身平
関東	15	奥久慈、野反、高尾山
中部	10	戸隠・大峰、駒ケ岳、赤沢、御岳
近畿中国	20	安宅林、近江湖南アルプス、嵐山、高取山
四国	5	剣山、工石山、千本山
九州	12	くまもと、宮崎、猪八重の滝、屋久島

注：各森林管理局の管轄区域における箇所数である。
資料：林野庁経営企画課作成。

「「日本美しの森 お薦め国有林」のホームページのQRコード」

事例Ⅳ-13 「日本美しの森 お薦め国有林」で初のオフィシャルサポーター協定を締結

中部森林管理局北信森林管理署（長野県飯山市）管内の「戸隠・大峰自然休養林」では、令和元（2019）年6月に「日本美しの森 お薦め国有林」に選定された「レクリエーションの森」としては全国で初めて、資金や資材等について、民間企業等から支援を受ける「サポーター制度」を導入した。

具体的には、一般財団法人日本森林林業振興会長野支部（長野県長野市）、株式会社コシイプレザービング（大阪府大阪市）から木道改修資材、株式会社八十二銀行（長野県長野市）から資金、長野林業土木協会北信分会（長野県長野市）から労力の提供を受けることとなった。

これらの支援を受け、地域関係者で構成される戸隠大峰自然休養林保護管理協議会と北信森林管理署が連携し、「戸隠・大峰自然休養林」の中でも野鳥観察スポットとして人気の高い「戸隠森林植物園」内の老朽化した木道について、令和2（2020）年4月から、地元ボランティアの協力も交えた改修作業を実施することとしている。

戸隠森林植物園の木道の損傷点検

オフィシャルサポーター協定締結式

[＊12] 民有林を含めた森林を観光資源として活用する取組については、第Ⅱ章第3節（2）151-152ページを参照。

供給も行っている（事例Ⅳ－14）。

（原子力災害からの復旧への貢献）

東京電力福島第一原子力発電所の事故による原子力災害への対応については、平成23（2011）年度から福島県内の国有林野において環境放射線モニタリングを実施し、その結果を市町村等に提供しているほか、森林除染に関する知見の集積、林業再生等のための実証事業、国有林野からの安全なきのこ原木の供給等の支援を行った。さらに、環境省や市町村等に対して、除去土壌等の仮置場用地として国有林野の無償貸付け等を実施しており、令和元（2019）年12月末現在、福島県、茨城県、群馬県及び宮城県の4県22か所で計約70haの国有林野が仮置場用地として利用されている。

なお、避難指示解除区域における森林整備事業の再開が可能な地域については、森林事務所を再開し、事業に本格的に着手した。今後も、避難指示解除区域における森林整備や木材生産を着実に実施していくこととしている[13]。

事例Ⅳ－14　松川浦の再生に向けた取組

福島県相馬市にある松川浦は、海岸に沿った松林が美しい景勝地であったが、東日本大震災の津波により甚大な被害を受けたところである。関東森林管理局磐城森林管理署（福島県いわき市）では、失われた松林の再生に向け居住地等に対する風景・潮害防備や生活環境の保全に加え、津波の被害軽減効果も考慮した海岸防災林の再生に取り組んでおり、令和元（2019）年12月末時点で要復旧延長約4kmのうち約3kmの植栽を完了している。

また、平成26（2014）年に一部区域において「社会貢献の森」を設定し、協定を締結した民間団体が、ボランティア活動として植栽から下刈りまでの森林整備活動等を実施している。令和元（2019）年度までに15団体がボランティア活動として約6haにおいて植栽等を行った。

復興・創生期間の最終年である令和2（2020）年度までに復旧事業による植栽の完了を目指すとともに、それ以降については、松川浦の再生に向け、ボランティア活動と連携しつつ、適切に保育を実施していくこととしている。

松川浦の再生に向けたボランティア活動の様子

---

[13]　詳しくは、「平成30年度森林及び林業の動向」第Ⅴ章第2節（3）のコラム（238ページ）を参照。

東日本大震災津波伝承館（岩手県陸前高田市）

東日本大震災からの復興

　平成23（2011）年3月11日に発生した「東日本大震災」では、地震や津波により、森林・林業・木材産業にも大きな被害が発生した。また、東京電力福島第一原子力発電所の事故により、広い範囲の森林が放射性物質に汚染された。農林水産省では、「東日本大震災からの復興の基本方針」、「「復興・創生期間」における東日本大震災からの復興の基本方針」等に基づき、震災からの復旧及び復興に向けた取組を進めている。

　本章では、令和元（2019）年度の動きを中心に、復興に向けた森林・林業・木材産業の取組として、森林等の被害と復旧状況、海岸防災林の復旧・再生、木材の活用等について記述する。また、原子力災害からの復興に向けた取組として、森林の放射性物質対策、安全な林産物の供給、損害の賠償等について記述する。

1. 復興に向けた森林・林業・木材産業の取組

平成23（2011）年3月11日に発生した「平成23年（2011年）東北地方太平洋沖地震」では、広い範囲で強い揺れが観測されるとともに、東北地方から関東地方にかけての太平洋沿岸に大規模な津波被害が発生した。「平成23年（2011年）東北地方太平洋沖地震」による被害は未曾有の規模となり、東京電力福島第一原子力発電所の事故による災害を含めて、「東日本大震災」と呼称することとされた[*1]。

政府は、東日本大震災からの復興に向けて、平成23（2011）年度に策定した「東日本大震災からの復興の基本方針」において、復興期間を10年間とし、被災地の一刻も早い復旧・復興を目指す観点から、当初の5年間（平成23（2011）年度から平成27（2015）年度まで）を「集中復興期間」と位置付け、取組を進めてきた。また、平成28（2016）年3月には、「「復興・創生期間」における東日本大震災からの復興の基本方針」を閣議決定し、後期5か年の「復興・創生期間」（平成28（2016）年度から令和2（2020）年度まで）において海岸防災林の復旧等に重点的に取り組んできた。

さらに、令和元（2019）年12月には、「「復興・創生期間」後における東日本大震災からの復興の基本方針」が閣議決定され、復興・創生期間後（令和3（2021）年度以降）において、放射性物質対策と一体となった森林整備や特用林産物の産地再生等に引き続き取り組むこととされた。

以下では、森林・林業・木材産業における復興への取組として、森林等の被害と復旧状況、海岸防災林の復旧・再生、復興への木材の活用と森林・林業の貢献について、記述する。

（1）森林等の被害と復旧状況

東日本大震災における森林等の被害は、青森県から高知県までの15県に及び、山腹崩壊や地すべり等の林地荒廃（458か所）、防潮堤[*2]等の治山施設の被害（275か所）、法面や路肩の崩壊等の林道施設の被害（2,632か所）、火災による焼損等の森林被害（1,065ha）等が発生した[*3]。

このうち、治山施設や林道施設等の被害箇所については、国、県、市町村等が「山林施設災害復旧等事業」等により、災害からの復旧に向けた工事を進めている。令和2（2020）年1月時点で、「山林施設災害復旧等事業」の対象箇所の98％の工事が完了している。避難指示区域内の未着手箇所については、避難指示区域解除後に地域や他事業等との調整を行いつつ、準備が整った箇所から速やかに着手することとしている。

林業の被害は、林地や林道施設等への直接の被害に加え、木材加工・流通施設の被災により、これらの工場に供給していた原木等の出荷が困難となるなど間接の被害もあった。林野庁では、平成23（2011）年度から、被災工場に原木等を出荷していた素材生産業者が、非被災工場に原木等を出荷する場合等に、流通コストに対する支援を行った。平成23（2011）年中に、被災工場が順次操業を再開したことに伴い、用材等の流通も回復した。

木材産業の被害は、全国の木材加工・流通施設115か所に及んだ。このうち、製材工場については、青森県から高知県までにかけての71か所が被災して、多くの工場が操業を停止した。合板工場については、岩手県と宮城県の大規模な合板工場6か所が被災して、操業を停止した[*4]。林野庁では、復興に取り組む木材産業等に対し、被災した木材加工・流通施設の廃棄、復旧及び整備や港湾等に流出した木材の回収等への支援、特用林産施設の復旧や再建等の支援を行った。この結果、平成31（2019）年4

[*1]　平成23（2011）年4月1日閣議了解
[*2]　高潮や津波等により海水が陸上に浸入することを防止する目的で、陸岸に設置される堤防。治山事業では、海岸防災林の保護のため、治山施設として防潮堤等を整備している。
[*3]　農林水産省ホームページ「林野関係被害（第84報）」（平成24（2012）年7月5日付け）
[*4]　林野庁木材産業課調べ。

月までに、木材加工・流通施設全体で97か所が操業を再開している[*5]。

なお、特に東北地方の林業・木材産業は東日本大震災により大きな被害を受けたが、各関係者の復興に向けた取組により、素材生産や木材製品の生産については、おおむね震災前の水準にまで回復している[*6]（資料Ⅴ－1）。

また、東京電力福島第一原子力発電所の事故に伴う放射性物質の影響により、東日本地域では原木調達が困難になるなど、しいたけ等の生産体制に大きな被害を受けた。

東日本地域におけるしいたけ生産量の推移を見ると、原木しいたけについては現在も生産量が回復していない一方、菌床しいたけについては生産量が回復傾向となっている（資料Ⅴ－2）。

（2）海岸防災林の復旧・再生

（海岸防災林の被災と復旧・再生の方針）

東日本大震災では、津波によって青森県、岩手県、宮城県、福島県、茨城県及び千葉県の6県にわたる

海岸防災林において、防潮堤や林帯地盤[*7]の損壊、沈下及び流失や、樹木の倒伏及び流失等の被害が発生した。特に、地盤高が低く地下水位が高い場所では、樹木の根が地中深くに伸びておらず、津波によ

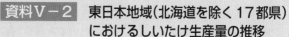

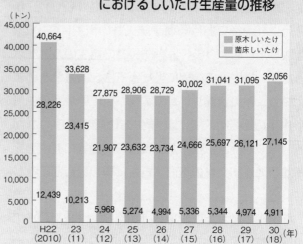

資料Ⅴ－2 東日本地域（北海道を除く17都県）におけるしいたけ生産量の推移

注1：17都県とは、青森、岩手、宮城、秋田、山形、福島、茨城、栃木、群馬、埼玉、東京、千葉、神奈川、新潟、山梨、長野、静岡。
2：乾しいたけは生重量換算値。
資料：林野庁「特用林産基礎資料」

資料Ⅴ－1 岩手県、宮城県、福島県における素材生産量及び製材品出荷量の推移

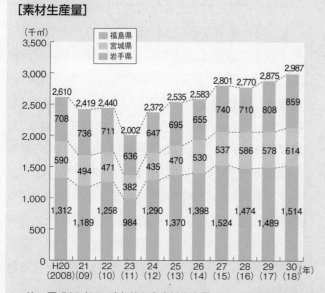

[素材生産量]

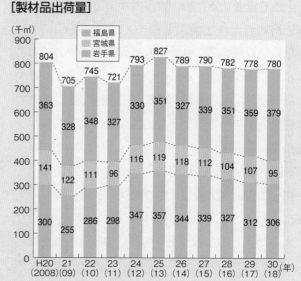

[製材品出荷量]

注：平成29（2017）年値から素材生産量にLVL用の単板製造用素材を含む。
資料：農林水産省「木材需給報告書」

[*5]　林野庁木材産業課調べ。操業を再開していない木材加工・流通施設は、東京電力福島第一原子力発電所の事故に伴い設定された避難指示区域内に施設が立地しているもの、事業再開を断念したものなどである。

[*6]　平成29（2017）年値から素材生産量にLVL用の単板製造用素材を含む。「平成27年度森林及び林業の動向」第Ⅵ章第1節（2）のコラム（191ページ）を参照。

[*7]　海岸防災林の基礎地盤のこと。林帯地盤の復旧に当たっては、盛土を行うことにより植栽木の根系が十分に発達するための生育基盤を確保し、津波等による根返りが起こりにくい林帯の造成を進めている。

り樹木が根返りし、流木化した。一方、海岸防災林が、津波エネルギーの減衰や漂流物の捕捉等の一定の津波被害の軽減効果を発揮したことも確認された。

　林野庁は平成23（2011）年5月から、学識経験者等から成る「東日本大震災に係る海岸防災林の再生に関する検討会」を開催し、平成24（2012）年2月に「今後における海岸防災林の再生について」を取りまとめ、今後の海岸防災林の再生の方針を示した[8]。被災地の復興に当たっては、同方針を踏まえつつ、被災状況や地域の実情、更には地域の生態系保全の必要性に応じた再生方法等を考慮しながら、津波や潮害、飛砂及び風害の防備等の機能を発揮する海岸防災林の復旧・再生に取り組むこととしている。

　「「復興・創生期間」における東日本大震災からの復興の基本方針」では、海岸防災林については、令和2（2020）年度までの復旧完了を目指して造成を推進するとされており、土地利用に関する地元の合意形成等の状況を踏まえつつ、林帯地盤等の復旧が完了した箇所から順次植栽を行っている[9]。

　また、津波被害軽減効果の高い海岸防災林の造成を全国で推進するため、東日本大震災以降に被災地等で行われた施工実態を踏まえ、平成30（2018）年3月に「海岸防災林の生育基盤盛土造成のためのガイドライン（案）」を取りまとめた。加えて、造成した海岸防災林の適切な保育管理を通じて、津波被害軽減効果を一層高めるための手法について検討を進めている。

（海岸防災林の復旧状況）

　東日本大震災の津波により被災し、更に津波の影響により滞水した海岸防災林において赤枯れ[10]が拡大したこと等から、海岸防災林の要復旧延長は約164kmとなっている[11]。令和2（2020）年1月末時点で、全ての箇所で復旧工事[12]に着手済みであり、うち約130kmで工事が完了した。

　例えば、福島県いわき市新舞子（しんまいこ）の被災した海岸防災林では、生育基盤の復旧と植栽を進める中、平成25（2013）年4月から地域住民による植樹活動や保育活動が実施されてきている（事例Ⅴ－1）。

（民間団体等と連携して植栽等を実施）

　海岸防災林の復旧・再生については、地域住民、NPO、企業等の参加や協力も得ながら、植栽や保育が進められている。地域の復興に向けたシンボル的な活動として、このような取組は意義があり、また、大規模災害に対する防災意識の向上を図る観点からも重要である。

　国有林では、平成24（2012）年度から、海岸防災林の復旧事業地のうち生育基盤の造成が完了した箇所の一部において、公募による協定方式を活用して、NPO、企業等の民間団体の協力も得ながら植栽等を進めている。平成30（2018）年度末時点で、宮城県仙台市内、東松島市内（ひがしまつしま）及び福島県相馬市内（そうま）の国有林において延べ92の民間団体と協定を締結しており、植栽等の森林整備活動を実施している。

（苗木の供給体制の確立と植栽後の管理のための取組）

　被災した海岸防災林の再生には、1,000万本程度の苗木が必要になると見込まれている。苗木生産には2〜3年を要することから、各地の海岸防災林の再生事業の進捗に合わせて、必要な量の苗木を計画的に確保していくことが必要である。このため、林野庁は、優良種苗の安定供給体制を確立するため、平成24（2012）年度から平成27（2015）年度まで、事業協同組合等に対して育苗機械や種苗生産施設等の整備を支援し、平成28（2016）年度からは、コンテナ苗を低コストで大量に生産するための施設整備等を支援している。平成25（2013）年度から平成27（2015）年度までの3年間においては、国立研究開発法人森林研究・整備機構森林総合研究所林木育種センター東北育種場等が、産官共同でマツノザイセンチュウ抵抗性クロマツの種子生産を増加さ

[8]　東日本大震災に係る海岸防災林の再生に関する検討会「今後における海岸防災林の再生について」（平成24（2012）年2月）
[9]　復興庁「復興施策に関する事業計画及び工程表（福島12市町村を除く。）（平成29年4月版）」（平成29（2017）年8月1日）、復興庁「福島12市町村における公共インフラ復旧の工程表」（平成29（2017）年8月1日）
[10]　津波によって持ち込まれ、土壌に残留した大量の塩分の影響で、樹木の葉が赤くなり枯れるなどの現象。
[11]　復興庁「復興の現状」（平成30（2018）年11月9日）
[12]　地盤高が低く地下水位が高い箇所では盛土を行うなど、生育基盤を造成した上で、植栽を実施。

せる技術の開発等、抵抗性クロマツ苗木の供給体制の確立に向けた取組を行った[*13]。

また、海岸防災林について、潮害、飛砂及び風害の防備等の災害防止機能を発揮させるためには、植栽後も、下刈り、除伐、間伐等を継続的に行う必要がある。このため、植栽が行われた海岸防災林の復旧事業地では、地元住民、NPO、企業等の参加や協力も得つつ、治山事業により必要な保育を実施することとしている[*14]。

（3）復興への木材の活用と森林・林業の貢献

（応急仮設住宅や災害公営住宅等での木材の活用）

東日本大震災では、地震発生直後には最大約47万人の避難者が発生し、令和2（2020）年2月10日時点でも約4.8万人が避難生活を余儀なくされている。令和元（2019）年9月時点の避難者等の入居先は、建設型の仮設住宅は約600戸、借上型の仮設住宅は約3,000戸となっており、応急仮設住宅[*15]への入居戸数は減少し、恒久住宅への移転が進んでいる[*16]。

応急仮設住宅については、被災地の各県が平成25（2013）年4月までに約5.4万戸を建設したが[*17]、被災3県（岩手県、宮城県及び福島県）では、この4分の1以上に当たる約1.5万戸が木造で建設された[*18]。

「一般社団法人全国木造建設事業協会」では、東日本大震災における木造応急仮設住宅の供給実績と評価を踏まえて、大規模災害が発生した場合に、木

事例Ⅴ－1 **民間企業と地域住民の協働による海岸防災林の再生の取組**

株式会社みずほフィナンシャルグループは、地域住民等と協働して、津波により甚大な被害を受けた福島県の海岸防災林の再生を目的とした「＜みずほ＞の森プロジェクト」に取り組んでいる。

福島県いわき市の新舞子（しんまいこ）海岸防災林は、東日本大震災による津波で甚大な被害を受けた。平成25（2013）年4月に、株式会社みずほフィナンシャルグループ、福島県、いわき市及び下大越（しもおおごえ）共有山林組合で協定を締結し、海岸防災林の再生に取り組んでいる。みずほフィナンシャルグループ社員のほか、地元自治体関係者、地域住民等が参加して、平成28（2016）年3月までに3回の植樹活動を実施し、約1.4haに1万4千本のクロマツが植樹された。平成28（2016）年4月以降は、下刈り等の保育作業を行っており、令和元（2019）年7月には、総勢約140人がクロマツの苗木周辺の下刈りを行った。植樹されたクロマツは人の背丈ほどまで成長している。

本プロジェクトでは、防災機能の高い森林を育成するため、令和4（2022）年3月まで地元自治体や地域住民とともに保育作業を行っていくこととしている。

資料：株式会社みずほフィナンシャルグループホームページ「東日本大震災復興支援」
　　　令和元（2019）年7月30日付け福島民報9面

（平成27（2015）年4月撮影）　　　（令和2（2020）年4月撮影）
植栽後のクロマツ（左）と現在の様子（右）

クロマツの苗木周辺の下刈り作業
を行う参加者

---

*13　「平成28年度森林及び林業の動向」第Ⅵ章第1節（2）の事例Ⅵ-2（205ページ）を参照。
*14　東日本大震災に係る海岸防災林の再生に関する検討会「今後における海岸防災林の再生について」（平成24（2012）年2月）
*15　「災害救助法」（昭和22年法律第118号）第4条第1項第1号に基づき、住家が全壊、全焼又は流失し、居住する住家がない者であって、自らの資力では住家を得ることができない者に供与するもの。
*16　復興庁「東日本大震災からの復興の状況に関する報告」（令和元（2019）年11月22日）
*17　国土交通省ホームページ「応急仮設住宅関連情報」
*18　国土交通省調べ（平成25（2013）年5月16日現在）。

造の応急仮設住宅を速やかに供給する体制を構築するため、各都道府県との災害協定の締結を進めている。同協会では、令和元（2019）年12月までに、36都道府県[19]7市[20]と災害協定を締結している。

また、災害時の木材供給について、地元の森林組合や木材協会等と協定を結ぶ地方公共団体もみられる。

一方、災害公営住宅[21]については、令和元（2019）年9月末時点で、被災3県において約3万戸の計画戸数が見込まれている。「東日本大震災からの復興の基本方針」においては、津波の危険性がない地域では、災害公営住宅等の木造での整備を促進するとされており、構造が判明している計画戸数約2万9,800戸のうち、約8,900戸が木造で建設される予定である。令和元（2019）年9月末時点で、約2万9,400戸の災害公営住宅が完成しており、このうち約8,700戸が木造で建設されている（資料Ⅴ－3）。

また、被災者の住宅再建を支援する取組も行われている。平成24（2012）年には、被災3県の林業・木材産業関係者、建築設計事務所、大工・工務店等

の関係団体により「地域型復興住宅推進協議会」が設立された。同協議会に所属する住宅生産者グループは、住宅を再建する被災者に対して、地域ごとに築いているネットワークを活かし、地域の木材等を活用し、良質で被災者が取得可能な価格の住宅を「地域型復興住宅」として提案し、供給している[22]。

このほか、非住宅建築物や土木分野の復旧・復興事業でも地域の木材が活用されている[23]（事例Ⅴ－2）。

（木質系災害廃棄物の有効活用）

東日本大震災では、地震と津波により、多くの建築物や構造物が破壊され、コンクリートくず、木くず、金属くず等の災害廃棄物（がれき）が、13道県239市町村で約2,000万トン発生した[24]。このうち、木くずの量は、約135万トンであった。これらの災害廃棄物は、平成29（2017）年8月末時点で、福島県の汚染廃棄物対策地域を除く全ての地域において処理が完了している[25]。

木くずについては、平成23（2011）年に環境省が策定した「東日本大震災に係る災害廃棄物の処理

資料Ⅴ－3　災害公営住宅の整備状況

[災害公営住宅整備の全体計画]

	計画戸数（戸）	うち構造判明（戸）	うち木造（戸）	木造率（%）
岩手県	5,833	5,833	1,285	22.0
宮城県	15,823	15,823	4,136	26.1
福島県	8,154	8,103	3,438	42.4
合計	29,810	29,759	8,859	29.8

[災害公営住宅の完成状況]

	完成戸数（戸）	うち木造（戸）	木造率（%）
岩手県	5,693	1,278	22.4
宮城県	15,823	4,136	26.1
福島県	7,917	3,273	41.3
合計	29,433	8,687	29.5

資料：復興庁「住まいの復興工程表（令和元年9月末現在）」（令和元（2019）年11月15日）を基に林野庁木材産業課作成。

---

[19] 協定締結順に、徳島県、高知県、宮崎県、愛知県、埼玉県、岐阜県、長野県、愛媛県、秋田県、静岡県、広島県、東京都、香川県、神奈川県、三重県、大分県、千葉県、滋賀県、富山県、青森県、山梨県、熊本県、山口県、兵庫県、佐賀県、山形県、京都府、北海道、茨城県、長崎県、鹿児島県、和歌山県、福岡県、岡山県、大阪府及び福井県。

[20] 協定締結順に、兵庫県神戸市、岡山県岡山市、神奈川県横浜市、川崎市、相模原市、福岡県福岡市及び北九州市。

[21] 災害により住宅を滅失した者に対し、地方公共団体が整備する公営住宅。

[22] 地域型復興住宅推進協議会ほか「地域型復興住宅」（平成24（2012）年3月）。地域型復興住宅の供給とマッチングの取組については、「平成27年度森林及び林業の動向」第Ⅵ章第1節（3）の事例Ⅵ-3（196ページ）を参照。

[23] 土木分野での木材利用については、第Ⅲ章第2節（2）189ページ、土木分野の復旧・復興事業での木材利用については、「平成25年度森林及び林業の動向」第Ⅱ章第1節（3）45ページを参照。

[24] 福島県の避難区域を除く。

[25] 環境省ホームページ「災害廃棄物対策情報サイト」、復興庁「東日本大震災からの復興の状況に関する報告」（平成30（2018）年11月30日）

指針（マスタープラン）」では、木質ボード、ボイラー燃料、発電等に利用することが期待できるとされ、各地の木質ボード工場や木質バイオマス発電施設で利用された。

（木質バイオマスエネルギー供給体制を整備）

「東日本大震災からの復興の基本方針」では、木質系災害廃棄物を活用したエネルギーによる熱電併給を推進するとともに、将来的には、未利用間伐材等の木質資源によるエネルギー供給に移行するとされるなど、木質バイオマスを含む再生可能エネルギーの導入促進が掲げられた。

また、平成24（2012）年に閣議決定された「福島復興再生基本方針」では、目標の一つとして、再生可能エネルギー産業等の創出による地域経済の再生が位置付けられた。このほか、「岩手県東日本大震災津波復興計画」や「宮城県震災復興計画」においても、木質バイオマスの活用が復興に向けた取組の一つとして位置付けられている。

これらを受けて、各地で木質バイオマス関連施設が稼動している[26]。

（復興への森林・林業・木材産業の貢献）

「「復興・創生期間」における東日本大震災からの復興の基本方針」では、被災地は、震災以前から、人口減少、産業空洞化といった全国の地域にも共通する課題を抱えており、眠っている地域資源の発掘・活用、創造的な産業復興、地域のコミュニティ形成の取組等も通じて、「新しい東北」の姿を創造するとされている。

これらの課題の解決に向けては、林業・木材産業分野でも、森林資源の活用を通じた復興に向けた取組が行われており（事例Ⅴ－３）、平成25（2013）年度から平成27（2015）年度までにかけて実施された復興庁の「「新しい東北」先導モデル事業」を通じた先導的な取組[27]等も展開されてきた。また、

事例Ⅴ－２　被災地の木材を活用した施設の整備

令和元（2019）年9月、岩手県陸前高田市において、国、岩手県及び陸前高田市が整備を進めている高田松原津波復興祈念公園内にある「道の駅　高田松原」が完成し、その利用が開始された。

「道の駅　高田松原」は、地域振興施設や津波の実写映像や遺物を展示する東日本大震災津波伝承館（いわてTSUNAMIメモリアル）から成り、エントランスや施設内部の内装には、岩手県産カラマツがふんだんに使用されている。また、壁面パネルは、木目や色目のバランスまで考えて1枚ずつ張られるなど、モダンなデザインとなっている。

また、東京オリンピック・パラリンピック競技大会の関連施設では、選手村ビレッジプラザに東北5県5市町[注]からスギ、カラマツ等が提供され、メインエントランスの梁や柱等に活用されている。

注：青森県、岩手県、秋田県、山形県、福島県、岩手県宮古市、宮城県登米市、秋田県大館市、山形県山形市、金山町。
資料：令和元（2019）年7月30日付けWeb東海新報1面、令和元（2019）年10月8日付け日刊木材新聞4面、令和元（2019）年12月16日付け河北新報、令和2（2020）年1月30日付け河北新報

県産材がふんだんに使用された
東日本大震災津波伝承館

選手村ビレッジプラザ　エントランス

＊26　木質バイオマスのエネルギー利用については、第Ⅲ章第2節（3）189-194ページを参照。
＊27　詳しくは、「平成27年度森林及び林業の動向」第Ⅵ章第1節（3）の事例Ⅵ-4（197ページ）を参照。

「「新しい東北」復興ビジネスコンテスト」や「地域
復興マッチング「結の場」」の開催等を通じ、被災
地の産業復興に向けた取組が広がっている*28。

事例Ⅴ-3　南三陸町における森林認証を活用した取組

　宮城県南三陸町は、震災後、復興を目指して「森里海ひと　いのちめぐるまち　南三陸」をスローガンに掲げ、自立分散型の持続可能な町づくりを目指し始めた。その中で、町内面積の8割を占める山林を地域の財産として持続可能な形で活用していくため、南三陸町では、町、森林組合、地元企業等からなる南三陸森林管理協議会を設立し、平成27（2015）年10月にFSC注1認証を取得した。

　認証取得当時は、FSC認証材の認知度は低く、流通もほとんどない状態であったが、町役場庁舎を始め公共施設整備にFSC認証材を活用する取組を進める中で、FSC認証材の取扱業者も増え、町内だけでなく県の公共施設の椅子やテーブルに南三陸FSC認証材が採用されるなど、認知度も高まりつつある。

　また、南三陸森林管理協議会では、南三陸町の林業や南三陸杉の周知を目的に、積極的に山林見学会や情報発信を行っている。その中で、FSC認証を軸に、地域性や様々な活動を通して発信することで、環境配慮に関心の高い企業や消費者等との新しいつながりが生まれている。

　例えばスターバックス コーヒー ジャパン 株式会社では、南三陸町のFSC認証山林でのスタディーツアーに参加したことをきっかけに、宮城県内の一部店舗のテーブルや木製のアートフレームに南三陸町のFSC認証材を使用している。

　また、株式会社ラッシュジャパンでは、「南三陸地域イヌワシ生息環境再生プロジェクト」のパートナー企業としての関わりをきっかけに、持続可能な調達の一環として南三陸杉のFSC認証材で作られた店舗什器を採用している。

　南三陸町は、牡蠣の養殖においてもASC認証注2を取得しており、同じ自治体でFSC認証とASC認証の2つの認証を持つという世界的に珍しい取組を行っている。山と海が連関する南三陸町ならではの特色として、山と海をつなぐ商品開発の可能性や、「南三陸」の地域ブランドのより強力な発信が期待されている。

注1：「Forest Stewardship Council」の略。森林認証について詳しくは、第Ⅰ章第4節（1）97-99ページを参照。
注2：ASC（Aquaculture Stewardship Council：水産養殖管理協議会）認証は、自然や資源保護に配慮しつつ、安全で持続可能な養殖事業を営んでいることを認める認証制度。
資料：佐藤太一（2019）森林認証を活用した南三陸町林業の動き．森林技術，930号：8-11、FSCジャパンホームページ「南三陸認証取得支援プロジェクト」

スタディーツアーの様子

LUSHの店舗什器に使われている南三陸材

---

*28　「「新しい東北」復興ビジネスコンテスト」について詳しくは、「平成27年度森林及び林業の動向」第Ⅵ章第1節（3）の事例Ⅵ-5（197ページ）を参照。「地域復興マッチング「結の場」」について詳しくは、「平成28年度森林及び林業の動向」第Ⅵ章第1節（3）208ページを参照。

2. 原子力災害からの復興

東日本大震災に伴う東京電力福島第一原子力発電所の事故により、環境中に大量の放射性物質が放散され、福島県を中心に広い範囲の森林が汚染されるとともに、林業・木材産業にも影響が及んでいる。

以下では、原子力災害からの復興に向けた、森林の放射性物質対策、安全な林産物の供給、樹皮やほだ木等の廃棄物の処理及び損害の賠償について記述する。

（1）森林の放射性物質対策

林野庁では、平成23（2011）年度から森林内の放射性物質の分布状況等について継続的に調査を進めているほか、森林の整備を行う上で必要な放射性物質対策技術の実証等の取組を進めている。

平成28（2016）年3月には、復興庁、農林水産省及び環境省による「福島の森林・林業の再生のための関係省庁プロジェクトチーム」が、福島県民の安全・安心の確保、森林・林業の再生に向け、「福島の森林・林業の再生に向けた総合的な取組」を取りまとめた。これに基づき、国は、県及び市町村と連携しつつ、住民の理解を得ながら、生活環境の安全・安心の確保、住居周辺の里山の再生、奥山等の林業の再生に向けた取組や、調査研究等の将来に向けた取組、情報発信の取組等を着実に進めている[*29]。

（ア）森林内の放射性物質に関する調査・研究

（森林内の放射性物質の分布状況の推移）

林野庁は、平成23（2011）年度から、福島県内の森林において、東京電力福島第一原子力発電所からの距離が異なる地点で、放射性セシウムの濃度と蓄積量の推移を調査している。

森林内の放射性セシウムは、事故後最初の1年である平成23（2011）年から平成24（2012）年にかけて、葉、枝及び落葉層の放射性セシウムの分布割合が大幅に低下し、土壌の分布割合が大きく上昇した。これは、樹木の枝葉等に付着した放射性セシウムが、落葉したり、雨で洗い流されたりして地面の

落葉層に移動し、更に落葉層が分解され土壌に移動したためと考えられる。その後も放射性セシウムの土壌への分布割合は更に増えており、平成30（2018）年時点で、森林内の放射性セシウムの90%以上が土壌に分布し（資料V−4）、その大部分は土壌の表層0〜5cmに存在している。また、木材中の放射性セシウム濃度は大きく変動していないことから、原発事故直後に樹木に取り込まれた放射性セシウムの多くは内部に留まっていると推察される。一方、毎年開葉するコナラの葉に放射性セシウムが含まれていることや、スギやコナラの辺材や

資料V−4 調査地における部位別の放射性セシウム蓄積量の割合の変化

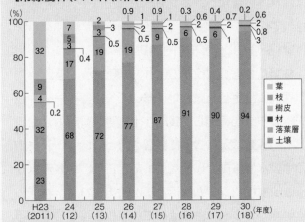

[常緑樹林（スギ林（川内村））]

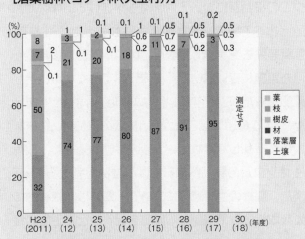

[落葉樹林（コナラ林（大玉村））]

注：落葉樹林（コナラ林（大玉村））については、平成30（2018）年より隔年調査となったため、平成30（2018）年については調査を実施していない。
資料：林野庁ホームページ「平成30年度 森林内の放射性物質の分布状況調査結果について」

*29 「福島の森林・林業の再生に向けた総合的な取組」について詳しくは、「平成28年度森林及び林業の動向」第VI章第2節（1）の資料VI-4（209ページ）を参照。

心材で濃度変化が見られることなどから、一部は樹木内を転流していると考えられる。さらに、事故後に植栽した苗木にも放射性セシウムが認められることから、根からの吸収が与える影響も調査していく必要がある。

　土壌の放射性セシウム濃度については、時間の経過とともに、順次、地上部から落葉層、0～5cmの土壌への移行が見られ、また一部では更に深い層への移行が見られることから、今後もその移行状況を注視していくこととしている。

　また、森林全体での放射性セシウムについては、蓄積量の変化が少なく、かつ大部分が土壌表層付近に留まっていることや、渓流水中の放射性セシウム濃度の調査等から、森林に付着した放射性セシウムは森林内に留まり、森林外への流出は少ないと考察されている[30]。

（森林整備等に伴う放射性物質の移動）

　林野庁は、平成23（2011）年度から、福島県内の森林に設定した試験地において、落葉等除去や伐採等の作業を実施した後の、土砂等及び放射性セシウムの移動状況について調査を行っている。森林内の地表水や移動土砂等を調べたところ、地表流水からは放射性セシウムがほとんど検出されず、林床の放射性セシウムは主に土砂に付着して移動していると推察された。間伐等の森林整備による放射性セシウムの移動量については、何も実施していない対照区と比べて大きな差は確認されなかった。一方で、落葉等除去を実施した箇所では、1年目の移動量が何も実施していない対照区に比べて多くなることが確認されたが、2年目以降は対照区と同程度であった[31]。このようなことから、間伐の際には、林床を大きく攪乱しなければ、土砂の移動が少なく、放射性セシウムの移動への影響は小さいと考えられる。また、森林の生育過程において、間伐は、森林内に光を取り込み下層植生の繁茂を促すことで土壌の移

動を抑制させることにより、放射性セシウムの移動も抑制する効果が期待される。

（萌芽更新木に含まれる放射性物質）

　平成25（2013）年度から、東京電力福島第一原子力発電所の事故後に伐採した樹木の根株から発生した萌芽更新木について調査している。同一の根株から発生した萌芽枝に含まれる放射性セシウム濃度を測定した結果、経年による変化傾向はみられなかったが、直径の大きいものの方がやや低いという傾向がみられた。また、コナラとクヌギの樹種による比較では、クヌギの方が低いという傾向がみられた[32]。

　さらに、平成26（2014）年度から、稲作で効果が確認されているカリウム施肥を行った場合の土壌から樹木への放射性セシウムの吸収抑制効果についても調査している。コナラの萌芽更新木について、カリウム施肥区と非施肥区を設定して試験を行った結果、施肥後2年間は効果がみられなかったが、追肥を実施した3年目に一部で放射性セシウム濃度の低下がみられた[33]。一方、別の試験で新たに植栽したヒノキについては、土壌中の交換性カリウム[34]濃度が低い場合には、カリウム施肥による樹木の放射性セシウム吸収抑制が確認されたとする報告[35]もある。萌芽更新木の放射性セシウム濃度は個体や地域による差が大きいことから、施肥効果やコスト等について引き続き検証することとしている。

　これらの取組に加え、林野庁では、福島県及び周辺県のほだ木等原木林の再生に向け、萌芽更新木調査について支援を行っている。

（イ）林業の再生に向けた取組

（林業再生対策の取組）

　林業の再生に向けて、平成25（2013）年度から、間伐等の森林整備とその実施に必要な放射性物質対策を推進する実証事業を実施している。令和元（2019）年度までに、汚染状況重点調査地域等に指

---

*30　林野庁ホームページ「平成30年度 森林内の放射性物質の分布状況調査結果について」
*31　林野庁「平成28年度森林における放射性物質拡散防止等技術検証・開発事業報告書」（平成29（2017）年3月）
*32　林野庁「平成28年度森林における放射性物質拡散防止等技術検証・開発事業報告書」（平成29（2017）年3月）
*33　林野庁「平成29年度森林における放射性物質拡散防止等技術検証・開発事業報告書」（平成30（2018）年3月）
*34　土壌中に含まれるカリウムのうち、植物などの生物に吸収可能な性質のもの。
*35　国立研究開発法人森林研究・整備機構森林総合研究所プレスリリース「樹木の放射性セシウム汚染を低減させる技術の開発へ―カリウム施肥によるセシウム吸収抑制を確認―」（平成29（2017）年12月21日付け）

定されている福島県内44市町村の森林において、県や市町村等の公的主体による間伐等の森林整備を行うとともに、森林整備に伴い発生する枝葉等の処理や、急傾斜地等における表土の一時的な移動を抑制する筋工等の設置を行っている。平成31（2019）年3月末までの実績は、間伐等6,766ha、森林作業道作設803kmとなっている。

（避難指示解除区域等での林業の再開に向けた取組）

平成26（2014）年度からは、避難指示解除区域等を対象に、森林整備や林業生産活動の早期再開に向けて試行的な間伐等を実施し、これまでに得られた知見を活用した放射性物質対策技術の実証事業を実施している。その結果、林内作業における粉じん吸入による内部被ばくはごく僅かであり、作業者の被ばく線量を低減させるには外部被ばくを少なくすることが重要ということが明らかになった[36]。また、現在では、森林内の放射性セシウムの9割以上が土壌に滞留しており、間伐等による空間線量率の低減効果は限定的であることが明らかになった[37]。

（林内作業者の放射線安全・安心対策）

避難指示解除区域はもとより、避難指示解除準備区域においても、除染作業以外の生活基盤の復旧や製造業等の事業活動が認められ、営林についても再開できることが認められている[38]ことなどを踏まえ、林内作業者の放射線安全・安心対策の取組を進めている。

平成24（2012）年に改正された「東日本大震災により生じた放射性物質により汚染された土壌等を除染するための業務等に係る電離放射線障害防止規則[39]」（以下「除染電離則」という。）では、除染特別地域[40]又は汚染状況重点調査地域内における除染業務に加え、1万Bq/kgを超える汚染土壌等を扱う業務（以下「特定汚染土壌等取扱業務」という。）や、土壌等を扱わない場合にあっても平均空間線量率が2.5μSv/hを超える場所で行う業務（以下「特定線量下業務」という。）について、事業者に雇用される者に係る被ばく線量限度、線量の測定、特別教育の実施など事業者に対する義務を規定している[41]。

林野庁では、除染電離則の改正を受けて、平成24（2012）年に「森林内等の作業における放射線障害防止対策に関する留意事項等について（Q&A）」を作成し、森林内の個別の作業が特定汚染土壌等取扱業務や特定線量下業務に該当するかどうかをフローチャートで判断できるように整理するとともに、実際に森林内作業を行う際の作業手順や留意事項を解説している[42]。

また、平成25（2013）年には、福島県内の試験地において、機械の活用による作業者の被ばく低減等について検証を行い、キャビン付き林業機械による作業の被ばく線量は、屋外作業と比べて35～40%少なくなるとの結果が得られた[43]。このため、林野庁では、林業に従事する作業者の被ばくを低減するため、リースによる高性能林業機械の導入を支援している。

さらに、平成28（2016）年度には、林内作業者向けに分かりやすい放射線安全・安心対策のガイドブックを作成し、森林組合等の林業関係者に配布し普及を行っている。

（ウ）里山の再生に向けた取組

「福島の森林・林業の再生に向けた総合的な取組」

---

[36] 林野庁「平成26年度「避難指示解除準備区域等における実証事業（田村市）」報告書」（平成27（2015）年3月）

[37] 林野庁「平成27年度避難指示解除準備区域等の林業再生に向けた実証事業（葛尾村）報告書」（平成28（2016）年3月）

[38] 原子力被災者生活支援チーム「避難指示区域内における活動について」（平成29（2017）年5月19日改訂）

[39] 「東日本大震災により生じた放射性物質により汚染された土壌等を除染するための業務等に係る電離放射線障害防止規則」（平成23年厚生労働省令第152号）。「労働安全衛生法」（昭和47年法律第57号）第22条、第27条等の規定に基づく厚生労働省令。

[40] 「平成二十三年三月十一日に発生した東北地方太平洋沖地震に伴う原子力発電所の事故により放出された放射性物質による環境の汚染への対処に関する特別措置法」（放射性物質汚染対処特措法）（平成23年法律第110号）に規定されており、平成23（2011）年4月に設定された「警戒区域」又は「計画的避難区域」の指定を受けたことがある地域が指定されている。環境大臣が定める「特別地域内除染実施計画」に基づいて、国により除染等が実施されている。

[41] 「東日本大震災により生じた放射性物質により汚染された土壌等を除染するための業務等に係る電離放射線障害防止規則等の一部を改正する省令の施行について」（平成24（2012）年6月15日付け基発0615第7号厚生労働省労働基準局長通知）

[42] 農林水産省プレスリリース「森林内等の作業における放射線障害防止対策に関する留意事項等について（Q&A）」（平成24（2012）年7月18日付け）

[43] 農林水産省プレスリリース「森林における放射性物質の拡散防止技術検証・開発事業の結果について」（平成25（2013）年8月27日付け）

に基づく取組の一つとして、避難指示区域[*44]（既に解除された区域を含む。）及びその周辺の地域においてモデル地区を選定し、里山再生を進めるための取組を総合的に推進する「里山再生モデル事業」を実施しており、平成30（2018）年３月末までに14か所のモデル地区を選定した[*45]。同地区では、林野庁の事業により間伐等の森林整備を行うとともに、環境省の事業による除染、内閣府の事業による線量マップの作成等、関係省庁が県や市町村と連携しながら、里山の再生に取り組んでおり（資料Ⅴ－5）、令和元（2019）年度に、二本松市、田村市、南相馬市、伊達市、富岡町、浪江町及び飯舘村で間伐等の森林整備を実施した。

　復興庁、農林水産省及び環境省は、これまでの成果を取りまとめ、住民により里山の利活用が促進された点などを評価し、令和2（2020）年１月に今後の対応の方向性について公表した。

　令和2（2020）年度以降は、県民生活の安全・安心の確保に向け、対象市町村を拡大し、里山の再生のための取組を実施することとした。

（エ）森林除染等の実施状況

　汚染状況重点調査地域[*46]のうち国有林については、平成30（2018）年３月末現在、林野庁が福島県、茨城県及び群馬県の3県約29haで除染を実施済みである。

　また、林野庁では、地方公共団体等から除去土壌等の仮置場用地として国有林野を使用したいとの要請があった場合、国有林野の無償貸付け等を行っている[*47]。

（オ）情報発信とコミュニケーション

　これまでの取組により、森林における放射性物質の分布、森林から生活圏への放射性物質の流出等に係る知見等が蓄積されてきている。これらの森林の放射性物質に係る知見を始めとして、森林・林業の再生のための取組等について最新の情報を分かりやすく丁寧に提供するとともに、専門家の派遣も含めてコミュニケーションを行うため、工夫を凝らしたシンポジウムや出前講座の開催、パンフレットの作成・配布及び農林水産省「消費者の部屋」特別展示等の普及啓発活動を実施している（事例Ⅴ－4）。

（2）安全な林産物の供給

（特用林産物の出荷制限の状況と生産継続・再開に向けた取組）

　食品中の放射性物質については、検査の結果、基準値を超える食品に地域的な広がりがみられた場合には、原子力災害対策本部長が関係県の知事に出荷制限等を指示してきた。

　きのこや山菜等の特用林産物については、「一般食品」の放射性セシウムの基準値100Bq/kgが適用されており、令和2（2020）年３月10日現在、13県193市町村で、原木しいたけ、野生きのこ、たけのこ、くさそてつ、こしあぶら、ふきのとう、たらのめ、ぜんまい、わらび等23品目の特用林産

資料Ⅴ－5　里山再生モデル事業のイメージ

地域の要望を踏まえ選定したモデル地区において、里山再生を進めるための取組を総合的に推進し、その成果を、的確な対策の実施に反映。

広場の除染　散策道の除染　ほだ場の除染　広葉樹林の整備

放射線量マップの作成　個人線量の測定

竹林の整備

里山

公共施設へ木質バイオマスボイラーを新設

資料：復興庁ホームページ「里山再生モデル事業概要」を基に林野庁企画課作成。

[*44]　東京電力福島第一原子力発電所の事故により、国が設定し避難を指示した、避難指示解除準備区域、居住制限区域及び帰還困難区域の3つの区域。

[*45]　平成28（2016）年9月に川俣町、葛尾村、川内村及び広野町の計4か所、同12月に相馬市、二本松市、伊達市、富岡町、浪江町及び飯舘村の計6か所、平成30（2018）年3月に田村市、南相馬市、楢葉町及び大熊町の計4か所を選定。

[*46]　「平成二十三年三月十一日に発生した東北地方太平洋沖地震に伴う原子力発電所の事故により放出された放射性物質による環境の汚染への対処に関する特別措置法」に規定されており、空間線量率が毎時0.23μSv以上の地域を含む市町村が指定されている。指定を受けた市町村は「除染実施計画」を定め、この計画に基づき市町村、県、国等により除染等の措置等が実施されている。

[*47]　詳しくは、第Ⅳ章第2節（3）237ページを参照。

物に出荷制限が指示されている。このうち原木しいたけについては、令和2（2020）年3月10日現在、6県93市町村で出荷制限が指示されている。

林野庁は、原木きのこの生産再開に向けて、平成25（2013）年に「放射性物質低減のための原木きのこ栽培管理に関するガイドライン」を策定し、全国の都道府県に周知した。同ガイドラインでは、生産された原木きのこが食品の基準値を超えないようにするための具体的な栽培管理方法として、原木・ほだ木は指標値以下の原木を使用すること、発生したきのこの放射性物質を検査することなどの必須工程のほか、状況に応じて原木・ほだ木を洗浄することなどを示している（資料V－6）。

出荷制限が指示された地域については、放射性物質の影響を低減させるための同ガイドラインを活用した栽培管理の実施により基準値を超えるきのこが生産されないと判断された場合には、地域の出荷制限は残るものの、ほだ木のロット単位[*48]での出荷が可能となる。

原木しいたけについては、令和2（2020）年3月10日現在、出荷制限が指示されている市町村のうち6県66市町村でロット単位での出荷が認められ、生産が再開されている。林野庁では、きのこ等の特用林産物生産者の生産継続・再開に向けて、安全なきのこ等の生産に必要な簡易ハウス等の防除施設や放射性物質測定機器の整備等を支援している。

このほか、林野庁では、野生のきのこ・山菜等の出荷制限の解除が円滑に進むよう、平成27（2015）年に「野生きのこ類等の出荷制限解除に向けた検査等の具体的運用」の考え方を整理し、具体的な検査方法や出荷管理について関係都県に周知した。このような中で、野生のきのこ・山菜類及びたけのこの出荷制限の解除も進みつつある。

（きのこ原木等の管理と需給状況）

林野庁は、食品中の放射性物質の基準値を踏まえて、きのこ原木と菌床用培地の「当面の指標値」（き

事例V－4 　福島の森林・林業再生に向けたシンポジウムを開催

林野庁では、福島の森林・林業の再生に向けて、森林内の放射性物質の動態把握や林業再生に向けた技術の実証など、これまで得られた知見や成果などを分かりやすく伝えるシンポジウムを平成26（2014）年から福島、平成28（2016）年から東京でも開催している。6回目となる令和元（2019）年度は、親子を対象とした「遊ぼう！学ぼう！福島の森と木の親子体験教室」を開催した。

本シンポジウムは、「学びの部」、「遊びの部」及び「体験の部」の3つのプログラムで構成されており、講演や体験等を通じて、福島の森林の放射性物質の状況等について理解を深めてもらう内容となっている。

福島会場（福島県郡山市）では120人、東京会場（東京都港区）では128人の親子が参加した。参加者は放射線の性質について説明を受けた後、福島の木材や木の葉、土の放射線量を実際に測りながら森の中の現状を学んだ。また、福島の木材を使ったオーナメント制作やしいたけとなめこの収穫体験も行われ、参加者からは放射線や放射性物質への理解が深まったとの声や、福島に遊びに行きたいなどの感想が寄せられた。

シンポジウム会場の様子（学びの部）

シンポジウム会場の様子（体験の部）

＊48　原木の仕入先や植菌時期ごとのまとまり。

のこ原木とほだ木は50Bq/kg、菌床用培地と菌床は200Bq/kg）を設定しており*49、都道府県や業界団体に対し、同指標値を超えるきのこ原木と菌床用培地の使用、生産及び流通が行われないよう要請を行っている*50。

東日本大震災以前には、きのこ原木は、各県における必要量のほとんどが自県内で調達されていたものの、他県から調達される原木については、その半分以上が福島県から調達されていたことから*51、多くの県できのこ原木の安定調達に影響が生じた。このような中、林野庁では、平成23（2011）年度から、有識者、生産者、流通関係者等から成るきのこ原木の安定供給検討委員会*52を開催し、需要者と供給者のマッチングを行っている*53。

きのこ原木の需給状況については、平成25（2013）年9月以降は、森林所有者等によるきのこ原木の供給可能量がきのこ生産者等によるきのこ原木の供給希望量を上回る状況が多くなっており（資料Ⅴ－7）、きのこ原木のマッチングが進んでいる

と考えられるが、令和元（2019）年10月末時点で、供給希望量55万本のうちコナラが約9割を占めている一方、供給可能量48万本のうち約8割がクヌギ等となっており、樹種別にみるとミスマッチが生じている状況にある。

林野庁では、引き続き、供給希望量の多いコナラを主体に供給可能量の掘り起こしを行うとともに、きのこ原木のマッチングを推進することとしている。

このほか、日本特用林産振興会では、「西日本産クヌギ原木を使用した東日本での原木しいたけ栽培指針」を作成し、しいたけ生産者等に周知することにより、クヌギを用いた栽培方法の普及にも取り組んでいる。

（薪、木炭、木質ペレットの管理）

林野庁は、平成23（2011）年に、調理加熱用の薪と木炭に関する放射性セシウム濃度の「当面の指標値」（燃焼した際の放射性セシウムの濃縮割合を勘案し、薪は40Bq/kg、木炭は280Bq/kg（いず

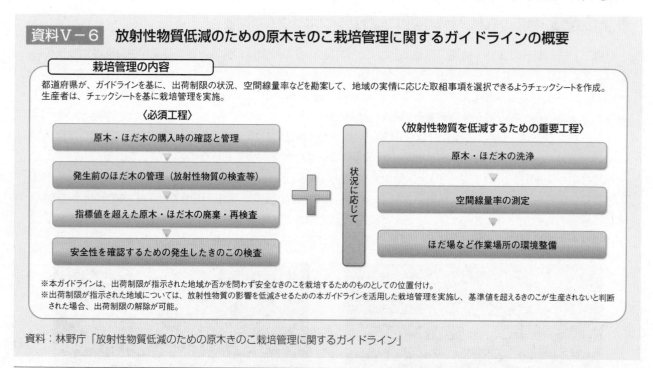

資料Ⅴ－6　放射性物質低減のための原木きのこ栽培管理に関するガイドラインの概要

栽培管理の内容

都道府県が、ガイドラインを基に、出荷制限の状況、空間線量率などを勘案して、地域の実情に応じた取組事項を選択できるようチェックシートを作成。生産者は、チェックシートを基に栽培管理を実施。

〈必須工程〉
- 原木・ほだ木の購入時の確認と管理
- 発生前のほだ木の管理（放射性物質の検査等）
- 指標値を超えた原木・ほだ木の廃棄・再検査
- 安全性を確認するための発生したきのこの検査

状況に応じて

〈放射性物質を低減するための重要工程〉
- 原木・ほだ木の洗浄
- 空間線量率の測定
- ほだ場など作業場所の環境整備

※本ガイドラインは、出荷制限が指示された地域か否かを問わず安全なきのこを栽培するためのものとしての位置付け。
※出荷制限が指示された地域については、放射性物質の影響を低減させるための本ガイドラインを活用した栽培管理を実施し、基準値を超えるきのこが生産されないと判断された場合、出荷制限の解除が可能。

資料：林野庁「放射性物質低減のための原木きのこ栽培管理に関するガイドライン」

*49　「「きのこ原木及び菌床用培地の当面の指標値の設定について」の一部改正について」（平成24（2012）年3月28日付け23林政経第388号林野庁林政部経営課長・木材産業課長等連名通知）、「「きのこ原木及び菌床用培地の当面の指標値の設定について」の一部改正について」（平成24（2012）年8月30日付け24林政経第179号林野庁林政部経営課長・木材産業課長等連名通知）

*50　「きのこ原木及び菌床用培地の指標値の設定について」（平成23（2011）年10月6日付け23林政経第213号林野庁林政部経営課長・木材産業課長等連名通知）

*51　「平成23年度森林及び林業の動向」第Ⅰ章第4節（2）43-44ページを参照。

*52　平成25（2013）年度までは「きのこ生産資材安定供給検討委員会」、平成26（2014）年度からは「安全なきのこ原木の安定供給体制構築に係わる検討委員会」と呼称。

*53　「平成24年度森林及び林業の動向」第Ⅱ章第3節（2）61ページを参照。

れも乾重量))を設定し[54]、都道府県や業界団体に対し、同指標値を超える薪や木炭の使用、生産及び流通が行われないよう要請を行っている。

平成24（2012）年には、木質ペレットについても放射性セシウム濃度に関する「当面の指標値」（樹皮を除いた木材を原料とするホワイトペレットと樹皮を含んだ木材を原料とする全木ペレットは40Bq/kg、樹皮を原料とするバークペレットは300Bq/kg）を設定している[55]。

（木材製品や作業環境等の放射性物質の調査・分析）

林野庁では、消費者に安全な木材製品が供給されるよう、福島県内において民間団体が行う木材製品や木材加工施設の作業環境における放射性物質の測定及び分析に対して、継続的に支援している。これまでの調査で最も高い放射性セシウム濃度を検出した木材製品を使って、木材で囲まれた居室を想定した場合の外部被ばく量を試算[56]すると、年間0.045mSvと推定され、国際放射線防護委員会（ICRP[57]）2007年勧告「一般公衆における参考レベル下限値：実効線量１mSv/年」と比べても小さいものであった[58]。また、各種放射線検知装置を導入した工場等の放射線量を測定した結果、航空機モニタリングの値よりもやや低い傾向が確認できた。

福島県においても、県産材製材品の表面線量調査を定期的に行っており、放射線防護の専門家から環境や健康への影響がないとの評価が得られている。

このほか、林野庁では、製材品等の効率的な測定検査手法の検証・開発について支援を行っている。これにより効果的に木材の表面線量を測定するための装置の開発、効果的な測定装置を配置するための木材流通実態調査の実施や放射性物質測定装置の設置など、原木の受入れから木材製品の出荷に至る安全証明体制構築に向けた取組が進められている。

（3）樹皮やほだ木等の廃棄物の処理

木材加工の工程で発生する樹皮（バーク）は、ボイラー等の燃料、堆肥、家畜の敷料等として利用されてきた。しかしながら、樹皮（バーク）を含む木くずの燃焼により、高濃度の放射性物質を含む灰が生成される事例が報告されたことなどから、樹皮（バーク）の利用が進まなくなり、製材工場等に滞留する状況が続いていた。林野庁では、滞留している樹皮（バーク）について、平成25（2013）年度から廃棄物処理施設での処理を支援しており、樹皮（バーク）の滞留量は、ピーク時である平成25（2013）年８月の8.4万トンから、令和元（2019）年11月には２千トンへと減少した。

また、今後の樹皮（バーク）の発生量の増加に対応するため、農業用敷料やマルチ材等の新たな利用方法の開発など、利用拡大に向けた実証が進められている。

加えて、「当面の指標値」を超えたため使用できなくなったほだ木等についても、ほだ木等の一時保管等の経費に対して支援してい

資料Ⅴ－7　きのこ原木の需給状況

（万本）

凡例：
- 他の都道府県からの供給希望量
- 都道府県外への供給可能量

	他の都道府県からの供給希望量	都道府県外への供給可能量
平成25年5月末	224	201
平成25年9月末	118	196
平成26年5月末	151	175
平成26年9月末	118	137
平成27年5月末	182	130
平成27年9月末	96	102
平成28年5月末	157	98
平成28年9月末	67	81
平成29年9月末	54	56
平成30年9月末	54	51
令和元年10月末	55	48

資料：林野庁経営課調べ。

---

*54 「調理加熱用の薪及び木炭の当面の指標値の設定について」（平成23（2011）年11月２日付け23林政経第231号林野庁林政部経営課長・木材産業課長等連名通知）
*55 林野庁プレスリリース「木質ペレット及びストーブ燃焼灰の放射性セシウム濃度の調査結果及び木質ペレットの当面の指標値の設定等について」（平成24（2012）年11月２日付け）
*56 IAEA-TECDOC-1376で報告されている、居室を想定した場合の試算に基づき算出。
*57 「International Commission on Radiological Protection」の略。
*58 木構造振興株式会社、福島県木材協同組合連合会、一般財団法人材料科学技術振興財団（2018）安全な木材製品等流通影響調査・検証事業報告書: 47.

るほか、平成27（2015）年度からは、焼却施設において、放射性物質濃度の測定を行うことで安全性を確認しながら、ほだ木等の処理が進められている。

（4）損害の賠償

東京電力福島第一及び第二原子力発電所の事故による被害者の迅速、公正かつ適正な救済を図るため、文部科学省が設置した原子力損害賠償紛争審査会は、「東京電力株式会社福島第一、第二原子力発電所事故による原子力損害の範囲の判定等に関する中間指針」等を策定し、一定の類型化が可能な損害項目として、避難指示等に伴う損害に加え、出荷制限の指示等による損害やいわゆる風評被害を含め、農林漁業者等の賠償すべき損害と認められる一定の範囲の損害類型を示している[59]。特に、同中間指針第三次追補においては、農林水産省等が協力しつつ実施した調査結果を参考にし、農林漁業・食品産業の風評被害について、同中間指針に示されている損害に一定の類型の損害を新たに追加するとともに、具体的な地域及び産品が明示されなかったものが、直ちに賠償の対象とならないというものではなく、個別具体的な事情に応じて相当因果関係のある損害と認められることがあり得ることを示している。このように、同中間指針等の類型に当てはまらない損害についても、個別の事例又は類型ごとに、同中間指針等の趣旨を踏まえ、かつ、その損害の内容に応じて、その全部又は一定の範囲を賠償の対象とするなど、東京電力ホールディングス株式会社に合理的かつ柔軟な対応を求めている。

林業関係では、これまで、避難指示等に伴い事業に支障が生じたことによる減収等について賠償が行われている。農林水産省が同社、関係県及び関係団体から聞き取りを行った結果によると、平成28（2016）年7月末までに総計約59億円の賠償金が請求され、約56億円が支払われている。

また、原木しいたけ等に関する損害賠償の請求・支払状況については、関係県からの聞き取りによると、令和元（2019）年9月末現在、請求額約400億円に対し、支払額は約359億円となっている。林野庁は、特用林産物の生産者団体や地方公共団体等からの相談・要請に基づき、同社に対して、原子力損害に対する賠償が適切かつ迅速に行われるよう申し入れるとともに、生産者等に対しては、賠償に至った事例等の情報提供に努めている。

避難指示区域内の森林（山林の土地及び立木）に係る財物賠償については、同社が平成26（2014）年9月から賠償請求を受け付けており[60]、平成27（2015）年3月からは避難指示区域以外の福島県内の立木についても賠償の請求を受け付けている[61]。

---

[59] 原子力損害賠償紛争審査会「東京電力株式会社福島第一、第二原子力発電所事故による原子力損害の範囲の判定等に関する中間指針」（平成23（2011）年8月5日）、「東京電力株式会社福島第一、第二原子力発電所事故による原子力損害の範囲の判定等に関する中間指針追補（自主的避難等に係る損害について）（第一次追補）」（平成23（2011）年12月6日）、「東京電力株式会社福島第一、第二原子力発電所事故による原子力損害の範囲の判定等に関する中間指針第二次追補（政府による避難区域等の見直し等に係る損害について）」（平成24（2012）年3月16日）、「東京電力株式会社福島第一、第二原子力発電所事故による原子力損害の範囲の判定等に関する中間指針第三次追補（農林漁業・食品産業の風評被害に係る損害について）」（平成25（2013）年1月30日）、「東京電力株式会社福島第一、第二原子力発電所事故による原子力損害の範囲の判定等に関する中間指針第四次追補（避難指示の長期化等に係る損害について）」（平成25（2013）年12月26日）

[60] 東京電力プレスリリース「宅地・田畑以外の土地および立木に係る財物賠償について」（平成26（2014）年9月18日付け）

[61] 東京電力プレスリリース「福島県の避難指示区域以外の地域における立木に係る財物賠償について」（平成27（2015）年3月19日付け）

コラム 樹皮（バーク）の有効利用の推進

　木材の加工段階で発生する樹皮（バーク）については、燃料や畜産敷料等に有効利用されてきたところであるが、東京電力福島第一原子力発電所の事故による放射性物質汚染への懸念により利用が減少した。現在、福島県において、樹皮（バーク）の利用は少しずつ回復傾向にあるものの、発生量全体の3〜4割程度と低位で、その大半は廃棄物処理せざるを得ない状況である。

　一方、福島県内の木材生産は増加傾向で推移しており、新たな木材加工施設の整備計画もあることから、樹皮（バーク）の発生の更なる増加が予測され、その処理が大きな課題となっている。

　そこで、森林資源の有効利用や廃棄物処理の減少の観点から、以前のように有効利用の回復を図るため、福島県木材協同組合連合会では、樹皮（バーク）の新たな分野への利用方法の開拓を進めている。

　具体的には、放射性物質濃度が基準の厳しい一般食品の指標値以下である樹皮（バーク）について、ブルーベリー栽培における根の乾燥防止などのためのマルチ材として使用したり、樹皮（バーク）にセメント等を加え、太陽光発電パネル下の防草資材として使用したりして、その効果、土壌や果実への放射性物質の移行の状況、施工地の空間線量率の経過など環境への影響等について実証した。

　その結果、放射性物質の土壌や果実への影響は確認されなかった。また、根の乾燥防止や除草効果等についても一定の効果を確認できた。

　今後は、課題であるコスト面への対応や新たな分野への活用の開拓など、引き続き樹皮（バーク）の利活用の推進を行うこととしている。

ブルーベリー栽培への活用の様子

太陽光パネル下の防草資材への活用の様子

第2部

令和元年度
森林及び林業施策

概説

1 施策の重点（基本的事項）

平成31（2019）年４月に森林経営管理法が施行され、適切な経営管理が行われていない森林の経営管理を、市町村や林業経営者に集積・集約化する森林経営管理制度がスタートするとともに、同年９月からは地方公共団体が実施する森林整備等の財源に充てるため、森林環境譲与税の譲与が開始された。

また、「農林水産業・地域の活力創造プラン」（平成30（2018）年11月27日改訂（農林水産業・地域の活力創造本部決定））等を踏まえ、「国有林野の管理経営に関する法律等の一部を改正する法律案」を第198回国会（常会）に提出（令和元（2019）年６月５日可決成立）し、森林経営管理制度の要となる林業経営者を育成するため、国有林の一定の区域において、公益的機能を確保しつつ、一定の期間、安定的に樹木を採取できる権利（樹木採取権）の仕組みや、川上の林業事業者と川中・川下の木材関連産業の事業者が共同して計画する、木材の安定的な取引関係の確立を図る事業に対して金融上の措置を講じる仕組みを構築した。

また、新型コロナウイルス感染症により影響を受ける林業者等が資金調達を行う際の実質無利子化・実質無担保化等の資金繰り支援等を実施した。さらに、林業経営体及び木材産業事業者の従業員に新型コロナウイルス感染者が発生した際の対応や事業継続を図る際の基本的なポイントをまとめたガイドラインを策定し、周知した。

このほか、「森林・林業基本計画」（平成28（2016）年５月閣議決定）等を踏まえ、以下の森林・林業施策を積極的に推進した。

（1）森林の有する多面的機能の発揮に関する施策

森林の有する多面的機能を将来にわたって持続的に発揮させていくため、①面的なまとまりをもった森林経営の確立、②再造林等による適切な更新の確保、③適切な間伐等の実施、④路網整備の推進、⑤多様で健全な森林への誘導、⑥地球温暖化防止策及び適応策の推進、⑦国土の保全等の推進、⑧研究・技術開発及びその普及、⑨山村の振興及び地方創生への寄与、⑩国民参加の森林づくりと森林の多様な利用の推進、⑪国際的な協調及び貢献に関する施策を推進した。

特に、山村地域が有する森林空間を活用することにより、新たな雇用と収入機会を生み出す「森林サービス産業」について、その創出・推進に向けた課題解決方策を明らかにするとともに、今後の展開方向について、幅広い視点から検討を進めることを目的として、「森林サービス産業」検討委員会を令和元（2019）年８月より複数回開催した。

また、令和元年房総半島台風、令和元年東日本台風等に伴う大規模災害発生時には、ヘリコプターによる広域的な被害状況調査や、災害復旧に向けた技術支援職員の派遣等、地方公共団体に対する支援を迅速かつ円滑に実施した。

さらに、地域の安全・安心の確保に向け「防災・減災、国土強靱化のための３か年緊急対策」（平成30（2018）年12月14日閣議決定）等による森林整備や治山対策を推進した。

（2）林業の持続的かつ健全な発展に関する施策

林業の持続的かつ健全な発展を図るため、①望ましい林業構造の確立、②人材の育成・確保等、③林業災害による損失補塡に関する施策を推進した。

（3）林産物の供給及び利用の確保に関する施策

林産物の供給及び利用を確保するため、①原木の安定供給体制の構築、②木材産業の競争力強化、③新たな木材需要の創出、④消費者等の理解の醸成、⑤林産物の輸入に関する措置に関する施策を推進した。

（4）東日本大震災からの復旧・復興に関する施策

東日本大震災により被災した治山施設、海岸防災林及び地震により発生した崩壊地等の復旧及び再生を推進するとともに、放射性物質の影響に対応した木材製品等の安全証明体制の構築、安全な特用林産物の供給確保のための支援、被災地域の林業・木材産業の復興に向けた地域材の活用による木造建築等

の普及及び木質バイオマス関連施設等の整備を推進
した。

（5）国有林野の管理及び経営に関する施策

　国土保全等の公益的機能の高度発揮に重要な役割
を果たしている国有林野の特性を踏まえ、公益重視
の管理経営を一層推進した。

　また、林業の成長産業化へ貢献するため、森林施
業の低コスト化の推進と技術の普及を実施するとと
もに、「国民の森林」としての管理経営と国有林野
の活用を推進した。

（6）団体の再編整備に関する施策

　森林組合に対して、国民や組合員の信頼を受けて
地域の森林施策や経営の担い手として、「森林経営
管理制度」においても重要な役割を果たすよう、内
部牽制体制の構築、法令等遵守の徹底、経営の透明
性の確保等、事業・業務執行体制の強化及び体質の
改善に向けた指導を行った。

2　財政措置

（1）財政措置

　諸施策を実施するため、表のとおり林業関係の一
般会計予算及び東日本大震災復興特別会計予算の確
保に努めた。

　令和元（2019）年度林野庁関係当初予算において
は、一般会計に非公共事業費約1,063億円、公共事
業費約2,370億円[*1]を計上した。特に、平成30
（2018）年5月に成立した「森林経営管理法」に基
づき、適切な経営管理が行われていない森林につい
て、市町村が仲介役となり林業経営者への森林の経
営管理の集積・集約化及び市町村による公的管理を
進め、木材の流通及び需要拡大については、川上か
ら川下までの事業者間での需給情報等を共有できる
効率的なサプライチェーンの構築を進めるととも
に、CLT等の新たな製品・技術普及、JAS構造材
の普及支援等により需要の拡大を図り、経済界等と
の協力等による環境整備を目指した。

　このため、
① 「林業成長産業化総合対策」として、
（ア）「林業・木材産業成長産業化促進対策」により、
　意欲と能力のある林業経営者を育成し、木材生産
　を通じた持続的な林業経営を確立するため、出荷
　ロットの大規模化、資源の高度利用を図る施業、
　路網整備、高性能林業機械の導入、木材加工流通
　施設の整備等を支援
（イ）「スマート林業構築推進事業」等により、ICT
　等の先端技術を活用した森林施業の効率化、需給
　マッチングによる流通コストの削減、スマート林
　業の構築に向けた取組、施業現場の管理者育成等
　を支援
（ウ）「木材需要の拡大・生産流通構造改革促進対策」
　により、CLT等の利用促進、民間との連携によ
　る中高層・非住宅建築物等への木材利用の促進、
　公共建築物の木造化・木質化等による新たな木材
　需要の創出、高付加価値木材製品の輸出拡大、サ
　プライチェーン構築に向けたマッチング等の取組
　等を支援
② 「「緑の人づくり」総合支援対策」により、林業
　への就業前の青年に対する給付金の支給、新規就
　業者を現場技能者に育成する「緑の雇用」研修の
　支援等を行うとともに、森林経営管理制度と森林
　環境税の創設を踏まえ、市町村の森林・林業担当
　職員を支援する人材の育成を推進
③ 「森林・山村多面的機能発揮対策」により、森林・
　山村の多面的機能の発揮を図るため、地域におけ
　る活動組織が実施する森林の保全管理、森林資源
　の利用等の取組を支援
④ 「花粉発生源対策推進事業」により、花粉症対
　策苗木への植替えの支援、花粉飛散防止剤の実証
　試験、スギ・ヒノキの雄花着花状況調査等の推進、
　これらの成果の普及啓発等を一体的に実施
⑤ 「シカによる森林被害緊急対策事業」により、
　被害が深刻な地域等における林業関係者が主体と
　なった広域的かつ計画的な捕獲等をモデル的に実
　施
⑥ 林業の成長産業化と森林資源の適切な管理を実

[*1]　「臨時・特別の措置」（重要インフラの緊急点検等を踏まえた防災・減災、国土強靱化のための緊急対策に係る分）約441億円を含
　んだ額。

林業関係の一般会計等の予算額

（単位：百万円）

区　分	平成30（2018）年度	令和元（2019）年度
林業関係の一般会計等の予算額	428,744	431,331
治山事業の推進	79,146	102,738
森林整備事業の推進	146,775	171,571
災害復旧等	68,364	31,615
保安林等整備管理	482	484
森林計画	874	960
森林の整備・保全	3,407	3,315
林業振興対策	5,669	5,610
林産物供給等振興対策	2,527	2,709
森林整備・林業等振興対策	38,453	28,784
林業試験研究及び林業普及指導	11,018	11,081
森林病害虫等防除	718	715
林業金融	2	1
国際林業協力	185	170
森林整備地域活動支援対策	0	0
その他	71,123	71,579
東日本大震災復興特別会計予算額	32,219	26,417
国有林野事業債務管理特別会計予算額	348,940	356,466

注1：予算額は補正後のものである。
　2：一般会計及び東日本大震災復興特別会計には、他省庁計上予算を含む。
　3：総額と内訳の計が一致しないのは、四捨五入による。

現するため、意欲と能力のある林業経営者やその経営者が経営管理を集積・集約化する地域に対し、間伐、路網整備、主伐後の再造林等を重点的に支援する森林整備事業の推進
⑦　集中豪雨、流木災害の拡大等に対する山地防災力の強化のため、荒廃山地の復旧・予防対策、総合的な流木対策の強化等を行う治山事業の推進
等の施策を重点的に講じた。

また、東日本大震災復興特別会計に非公共事業費約49億円、公共事業費約215億円を盛り込んだ。

さらに、令和元（2019）年度林野庁関係補正予算に非公共事業費約208億円、公共事業費約606億円を計上し、
①　「合板・製材・集成材国際競争力強化・輸出促進対策」により、合板・製材・構造用集成材等の

国際競争力を強化するための、路網整備や高性能林業機械の導入、加工施設の大規模化・高効率化や高付加価値品目への転換、脱プラスチックにも資する木質新素材（改質リグニン）の実証プラントの整備、木材製品等の消費拡大に向けたJAS構造材等の普及・実証、輸出に向けた付加価値の高い木材の生産施設整備等を支援
②　「山林施設災害復旧等事業」により、被災した治山・林道施設、新たに発生した荒廃山地等の速やかな復旧等を推進
③　「森林整備による防災・減災対策」により、重要なインフラ施設の周辺や氾濫した河川の上流域等において、森林整備等の対策を推進
④　「治山施設等の防災・減災対策」により、重要なインフラ施設の周辺や氾濫した河川の上流域等

において、治山施設の設置等により荒廃山地の復旧・予防対策を推進

等の施策を重点的に講じた。

（２）森林・山村に係る地方財政措置

「森林・山村対策」、「国土保全対策」等を引き続き実施し、地方公共団体の取組を促進した。

「森林・山村対策」としては、

① 公有林等における間伐等の促進

② 国が実施する「森林整備地域活動支援交付金」と連携した施業の集約化に必要な活動

③ 国が実施する「緑の雇用」新規就業者育成推進事業等と連携した林業の担い手育成及び確保に必要な研修

④ 民有林における長伐期化及び複層林化並びに林業公社がこれを行う場合の経営の安定化の推進

⑤ 地域で流通する木材の利用のための普及啓発及び木質バイオマスエネルギー利用促進対策

⑥ 市町村の森林所有者情報の整備

等に要する経費等に対して、地方交付税措置を講じた。

「国土保全対策」としては、ソフト事業として、U・Iターン受入対策、森林管理対策等に必要な経費に対する普通交付税措置、上流域の水源維持等のための事業に必要な経費を下流域の団体が負担した場合の特別交付税措置を講じた。また、公の施設として保全及び活用を図る森林の取得及び施設の整備、農山村の景観保全施設の整備等に要する経費を地方債の対象とした。

さらに、上記のほか、森林吸収源対策等の推進を図るため、林地台帳の整備、森林所有者の確定等、森林整備の実施に必要となる地域の主体的な取組に要する経費について、引き続き地方交付税措置を講じた。

3　立法措置

第198回通常国会において以下の法律が成立した。

・国有林野の管理経営に関する法律等の一部を改正する法律（令和元年法律第31号）

4　税制上の措置

林業に関する税制について、令和元（2019）年度税制改正において、

① 中小企業投資促進税制の適用期限を２年延長すること（所得税・法人税）

② 商業・サービス業・農林水産業活性化税制について、経営改善により売上高又は営業利益の伸び率が年２％以上の見込みであることについて認定経営革新等支援機関等の認定を受けることを適用条件に加えた上で適用期限を２年延長すること（所得税・法人税）

③ 中小企業経営強化税制の適用期限を２年延長すること（所得税・法人税）

④ 森林組合の合併に係る課税の特例の適用期限を３年延長すること（法人税）

⑤ 中小企業等の法人税の軽減税率の特例の適用期限を２年延長すること（法人税）

⑥ 独立行政法人農林漁業信用基金が受ける抵当権の設定登記等に対する登録免許税の税率の軽減措置の適用期限を２年延長すること（登録免許税）

⑦ 森林環境税及び森林環境譲与税を創設すること

等の措置を講じた。

5　金融措置

（１）株式会社日本政策金融公庫資金制度

株式会社日本政策金融公庫資金の林業関係資金については、造林等に必要な長期低利資金について、貸付計画額を234億円とした。沖縄県については、沖縄振興開発金融公庫の農林漁業関係貸付計画額を60億円とした。

森林の取得、木材の加工・流通施設等の整備、災害からの復旧を行う林業者等に対する利子助成を実施した。

東日本大震災により被災した林業者等に対する利子助成を実施するとともに、無担保・無保証人貸付けを実施した。

令和元年東日本台風により被災した林業者等に対する利子助成を実施するとともに、無担保・無保証人貸付けを実施した。

新型コロナウイルス感染症の影響を受けた林業者等に対し、実質無利子・無担保等貸付けを実施した。

（2）林業・木材産業改善資金制度

経営改善等を行う林業者・木材産業事業者に対する都道府県からの無利子資金である林業・木材産業改善資金について、貸付計画額を40億円とした。

（3）木材産業等高度化推進資金制度

木材の生産又は流通の合理化を推進するための木材産業等高度化推進資金について貸付枠を600億円とした。

（4）独立行政法人農林漁業信用基金による債務保証制度

林業経営の改善等に必要な資金の融通を円滑にするため、独立行政法人農林漁業信用基金による債務保証、林業経営者に対する経営支援等の活用を促進した。

東日本大震災により被災した林業者等に対する保証料の助成等を実施した。

重大な災害により被災した林業者等に対し、保証料を実質免除した。

新型コロナウイルス感染症の影響を受けた林業者等に対し、無担保等により債務保証を行うとともに、保証料を実質免除した。

（5）林業就業促進資金制度

新たに林業に就業しようとする者の円滑な就業を促進するため、新規就業者や認定事業主に対する研修受講や就業準備に必要な資金の林業労働力確保支援センターによる貸付制度を通じた支援を行った。

6 政策評価

効果的かつ効率的な行政の推進、行政の説明責任の徹底を図る観点から、「行政機関が行う政策の評価に関する法律」（平成13年法律第86号）に基づき、「農林水産省政策評価基本計画」（5年間計画）及び毎年度定める「農林水産省政策評価実施計画」により、事前評価（政策を決定する前に行う政策評価）や事後評価（政策を決定した後に行う政策評価）を実施した。

I　森林の有する多面的機能の発揮に関する施策

1　面的なまとまりを持った森林経営の確立

（1）森林経営管理制度等による経営管理の集積・集約化

適切な経営管理が行われていない森林について、「森林経営管理制度」の下で、市町村が仲介役となり、林業経営者へ森林の経営管理の集積・集約化を図った。

なお、「森林経営管理制度」の円滑な運用を図るため、市町村への指導・助言を行うことができる技術者を養成することと併せ、技術者の技術水準の向上を図るため、国有林をフィールドとした継続教育等を実施するとともに、都道府県等が実施する実践的な研修を支援した。

加えて、森林経営計画に基づき面的まとまりを持って森林施業を行う者に対して、間伐等やこれと一体となった丈夫で簡易な路網の開設等を支援するとともに、税制上の特例措置や融資条件の優遇措置を講じた。

また、市町村や森林組合等による森林情報の収集、森林調査、境界の明確化、森林所有者の合意形成活動及び既存路網の簡易な改良に対する支援を行うとともに、施業提案や森林境界の確認の手法として3次元地図や過去の空中写真等の森林情報の活用を推進し、これにより施業の集約化の促進を図った。

このほか、民有林と国有林が連携した森林共同施業団地の設定等の取組を推進した。

（2）森林関連情報の整備・提供

持続的な森林経営の推進及び地域森林計画等の樹立に資するため、民有林と国有林を通じ、森林土壌や生物多様性等の森林経営の基準・指標に係るデータを継続的に把握するための森林資源のモニタリングを引き続き実施し、データの公表及び活用を進めた。

また、森林所有者情報及び境界情報については、新たに森林の土地の所有者となった場合の市町村長への届出制度の適正な運用を図るとともに、森林施業の集約化のため、所有者や境界の情報を一元的に管理する林地台帳の活用を進め、森林組合等の林業経営体に対して必要な森林関連情報の提供を行った。

森林関連情報については、スマート林業を実現するため、リモートセンシング技術を活用した高精度な森林情報の把握やクラウド技術等による情報の共有化の取組を進め、多様な主体間を横串で情報共有・活用する取組に対し支援を行った。

2　再造林等による適切な更新の確保

（1）造林コストの低減

伐採と造林の一貫作業システムや早生樹造林の導入を推進するとともに、低密度植栽等の導入に向けた課題の検証や低コスト造林に資する成長に優れた品種の開発を進めるほか、苗木生産施設等の整備への支援、再造林作業を省力化する林業機械の開発に取り組んだ。

また、国有林のフィールド、技術力等を活かし、低コスト造林技術の開発・実証等に取り組んだ。

（2）優良種苗の確保

主伐後の再造林等による適切な更新の確保が重要となる中、種穂の確保から苗木生産までの各段階における課題を解決し、優良種苗を低コストかつ安定的に供給する体制の構築に向け、採取源の指定に必要な遺伝子調査、早生樹を含めた原種増産技術の開発、採種園等の造成・改良等を行うとともに、コンテナ苗の生産施設の整備、生産技術の標準化、技術研修等の取組を推進した。

（3）伐採及び造林届出制度等の適正な運用

伐採及び伐採後の造林の届出等により、市町村における立木の伐採や造林の実施状況の適確な把握を推進するなど、伐採及び伐採後の造林の届出等の制度の適正な運用を図った。

また、伐採に係る手続が適正になされた木材の証明等の普及を図った。

（4）野生鳥獣による被害への対策の推進

造林木等の着実な成長を確保するための鳥獣被害対策として、森林整備と一体的に行う防護柵等の鳥獣害防止施設の整備や野生鳥獣の捕獲の支援を行うとともに、鳥獣保護管理施策、農業被害対策等との連携を図りつつ、被害が深刻な地域等における林業関係者が主体となった広域的かつ計画的な捕獲のモデル的な実施とそのノウハウの普及等を行うほか、効果的かつ効率的な捕獲及び防除のための技術の開発・実証を推進した。

特に、野生鳥獣による被害が発生している森林等に対し、森林法（昭和26年法律第249号）に基づく市町村森林整備計画等における鳥獣害防止森林区域の設定を通じた被害対策や、地域の実情に応じた野生鳥獣の生息環境となる針広混交の育成複層林や天然生林への誘導など野生鳥獣との共存に配慮した対策を推進した。

3　適切な間伐等の実施

不在村森林所有者の増加等の課題に対処するため、地域に最も密着した行政機関である市町村が主体となった森林所有者及び境界の明確化並びに林業の担い手確保等のための施策を講ずるとともに、森林経営計画に基づき面的まとまりをもって実施される間伐等を支援するほか、「森林の間伐等の実施の促進に関する特別措置法」（平成20年法律第32号）等に基づき市町村による間伐等の取組を進めること等により、森林の適切な整備を推進した。

4　路網整備の推進

森林施業等の効率的な実施のため、傾斜区分と導入を図る作業システムに応じた目指すべき路網整備の水準を踏まえつつ、トラック等が走行する林道等と主として林業機械が走行する森林作業道が、それぞれの役割等に応じて適切に組み合わされた路網の整備を推進するとともに、林道等の局部構造の改良等を推進するほか、既設林道の長寿命化を図るために、トンネル、橋梁等の計画的かつ定期的な点検診断・補強等を推進した。

また、木材流通が広域化している中、木材の大量運搬等に対応でき、大型車両が通行可能な幹線となる林道等の整備を推進した。

5　多様で健全な森林への誘導

（1）多様な森林への誘導と森林における生物多様性の保全

健全な森林の育成のための間伐はもとより、長伐期林、育成複層林、針広混交林、広葉樹林等多様で健全な森林への誘導に向けた効率的な整備を推進した。

具体的には、一定の広がりにおいて様々な生育段階や樹種から構成される森林がモザイク状に配置されている状態を目指し、自然条件等を踏まえつつ、育成複層林への移行や長伐期化等による多様な森林整備を推進した。その際、国有林や公有林等において、育成複層林化等の取組を先導的に進めるとともに、効率的な施業技術の普及、多様な森林整備への取組を加速するためのコンセンサスの醸成等を図った。

さらに、原生的な森林生態系、希少な野生生物の生育・生息地、渓畔林等水辺森林の保護・管理及び連続性の確保、シカ被害対策の実施等について、必要に応じて民有林と国有林が連携して進めるほか、森林認証等への理解の促進等、森林における生物多様性の保全と持続可能な利用の調和を図った。

（2）公的な関与による森林整備

自然条件や社会的条件が悪く、自助努力によっては適切な整備が見込めない森林、奥地水源の保安林における高齢級人工林等について、公益的機能の発揮を確保するため、針広混交林の造成等を行う水源林造成事業等の実施や地方公共団体が森林所有者と締結する協定に基づき行う森林の整備への支援を行った。

また、森林環境譲与税も活用して、市町村が「森林経営管理法」に基づき森林の経営管理を集積する取組を推進した。

さらに、荒廃した保安林等について、治山事業による整備を実施した。

（3）再生利用が困難な荒廃農地の森林としての活用

　農地として再生利用が困難であり、森林として管理・活用を図ることが適当な荒廃農地について、地域森林計画への編入を推進するとともに、早生樹種の活用に向け、実証的な植栽等を通じて施業方法の整理に取り組んだ。

（4）花粉発生源対策の推進

　平成30（2018）年４月に改正した「スギ花粉発生源対策推進方針」に基づき、地方公共団体、林業関係者等と一体となった花粉発生源対策の推進を図った。

　具体的な取組としては、森林所有者に対する花粉症対策苗木への植替えの働き掛けを支援するとともに、花粉発生源となっているスギ人工林等の伐倒、コンテナを用いて生産された花粉症対策苗木等への植替え、広葉樹の導入による針広混交林への誘導等を推進した。また、花粉飛散量予測のためのスギ・ヒノキ雄花の着花量調査に加え、スギ花粉症対策品種の開発の加速化や花粉飛散防止剤の実用化を推進し、これらの成果等の関係者への効果的な普及を行った。

　さらに、花粉症対策に資する苗木の安定供給体制の構築を図るため、採種園等の整備や技術研修等の取組を推進した。

6　地球温暖化防止策及び適応策の推進

（1）地球温暖化防止策の推進

　令和２（2020）年度及び令和12（2030）年度における我が国の温室効果ガス削減目標の達成に向け、政府の「地球温暖化対策計画」に掲げる森林吸収量の目標（令和２（2020）年度：約3,800万CO_2トン（2.7％）以上、令和12（2030）年度：約2,780万CO_2トン（2.0％））を達成するため、「森林・林業基本計画」や「森林の間伐等の実施の促進に関する特別措置法」等に基づき、年平均52万haの適切な間伐や造林等を通じた健全な森林整備、保安林等の適切な管理・保全、効率的かつ安定的な林業経営の育成に向けた取組、国民参加の森林(もり)づくり、木材及び木質バイオマスの利用等の森林吸収源対策を推進した。

（2）二酸化炭素の吸収量の確保

　京都議定書第２約束期間（平成25（2013）年から令和２（2020）年まで）においても森林吸収量を算定し、報告する義務があるため、土地利用変化量や伐採木材製品（HWP）の炭素蓄積変化量の把握等必要な基礎データの収集、分析等を行った。併せて、森林分野の新たな緩和技術の特定と、その活用に向けた検討を行った。

（3）地球温暖化の影響に対する適応策の推進

　平成30（2018）年11月に閣議決定された「気候変動適応計画」及び平成27（2015）年８月に策定（平成30（2018）年11月に改定）された「農林水産省気候変動適応計画」に基づき、地球温暖化の進行に伴い頻度や強度の増加が懸念される短時間の大雨等に起因する山地災害への対応、将来影響について知見の少ない人工林等における影響把握等の研究・技術開発等を推進した。

（4）地球温暖化問題への国際的な対応

　気候変動に関する国際的なルールづくり等に積極的に参画し、貢献した。また、二国間クレジット制度（JCM）[*2]におけるREDD＋[*3]の実施ルールの検討及び普及を行うとともに、二国間の協力や国際機関を通じた協力、調査、技術開発等により、開発途上国におけるREDD＋の実施や植林の推進等を支援した。

＊2　「Joint Crediting Mechanism」の略。開発途上国において優れた低炭素技術の普及や緩和活動を実施し、開発途上国の持続可能な開発に貢献するとともに、温室効果ガス排出削減・吸収への日本の貢献を定量的に評価し、日本の削減目標の達成に活用する制度。

＊3　途上国における森林減少・劣化に由来する排出の削減並びに森林保全、持続可能な森林経営及び森林炭素蓄積の強化の役割（Reducing emissions from deforestation and forest degradation, and the role of conservation, sustainable management of forests and enhancement of forest carbon stocks in developing countries）の略。

7　国土の保全等の推進

（1）災害からの復旧の推進

　異常な天然現象により被災した治山施設について、治山施設災害復旧事業[*4]により復旧を図るとともに、新たに発生した崩壊地等のうち緊急を要する箇所について、災害関連緊急治山事業等により早期の復旧整備を図った。

　また、林道施設及び森林に被害が発生した場合には、林道施設災害復旧事業[*5]及び森林整備事業により早期復旧を図った。

　さらに、令和元年房総半島台風、令和元年東日本台風等に伴う大規模災害発生時には、森林管理局が地方公共団体と合同でヘリコプターによる広域的な被害状況調査を実施するとともに、災害復旧に向けて技術支援の職員を派遣するなど、地方公共団体に対する支援を引き続き迅速かつ円滑に実施した。

（2）適正な保安林の配備及び保全管理

　水源の涵養、土砂流出の防備等の公益的機能の発揮が特に要請される森林について保安林に指定するなど、保安林の配備を計画的に推進するとともに、衛星デジタル画像等を活用した保安林の現況等に関する総合的な情報管理や巡視及び指導の徹底等により、保安林の適切な管理の推進を図るほか、伐採、転用規制等の適切な運用を図った。

（3）地域の安全・安心の確保のための効果的な治山事業の推進

　近年、頻発する集中豪雨や地震等による大規模災害の発生のおそれが高まっているほか、山腹崩壊等に伴う流木災害が顕在化するなど、山地災害の発生形態が変化していることを踏まえ、山地災害による被害を未然に防止し、軽減する事前防災・減災の考え方に立ち、地域の安全・安心を確保するため、効果的かつ効率的な治山対策を推進した。

　具体的には、山地災害を防止し、地域の安全性の向上を図るための治山施設の設置等のハード対策と、地方公共団体が行う避難体制の整備等の取組と連携した、山地災害危険地区の地図情報の住民への提供等のソフト対策を総合的に推進した。さらに、重要な水源地や集落の水源となっている保安林等において、浸透能力及び保水能力の高い森林土壌を有する森林の維持・造成を推進した。

　特に、平成30年7月豪雨、平成30年北海道胆振東部地震等により発生した山地災害の復旧整備を推進するとともに、荒廃山地の復旧等と荒廃森林の整備との一体的な実施、治山施設の機能強化を含む長寿命化対策やコスト縮減対策、海岸防災林の整備・保全対策及び総合的な流木対策に加え、「平成30年7月豪雨を踏まえた治山対策検討チーム」中間取りまとめを踏まえた、住民等と連携した定期点検等のソフト対策、ワイヤーネット等による巨石・流木対策、ぜい弱な地質地帯における山腹崩壊等対策等を現地の状況に応じて複合的に実施する効果的な治山対策を推進した。

　また、民有林と国有林との連携による計画的な事業の実施、他の国土保全に関する施策と連携した取組、工事実施に当たっての木材の積極的な利用及び生物多様性の保全等に配慮した治山対策の実施を推進した。

（4）森林病虫獣害対策等の推進

　マツ材線虫病による松くい虫被害対策については、保全すべき松林において被害のまん延防止のための薬剤散布、被害木の伐倒駆除及び健全な松林を維持するための衛生伐[*6]を実施するとともに、その周辺の松林において広葉樹林等への樹種転換を推進した。また、抵抗性マツ品種の開発及び普及を促進した。

　カシノナガキクイムシが媒介するナラ菌による「ナラ枯れ」被害対策については、予防及び駆除を

[*4]　「公共土木施設災害復旧事業費国庫負担法」（昭和26年法律第97号）に基づき被災した林地荒廃防止施設及び地すべり防止施設を復旧する事業。
[*5]　「農林水産業施設災害復旧事業費国庫補助の暫定措置に関する法律」（昭和25年法律第169号）に基づき被災した林道施設を復旧する事業。
[*6]　被害木を含む不用木及び不良木の除去及び処理。

積極的に推進した。

野生鳥獣による森林被害については、シカによる被害を中心に深刻な状況にあることから、シカの広域的かつ計画的な捕獲をモデル的に実施し、そのノウハウの普及等を行うなど地域の実情に応じた各般の被害対策を促進する支援措置等を講じた。

林野火災の予防については、全国山火事予防運動等の普及活動、予防体制の強化等を図った。

さらに、各種森林被害の把握及び防止のため、森林保全推進員を養成するなどの森林保全管理対策を地域との連携により推進した。

8　研究・技術開発及びその普及

（1）研究・技術開発等の戦略的かつ計画的な推進

森林・林業・木材産業分野の研究・技術開発戦略等を踏まえ、国及び国立研究開発法人森林研究・整備機構が、都道府県の試験研究機関、大学、学術団体、民間企業等との産学官連携の強化を図りつつ、研究・技術開発を戦略的かつ計画的に推進した。

国立研究開発法人森林研究・整備機構において、「森林・林業基本計画」等に基づく森林・林業施策について、その優先事項を踏まえ、

① 森林の多面的機能の高度発揮に向けた森林管理技術の開発
② 国産材の安定供給に向けた持続的林業システムの開発
③ 木材及び木質資源の利用技術の開発
④ 森林生物機能の高度利用と林木育種による多様な品種開発及び育種基盤技術の強化

等を推進した。

（2）効率的かつ効果的な普及指導の推進

林業普及指導事業を国と都道府県が共同して実施するとともに、都道府県間の均衡のとれた普及指導水準を確保するために林業普及指導員の資格試験や研修を行うほか、林業普及指導員の普及活動に必要な資機材の整備等の経費について林業普及指導事業交付金を交付した。

また、地域全体の森林(もり)づくり及び林業の再生に向けた構想並びにその実現に向けた活動の展開を図る

ため、林業普及指導事業等を通じ、地域の指導的林業者、施業等の集約化に取り組む林業経営体、市町村等を対象とした重点的な普及活動を効率的かつ効果的に推進した。

さらに、林業研究グループに対する支援のほか、各人材の育成段階や専門分野に応じた研修を実施することにより、林政の重要な課題に対応するための人材の育成を図った。

9　山村の振興及び地方創生への寄与

（1）森林資源の活用による就業機会の創出
ア　山村振興対策等の推進

「山村振興法」（昭和40年法律第64号）に基づいて、都道府県が策定した山村振興基本方針及び市町村が策定した山村振興計画に基づく産業の振興等に関する事業の推進を図った。

また、山村地域の産業の振興に加え、住民福祉の向上にも資する林道の整備等を支援するとともに、振興山村、過疎地域等において都道府県が市町村に代わって整備することができる基幹的な林道を指定し、その整備を支援した。

さらに、山村地域の安全・安心の確保に資するため、治山施設の設置及び保安林の整備に加え、地域における避難体制の整備等と連携した効果的な治山対策を推進した。

振興山村及び過疎地域の農林漁業者等に対し、株式会社日本政策金融公庫による長期かつ低利の振興山村・過疎地域経営改善資金の融通を行った。

イ　特用林産物の生産振興

特用林産物を活用した林業の成長産業化を図るため、

① きのこ原木の需給情報の収集、分析及び提供
② 薪や漆等の特用林産物の需給状況、生産及び販売に係るノウハウ等の新規参入者等への提供
③ きのこ原木等の生産資材の導入

等を支援した。

また、地域経済で重要な役割を果たす特用林産振興施設の整備を支援した。

さらに、東日本大震災の被災地等において、特用

林産施設の効率化等のための生産、加工及び流通施設の整備や被災生産者の次期生産に必要な生産資材の導入等を支援した。

ウ　森林資源の多様な利用

山村に豊富に存在する森林資源を活用し、山村の活性化を図るため、
① 薪炭・山菜・漆等の山村の地域資源の発掘・活用を通じた所得・雇用の増大を図る取組の支援
② 未利用間伐材等の利用を促進するための木質バイオマス利用促進施設整備等の支援
③ 林家やNPO等が専ら自家労働等により間伐し、間伐材を活用する取組等を促進するための伐採に係る技術の習得や安全指導等の支援
を実施した。

（2）地域の森林の適切な保全管理

地域住民等から成る活動組織が実施する里山林の景観の保全及び整備、侵入竹の伐採及び除去、広葉樹をしいたけ原木等として利用するための伐採活動等の支援を実施した。

（3）都市と山村の交流促進

森林景観や空間をレクリエーション等の観光や健康増進等のために活用し、都市から山村に人を呼び込み、交流を促進するため、地域資源を魅力ある観光コンテンツとして磨き上げる取組等を支援した。

（4）新たな森林空間利用に向けて

「森林サービス産業」検討委員会を開催し、健康、観光、教育等の多様な分野で森林空間を活用して、新たな雇用と収入機会を生み出す「森林サービス産業」の創出・推進に向けた課題解決方策を明らかにするとともに、今後の展開方向について幅広い視点から検討を始めた。

10　国民参加の森林づくりと森林の多様な利用の推進

（1）多様な主体による森林づくり活動の促進

国民参加の森林づくりを推進するため、全国植樹祭、全国育樹祭等の国土緑化行事、緑の少年団活動発表大会等の実施を支援した。

また、
① 「森林づくり」や「木づかい」に対する国民の理解を醸成するための幅広い普及啓発
② NPO等による森林づくり活動
を推進した。

（2）森林環境教育等の充実

ESD[7]（持続可能な開発のための教育）への取組が我が国でも進められていることを踏まえ、森林・林業が持続可能な社会の構築に果たす役割や木材利用の意義に対する国民の理解と関心を高める必要があることから、森林環境教育や木育を推進するため、
① 身近な森林の活用等による自然保育等の幅広い体験活動の機会の提供、体験活動の場に関する情報の提供、教育関係機関等との連携の強化
② 林業後継者等を対象とした林業体験学習等の促進
等を実施した。

11　国際的な協調及び貢献

（1）国際協力の推進
ア　国際対話への参画等

世界における持続可能な森林経営に向けた取組を推進するため、国連森林フォーラム（UNFF）、国連食糧農業機関（FAO）等の国際対話に積極的に参画し、貢献するほか、関係各国、各国際機関等と連携を図りつつ、国際的な取組を推進した。モントリオール・プロセス[8]については、事務局として参加12か国間の連絡調整及び総会等の開催支援を行うほか、他の国際的な基準・指標プロセスとの連携及び

---

*7　「Education for Sustainable Development」の略。
*8　「令和元年度森林及び林業の動向」第1部－第I章第4節（1）96ページを参照。

協調の促進等についても積極的に貢献した。

また、世界における持続可能な森林経営の推進に向けた課題の解決に引き続きイニシアティブを発揮していく観点から、森林・林業問題に関する幅広い関係者の参加による国際会議を開催した。

イ　開発途上国の森林保全等のための調査及び技術開発

開発途上国における森林の減少及び劣化の抑制並びに持続可能な森林経営を推進するため、JCMにおけるREDD＋の実施ルールの検討及び普及を行った。また、開発途上国の劣化した森林や荒廃地における森林の再生技術の普及、森林保全が経済価値を創出する事業モデルの開発、民間企業等によるREDD＋への参入等を支援した。

ウ　二国間における協力

開発途上国からの要請を踏まえ、独立行政法人国際協力機構（JICA）を通じ、専門家派遣、研修員受入れ及びこれらと機材供与を効果的に組み合わせた技術協力プロジェクトを実施した。

また、開発途上国からの要請を踏まえ、JICAを通じた森林・林業案件に対する無償資金協力及び有償資金協力の支援を検討した。

さらに、日インド森林及び林業分野の協力覚書等に基づく両国間の協力を推進するとともに、東南アジア諸国と我が国との二国間協力に向けた検討を行った。

エ　国際機関を通じた協力

熱帯地域における持続可能な森林経営及び違法伐採対策を推進するため、国際熱帯木材機関（ITTO）への拠出を通じ、合法木材等の流通体制構築に向けた実証的取組及び合法木材等の利用促進の取組を支援した。

また、国連食糧農業機関（FAO）への拠出を通じ、開発途上国における森林吸収量を確保するための植林計画等を盛り込んだ土地利用計画の策定並びに違法伐採の撲滅を含むガバナンス構築のための森林関連法制度の情報整備及び施行能力の強化に向けた取組を支援した。

オ　民間組織による活動への支援

日中民間緑化協力委員会を通じた中国への植林協力等、我が国の民間団体等が行う海外での植林及び森林保全の活動を支援した。

（2）違法伐採対策の推進

「合法伐採木材等の流通及び利用の促進に関する法律」（平成28年法律第48号）に基づき、違法伐採関連情報の収集・提供、木材関連事業者登録の推進、合法性の確認がされた木材及び木材製品（以下「合法伐採木材等」という。）の利用推進に取り組む協議会等による広報活動等への支援により、合法伐採木材等の木材関連事業者から一般消費者に至るまでの円滑な供給及び普及拡大の取組を推進した。

また、二国間、地域間及び多国間協力を通じて、違法伐採及びこれに関連する貿易に関する対話、開発途上国における人材の育成、合法伐採木材等の普及等による違法伐採対策を推進した。

Ⅱ　林業の持続的かつ健全な発展に関する施策

1　望ましい林業構造の確立

林業の持続的かつ健全な発展を図るため、高い生産性と収益性を実現し、森林所有者の所得向上と他産業並みの従事者所得を確保できる林業経営の育成を目指し、森林施業の集約化、低コストで効率的な作業システムによる施業の実施、経営感覚に優れた林業経営体の育成、林業労働力の確保等の施策を講じた。

（1）意欲と能力のある林業経営体の育成

意欲と能力のある林業経営体の育成を図るため、
①　経営管理の集積・集約化が見込まれる地域を中心とした路網整備や高性能林業機械の導入の重点的支援
②　マーケティング力の強化に向けた経営コンサルタントや生産管理の専門家の派遣
③　経営の合理化等に必要な運転資金を借り入れる場合の利率の優遇
等を実施した。

また、自伐林家等に対し、伐採に係る技術の習得や安全指導等への支援を実施した。

このほか、「林業経営基盤の強化等の促進のための資金の融通等に関する暫定措置法」（昭和54年法律第51号）等に基づく金融・税制上の措置等を講じた。

（2）スケールメリットを活かした林業経営の推進

施業集約化をより一層推進するため、ICTの活用等による森林所有者や境界の確認の効率化等を推進した。また、共有林等での施業促進、新たに森林経営をしようとする者による森林経営計画の作成促進等を図った。

（3）効率的な作業システムによる生産性の向上

林業の収益性の向上や木材需要に対応した原木の安定供給等を着実に推進するため、
①　路網作設高度技能者や森林作業システム高度技

能者の育成、素材生産や木質バイオマスの収集・運搬を効率化する林業機械の開発・改良
②　高性能林業機械の導入の支援
等に取り組んだ。

また、国有林においては、現場技能者等の育成のための研修フィールドを提供した。

（4）経営感覚に優れた林業経営体の育成

林業経営体が厳しい経営環境下でも収益を確保し、森林所有者の所得向上にも資するよう、森林所有者に対し森林施業を提案する人材（森林施業プランナー）や生産管理のできる人材の育成を図るとともに、他産業を含めた生産管理手法や先進事例の普及、ICTを活用した生産管理手法の開発等を推進した。

さらには、「緑の雇用」事業により素材生産と造林・保育、森林作業道の作設等を兼務できる現場技能者の育成を進めた。

また、国有林においては、多様な立地を活かし、事業の実施や現地検討会の開催、先駆的な技術の実証等を通じて林業経営体の育成に寄与した。

2　人材の育成、確保等

（1）人材の育成及び確保並びに活動の推進
ア　施業集約化等を担う人材及び地域の森林経営を支援する人材の育成

森林施業プランナーについては、全国的に一定の質を確保しつつ、地域ごとの特性を踏まえたより実践力のある者を育成するため、研修カリキュラムや認定基準の策定及び都道府県等が実施する各種研修等の実施の取組を支援した。

また、引き続き、市町村森林整備計画の策定等の支援を通じて、地域の新たな課題に対応し、地域の森林づくりの全体像を描くとともに、森林施業プランナー等に対し指導等を行う人材（森林総合監理士（フォレスター））の育成を進めた。

イ　林業経営を担うべき人材の育成及び確保

効率的な経営を行う林業経営者の育成及び確保を図るため、地域のリーダー的な森林所有者で組織す

る林業研究グループ等が行うコンクール等を支援した。

また、林業後継者の育成及び確保を図るため、森林・林業関係学科の高校生等を対象にした就業体験等を支援した。

ウ　女性林業者のネットワーク化等の促進

女性の林業への参画及び定着を促進するため、全国レベルの交流会の開催や優良活動事例等の情報提供による女性林業従事者や女性林業グループ等のネットワーク化、女性の参入促進のための林業体験等を支援した。

また、女性林業従事者の活躍促進に向けた課題解決を図るとともに、女性の林業への参入・定着対策を進めた。

（2）林業労働力及び労働安全衛生の確保
ア　「緑の雇用」事業等を通じた現場技能者の育成

林業大学校等において、林業への就業に必要な知識等の習得を行い、将来的に林業経営をも担い得る有望な人材として期待される青年に対し、就業準備のための給付金を支給した。

また、新規就業者等に対しては、段階的かつ体系的な研修カリキュラムにより、安全作業等に必要な知識、技術及び技能の習得に関する研修を実施するとともに、林業での定着に向けた就業環境の整備を支援した。一定程度の経験を有する者に対しては、工程・コスト管理等のほか、関係者との合意形成並びに労働安全衛生管理等に必要な知識、技術及び技能の習得に関するキャリアアップ研修を実施した。これらの研修修了者については、農林水産省が備える名簿に統括現場管理責任者（フォレストマネージャー）等として登録することにより林業就業者のキャリア形成を支援した。

イ　雇用管理の改善

都道府県及び林業労働力確保支援センターによる林業経営体の社会保険及び退職金制度への加入状況等に応じた雇用管理改善の指導を促進した。

また、労働者の働きやすい環境を整備し魅力的な職場を作るために、作成した手引きの活用を推進す

るとともに、林業経営体の経営者と従業員が仕事ぶりや能力を評価する共通の物差しを持ち、経営者が適切に能力評価を行って処遇等に反映させるための取組を支援した。

ウ　労働安全衛生の向上

近年の労働災害の発生状況を踏まえ、安全な伐木技術の習得など就業者の技能向上のための研修、林業経営体への安全巡回指導、振動障害及び蜂刺傷災害の予防対策、労働安全衛生マネジメントシステムの普及啓発等を効果的に実施した。

また、林業経営体の自主的な安全活動を促進するため、労働安全コンサルタントの活用を推進した。

3　林業災害による損失の補填

災害によって林業の再生産が阻害されることを防止するとともに林業経営の安定を図るため、国立研究開発法人森林研究・整備機構森林保険センターが行う火災、気象災及び噴火災による森林の損害を補填する森林保険の普及に引き続き努めた。

Ⅲ 林産物の供給及び利用の確保に関する施策

1 原木の安定供給体制の構築

(1)原木供給力の増大

施業の集約化に加え、面的にまとまった共有林での施業促進等の取組を通じ、作業ロットの拡大を図った。また、川上から川下までの事業者が連携し、生産・加工・流通コストの削減を図るべく、木材製品を安定的に供給するための木材加工流通施設の整備のほか、豊富な森林資源を循環利用するために、森林経営の基盤となる路網の整備、間伐材生産や主伐・再造林の一貫作業等を推進した。さらに、原木の安定調達のために川中事業者が自ら森林経営に乗り出す際の山林取得に必要な借入金に対して利子助成を行った。

(2)望ましい安定供給体制への転換

個々の林業経営体による小規模・分散的な原木供給から原木を取りまとめて供給する体制への転換に向けて、広域化している木材流通に対応しつつ、民有林と国有林とが連携した取組も含めた原木の工場直送及び協定取引や原木市場による集荷等に必要な施設整備を支援した。

(3)マッチングの円滑化

需給ギャップを解消し、原木の適時適切な供給を実現するため、サプライチェーンマネジメント推進フォーラムを設置し、川上から川下までのマッチングの取組や需給等の情報を共有化するためのデータベース整備等を支援した。

2 木材産業の競争力強化

(1)木材加工・流通体制の整備

地域における森林資源、施設の整備状況等を踏まえながら、製材工場等の規模ごとの強みを活かした木材加工流通体制の整備を進めるため、

① CLT等の新たな製品への供給を始めとする需要者ニーズに適確に対応した地域材の安定的かつ効率的な供給体制の構築に資する木材加工流通施設等の整備の支援

② 生産性向上等の体質強化を図るための木材加工流通施設整備、間伐材の生産、路網整備等の一体的な支援

③ 地域材の供給力の増大と品質及び性能の確かな木材製品の安定供給のための木材加工設備についてのリースによる導入支援

④ 製材業、合板製造業等を営む企業が実施する設備導入に対する利子の一部助成

等を実施した。

(2)品質及び性能の確かな製品供給等

品質及び性能の確かな製品を供給できるようにするため、乾燥施設の整備、大径材から得られる製材品の強度予測技術、製材及び乾燥技術の開発等を支援するとともに、JASマーク等による品質及び性能の表示を促進した。

(3)地域材の高付加価値化

A材丸太[*9]を原材料とする付加価値の高い構造材、内装材、家具、建具等の普及啓発等の取組を支援した。

3 新たな木材需要の創出

(1)公共建築物及び民間非住宅並びに土木分野等への利用拡大

ア 公共建築物等

「公共建築物等における木材の利用の促進に関する法律」(平成22年法律第36号)第7条第2項第4号に規定する各省各庁の長が定める「公共建築物における木材の利用の促進のための計画」に基づいた各省各庁の木材利用の取組を進め、国自らが率先して木材利用を推進するとともに、同法第9条第1項に規定する市町村方針の作成を支援した。

また、地域で流通する木材の利用の一層の拡大に

---

*9 一般には、通直な原木のことを指し、主に製材用に利用される。

向けて、設計上の工夫や効率的な木材調達を通じた低コストでの木造公共建築物等の整備を支援した。

さらに、低層の公共建築物のうち民間事業者が整備するものが全体の6割以上を占め、更にその約8割を医療・福祉施設が占めることから、民間事業者が整備するこれらの施設の木造化・木質化を推進するための取組への支援を実施した。

建築物に高い防耐火性能が求められる都市部における木材利用の促進を図るため、課題の把握と対応方針の検討や設計・施工関係者等への働きかけ等を実施した。

このほか、木造公共建築物を整備した者に対する利子助成等を実施した。

イ　非住宅、土木分野等

CLTを用いた建築物の設計、建築等のほか、企画から設計段階までに至る課題解決のための専門家派遣の取組を支援した。また、CLT建築における人材確保の観点から、発注・企画能力向上の研修や資格制度の検討、運用等の取組を支援した。

CLT等新たな建築部材の利用促進のため、技術基準の整備に必要なデータ収集等を推進した。また、製品や技術開発を行う民間事業者等の取組を支援した。

さらに、非住宅分野を中心に木造建築の需要を開拓し、品質及び性能の確かなJAS構造材を積極的に活用するため、「JAS構造材活用拡大宣言」を行う工務店等の登録及び公表による事業者の見える化を行った。また、登録事業者に対し、木造非住宅分野を中心に、JAS構造材を活用しつつ、他建材から木材へ切替えが行われるように促し、地域における先例となり得る建築を実証する取組を支援した。加えて、JAS無垢材を活用する設計者を育成するセミナーや実例見学会の取組を支援した。

また、民間セクターが整備する非住宅建築物等における木材利用の促進を図るため、木材利用に取り組む民間企業ネットワークを構築し、需要サイドとしての課題・条件の整理や木材供給者への条件の提示を行う取組について支援を行った。

これまで木材利用が低位であった非住宅及び住宅の外構部における木質化の実証の取組を支援した。

このほか、土木分野等における木材利用について、取組事例の紹介等により普及を行った。

（2）木質バイオマスの利用

未利用間伐材等の木質バイオマスの利用を促進するため、木材の供給等に関する情報提供、経済産業省及び都道府県と連携した発電施設の原料調達の円滑化を進めるとともに、木質燃料製造施設、木質バイオマスボイラー等の整備を支援した。

特に、森林資源をマテリアルやエネルギーとして地域内で持続的に活用するため、行政（市町村）が中心となって、地域産業及び地域住民が参画し、担い手確保から発電・熱利用に至るまで、低コスト化及び森林関係者への利益還元を図る集落を主な対象とした「地域内エコシステム」の構築に向け、技術者の現地派遣や相談対応等の技術的サポートを行う体制の確立、F/S調査（実現可能性調査）、関係者による協議会の運営、小規模な技術開発等を支援した。

このほか、林地残材等の未利用材を原料とするCNF、リグニン等の高付加価値製品の製造技術や利用技術の開発及び実証、特用林産物のマテリアル利用技術の開発等を支援した。

（3）木材等の輸出促進

「農林水産業の輸出力強化戦略」に基づき、日本産木材を利用した付加価値の高い木材製品の輸出を、中国や韓国を始め、台湾、ベトナム、EU等にも拡大していくため、木材輸出に関する情報や事例を収集し広く提供するとともに、日本産木材の認知度向上、日本産木材製品のブランド化の推進、ターゲットを明確にした販売促進等に取り組んだ。

具体的には、

① 輸出向け木材製品の規格化に向けた環境整備、国内外での技術講習会の開催及び設計・施工マニュアルの作成による木造住宅等の輸出促進

② 同業種や異業種の企業との連携による付加価値の高い木材製品の輸出体制の構築

③ 日本産木材を利用したモデル住宅・モデルルームの展示やセミナーの開催等による日本産木材製品の普及・PR

④ EU・TPP諸国等における内装材等の高付加価

値木材製品のPR等の取組を支援した。

また、木材製品の植物検疫条件や流通・販売規制等に関する調査を実施した。

このほか、将来的な輸出拡大に向け、森林認証材の需要拡大を図るため、消費者や需要者向けイベントの開催等、森林認証材の普及啓発等を支援した。

4 消費者等の理解の醸成

広く一般消費者を対象に木材利用の意義を広め、木材利用を拡大していくための国民運動である「木づかい運動」を展開するため、

① セミナー開催等を含む各種普及啓発活動

② 木材を活用した様々な製品や取組を幅広く表彰する活動

③ 子供から大人までを対象に、木材や木製品との触れ合いを通じて木材への親しみや木の文化への理解を深めて、木材の良さや利用の意義を学ぶ「木育」の取組

④ 木のおもてなしの事例を活用した観光施設等における木材利用の促進

等を支援した。

また、「木づかい」を含む国民参加の森林づくりに関する広報やイベント開催による普及啓発等の取組を関係団体と連携して実施した。

5 林産物の輸入に関する措置

WTO交渉、RCEP*10等のEPA（経済連携協定）及びFTA（自由貿易協定）交渉等に当たっては、世界有数の林産物の輸入国として、各国の森林が有する多面的機能の発揮を損なうことのない適正な貿易の確保や国内の林業・木材産業への影響にも配慮して対処した。

また、持続可能な森林経営、違法伐採対策、輸出入に関する規制等の情報収集、交換及び分析を行い、国際的な連携を図った。

IV 東日本大震災からの復旧・復興に関する施策

（1）災害からの復旧の推進

東日本大震災により被災した治山施設について、引き続き治山施設災害復旧事業により復旧を図るとともに、地震により発生した崩壊地等については治山事業により着実な復旧整備を図った。

（2）被災した海岸防災林の復旧及び再生

潮害、飛砂、風害の防備等の災害防止機能を有し、地域の生活環境の保全に重要な役割を果たしている海岸防災林について被災箇所ごとの地形条件、地域の合意形成の状況等を踏まえながら、津波に対する減災機能も考慮した復旧及び再生を推進した。

なお、植栽の実施に当たっては、NPO等の民間団体からの協力も得ながら取り組んだ。

（3）放射性物質の影響がある被災地の森林・林業の再生

東京電力福島第一原子力発電所事故により放射性物質に汚染された森林について、汚染実態を把握するため、樹冠部から土壌中まで階層ごとに分布している放射性物質の挙動に係る調査及び解析を行った。

また、放射性物質の移動抑制等を目的として技術実証を実施した箇所において、モニタリング調査等を実施し、効果を検証した。避難指示解除区域等において、林業の再生を円滑に進められるよう実証事業等を実施するとともに、林業の再生に向けた情報の収集・整理と情報発信等を実施した。

さらに、被災地における森林整備を円滑に進めるため、伐採に伴い発生する副産物の減容化、木質バイオマスの利用の推進、樹皮（バーク）等の有効利用に向けた取組及びほだ木等の原木林の再生等に向けた取組を推進した。

消費者に安全な木材製品を供給するため、木材製品、作業環境等に係る放射性物質の調査及び分析、放射性物質測定装置の設置や風評被害防止のための

---

*10 「Regional Comprehensive Economic Partnership」の略。

普及啓発による木材製品等の安全証明体制の構築を支援した。

このほか、放射性物質が付着したことにより利用できず、製材工場等に滞留している樹皮（バーク）の処理等の費用の立替えを支援した。

（4）放射性物質の影響に対応した安全な特用林産物の供給確保

被災地における特用林産物生産の経営基盤の強化や就業機会を確保するため、生産施設等の整備や次期生産に必要な生産資材の導入を支援するとともに、安全なきのこ等の生産に必要な簡易ハウス等の防除施設、放射性物質測定機器等の整備を支援した。

また、都県が行う放射性物質の検査を支援するため、国においても必要な検査を実施した。

（5）東日本大震災からの復興に向けた木材等の活用

被災地域の林業・木材産業の復興を図るため、地域で流通する木材を活用した木造建築等の普及を推進した。

また、復興に向け、被災地域における木質バイオマス関連施設、木造公共建築物等の整備を推進した。

V　国有林野の管理及び経営に関する施策

1　公益重視の管理経営の一層の推進

国有林野は、国土保全上重要な奥地脊梁山地や水源地域に広く分布するなど国民生活に重要な役割を果たしており、さらに、民有林への指導やサポート等を通じて、林業の成長産業化に貢献するよう、「国民の森林」として管理経営する必要がある。

このため、公益重視の管理経営を一層推進する中で、組織・技術力・資源を活用し、森林・林業施策全体の推進に貢献するよう、「森林・林業基本計画」等に基づき、次の施策を推進した。

（1）多様な森林整備の推進

「国有林野の管理経営に関する法律」等に基づき、31森林計画区において、地域管理経営計画、国有林野施業実施計画及び国有林の地域別の森林計画を策定した。

この中で国民のニーズに応えるため、個々の国有林野を重視すべき機能に応じ、山地災害防止タイプ、自然維持タイプ、森林空間利用タイプ、快適環境形成タイプ及び水源涵養タイプに区分し、これらの機能類型区分ごとの管理経営の考え方に即して適切な森林の整備を推進した。その際、地球温暖化防止や生物多様性の保全に貢献するほか、地域経済や山村社会の持続的な発展に寄与するよう努めた。

このため、人工林の多くが間伐等の必要な育成段階にある一方、資源として利用可能な段階を迎えていることを踏まえ、間伐を推進するとともに、針広混交林へ導くための施業、長伐期施業、一定の広がりにおいて様々な育成段階や樹種から構成される森林のモザイク的配置への誘導等を推進し、公益的機能の向上を図った。なお、主伐の実施に際しては、自然条件や社会的条件を考慮して実施箇所を選定するとともに、公益的機能の持続的な発揮と森林資源の循環利用の観点から確実な更新を行った。

また、林道及び主として林業機械が走行する森林作業道がそれぞれの役割等に応じて適切に組み合わされた路網の整備を、自然・社会的条件の良い森林

において重点的に推進するとともに、「公益的機能維持増進協定制度」を活用した民有林との一体的な整備及び保全の取組を推進した。

（2）治山事業の推進

国有林野の9割が保安林に指定されていることを踏まえ、保安林の機能の維持・向上に向けた森林整備を計画的に進めた。

国有林野内の治山事業においては、近年頻発する集中豪雨や地震・火山等による大規模災害の発生のおそれが高まっていることを踏まえ、山地災害による被害を未然に防止し、軽減する事前防災・減災の考え方に立ち、民有林における国土保全施策との一層の連携により、効果的かつ効率的な治山対策を推進し、地域の安全と安心の確保を図った。

具体的には、荒廃山地の復旧等と荒廃森林の整備の一体的な実施、予防治山対策や火山防災対策の強化、治山施設の機能強化を含む長寿命化対策やコスト縮減対策、海岸防災林の整備・保全対策、大規模災害発生時における体制整備等を推進した。また、民有林と国有林との連携による計画的な事業の実施、他の国土保全に関する施策と連携した流木災害対策の実施、工事実施に当たっての木材の積極的な利用及び生物多様性の保全等に配慮した治山対策の実施を推進した。

（3）生物多様性の保全

生物多様性の保全の観点から、原生的な森林生態系を有する森林や希少な野生生物の生育・生息の場となる森林である「保護林」や、これらを中心としたネットワークを形成して野生生物の移動経路となる「緑の回廊」において、モニタリング調査等を行いながら適切な保全・管理を推進した。渓流沿いや尾根筋等の森林については、保護樹帯として保全することを通じて、生物多様性の保全に努めた。その他の森林については、適切な間伐の実施等、多様で健全な森林の整備及び保全を推進した。

また、野生生物や森林生態系等の状況を適確に把握し、自然再生の推進や国内希少野生動植物種の保護を図る事業等を実施した。

さらに、世界自然遺産及びその推薦地における森林の保全対策を推進するとともに、世界文化遺産登録地やその候補地及びこれらの緩衝地帯内に所在する国有林野において、森林景観等に配慮した管理経営を行った。

森林における野生鳥獣被害防止のため、広域的かつ計画的な捕獲と効果的な防除等を実施した。また、地域住民等の多様な主体との連携により集落に近接した森林の間伐を行うことにより、明るく見通しのよい空間（緩衝帯）づくりを行うなど、野生鳥獣が警戒して出没しにくい地域づくりのための事業等を実施した。

天然生林の適切な保護及び保全を図るため、グリーン・サポート・スタッフ（森林保護員）による巡視や入林者へのマナーの啓発を行うなど、きめ細やかな森林の保全・管理活動を実施した。

2 林業の成長産業化への貢献

（1）森林施業の低コスト化の推進と技術の普及

路網と高性能林業機械とを組み合わせた効率的な間伐、コンテナ苗を活用し伐採から造林までを一体的に行う「一貫作業システム」、複数年契約による事業発注等、低コストで効率的な作業システム、先端技術を活用した木材生産等の実証を推進した。

これらの取組について、各地での事業展開を図りつつ、現地検討会等を開催し、地域の林業関係者との情報交換を行うなど、民有林への普及・定着に努めた。また、民有林経営への普及を念頭に置いた林業の低コスト化等に向けた技術開発に産官学連携の下で取り組んだ。

さらに、林業事業体の創意工夫を促進し、施業提案や集約化の能力向上等を支援するため、国有林野事業の発注等を通じた林業事業体の育成を推進した。

（2）樹木採取権制度の創設

「国有林野の管理経営に関する法律等の一部を改正する法律」（令和元年法律第31号）が、令和元（2019）年6月5日に国会で可決成立したことから、国有林野の一定区域において、公益的機能を確保しつつ、一定期間、安定的に樹木を採取できる「樹

木採取権」を設定できる仕組みの構築を行った（令和2（2020）年4月1日施行）。

（3）民有林との連携

「森林共同施業団地」を設定し、民有林と国有林が連携した事業計画の策定に取り組むとともに、民有林と国有林とを接続する効率的な路網の整備や連携した木材の供給等、施業集約に向けた取組を推進した。

森林総合監理士等の系統的な育成に取り組み、地域の林業関係者の連携促進や市町村森林整備計画の策定とその達成に向けた支援等を行った。また、森林管理署等と都道府県の森林総合監理士等との連携による「技術的援助等チーム」の設置等を通じた民有林の人材育成支援に取り組むとともに、森林・林業関係の教育機関等において、森林・林業に関する技術指導等に取り組んだ。

さらに、「林業成長産業化地域」において、民有林と連携した供給先確保等の取組を行った。

（4）木材の安定供給体制の構築

適切な施業の結果得られる木材について、持続的かつ計画的な供給に努めるとともに、その推進に当たっては、未利用間伐材等の木質バイオマス利用等の新規需要の開拓に向け、安定供給システム販売等による国有林材の戦略的な供給に努めた。その際、間伐材の利用促進を図るため、列状間伐や路網と高性能林業機械の組合せ等による低コストで効率的な作業システムの定着に取り組んだ。

また、国産材の安定供給体制の構築のため、民有林材を需要先へ直送する取組の普及や拡大など国産材の流通合理化を図る取組を支援した。このほか、民有林からの供給が期待しにくい大径長尺材等の計画的な供給に取り組んだ。

また、国産材の2割を供給し得る国有林の特性を活かし、地域の木材需要が急激に増減した場合に、必要に応じて供給時期の調整等を行うため、地域の需給動向、関係者の意見等を迅速かつ適確に把握する取組を推進するとともに、インターネット等を活用した事業量の公表を行った。

3　「国民の森林」としての管理経営と国有林野の活用

（1）「国民の森林」としての管理経営

国有林野の取組について国民との多様な情報受発信に努め、国民の期待や要請に適切に対応していくため、情報の開示や広報の充実を進めるとともに、森林計画の策定等の機会を通じて国民の要請の適確な把握とそれを反映した管理経営の推進に努めた。

体験活動及び学習活動の場としての「遊々の森」の設定及び活用を図るとともに、農山漁村における体験活動と連携し、森林・林業に関する体験学習のためのプログラムの作成及び学習コース等のフィールドの整備を行い、それらの情報を提供するなど、学校、NPO、企業等の多様な主体と連携して、都市や農山漁村等の立地や地域の要請に応じた森林環境教育を推進した。

また、NPO等による森林づくり活動の場としての「ふれあいの森」、伝統文化の継承や文化財の保存等に貢献する「木の文化を支える森」、企業等の社会貢献活動の場としての「法人の森林」や「社会貢献の森」など国民参加の森林づくりを推進した。

（2）国有林野の活用

国有林野の所在する地域の社会経済状況、住民の意向等を考慮して、地域における産業の振興及び住民の福祉の向上に資するよう、貸付け、売払い等による国有林野の活用を積極的に推進した。

その際、国土の保全や生物多様性の保全等に配慮しつつ、再生可能エネルギー源を利用した発電に資する国有林野の活用にも努めた。

さらに、「レクリエーションの森」について、民間活力を活かしつつ、利用者のニーズに対応した施設の整備や自然観察会等を実施するとともに、特に「日本美しの森　お薦め国有林」において、重点的に、観光資源としての魅力の向上、外国人も含む旅行者に向けた情報発信等に取り組み、更なる活用を推進した。

Ⅵ 団体の再編整備に関する施策

　森林組合が、国民や組合員の信頼を受け、地域の森林施業や経営の担い手の中心として、「森林経営管理制度」においても重要な役割を果たすことができるよう、森林組合の合併や経営基盤の強化、内部牽制体制の構築、法令等遵守（コンプライアンス）意識の徹底、経営の透明性の確保等、事業・業務執行体制の強化、体質の改善に向けた指導を行った。

　また、施業集約化の促進や生産性向上等による効率的な事業基盤の整備、原木の安定供給体制の構築、組合員・社会に信頼される開かれた組織づくり、これらの取組の適確なフォローアップ等を内容とする森林組合系統運動方針の実効性の確保に向けた指導を行った。

令和2年度
森林及び林業施策

第201回国会（常会）提出

目 次

概説

1　施策の背景（基本的認識）

　我が国の森林は、戦後に植栽されたスギやヒノキ等の人工林が十分に成長したことで、その約半数が50年生を超え、木材としての本格的な利用期を迎えている。この森林を「伐って、使って、植える」という形で循環利用していくことにより、地球温暖化防止等の森林の有する多面的機能を確保するとともに、林業の成長産業化と森林の適切な管理を両立していくことが、これからの森林・林業施策の主要課題である。

　しかし、多くの森林所有者が小規模零細で分散した森林を抱えていることや森林所有者の世代交代等により、所有森林に対する森林所有者の関心が薄れ、森林の適切な管理が行われないという事態が発生している。

　この事態に対応するため、「森林経営管理法」（平成30年法律第35号）に基づき、森林環境譲与税も活用しながら、適切な経営管理が行われていない森林について、市町村が仲介役となり、森林の経営管理を林業経営者へ集積・集約化するとともに、林業経営に適さない森林については、市町村が直接管理するという仕組み（森林経営管理制度）を構築したことから、その円滑な運用を図る。

　また、森林経営管理制度の要となる林業経営者を育成するため、国有林の一定の区域において、一定期間・安定的に樹木を採取（伐採）できる権利を設定する制度を創設するほか、川上側の林業と木材の需要拡大を行う川中・川下側の木材関連産業の連携により、木材の安定供給を行う取組に対する金融措置を開始する。

　さらに、適切な森林整備と保全、多様で健全な森林への誘導等による森林の多面的機能の発揮を図りつつ、施業の集約化や路網整備、人材の育成及び確保等を通じた原木の安定供給体制や事業者間での需給情報等の共有による効率的なサプライチェーンの構築、CLTの利用や公共建築物等への木材利用、木質バイオマス利用の促進等新たな木材需要の創出に取り組む。

　また、国有林においては、「国有林野の管理経営に関する基本計画」に基づき、公益重視の管理経営を推進する。

　このほか、令和元年房総半島台風、令和元年東日本台風等により発生した森林被害や山地災害の復旧整備を推進するとともに、「防災・減災、国土強靱化のための3か年緊急対策」（平成30（2018）年12月14日閣議決定）等による森林整備や治山対策を推進する。

　また、新型コロナウイルス感染症により影響を受ける林業者等が資金調達を行う際の実質無利子化・実質無担保化等の資金繰り支援等を実施する。

2　財政措置

（1）財政措置

　令和2（2020）年度林野庁関係当初予算においては、一般会計に非公共事業費約1,075億円、公共事業費約2,299億円[*1]を計上する。特に、「森林経営管理法」に基づき、適切な経営管理が行われていない森林について、市町村が仲介役となり行う林業経営者への森林の経営管理の集積・集約化や市町村による公的管理を進める。また、ICTを活用したスマート林業の推進、早生樹等の利用拡大、自動化機械や木質系新素材の開発等の「林業イノベーション」の取組を推進し、生産性等の向上を図る。さらに、木材の流通及び需要拡大については、川上から川下までの事業者間での需給情報等を共有できる効率的なサプライチェーンの構築を進めるとともに、経済界等との協力の下、都市の木造化、CLT等の利用、輸出等の促進を図る。

　このため、
① 「林業成長産業化総合対策」として、
（ア）「林業・木材産業成長産業化促進対策」により、意欲と能力のある林業経営者を育成し、木材生産を通じた持続的な林業経営を確立するため、資源

---

*1　「臨時・特別の措置」（重要インフラの緊急点検等を踏まえた防災・減災、国土強靱化のための緊急対策に係る分）約368億円を含んだ額。

直近3か年の林業関係予算の推移

(単位：億円、%)

区　　分	平成30(2018)年度		令和元(2019)年度		令和2(2020)年度	
公共事業費	1,900	(100.0)	1,929	(101.5)	1,931	(100.1)
非公共事業費	1,097	(103.9)	1,063	(97.0)	1,075	(101.1)
国有林野事業債務管理特別会計	3,502	(101.9)	3,576	(102.1)	3,646	(101.9)
東日本大震災復興特別会計						
(公共事業)	266	(89.6)	215	(81.0)	114	(52.9)
(非公共事業)	58	(103.9)	49	(86.0)	48	(96.8)

注：当初予算額であり、（　　）は前年度比率。

の高度利用を図る施業の実施、路網整備、高性能林業機械の導入、木材加工流通施設の整備等を支援（特に、路網整備については、近年の自然災害の激甚化等を踏まえ、路網の開設に加え、法面保護工等の機能強化を推進）

（イ）「林業イノベーション推進総合対策」により、ICTを活用して資源管理や生産管理を行うスマート林業を推進するとともに、早生樹等の利用拡大、自動化機械や木質系新素材の開発等による「林業イノベーション」の取組を支援

（ウ）「木材需要の拡大・生産流通構造改革促進対策」により、都市の木造化等に向けた木質耐火部材等の利用促進、CLT等の利用促進、民間との連携による中高層・非住宅建築物等への木材利用の促進、公共建築物の木造化・木質化等による新たな木材需要の創出、高付加価値木材製品の輸出拡大、サプライチェーン構築に向けたマッチング等の取組を支援

② 「「緑の人づくり」総合支援対策」により、林業就業前の青年に対する給付金の支給や、新規就業者を現場技能者に育成する研修、高校生や社会人を対象としたインターンシップ等を支援するとともに、森林経営管理制度の円滑な実施に向け、市町村の森林・林業担当職員を支援する人材の育成を推進

③ 「森林・山村多面的機能発揮対策」により、森林・山村の多面的機能の発揮を図るため、地域における活動組織が実施する森林の保全管理や森林資源の利用等の取組を支援

④ 「新たな森林空間利用創出対策」により、国有林における多言語による情報発信、木道整備等を実施するとともに、森林空間を健康、観光、教育等の多様な分野で活用する新たなサービス産業（「森林サービス産業」）の創出の取組を支援

⑤ 「花粉発生源対策推進事業」により、花粉症対策苗木への植替え、花粉飛散防止剤の実証、花粉飛散量予測の精度向上につながるスギ・ヒノキの雄花着花状況調査等の推進やこれらの成果の普及啓発等を一体的に支援

⑥ 「シカによる森林被害緊急対策事業」により、被害が深刻な地域等における林業関係者が主体となった広域的かつ計画的な捕獲等のモデル的実施、捕獲等の新技術の開発・実証、国土保全のためのシカ捕獲等を実施

⑦ 「森林整備事業」により、林業の成長産業化と森林資源の適切な管理を実現するとともに、国土強靱化や地球温暖化防止等にも貢献するため、意欲と能力のある林業経営者やその経営者が経営管理を集積・集約化する地域に対し、間伐や路網整備、主伐後の再造林等を重点的に支援

⑧ 「治山事業」により、豪雨災害など激甚化する災害への対応等国土強靱化のため、荒廃山地の復旧・予防対策、危険地区の治山施設の機能強化・老朽化対策、総合的な流木対策等を推進

等の施策を重点的に講ずる。

また、東日本大震災復興特別会計に非公共事業費約48億円、公共事業費約114億円を盛り込む。

（2）森林・山村に係る地方財政措置

「森林・山村対策」、「国土保全対策」等を引き続

き実施し、地方公共団体の取組を促進する。

「森林・山村対策」としては、
① 公有林等における間伐等の促進
② 国が実施する「森林整備地域活動支援交付金」と連携した施業の集約化に必要な活動
③ 国が実施する「緑の雇用」新規就業者育成推進事業等と連携した林業の担い手育成及び確保に必要な研修
④ 民有林における長伐期化及び複層林化と林業公社がこれを行う場合の経営の安定化の推進
⑤ 地域で流通する木材の利用のための普及啓発及び木質バイオマスエネルギー利用促進対策
⑥ 市町村による森林所有者情報の整備
等に要する経費等に対して、地方交付税措置を講ずる。

「国土保全対策」としては、ソフト事業として、U・Iターン受入対策、森林管理対策等に必要な経費に対する普通交付税措置、上流域の水源維持等のための事業に必要な経費を下流域の団体が負担した場合の特別交付税措置を講ずる。また、公の施設として保全及び活用を図る森林の取得及び施設の整備、農山村の景観保全施設の整備等に要する経費を地方債の対象とする。

さらに、森林吸収源対策等の推進を図るため、林地台帳の整備、森林所有者の確定等、森林整備の実施に必要となる地域の主体的な取組に要する経費について、引き続き地方交付税措置を講ずる。

3 税制上の措置

林業に関する税制について、令和2（2020）年度税制改正において、
① 山林所得に係る森林計画特別控除の適用期限を2年延長すること（所得税）
② 林業用軽油に係る石油石炭税（地球温暖化対策のための課税の特例による上乗せ分）の還付措置の適用期限を3年延長すること（石油石炭税）
③ 再生可能エネルギー発電設備等の特別償却制度（省エネ再エネ高度化投資促進税制（再生可能エネルギー部分））について、特別償却率を14％に引き下げた上でその適用期限を1年延長すること

（所得税・法人税）
④ 独立行政法人農林漁業信用基金が受ける抵当権の設定登記等に対する登録免許税の税率の軽減措置の適用対象者を拡充すること（登録免許税）
⑤ 国有林野の管理経営に関する法律の一部改正に伴い、樹木採取権を法人税法等における減価償却資産等として規定すること（複数税目）
⑥ 森林組合の連携手法の多様化等に関する制度改正において、改正後の森林組合等について、現行制度と同様の特例を措置すること（複数税目）
⑦ 林業・木材産業改善資金等の貸付けを受けて森林組合等が取得した林業者等の共同利用に供する機械等の課税標準の特例について、適用期限を3年とすること（固定資産税）
⑧ 森林環境譲与税に地方公共団体金融機構の公庫債権金利変動準備金を活用できることとし、令和2（2020）年度から令和6（2024）年度までの各年度の譲与額を見直すこと（森林環境譲与税）
等の措置を講ずる。

4 金融措置

（1）株式会社日本政策金融公庫資金制度

株式会社日本政策金融公庫の林業関係資金については、造林等に必要な長期低利資金について貸付計画額を240億円とする。沖縄県については、沖縄振興開発金融公庫の農林漁業関係貸付計画額を60億円とする。

森林の取得、木材の加工・流通施設等の整備、災害からの復旧を行う林業者等に対する利子助成を実施する。

東日本大震災により被災した林業者等に対する利子助成を実施するとともに、無担保・無保証人貸付けを実施する。

新型コロナウイルス感染症の影響を受けた林業者等に対し、実質無利子・無担保等貸付けを実施する。

（2）林業・木材産業改善資金制度

経営改善等を行う林業者・木材産業事業者に対する都道府県からの無利子資金である林業・木材産業改善資金について貸付計画額を38億円とする。

（3）木材産業等高度化推進資金制度

　林業経営の基盤強化並びに木材の生産及び流通の合理化又は木材の安定供給を推進するための木材産業等高度化推進資金について貸付枠を600億円とする。

（4）独立行政法人農林漁業信用基金による債務保証制度

　林業経営の改善等に必要な資金の融通を円滑にするため、独立行政法人農林漁業信用基金による債務保証や林業経営者に対する経営支援等の活用を促進する。

　債務保証を通じ、重大な災害からの復旧、「木材の安定供給の確保に関する特別措置法」（平成8年法律第47号）に係る取組及び事業承継を支援するための措置を講ずる。

　東日本大震災により被災した林業者等に対する保証料の助成等を実施する。

　新型コロナウイルス感染症の影響を受けた林業者等に対し、無担保等により債務保証を行うとともに、保証料を実質免除する。

（5）林業就業促進資金制度

　新たに林業に就業しようとする者の円滑な就業を促進するため、新規就業者や認定事業主に対する研修受講や就業準備に必要な資金の林業労働力確保支援センターによる貸付制度を通じた支援を行う。

5　政策評価

　効果的かつ効率的な行政の推進、行政の説明責任の徹底を図る観点から、「行政機関が行う政策の評価に関する法律」（平成13年法律第86号）に基づき、「農林水産省政策評価基本計画」（5年間計画）及び毎年度定める「農林水産省政策評価実施計画」により、事前評価（政策を決定する前に行う政策評価）や事後評価（政策を決定した後に行う政策評価）を実施する。

I　森林の有する多面的機能の発揮に関する施策

1　面的なまとまりを持った森林経営の確立

（1）森林経営管理制度等による経営管理の集積・集約化

　適切な経営管理が行われていない森林については、「森林経営管理制度」の下で、市町村が仲介役となり、林業経営者へ森林の経営管理の集積・集約化を図る。

　なお、「森林経営管理制度」の円滑な運用を図るため、市町村への指導・助言を行うことができる技術者の養成や全国の知見・ノウハウを集積・分析し、市町村等に提供することと併せ、技術者の技術水準の向上を図るため、国有林をフィールドとした継続教育等を実施する。

　加えて、森林経営計画に基づき面的まとまりを持って森林施業を行う者に対して、間伐等やこれと一体となった丈夫で簡易な路網の開設等を支援するとともに、税制上の特例措置や融資条件の優遇措置を講ずる。

　また、市町村や森林組合等による森林情報の収集、森林調査、境界の明確化、森林所有者の合意形成の活動及び既存路網の簡易な改良に対する支援を行うとともに、施業提案や森林境界の確認の手法として3次元地図や過去の空中写真等の森林情報の活用を推進することにより、施業の集約化の促進を図る。

　このほか、民有林と国有林が連携した森林共同施業団地の設定等の取組を推進する。

（2）森林関連情報の整備・提供

　持続的な森林経営の推進及び地域森林計画等の樹立を図るため、民有林と国有林を通じ、森林土壌や生物多様性等の森林経営の基準・指標に係るデータを継続的に把握するための森林資源のモニタリングを引き続き実施し、データの公表及び活用を進める。

　また、森林所有者情報や境界情報については、新たに森林の土地の所有者となった場合の市町村長への届出制度の適正な運用を図るとともに、森林施業の集約化のため、所有者や境界の情報を一元的に管

理する林地台帳の活用を進め、森林組合等の林業経営体に対して必要な森林関連情報の提供を行う。

森林関連情報については、スマート林業を実現するため、リモートセンシング技術を活用した高精度な森林情報の整備・利用やクラウド技術等による情報の共有化の取組を進めるとともに、ICT等を活用した先進的な取組の現場実践を推進する。

2 再造林等による適切な更新の確保

(1)造林の省力化・低コスト化の推進

伐採と造林の一貫作業システム等の効率的な造林技術の導入や造林の実施に必要な設計・施工管理のリモートセンシング技術による効率化を推進するとともに、省力化・低コスト化に資する成長に優れた品種の開発を進めるほか、苗木生産施設等の整備への支援、再造林作業を省力化する林業機械の開発に取り組む。

また、国有林のフィールドや技術力等を活かし、低コスト造林技術の開発・実証等に取り組む。

(2)優良種苗の確保

造林コストの早期回収が期待できる早生樹やエリートツリーの普及を加速するとともに、優良種苗を低コストかつ安定的に供給する体制を構築するため、早生樹母樹林の保全・整備、原種増産技術の開発、採種園等の造成・改良、コンテナ苗の生産施設の整備や生産技術の向上に向けた研修等の取組を推進する。

(3)伐採及び造林届出制度等の適正な運用

伐採及び伐採後の造林の届出等により、市町村における立木の伐採や造林の実施状況の適確な把握を推進するなど、伐採及び伐採後の造林の届出等の制度の適正な運用を図る。

また、伐採に係る手続が適正になされた木材の証明等の普及を図る。

(4)野生鳥獣による被害への対策の推進

造林木等の着実な成長を確保するために鳥獣被害対策として森林整備と一体的に行う防護柵等の鳥獣害防止施設の整備や野生鳥獣の捕獲の支援を行うとともに、鳥獣保護管理施策や農業被害対策等との連携を図りつつ、被害が深刻な地域等における林業関係者が主体となった広域的かつ計画的な捕獲のモデル的な実施と捕獲手法の効果的な普及に資するマニュアルの整備等を行うほか、効果的かつ効率的な捕獲及び防除のための技術の開発・実証を推進する。

特に、野生鳥獣による被害が発生している森林等に対し、森林法(昭和26年法律第249号)に基づく市町村森林整備計画等における鳥獣害防止森林区域の設定を通じた被害対策や、地域の実情に応じた野生鳥獣の生息環境となる針広混交の育成複層林や天然生林への誘導など野生鳥獣との共存に配慮した対策を推進する。

3 適切な間伐等の実施

不在村森林所有者の増加等の課題に対処するため、地域に最も密着した行政機関である市町村が主体となった森林所有者及び境界の明確化や林業の担い手確保等のための施策を講ずるとともに、森林経営計画に基づき面的まとまりを持って実施される間伐等を支援するほか、「森林の間伐等の実施の促進に関する特別措置法」(平成20年法律第32号)等に基づき市町村による間伐等の取組を進めること等により、森林の適切な整備を推進する。

4 路網整備の推進

森林施業等の効率的な実施のため、傾斜区分と導入を図る作業システムに応じた目指すべき路網整備の水準を踏まえつつ、トラック等が走行する林道等と主として林業機械が走行する森林作業道が、それぞれの役割等に応じて適切に組み合わされた路網の整備を推進するとともに、林道等の局部構造の改良等を推進するほか、既設林道の長寿命化を図るために、トンネル、橋梁等の計画的かつ定期的な点検診断、補強等を推進する。

また、木材流通が広域化している中、木材の大量運搬等に対応でき、大型車両が通行可能な幹線となる林道等の整備を推進する。

5　多様で健全な森林への誘導

（1）多様な森林への誘導と森林における生物多様性の保全

　健全な森林育成のための間伐はもとより、長伐期林、育成複層林、針広混交林、広葉樹林等多様で健全な森林への誘導に向けた効率的な整備を推進する。

　具体的には、一定の広がりにおいて様々な生育段階や樹種から構成される森林がモザイク状に配置されている状態を目指し、自然条件等を踏まえつつ、育成複層林への移行や長伐期化等による多様な森林整備を推進する。その際、国有林や公有林等において、育成複層林化等の取組を先導的に進めるとともに、効率的な施業技術の普及、多様な森林整備への取組を加速するためのコンセンサスの醸成等を図る。

　さらに、原生的な森林生態系、希少な野生生物の生育・生息地、渓畔林等水辺森林の保護・管理及び連続性の確保、シカ被害対策の実施等について、必要に応じて民有林と国有林が連携して進めるほか、森林認証等への理解の促進等、森林における生物多様性の保全と持続可能な利用の調和を図る。

（2）公的な関与による森林整備

　自然条件や社会的条件により、自助努力によっては適切な整備が見込めない奥地水源の保安林、鉄道等の重要なインフラ施設に近接する森林等について、公益的機能の発揮を確保するため、針広混交林の造成等を行う水源林造成事業等の実施や地方公共団体が森林所有者等と締結する協定に基づき行う森林の整備への支援を実施する。

　また、森林環境譲与税も活用した、「森林経営管理法」に基づく市町村森林経営管理事業等を推進する。

　さらに、荒廃した保安林等について、治山事業による整備を実施する。

（3）再生利用が困難な荒廃農地の森林としての活用

　農地として再生利用が困難であり、森林として管理・活用を図ることが適当な荒廃農地について、地域森林計画への編入を推進するとともに、早生樹の活用に向け、実証的な植栽等を通じて施業方法の整理に取り組む。

（4）花粉発生源対策の推進

　平成30（2018）年4月に改正した「スギ花粉発生源対策推進方針」に基づき、地方公共団体、林業関係者等と一体となった花粉発生源対策の推進を図る。

　具体的な取組としては、森林所有者に対する花粉症対策苗木への植替えの働き掛けを支援するとともに、花粉発生源となっているスギ・ヒノキ人工林等の伐倒とコンテナを用いて生産された花粉症対策苗木等への植替え、広葉樹の導入による針広混交林への誘導等を推進する。また、花粉飛散量予測のためのスギ・ヒノキ雄花の着花量調査に加え、スギ花粉症対策品種の開発の加速化や、花粉飛散防止剤の実用化を推進し、これらの成果等の関係者への効果的な普及を行う。

　さらに、花粉症対策に資する苗木の安定供給体制の構築を図るため、採種園等の整備や技術研修等の取組を推進する。

6　地球温暖化防止策及び適応策の推進

（1）地球温暖化防止策の推進

　令和2（2020）年度及び令和12（2030）年度における我が国の温室効果ガス削減目標の達成に向け、政府の「地球温暖化対策計画」に掲げる森林吸収量の目標（令和2（2020）年度：約3,800万CO_2トン（2.7%）以上、令和12（2030）年度：約2,780万CO_2トン（2.0%））を達成するため、「森林・林業基本計画」や「森林の間伐等の実施の促進に関する特別措置法」等に基づき、年平均52万haの適切な間伐や造林等を通じた健全な森林整備、保安林等の適切な管理・保全、効率的かつ安定的な林業経営の育成に向けた取組、国民参加の森林づくり、木材及び木質バイオマスの利用等の森林吸収源対策を推進する。

（2）二酸化炭素の吸収量の確保

京都議定書第2約束期間（平成25（2013）年から令和2（2020）年まで）においても森林吸収量を算定し、報告する義務があるため、土地利用変化量や伐採木材製品（HWP）の炭素蓄積変化量の把握等必要な基礎データの収集、分析等を行う。併せて、森林分野の新たな緩和技術の特定とその活用に向けた検討を行う。

（3）地球温暖化の影響に対する適応策の推進

平成30（2018）年11月に閣議決定された「気候変動適応計画」及び平成27（2015）年8月に策定（平成30（2018）年11月に改定）された「農林水産省気候変動適応計画」に基づき、地球温暖化の進行に伴い頻度や強度の増加が懸念される短時間の大雨等に起因する山地災害への対応、将来影響について知見の少ない人工林等における影響把握等の研究・技術開発、途上国の防災・減災に資する森林技術を海外展開できる体制整備等を推進する。

（4）地球温暖化問題への国際的な対応

気候変動に関する国際的なルールづくり等に積極的に参画し、貢献する。また、二国間クレジット制度（JCM）*2におけるREDD＋*3の実施ルールの検討及び普及を行うとともに、二国間の協力や国際機関を通じた協力、調査、技術開発等により、開発途上国におけるREDD＋の実施や植林の推進等を支援する。

7　国土の保全等の推進

（1）災害からの復旧の推進

異常な天然現象により被災した治山施設について、治山施設災害復旧事業*4により復旧を図るとともに、新たに発生した崩壊地等のうち緊急を要する箇所について、災害関連緊急治山事業等により早期の復旧整備を図る。

また、林道施設、山村環境施設及び森林に被害が発生した場合には、林道施設災害復旧事業*5、災害関連山村環境施設復旧事業及び森林災害復旧事業（激甚災害に指定された場合）*6により、早期の復旧を図る。

さらに、大規模災害発生時には、森林管理局等による被害箇所の調査や災害復旧についての助言を行う専門家の派遣等、地方公共団体に対する支援を引き続き迅速かつ円滑に実施する。

（2）適正な保安林の配備及び保全管理

水源の涵養、災害の防備、保健・風致の保存等の目的を達成するために保安林として指定する必要がある森林について、水源涵養保安林、土砂流出防備保安林、保健保安林等の指定に重点を置いて保安林の配備を計画的に推進する。また、指定した保安林については、伐採の制限や転用の規制をするなど適切な運用を図るとともに、衛星デジタル画像等を活用した保安林の現況等に関する総合的な情報管理や現地における巡視及び指導の徹底等により、保安林の適切な管理の推進を図る。

---

*2　「Joint Crediting Mechanism」の略。開発途上国において優れた低炭素技術の普及や緩和活動を実施し、開発途上国の持続可能な開発に貢献するとともに、温室効果ガス排出削減・吸収への日本の貢献を定量的に評価し、日本の削減目標の達成に活用する制度。

*3　途上国における森林減少・劣化に由来する排出の削減並びに森林保全、持続可能な森林経営及び森林炭素蓄積の強化の役割（Reducing emissions from deforestation and forest degradation, and the role of conservation, sustainable management of forests and enhancement of forest carbon stocks in developing countries）の略。

*4　「公共土木施設災害復旧事業費国庫負担法」（昭和26年法律第97号）に基づき被災した林地荒廃防止施設及び地すべり防止施設を復旧する事業。

*5　「農林水産業施設災害復旧事業費国庫補助の暫定措置に関する法律」（昭和25年法律第169号）に基づき被災した林道施設を復旧する事業。

*6　「激甚災害に対処するための特別の財政援助等に関する法律」（昭和37年法律第150号）に基づき被災した森林を復旧する事業。

（3）地域の安全・安心の確保のための効果的な治山事業の推進

　近年、頻発する集中豪雨や地震等による大規模災害の発生のおそれが高まっているほか、山腹崩壊等に伴う流木災害が顕在化するなど、山地災害の発生形態が多様化していることを踏まえ、山地災害による被害を未然に防止し、軽減する事前防災・減災の考え方に立ち、地域の安全・安心を確保するため、効果的かつ効率的な治山対策を推進する。

　具体的には、山地災害を防止し、地域の安全性の向上を図るための治山施設の設置等のハード対策と、地方公共団体が行う避難体制の整備等の取組と連携した、山地災害危険地区の地図情報の住民への提供等のソフト対策を総合的に推進する。さらに、重要な水源地や集落の水源となっている保安林等において、浸透能力及び保水能力の高い森林土壌を有する森林の維持・造成を推進する。

　特に、令和元年房総半島台風、令和元年東日本台風等により発生した山地災害の復旧整備を推進するとともに、荒廃山地の復旧等と荒廃森林の整備との一体的な実施、治山施設の機能強化を含む長寿命化対策や海岸防災林の整備・保全対策、総合的な流木対策に加え、「防災・減災、国土強靭化のための3か年緊急対策」（平成30（2018）年12月14日閣議決定）に基づく治山施設の整備等により、国土の強靭化を推進する。

　また、民有林と国有林との連携による計画的な事業の実施、他の国土保全に関する施策と連携した取組、工事実施に当たっての木材の積極的な利用、生物多様性の保全等に配慮した治山対策の実施を推進する。

（4）森林病虫獣害対策等の推進

　マツ材線虫病による松くい虫被害対策については、保全すべき松林において被害のまん延防止のための薬剤散布、被害木の伐倒駆除及びドローンを活用した効果的な被害防止対策の実施・検証、健全な松林を維持するための衛生伐[*7]を実施するとともに、その周辺の松林において広葉樹林等への樹種転換を推進する。また、抵抗性マツ品種の開発及び普及を促進する。

　カシノナガキクイムシが媒介するナラ菌による「ナラ枯れ」被害対策については、予防や駆除を積極的に推進する。

　野生鳥獣による森林被害については、シカによる被害を中心に深刻な状況にあることから、シカの広域的かつ計画的な捕獲のモデル的な実施など地域の実情に応じた各般の被害対策を促進するための支援措置等を講ずる。

　林野火災の予防については、全国山火事予防運動等の普及活動や予防体制の強化等を図る。

　さらに、各種森林被害の把握及び防止のため、森林保全推進員を養成するなどの森林保全管理対策を地域との連携により推進する。

8　研究・技術開発及びその普及

（1）研究・技術開発等の戦略的かつ計画的な推進

　森林・林業・木材産業分野の研究・技術開発戦略等を踏まえ、国及び国立研究開発法人森林研究・整備機構が都道府県の試験研究機関、大学、学術団体、民間企業等との産学官連携の強化を図りつつ、研究・技術開発を戦略的かつ計画的に推進する。

　国立研究開発法人森林研究・整備機構において、「森林・林業基本計画」等に基づく森林・林業施策について、その優先事項を踏まえ、
① 　森林の多面的機能の高度発揮に向けた森林管理技術の開発
② 　国産材の安定供給に向けた持続的林業システムの開発
③ 　木材及び木質資源の利用技術の開発
④ 　森林生物機能の高度利用と林木育種による多様な品種開発及び育種基盤技術の強化
等を推進する。

（2）効率的かつ効果的な普及指導の推進

　国と都道府県が共同して林業普及指導事業を実施するとともに、都道府県間の均衡のとれた普及指導

---

*7　被害木を含む不用木及び不良木の除去及び処理。

水準を確保するための林業普及指導員の資格試験や研修を行うほか、林業普及指導員の普及活動に必要な資機材の整備等の経費について林業普及指導事業交付金を交付する。

また、地域全体の森_{もり}づくりや林業の再生に向けた構想及びその実現に向けた活動や新技術の展開を図るため、林業普及指導事業等を通じ、地域の指導的林業者、施業等の集約化に取り組む林業経営体、市町村等を対象とした重点的な普及活動を効率的かつ効果的に推進する。

さらに、林業研究グループに対する支援のほか、各人材の育成段階や専門分野に応じた研修を実施することにより、林政の重要な課題に対応するための人材の育成を図る。

9 山村の振興及び地方創生への寄与

（1）森林資源の活用による就業機会の創出
ア 山村振興対策等の推進
「山村振興法」（昭和40年法律第64号）に基づいて、都道府県が策定する山村振興基本方針及び市町村が策定する山村振興計画に基づく産業の振興等に関する事業の推進を図る。

また、山村地域の産業の振興に加え、住民福祉の向上にも資する林道の整備等を支援するとともに、振興山村、過疎地域等において都道府県が市町村に代わって整備することができる基幹的な林道を指定し、その整備を支援する。

さらに、山村地域の安全・安心の確保に資するため、治山施設の設置や保安林の整備に加え、地域における避難体制の整備等と連携した効果的な治山対策を推進する。

振興山村や過疎地域の農林漁業者等に対し、株式会社日本政策金融公庫による長期かつ低利の振興山村・過疎地域経営改善資金の融通を行う。

イ 特用林産物の生産振興
広葉樹を活用した林業の成長産業化を図るため、
① 特用林産物に関する情報の収集、分析及び提供
② 国産特用林産物の競争力の強化に向けた取組
③ きのこ原木等の生産資材の導入

等を支援する。

また、地域経済で重要な役割を果たす特用林産振興施設の整備を支援する。

さらに、東日本大震災の被災地等において、特用林産施設の効率化等のための生産、加工及び流通施設の整備や被災生産者の次期生産に必要な生産資材の導入等を支援する。

ウ 森林資源の多様な利用
山村に豊富に存在する森林資源を活用し、山村の活性化を図るため、
① 漆・薪炭・山菜等の山村の地域資源の発掘・活用を通じた所得・雇用の増大を図る取組の支援
② 未利用間伐材等の利用を促進するための木質バイオマス利用促進施設整備等の支援
③ 林家やNPO等が専ら自家労働等により間伐し、間伐材を活用する取組等を促進するための伐採に係る技術の習得や安全指導等の支援
を実施する。

（2）地域の森林の適切な保全管理
地域住民等から成る活動組織が実施する里山林の景観の保全及び整備、侵入竹の伐採及び除去、広葉樹をしいたけ原木等として利用するための伐採活動等の支援を実施する。

（3）都市と山村の交流促進
森林景観や空間をレクリエーション等の観光や健康増進等のために活用し、都市から山村に人を呼び込み交流を促進するため、地域資源を魅力ある観光コンテンツとして磨き上げる取組等を支援する。

（4）新たな森林空間利用に向けて
地方の定住・交流・関係人口の拡大に取り組むため、健康、観光、教育等の多様な分野で森林空間を活用して、新たな雇用と収入機会を生み出す「森林サービス産業」の創出・推進の取組を支援するとともに、新たな展開に取り組む地域について、新たな需要者層の拡大のための国内外に向けたプロモーション等を実施する。

10　国民参加の森林づくりと森林の多様な利用の推進

（1）多様な主体による森林づくり活動の促進

国民参加の森林づくりを推進するため、全国植樹祭、全国育樹祭等の国土緑化行事、緑の少年団活動発表大会等の実施を支援する。

また、
① 「森林づくり」や「木づかい」に対する国民の理解を醸成するための幅広い普及啓発
② NPO等による森林づくり活動
を推進する。

（2）森林環境教育等の充実

ESD[*8]（持続可能な開発のための教育）への取組が我が国でも進められていることを踏まえ、森林・林業が持続可能な社会の構築に果たす役割や木材利用の意義に対する国民の理解と関心を高める必要があることから、森林環境教育や木育を推進するため、
① 身近な森林の活用等による自然保育等の幅広い体験活動の機会の提供、体験活動の場に関する情報の提供、教育関係機関等との連携の強化
② 林業後継者等を対象とした林業体験学習等の促進
等を実施する。

11　国際的な協調及び貢献

（1）国際協力の推進

ア　国際対話への参画等

世界における持続可能な森林経営に向けた取組を推進するため、国連森林フォーラム（UNFF）、国連食糧農業機関（FAO）等の国際対話に積極的に参画し、貢献するほか、関係各国、各国際機関等と連携を図りつつ、国際的な取組を推進する。モントリオール・プロセス[*9]については、他の国際的な基準・指標プロセスとの連携及び協調の促進等について積極的に貢献する。

また、持続可能な森林経営に関する日中韓3か国部長級対話等を通じ、近隣国との相互理解を推進する。

さらに、世界における持続可能な森林経営の推進に向けた課題の解決に引き続きイニシアティブを発揮していく観点から、森林・林業問題に関する幅広い関係者の参加による国際会議を開催する。

イ　開発途上国の森林保全等のための調査及び技術開発

開発途上国における森林の減少及び劣化の抑制並びに持続可能な森林経営を推進するため、JCMにおけるREDD＋の実施ルールの検討及び普及を行う。また、開発途上国の劣化した森林や荒廃地における森林の再生技術の普及、民間企業等の知見・技術を活用した開発途上国の森林保全・資源利活用の促進、途上国の防災・減災に資する森林技術を海外展開できる体制整備等を支援する。

ウ　二国間における協力

開発途上国からの要請を踏まえ、独立行政法人国際協力機構（JICA）を通じ、専門家派遣、研修員受入れや、これらと機材供与を効果的に組み合わせた技術協力プロジェクトを実施する。

また、開発途上国からの要請を踏まえ、JICAを通じた森林・林業案件に対する無償資金協力及び有償資金協力による支援を検討する。

さらに、日インド森林及び林業分野の協力覚書等に基づく両国間の協力を推進するとともに、東南アジア諸国と我が国との二国間協力に向けた協議を行う。

エ　国際機関を通じた協力

熱帯地域における持続可能な森林経営及び違法伐採対策を推進するため、国際熱帯木材機関（ITTO）への拠出を通じ、合法木材等の流通体制構築に向けた実証的取組や合法木材等の利用促進の取組を支援する。

また、国連食糧農業機関（FAO）への拠出を通じ、

[*8] 「Education for Sustainable Development」の略。
[*9] 「令和元年度森林及び林業の動向」第1部－第Ⅰ章第4節（1）96ページを参照。

開発途上国における森林吸収量を確保するための植林計画等を盛り込んだ土地利用計画の策定、違法伐採の撲滅を含むガバナンス構築のための森林関連法制度の情報整備や施行能力の強化、山地流域における災害等のリスク評価及び課題の分析を踏まえた地域強靭化のための森林の整備・保全方策の検討並びにこれらの知見や技術の普及に向けた取組を支援する。

オ　民間組織による活動の推進

海外植林に関する情報提供等を通じて、我が国の民間団体等が行う海外での植林及び森林保全の活動を推進する。

（2）違法伐採対策の推進

「合法伐採木材等の流通及び利用の促進に関する法律」（平成28年法律第48号）に基づき、違法伐採関連情報の収集・提供、木材関連事業者登録の推進、合法性の確認がされた木材及び木材製品（以下「合法伐採木材等」という。）の利用推進に取り組む協議会等による広報活動等への支援により、合法伐採木材等の木材関連事業者から一般消費者に至るまでの円滑な供給及び普及拡大の取組を推進する。

また、二国間、地域間及び多国間協力を通じて、違法伐採及びこれに関連する貿易に関する対話、開発途上国における人材の育成、合法伐採木材等の普及等による違法伐採対策を推進する。

Ⅱ　林業の持続的かつ健全な発展に関する施策

1　望ましい林業構造の確立

林業の持続的かつ健全な発展を図るため、高い生産性と収益性を実現し、森林所有者の所得向上と他産業並みの従事者所得を確保できる林業経営の育成を目指し、森林施業の集約化、低コストで効率的な作業システムによる施業の実施、経営感覚に優れた林業経営体の育成、林業労働力の確保等の施策を講ずる。

（1）意欲と能力のある林業経営体の育成

意欲と能力のある林業経営体の育成を図るため、
① 経営管理の集積・集約化が見込まれる地域を中心とした路網整備や高性能林業機械の導入の重点的支援
② マーケティング力の強化に向けた経営コンサルタントや生産管理の専門家の派遣
③ 経営の合理化等に必要な運転資金を借り入れる場合の利率の優遇
等を実施する。

また、自伐林家等に対し、伐採に係る技術の習得や安全指導等への支援を実施する。

このほか、「林業経営基盤の強化等の促進のための資金の融通等に関する暫定措置法」（昭和54年法律第51号）等に基づく金融・税制上の措置等を講ずる。

（2）スケールメリットを活かした林業経営の推進

施業集約化をより一層推進するため、ICTの活用、地籍調査等との連携による森林所有者及び境界の確認の効率化等を推進する。また、共有林等での施業促進、新たに森林経営をしようとする者による森林経営計画の作成促進等を図る。

（3）効率的な作業システムによる生産性の向上

林業の収益性の向上や木材需要に対応した原木の安定供給等を着実に推進するため、
① 路網作設高度技能者や森林作業システム高度技

能者の育成

② 高性能林業機械の導入の支援

等に取り組む。

　また、国有林においては、現場技能者等の育成のための研修フィールドを提供する。

（4）先端技術の活用による林業経営の効率化の推進

　ICT、AI等の先端技術を活用することにより、林業の生産性・安全性の向上を実現するため、

① 　航空レーザ計測による森林資源等の把握・分析やデジタル化された森林情報の活用

② 　ICTの活用による木材生産の計画策定や進捗管理

③ 　スマート林業のモデル的実践及びリモートセンシング技術等の活用による低コスト造林の導入並びに国有林をフィールドとして活用したICT等先進的な技術の実証・導入

④ 　成長に優れた早生樹・エリートツリーの利用拡大

⑤ 　木材生産や造林作業の自動化等に向けた機械開発

⑥ 　改質リグニン、CNF等木の成分を使用した新素材の開発・実証

等の「林業イノベーション」の取組を推進する。

（5）経営感覚に優れた林業経営体の育成

　林業経営体が厳しい経営環境下でも収益を確保し、森林所有者の所得向上にも資するよう、主伐・再造林や木材の有利販売等林業経営上の新たな課題に対応できる経営人材（森林経営プランナー）や森林所有者に対し森林施業を提案する人材（森林施業プランナー）の育成を図るとともに、他産業を含めた生産管理手法や先進事例の普及、ICTを活用した生産管理手法の開発等を推進する。

　さらには、「緑の雇用」事業により素材生産と造林・保育、森林作業道の作設等を兼務できる現場技能者の育成を進める。

　また、国有林においては、多様な立地を活かし、事業の実施、現地検討会の開催、先駆的な技術の実証等を通じて林業経営体の育成に寄与する。

2　人材の育成、確保等

（1）人材の育成及び確保並びに活動の推進

ア　これからの森林経営を担う人材や施業集約化等を担う人材及び地域の森林経営を支援する人材の育成

　森林施業プランナーについては、全国的に一定の質を確保しつつ、地域ごとの特性を踏まえたより実践力のある者を育成するため、研修カリキュラムや認定基準の策定及び都道府県等が実施する各種研修等の実施の取組を支援する。

　さらに、森林資源の成熟化等に伴い、主伐・再造林や木材の有利販売等林業経営上の新たな課題に対応できる経営人材（森林経営プランナー）を育成するための研修等の取組に対して支援する。

　また、引き続き、市町村森林整備計画の策定等の支援を通じて、地域の新たな課題に対応し、地域の森林づくりの全体像を描くとともに、森林施業プランナー等に対し指導等を行う人材（森林総合監理士（フォレスター））の育成を進める。

イ　林業経営を担うべき人材の育成及び確保

　効率的な経営を行う林業経営者の育成及び確保を図るため、地域のリーダー的な森林所有者で組織する林業研究グループ等が行うコンクール等を支援する。

　また、林業後継者の育成及び確保を図るため、森林・林業関係学科の高校生等や社会人を対象にしたインターンシップ等を支援する。

ウ　女性林業者のネットワーク化等の促進

　女性の林業への参画や定着を促進するため、全国レベルの交流会の開催や優良活動事例等の情報提供による女性林業従事者や女性林業グループ等のネットワーク化、女性の参入促進のための林業体験等を支援する。

　また、女性林業従事者の活躍促進に向けた課題解決を図るとともに、女性の林業への参入・定着対策を進める。

（2）林業労働力及び労働安全衛生の確保

ア 「緑の雇用」事業等を通じた現場技能者の育成

　林業大学校等において、林業への就業に必要な知識等の習得を行い、将来的に林業経営をも担い得る有望な人材として期待される青年に対し、就業準備のための給付金を支給するとともに、就職氷河期世代を含む幅広い世代を対象にトライアル雇用（短期研修）等の実施を支援する。

　また、新規就業者に対しては、段階的かつ体系的な研修カリキュラムにより、安全作業等に必要な知識、技術及び技能の習得に関する研修を実施するとともに、林業での定着に向けた就業環境の整備を支援する。一定程度の経験を有する者に対しては、工程・コスト管理等のほか、関係者との合意形成並びに労働安全衛生管理等に必要な知識、技術及び技能の習得に関するキャリアアップ研修を実施する。これらの研修修了者については、農林水産省が備える名簿に統括現場管理責任者（フォレストマネージャー）等として登録することにより林業就業者のキャリア形成を支援する。加えて、技能検定への林業の追加に向け、業界共通試験の試行的な運用を支援する。

イ 雇用管理の改善

　都道府県及び林業労働力確保支援センターによる林業経営体の社会保険及び退職金制度への加入状況等に応じた雇用管理改善の指導を促進する。

　また、労働者の働きやすい環境を整備し魅力的な職場をつくるため、作成した手引きの活用を推進するとともに、林業経営体の経営者と従業員が仕事ぶりや能力を評価する共通の物差しを持ち、経営者が適切に能力評価を行って処遇等に反映させるための取組を支援する。

ウ 労働安全衛生の向上

　近年の労働災害の発生状況を踏まえ、安全な伐木技術の習得など就業者の技能向上のための研修、林業経営体への安全巡回指導、振動障害及び蜂刺傷災害の予防対策、労働安全衛生マネジメントシステムの普及啓発等を効果的に実施する。

　また、林業経営体の自主的な安全活動を促進するため、労働安全コンサルタントの活用を推進する。

　さらに、林業・木材産業における労働災害の情報収集・分析を行い、就業者の安全確保のための普及啓発等を効果的に実施する。

　このほか、令和2（2020）年2月に設置した「農林水産業・食品産業の現場の新たな作業安全対策に関する有識者会議」において、農林水産省一体として業界の垣根を越えた新たな安全対策の議論を進める。

3　林業災害による損失の補塡

　災害によって林業の再生産が阻害されることを防止するとともに林業経営の安定を図るため、国立研究開発法人森林研究・整備機構森林保険センターが行う火災、気象災及び噴火災による森林の損害を補塡する森林保険の普及に引き続き努める。

III　林産物の供給及び利用の確保に関する施策

1　原木の安定供給体制の構築

（1）原木供給力の増大

　施業の集約化に加え、面的にまとまった共有林での施業促進等の取組を通じ、作業ロットの拡大を図る。また、川上から川下までの事業者が連携し、生産・加工・流通コストの削減を図るべく、木材製品を安定的に供給するための木材加工流通施設の整備のほか、豊富な森林資源を循環利用するために、森林経営の基盤となる路網の整備、間伐材生産や主伐・再造林の一貫作業等を推進する。さらに、原木の安定調達のために川中事業者が自ら森林経営に乗り出す際の山林取得に必要な借入金に対して利子助成を行う。

（2）望ましい安定供給体制への転換

　個々の林業経営体による小規模・分散的な原木供給から原木を取りまとめて供給する体制への転換に向けて、広域化している木材流通に対応しつつ、民有林と国有林とが連携した取組も含めた原木の工場直送及び協定取引や原木市場による集荷等に必要な施設整備を支援する。

（3）マッチングの円滑化

　需給ギャップを解消し、原木の適時適切な供給を実現するため、サプライチェーンマネジメント推進フォーラムを設置し、川上から川下までのマッチングの取組や需給等の情報を共有化するためのデータベース整備等を支援する。

2　木材産業の競争力強化

（1）木材加工・流通体制の整備

　地域における森林資源、施設の整備状況等を踏まえながら、製材工場等の規模ごとの強みを活かした木材加工流通体制の整備を進めるため、

① 　CLT等の新たな製品への供給を始めとする需要者ニーズに適確に対応した地域材の安定的かつ効率的な供給体制の構築に資する木材加工流通施設等の整備の支援

② 　生産性向上等の体質強化を図るための木材加工流通施設の整備、間伐材の生産、路網の整備等の一体的な支援

③ 　地域材の供給力の増大と品質及び性能の確かな木材製品の安定供給のための木材加工設備についてのリースによる導入支援

④ 　製材業、合板製造業等を営む企業が実施する設備導入に対する利子の一部助成

等を実施する。

（2）品質及び性能の確かな製品供給等

　品質及び性能の確かな製品を供給できるようにするため、乾燥施設の整備、製材及び乾燥技術の開発等を支援するとともに、JASマーク等による品質及び性能の表示を促進する。

（3）地域材の高付加価値化

　A材丸太[*10]を原材料とする付加価値の高い構造材、内装材、家具、建具等の普及啓発等の取組を支援する。

3　新たな木材需要の創出

（1）公共建築物及び民間非住宅並びに土木分野等への利用拡大

ア　公共建築物等

　「公共建築物等における木材の利用の促進に関する法律」（平成22年法律第36号）第7条第2項第4号に規定する各省各庁の長が定める「公共建築物における木材の利用の促進のための計画」に基づいた各省各庁の木材利用の取組を進め、国自らが率先して木材利用を推進するとともに、同法第9条第1項に規定する市町村方針の作成を支援する。

　また、地域で流通する木材の利用の一層の拡大に向けて、設計上の工夫や効率的な木材調達に取り組

---

*10　一般には、通直な原木のことを指し、主に製材用に利用される。

むモデル性の高い木造公共建築物等の整備を支援する。

さらに、低層の公共建築物のうち民間事業者が整備するものが全体の6割以上を占め、更にその約8割を医療・福祉施設が占めることから、民間事業者が整備するこれらの施設の木造化・木質化を推進するための取組への支援を実施する。

このほか、木造公共建築物を整備した者等に対する利子助成等を実施する。

イ　民間非住宅、土木分野等

CLTを用いた建築物の設計、建築等のほか、企画から設計段階までに至る課題解決のための専門家派遣の取組を支援する。また、CLT建築における人材確保の観点から、発注・企画能力向上の研修や資格制度の検討、運用等の取組を支援する。

CLT等新たな建築部材の利用促進のため、技術基準の整備に必要なデータ収集等を推進する。また、製品や技術開発を行う民間事業者等の取組を支援する。

建築物に高い防耐火性能が求められる都市部での木材需要の拡大に向けた木質耐火部材等の利用拡大の取組に対する支援を実施する。

さらに、非住宅分野を中心に木造建築の需要を開拓し、品質及び性能の確かなJAS構造材を積極的に活用するため、「JAS構造材活用拡大宣言」を行う工務店等の登録及び公表による事業者の見える化を行う。また、登録事業者に対し、木造非住宅分野を中心に、JAS構造材を活用しつつ、他建材から木材へ切替えが行われるように促し、地域における先例となり得る建築を実証する取組を支援する。加えて、木造建築物の設計ができる設計者を育成する取組を支援する。

また、民間セクターが整備する非住宅建築物等における木材利用の促進を図るため、木材利用に取り組む民間企業ネットワークを構築し、需要サイドとしての課題・条件の整理や木材供給者への条件の提示を行う取組について支援を行う。

これまで木材利用が低位であった非住宅及び住宅の外構部における木質化の実証の取組を支援する。

このほか、土木分野等における木材利用について、取組事例の紹介等により普及を行う。

（2）木質バイオマスの利用

地域における林業・木材産業と発電事業等が一体となって長期安定的な事業を進めることを目指し、経済産業省、都道府県等と連携し、未利用間伐材等の木質バイオマスの利用促進や、発電施設の原料調達の円滑化等に資する取組を進めるとともに、木質燃料製造施設、木質バイオマスボイラー等の整備を支援する。

特に、森林資源をマテリアルやエネルギーとして地域内で持続的に活用するため、行政（市町村）が中心となって、地域産業及び地域住民が参画し、担い手確保から発電・熱利用に至るまで、低コスト化や森林関係者への利益還元を図る集落を主な対象とした「地域内エコシステム」の構築に向け、技術者の現地派遣や相談対応等の技術的サポートを行う体制の確立、関係者による協議会の運営、小規模な技術開発等を支援する。

このほか、林地残材等の未利用材を原料とするCNF、改質リグニン等の高付加価値製品の製造技術や利用技術の開発、実証等を支援する。

（3）木材等の輸出促進

「農林水産業の輸出力強化戦略」に基づき、日本産木材を利用した防腐処理木材等の付加価値の高い木材製品の輸出を、中国や韓国を始め、台湾、ベトナム、EU等にも拡大していくため、木材輸出に関する情報や事例を収集し広く提供するとともに、日本産木材の認知度向上、日本産木材製品のブランド化の推進、ターゲットを明確にした販売促進等に取り組む。具体的には、

①　輸出向け木材製品の規格化に向けた環境整備、国内外での技術講習会の開催及び設計・施工マニュアルの作成による木造住宅等の輸出促進

②　同業種や異業種の企業との連携による付加価値の高い木材製品の輸出体制の構築

③　日本産木材を利用したモデル住宅等の展示やセミナーの開催、海外見本市での出展等による日本産木材製品の普及・PR

等の取組を支援する。

このほか、将来的な輸出拡大に向け、森林認証材の需要拡大を図るため、消費者や需要者向けイベントの開催等、森林認証材の普及啓発等の取組を支援する。

4　消費者等の理解の醸成

広く一般消費者を対象に木材利用の意義を広め、木材利用を拡大していくための国民運動である「木づかい運動」を始め消費者のウッド・チェンジにつながる具体的行動を促進するため、

① デジタル技術を活用した情報発信等を含む各種普及啓発活動

② 木材を活用した様々な製品や取組を幅広く表彰する活動

③ 子供から大人までを対象に、木材や木製品との触れ合いを通じて木材への親しみや木の文化への理解を深めて、木材の良さや利用の意義を学ぶ「木育(もくいく)」の取組

④ 木のおもてなしの事例を活用した観光施設等における木材利用の促進

等を支援する。

また、「木づかい」を含む国民参加の森林(もり)づくりに関する広報やイベント開催による普及啓発等の取組を関係団体と連携して実施する。

5　林産物の輸入に関する措置

WTO交渉、RCEP*11等のEPA（経済連携協定）及びFTA（自由貿易協定）交渉に当たっては、世界有数の林産物の輸入国として、各国の森林が有する多面的機能の発揮を損なうことのない適正な貿易の確保や国内の林業・木材産業への影響にも配慮して対処する。

また、持続可能な森林経営、違法伐採対策、輸出入に関する規制等の情報収集、交換及び分析を行い、国際的な連携を図る。

Ⅳ　東日本大震災からの復旧・復興に関する施策

（1）災害からの復旧の推進

東日本大震災により被災した治山施設について、引き続き治山施設災害復旧事業により復旧を図るとともに、地震により発生した崩壊地等については治山事業により着実な復旧整備を図る。

（2）被災した海岸防災林の復旧及び再生

潮害、飛砂、風害の防備等の災害防止機能を有し、地域の生活環境の保全に重要な役割を果たしている海岸防災林について、被災箇所ごとの地形条件、地域の合意形成の状況等を踏まえながら、津波に対する減災機能も考慮した復旧及び再生を推進する。

なお、植栽の実施に当たっては、NPO等の民間団体からの協力も得ながら取り組む。

（3）放射性物質の影響がある被災地の森林・林業の再生

東京電力福島第一原子力発電所事故により放射性物質に汚染された森林について、汚染実態を把握するため、樹冠部から土壌中まで階層ごとに分布している放射性物質の挙動に係る調査及び解析を行う。

また、放射性物質の移動抑制等を目的として技術実証を実施した箇所において、モニタリング調査等を実施し、効果を検証する。避難指示解除区域等において、林業の再生を円滑に進められるよう実証事業等を実施するとともに、林業の再生に向けた情報の収集・整理と情報発信等を実施する。

さらに、被災地における森林整備を円滑に進めるため、伐採に伴い発生する副産物の減容化や、木質バイオマスの利用の推進、樹皮（バーク）等の有効利用に向けた取組及びほだ木等の原木林の再生等に向けた取組を推進する。

消費者に安全な木材製品を供給するため、木材製品、作業環境等に係る放射性物質の調査及び分析、放射性物質測定装置の設置や風評被害防止のための普及啓発による木材製品等の安全証明体制の構築を

---

*11　「Regional Comprehensive Economic Partnership」の略。

支援する。

このほか、放射性物質が付着したことにより利用できず、製材工場等に滞留している樹皮（バーク）の処理等の費用の立替えを支援する。

（4）放射性物質の影響に対応した安全な特用林産物の供給確保

被災地における特用林産物生産の経営基盤の強化や就業機会を確保するため、生産施設等の整備や次期生産に必要な生産資材の導入に対して支援するとともに、安全なきのこ等の生産に必要な簡易ハウス等の防除施設、放射性物質測定機器等の整備を支援する。

また、都県が行う放射性物質の検査を支援するため、国においても必要な検査を実施する。

（5）東日本大震災からの復興に向けた木材等の活用

被災地域の林業・木材産業の復興を図るため、地域で流通する木材を活用した木造建築等の普及を推進する。

また、復興に向け、被災地域における木質バイオマス関連施設、木造公共建築物等の整備を推進する。

Ⅴ　国有林野の管理及び経営に関する施策

1　公益重視の管理経営の一層の推進

国有林野は、国土保全上重要な奥地脊梁山地や水源地域に広く分布するなど国民生活に重要な役割を果たしており、さらに、民有林への指導やサポート等を通じて、林業の成長産業化に貢献するよう、「国民の森林」として管理経営する必要がある。

このため、公益重視の管理経営を一層推進する中で、組織・技術力・資源を活用し、森林・林業施策全体の推進に貢献するよう、「森林・林業基本計画」等に基づき、次の施策を推進する。

（1）多様な森林整備の推進

「国有林野の管理経営に関する法律」等に基づき、31森林計画区において、地域管理経営計画、国有林野施業実施計画及び国有林の地域別の森林計画を策定する。

この中で国民のニーズに応えるため、個々の国有林野を重視すべき機能に応じ、山地災害防止タイプ、自然維持タイプ、森林空間利用タイプ、快適環境形成タイプ及び水源涵養タイプに区分し、これらの機能類型区分ごとの管理経営の考え方に即して適切な森林の整備を推進する。その際、地球温暖化防止や生物多様性の保全に貢献するほか、地域経済や山村社会の持続的な発展に寄与するよう努めることとする。具体的には、人工林の多くが間伐等の必要な育成段階にある一方、資源として利用可能な段階を迎えていることを踏まえ、間伐を推進するとともに、針広混交林へ導くための施業、長伐期施業、一定の広がりにおいて様々な育成段階や樹種から構成される森林のモザイク的配置への誘導等を推進する。なお、主伐の実施に際しては、自然条件や社会的条件を考慮して実施箇所を選定するとともに、公益的機能の持続的な発揮と森林資源の循環利用の観点から確実な更新を図る。

また、林道及び主として林業機械が走行する森林作業道がそれぞれの役割等に応じて適切に組み合わされた路網の整備を、自然・社会的条件の良い森林

において重点的に推進する。

さらに、国有林野及びこれに隣接・介在する民有林野の公益的機能の維持増進を図るため、「公益的機能維持増進協定制度」を活用した民有林野との一体的な整備及び保全の取組を推進する。

（2）治山事業の推進

国有林野の9割が保安林に指定されていることを踏まえ、保安林の機能の維持・向上に向けた森林整備を計画的に進める。

国有林野内の治山事業においては、近年頻発する集中豪雨や地震・火山等による大規模災害の発生のおそれが高まっていることを踏まえ、山地災害による被害を未然に防止し、軽減する事前防災・減災の考え方に立ち、民有林野における国土保全施策との一層の連携により、効果的かつ効率的な治山対策を推進し、地域の安全と安心の確保を図る。

具体的には、荒廃山地の復旧等と荒廃森林の整備の一体的な実施、予防治山対策や火山防災対策の強化、治山施設の機能強化を含む長寿命化対策やコスト縮減対策、海岸防災林の整備・保全対策、大規模災害発生時における体制整備等を推進する。また、民有林と国有林との連携による計画的な事業の実施、他の国土保全に関する施策と連携した流木災害対策の実施、工事実施に当たっての木材の積極的な利用及び生物多様性の保全等に配慮した治山対策の実施を推進する。

（3）生物多様性の保全

生物多様性の保全の観点から、原生的な森林生態系を有する森林や希少な野生生物の生育・生息の場となる森林である「保護林」やこれらを中心としたネットワークを形成して野生生物の移動経路となる「緑の回廊」において、モニタリング調査等を行いながら適切な保全・管理を推進する。渓流沿いや尾根筋等の森林については、保護樹帯として保全することを通じて、生物多様性の保全に努める。その他の森林については、適切な間伐の実施等、多様で健全な森林の整備及び保全を推進する。

また、野生生物や森林生態系等の状況を適確に把握し、自然再生の推進や国内希少野生動植物種の保

護を図る事業等を実施する。

さらに、世界自然遺産及びその推薦地における森林の保全対策を推進するとともに、世界文化遺産登録地やその候補地及びこれらの緩衝地帯内に所在する国有林野において、森林景観等に配慮した管理経営を行う。

森林における野生鳥獣被害防止のため、広域的かつ計画的な捕獲と効果的な防除等を実施する。また、地域住民等の多様な主体との連携により集落に近接した森林の間伐を行い、明るく見通しのよい空間（緩衝帯）づくりを行うなど、野生鳥獣が警戒して出没しにくい地域づくりのための事業等を実施する。

天然生林の適切な保護及び保全を図るため、グリーン・サポート・スタッフ（森林保護員）による巡視や入林者へのマナーの啓発を行うなど、きめ細やかな森林の保全・管理活動を実施する。

2　林業の成長産業化への貢献

（1）森林施業の低コスト化の推進と技術の普及

路網と高性能林業機械とを組み合わせた効率的な間伐、コンテナ苗を活用し伐採から造林までを一体的に行う「一貫作業システム」、複数年契約による事業発注等、低コストで効率的な作業システム、先端技術を活用した木材生産等の実証を推進する。

これらの取組について、各地での事業展開を図りつつ、現地検討会等を開催し、地域の林業関係者との情報交換を行うなど、民有林への普及・定着に努める。また、民有林経営への普及を念頭に置いた林業の低コスト化等に向けた技術開発に産官学連携の下で取り組む。

さらに、林業事業体の創意工夫を促進し、施業提案や集約化の能力向上等を支援するため、国有林野事業の発注等を通じた林業事業体の育成を推進する。

（2）樹木採取権制度の開始

森林経営管理制度の要となる林業経営者の育成を図るため、国有林野の一定区域において、公益的機能を確保しつつ、一定期間、安定的に樹木を採取できる権利を設定する「樹木採取権制度」を開始し、

パイロット的な取組を推進する。

（3）民有林との連携

　「森林共同施業団地」を設定し、民有林と国有林が連携した事業計画の策定に取り組むとともに、民有林と国有林とを接続する効率的な路網の整備や連携した木材の供給等、施業集約に向けた取組を推進する。

　森林総合監理士等の系統的な育成に取り組み、地域の林業関係者の連携促進や、森林管理署等と都道府県の森林総合監理士等との連携による「技術的援助等チーム」の設置等を通じた市町村森林整備計画の策定とその達成に向けた支援等を行う。

　また、事業発注や国有林野の多種多様なフィールドを活用した現地検討会等の開催を通じて民有林の人材育成支援に取り組むとともに、森林・林業関係の教育機関等において、森林・林業に関する技術指導等に取り組む。

　さらに、「林業成長産業化地域」において、民有林と連携した供給先確保等の取組を行う。

（4）木材の安定供給体制の構築

　適切な施業の結果得られる木材について、持続的かつ計画的な供給に努めるとともに、その推進に当たっては、未利用間伐材等の木質バイオマス利用等の新規需要の開拓に向け、安定供給システム販売等による国有林材の戦略的な供給に努める。その際、間伐材の利用促進を図るため、列状間伐や路網と高性能林業機械の組合せ等による低コストで効率的な作業システムの定着に取り組む。

　また、国産材の安定供給体制の構築のため、民有林材を需要先へ直送する取組の普及及び拡大など国産材の流通合理化を図る取組を推進する。このほか、民有林からの供給が期待しにくい大径長尺材等の計画的な供給に取り組む。

　また、国産材の２割を供給し得る国有林の特性を活かし、地域の木材需要が急激に増減した場合に、必要に応じて供給時期の調整等を行うため、地域の需給動向及び関係者の意見等を迅速かつ適確に把握する取組を推進するとともに、インターネット等を活用した事業量の公表を行う。

3 「国民の森林」としての管理経営と国有林野の活用

（1）「国民の森林」としての管理経営

　国有林野の取組について国民との多様な情報受発信に努め、国民の期待や要請に適切に対応していくため、情報の開示や広報の充実を進めるとともに、森林計画の策定等の機会を通じて国民の要請の適確な把握とそれを反映した管理経営の推進に努める。

　体験活動及び学習活動の場としての「遊々の森」の設定及び活用を図るとともに、農山漁村における体験活動と連携し、森林・林業に関する体験学習のためのプログラムの作成及び学習コース等のフィールドの整備を行い、それらの情報を提供するなど、学校、NPO、企業等の多様な主体と連携して、都市や農山漁村等の立地や地域の要請に応じた森林環境教育を推進する。

　また、NPO等による森林づくり活動の場としての「ふれあいの森」、伝統文化の継承や文化財の保存等に貢献する「木の文化を支える森」、企業等の社会貢献活動の場としての「法人の森林」や「社会貢献の森」等国民参加の森林づくりを推進する。

（2）国有林野の活用

　国有林野の所在する地域の社会経済状況、住民の意向等を考慮して、地域における産業の振興及び住民の福祉の向上に資するよう、貸付け、売払い等による国有林野の活用を積極的に推進する。

　その際、国土の保全や生物多様性の保全等に配慮しつつ、再生可能エネルギー源を利用した発電に資する国有林野の活用にも努める。

　さらに、「レクリエーションの森」について、民間活力を活かしつつ、利用者のニーズに対応した施設の整備や自然観察会等を実施するとともに、特に「日本美しの森　お薦め国有林」において、重点的に、観光資源としての魅力の向上、外国人も含む旅行者に向けた情報発信等に取り組み、更なる活用を推進する。

VI　団体の再編整備に関する施策

　森林組合が、国民や組合員の信頼を受け、地域の森林施業や経営の担い手の中心として、「森林経営管理制度」においても重要な役割を果たすことができるよう、森林組合の合併や経営基盤の強化、内部牽制体制の構築、法令等遵守（コンプライアンス）意識の徹底、経営の透明性の確保等、事業・業務執行体制の強化、体質の改善に向けた指導を行う。

　また、施業集約化の促進や生産性向上等による効率的な事業基盤の整備、原木の安定供給体制の構築、組合員・社会に信頼される開かれた組織づくり、これらの取組の適確なフォローアップ等を内容とする森林組合系統運動方針の実効性の確保に向けた指導を行う。

参考資料

○ 参 考 付 表
○ 用語の索引

参考付表

国民経済及び森林資源

森林の整備及び保全

林　業

林産物

参考付表

国民経済及び森林資源

1 林業関係基本指標

項目	単位	H12年(2000)	17(05)	22(10)	23(11)	24(12)	25(13)	26(14)	27(15)	28(16)	29(17)	30(18)
① 国内総生産（名目）	億円	5,267,060	5,241,328	5,003,539	4,914,085	4,949,572	5,031,756	5,138,760	5,313,198	5,355,372	5,458,974	5,471,255
林業	億円	1,723	1,343	1,902	2,022	1,847	2,006	2,143	2,055	2,108	2,145	2,262
林業／総生産	%	0.03	0.03	0.04	0.04	0.04	0.04	0.04	0.04	0.04	0.04	0.04
② 就業者総数	万人	6,446	6,356	6,257	5,977	6,280	6,326	6,371	6,401	6,465	6,530	6,664
林業	〃	7	6	8	7	8	8	8	7	6	6	7
林業／総就業	%	0.11	0.09	0.13	0.12	0.13	0.13	0.13	0.11	0.09	0.09	0.11
③ 国土面積	万ha	3,779	3,779	3,780	3,780	3,780	3,780	3,780	3,780	3,780	3,780	3,780
④ 森林面積	〃	2,515	2,512	2,510	2,510	2,508	2,508	2,508	2,508	2,508	2,505	2,505
森林／国土	%	67.5	67.4	67.3	67.3	67.3	67.3	67.3	67.3	67.3	67.2	67.2
⑤ 保安林面積	万ha	893	1,165	1,202	1,205	1,209	1,212	1,214	1,217	1,218	1,220	1,221
保安林／森林	%	35.5	46.4	47.9	48.0	48.2	48.3	48.4	48.5	48.6	48.7	48.7
⑥ 森林蓄積	億㎥	35	40	44	44	49	49	49	49	49	52	52
⑦ 木材需要（供給）量	万㎥	10,101	8,742	7,188	7,440	7,219	7,546	7,580	7,516	7,808	8,172	8,248
国内生産量	〃	1,906	1,790	1,892	2,009	2,032	2,174	2,365	2,492	2,714	2,953	3,020
輸入量	〃	8,195	6,952	5,296	5,431	5,187	5,372	5,215	5,024	5,094	5,219	5,228
木材自給率	%	18.9	20.5	26.3	27.0	28.1	28.8	31.2	33.2	34.8	36.1	36.6
⑧ 新設住宅着工戸数	万戸	123	124	81	83	88	98	89	91	97	96	94
木造率	%	45.2	43.9	56.6	55.7	55.1	56.1	54.9	55.5	56.5	56.5	57.2

注1：国土面積には北方四島の面積が含まれる。森林面積には北方四島の面積は含めていない。
 2：森林／国土の割合における国土面積には、北方四島を含めていない。
 3：保安林面積は、実面積の数値。
 4：木材需要（供給）量、国内生産量及び輸入量は、丸太換算の数値。
資料：①内閣府「国民経済計算」、②総務省「労働力調査」（平成23（2011）年は岩手県、宮城県及び福島県を除く）、③国土交通省「全国都道府県市区町村別面積調」、④⑤⑥林野庁業務資料、⑦林野庁「木材需給表」、⑧国土交通省「建築着工統計」

2 林業産出額

（単位：千万円）

項目	H12年(2000)	17(05)	22(10)	23(11)	24(12)	25(13)	26(14)	27(15)	28(16)	29(17)	30(18)
林業産出額	53,115	41,705	42,570	42,231	39,808	43,312	46,400	45,446	47,025	48,633	50,202
木材生産	32,218	21,050	19,529	20,833	19,662	21,968	24,586	23,408	23,700	25,609	26,483
針葉樹	26,533	17,741	17,016	18,505	17,140	19,366	21,588	19,819	19,539	20,606	20,999
すぎ	12,378	8,753	9,350	10,177	9,731	11,202	12,962	11,809	11,674	12,268	12,644
広葉樹	5,472	3,171	2,376	1,981	2,129	2,006	1,896	1,951	1,906	1,840	1,842
薪炭生産	616	609	508	506	439	553	566	531	549	544	554
栽培きのこ類生産	19,689	19,850	21,891	20,472	19,315	20,373	20,840	21,052	22,139	22,008	22,566
林野副産物採取	592	196	642	419	392	418	408	454	637	473	598
生産林業所得	35,191	24,578	22,922	22,837	21,410	23,442	25,262	25,102	26,010	26,954	26,658

注1：計の不一致は四捨五入による。
 2：木材生産は、平成23（2011）年以降は燃料用チップ素材の産出額を含む。
 3：薪炭生産は、平成13（2001）年以降は竹材及び粉炭の産出額を含む。
 4：栽培きのこ類生産は、平成13（2001）年以降はエリンギ及びその他栽培きのこ類の産出額を含む。
 5：林野副産物採取は、平成14（2002）年以降は木ろう及び生うるしの産出額を、平成22（2010）年以降は野草の産出額を、平成28（2016）年以降は野生鳥獣の産出額を含む。
資料：農林水産省「林業産出額」

3 我が国の森林資源の現況

（単位：千ha、万㎥）

区分		総数		立木地 人工林		立木地 天然林		無立木地		竹林面積
		面積	蓄積	面積	蓄積	面積	蓄積	面積	蓄積	
総数		25,048	524,150	10,204	330,842	13,481	193,245	1,197	64	167
国有林	総数	7,659	122,593	2,288	51,304	4,733	71,245	637	44	0
	林野庁所管 総数	7,593	122,072	2,282	51,203	4,682	70,824	629	44	0
	国有林	7,508	120,128	2,208	49,283	4,680	70,801	620	44	0
	官行造林	85	1,944	73	1,921	2	23	10	0	-
	対象外森林	0	0	-	-	0	0	0	0	-
	その他省庁所管	65	521	7	100	51	420	8	-	0
民有林	総数	17,389	401,557	7,916	279,538	8,747	122,000	560	19	167
	公有林 総数	2,995	61,556	1,334	39,705	1,531	21,836	124	15	6
	都道府県	1,292	25,269	529	14,559	709	10,701	53	9	1
	市町村・財産区	1,702	36,287	804	25,147	822	11,135	71	6	5
	私有林	14,347	339,433	6,569	239,555	7,188	99,874	431	4	158
	対象外森林	48	568	13	278	28	290	5	0	3

注1：森林法第2条第1項に規定する森林の数値。
 2：「無立木地」は、伐採跡地、未立木地である。
 3：対象外森林とは、森林法第5条に基づく地域森林計画及び同法第7条の2に基づく国有林の地域別の森林計画の対象となっている森林以外の森林をいう。
 4：平成29（2017）年3月31日現在の数値。
 5：計の不一致は四捨五入による。
資料：林野庁業務資料

4　都道府県別森林面積

(単位：千ha)

都道府県	総数	人工林	天然林	無立木地	竹林	都道府県	総数	人工林	天然林	無立木地	竹林
全　国	25,048	10,204	13,481	1,197	167	三　重	372	230	133	7	2
北 海 道	5,538	1,475	3,755	308	－	滋　賀	203	85	111	6	1
青　森	633	269	337	26	－	京　都	342	132	200	5	5
岩　手	1,171	489	612	70	0	大　阪	57	28	26	2	2
宮　城	417	198	201	16	2	兵　庫	560	238	306	12	3
秋　田	839	410	406	24	0	奈　良	284	172	107	3	1
山　形	669	186	441	43	0	和 歌 山	361	220	136	4	1
福　島	974	341	584	47	1	鳥　取	259	140	110	5	3
茨　城	187	111	67	6	2	島　根	524	205	298	10	11
栃　木	349	156	180	13	1	岡　山	483	205	261	12	5
群　馬	423	177	220	25	1	広　島	611	201	396	12	2
埼　玉	120	59	59	1	0	山　口	437	195	225	5	12
千　葉	157	61	74	16	6	徳　島	315	190	116	5	4
東　京	79	35	39	5	0	香　川	88	23	58	3	3
神 奈 川	95	36	54	4	1	愛　媛	401	245	141	11	4
新　潟	855	162	564	127	2	高　知	595	388	195	7	5
富　山	285	55	169	61	1	福　岡	222	140	62	7	14
石　川	286	102	165	17	2	佐　賀	110	74	27	7	3
福　井	312	124	178	8	1	長　崎	243	105	124	10	4
山　梨	348	154	172	21	1	熊　本	463	280	149	23	10
長　野	1,069	445	557	66	2	大　分	453	233	178	27	14
岐　阜	862	385	430	46	1	宮　崎	586	333	231	16	6
静　岡	497	280	189	23	4	鹿 児 島	588	279	276	16	18
愛　知	218	140	72	3	2	沖　縄	107	12	88	6	0

注1：森林法第2条第1項に規定する森林の数値。
　2：「無立木地」は、伐採跡地、未立木地である。
　3：平成29（2017）年3月31日現在の数値。
　4：計の不一致は四捨五入による。
資料：林野庁業務資料

5　人工造林面積

(単位：ha)

			H12年 (2000)	17 (05)	22 (10)	24 (12)	25 (13)	26 (14)	27 (15)	28 (16)	29 (17)	30 (18)
	総　　　数		35,908	28,576	24,128	25,360	27,343	24,753	25,173	27,050	30,212	30,182
民有林	民 有 林 計		31,316	25,584	18,756	20,277	22,225	21,088	19,429	21,106	22,069	21,568
	私　　　営		15,292	14,325	12,041	12,999	13,638	12,531	12,775	13,908	14,596	14,236
	公営	公 営 計	16,024	11,259	6,715	7,277	8,587	8,557	6,653	7,198	7,474	7,332
		森林整備法人等	2,193	464	282	175	151	147	167	245	225	260
		森林研究・整備機構	6,643	5,202	2,416	2,831	4,400	3,742	2,681	2,841	3,132	3,018
		市 町 村	2,832	1,950	1,551	1,595	1,617	1,519	1,867	1,960	1,943	1,888
		都 道 府 県	4,356	3,643	2,466	2,677	2,419	3,149	1,938	2,152	2,173	2,167
国 有 林			4,592	2,992	5,372	5,083	5,117	3,665	5,745	5,944	8,143	8,614

注1：国有林には、林野庁所管以外の国有林は含まない。
　2：森林整備法人等とは、森林整備法人及び林業公社である。
　3：人工造林面積は、治山事業や自力等によるものを含む面積であり、育成複層林施業（人工林）における樹下植栽等（改良を除く）の面積も含まれている。
　4：森林研究・整備機構によるものは、平成20（2008）年4月1日までは独立行政法人緑資源機構、平成29（2017）年4月1日までは森林総合研究所によるものである。
　5：計の不一致は四捨五入による。
資料：林野庁業務資料

6 樹種別人工造林面積

（単位：ha）

	総　数	針　葉　樹					広　葉　樹
		スギ	ヒノキ	マツ類	カラマツ	その他	
H12　（2000)年	（　31,316　） 28,480	（　8,223　） 7,967	（　11,574　） 10,745	（　233　） 223	（　2,524　） 2,493	（　4,954　） 4,014	（　3,808　） 3,038
17　（05）	（　25,584　） 22,498	（　5,216　） 5,011	（　7,096　） 6,307	（　226　） 183	（　3,534　） 3,423	（　5,728　） 4,611	（　3,784　） 2,963
22　（10）	（　18,756　） 16,388	（　4,132　） 3,844	（　2,820　） 2,262	（　247　） 237	（　4,604　） 4,418	（　4,265　） 3,381	（　2,688　） 2,246
24　（12）	（　20,277　） 16,992	（　4,648　） 4,425	（　2,643　） 2,103	（　245　） 214	（　5,155　） 4,821	（　4,687　） 3,112	（　2,897　） 2,318
25　（13）	（　22,225　） 18,906	（　5,429　） 5,215	（　2,780　） 2,512	（　330　） 231	（　5,099　） 4,620	（　5,811　） 3,942	（　2,777　） 2,386
26　（14）	（　21,088　） 17,720	（　5,185　） 5,098	（　2,543　） 2,404	（　554　） 518	（　4,603　） 4,128	（　5,709　） 3,622	（　2,492　） 1,950
27　（15）	（　19,429　） 16,607	（　5,537　） 5,390	（　2,039　） 1,930	（　185　） 168	（　4,467　） 4,027	（　5,250　） 3,450	（　1,950　） 1,642
28　（16）	（　21,106　） 18,390	（　6,766　） 6,570	（　1,972　） 1,852	（　291　） 253	（　5,017　） 4,552	（　4,983　） 3,383	（　2,077　） 1,781
29　（17）	（　22,069　） 19,866	（　7,102　） 6,845	（　1,979　） 1,874	（　406　） 388	（　5,388　） 5,179	（　5,423　） 4,110	（　1,771　） 1,471
30　（18）	（　21,568　） 19,340	（　6,899　） 6,597	（　1,845　） 1,760	（　277　） 272	（　5,486　） 5,165	（　5,106　） 3,799	（　1,956　） 1,747

注1：民有林の樹種別人工造林面積であり、国有林は含まない。
　2：上段（　）書きは、育成複層林施業における樹下植栽等を含む面積である。
資料：林野庁業務資料

7 山行苗木生産量

（単位：百万本）

	総　数	針　葉　樹					広　葉　樹
		スギ	ヒノキ	マツ類	カラマツ	その他	
H21　（2009)年	65 （　0.1　）	17 （　0.1　）	15 （　0.0　）	2 （　0.0　）	10 （　-　）	12 （　0.0　）	10 （　0.0　）
22　（10）	63 （　0.3　）	17 （　0.2　）	12 （　0.0　）	2 （　0.0　）	12 （　0.0　）	12 （　0.0　）	8 （　0.0　）
23　（11）	61 （　0.4　）	15 （　0.3　）	11 （　0.1　）	1 （　0.0　）	12 （　0.0　）	14 （　0.0　）	7 （　0.0　）
24　（12）	58 （　0.8　）	17 （　0.5　）	9 （　0.1　）	2 （　0.2　）	10 （　0.0　）	11 （　0.0　）	8 （　0.0　）
25　（13）	56 （　1.1　）	16 （　0.7　）	9 （　0.2　）	2 （　0.2　）	10 （　0.1　）	11 （　0.0　）	8 （　0.0　）
26　（14）	57 （　2.6　）	17 （　1.1　）	9 （　0.3　）	2 （　0.9　）	9 （　0.1　）	11 （　0.1　）	8 （　0.0　）
27　（15）	61 （　4.7　）	19 （　2.4　）	9 （　0.8　）	2 （　1.2　）	12 （　0.2　）	12 （　0.1　）	6 （　0.0　）
28　（16）	60 （　7.1　）	20 （　3.9　）	8 （　1.1　）	3 （　1.6　）	14 （　0.4　）	10 （　0.2　）	5 （　0.0　）
29　（17）	60 （　10.0　）	22 （　6.2　）	8 （　1.3　）	3 （　1.3　）	12 （　0.8　）	10 （　0.3　）	5 （　0.1　）
30　（18）	60 （　13.7　）	21 （　7.5　）	6 （　1.8　）	3 （　2.2　）	15 （　1.7　）	9 （　0.5　）	5 （　0.1　）

注1：端数処理のため、計数が合致しない場合がある。
　2：下段（　）書きは、山行苗木生産量のうちコンテナ苗生産量である。
資料：林野庁業務資料

8 人工林の齢級別面積

（単位：千ha）

	1齢級	2	3	4	5	6	7	8	9	10	11	12	13	14	15	16	17	18	19	20
S60年 （1985)	604	895	1,263	1,691	1,762	1,569	947	337	240	205	178	137	111	83	148					
H1 （89)	436	700	943	1,351	1,691	1,746	1,413	777	270	224	183	151	118	93	79	52	62			
6 （94)	278	421	699	937	1,336	1,686	1,719	1,388	735	262	213	172	139	112	86	67	105			
13 （2001)	131	226	350	589	874	1,149	1,599	1,677	1,522	946	353	204	171	144	112	89	62	52	70	
18 （06)	88	168	227	352	593	873	1,143	1,582	1,649	1,500	918	345	200	168	141	106	90	62	120	
23 （11)	73	114	159	231	347	584	852	1,111	1,565	1,631	1,473	921	345	194	164	138	105	87	174	
28 （16)	68	102	114	164	224	348	582	846	1,108	1,529	1,592	1,428	893	340	190	162	135	104	86	172

注1：数値は各年度末のものである。
　2：昭和60（1985）年は15齢級を、平成元（1989）年、6（1994）年は17齢級を、平成13（2001）年、18（2006）年、23（2011）年は19齢級を、28（2016）年は20齢級を最大齢級としており、それ以上の齢級は最大齢級にまとめている。
　3：森林法第5条及び第7条の2に基づく森林計画対象森林の「立木地」の面積。
資料：林野庁業務資料

参考付表

森林の整備及び保全

9 間伐実績及び間伐材の利用状況

	間伐実績（千ha）			間伐材利用量（万㎥）					
					民有林				国有林
	計	民有林	国有林	計	小計	製材	丸太	原材料	
H20（2008）年度	548	434	114	566	368	226	39	103	198
21 （09）	585	446	140	637	423	257	48	118	214
22 （10）	556	445	110	665	443	270	42	131	222
23 （11）	552	437	115	711	486	288	40	158	225
24 （12）	488	368	121	759	521	300	36	186	238
25 （13）	521	400	121	811	565	323	44	197	246
26 （14）	465	339	126	769	521	291	33	197	247
27 （15）	452	341	112	813	565	297	35	232	248
28 （16）	440	319	121	823	576	295	30	251	247
29 （17）	410	304	106	812	556	275	28	253	256
30 （18）	370	269	101	746	494	237	25	232	252

注１：間伐実績は、森林吸収源対策の実績として把握した数値である。
　２：間伐材利用量は丸太材積に換算した量（推計値）である。
　３：製材とは、建築材、梱包材等である。
　４：丸太とは、足場丸太、支柱等である。
　５：原材料とは、木材チップ、おがくず等である。
　６：計の不一致は四捨五入による。
資料：林野庁業務資料

10 林道開設（新設）量

（単位：km）

				H12年(2000)	17(05)	22(10)	24(12)	25(13)	26(14)	27(15)	28(16)	29(17)	30(18)
民有林林道	補助林道	国庫補助	一般林道	714	387	224	170	177	181	153	147	136	127
			道整備交付金	…	15	80	106	90	81	67	55	48	42
			農免	3	1	…	…	…	…	…	…	…	…
			森林総合研究所	39	13	…	…	…	…	…	…	…	…
			林業構造改善	54	6	…	…	…	…	…	…	…	…
			山村振興	8	1	…	…	…	…	…	…	…	…
			その他	14	1	0	0	0	0	0	0	0	0
		小計		832	425	305	276	267	262	221	202	183	169
		県単独補助		199	76	29	14	12	11	13	12	8	6
		計		1,031	501	334	290	279	273	234	214	192	175
	融資林道			0	0	…	…	…	…	…	…	…	…
	自力林道			57	12	3	2	3	2	3	3	1	0
	合計			1,088	513	337	292	282	275	238	217	193	175
国有林林道				99	138	97	420	411	293	175	147	163	129
総計				1,187	651	434	712	693	568	413	364	356	305
林道舗装実績				1,340	567	751	250	349	274	230	179	167	236

注１：各年度末の新設延長。
　２：計の不一致は四捨五入による。
　３：森林総合研究所によるものは、平成20（2008）年４月１日までは、独立行政法人緑資源機構によるものである。
資料：林野庁業務資料

11 保安林の種類別面積

（単位：千ha）

区　分	合　計	国有林	民有林
水源かん養保安林	9,224	5,700	3,524
土砂流出防備保安林	2,602	1,079	1,523
土砂崩壊防備保安林	60	20	40
飛砂防備保安林	16	4	12
防風保安林	56	23	33
水害防備保安林	1	0	1
潮害防備保安林	14	5	9
干害防備保安林	126	50	76
防雪保安林	0	0	0
防霧保安林	62	9	53
なだれ防止保安林	19	5	14
落石防止保安林	3	0	2
防火保安林	0	0	0
魚つき保安林	60	8	52
航行目標保安林	1	1	0
保健保安林	704	359	345
風致保安林	28	13	15
合　計	12,976	7,275	5,700
（実面積）	12,214	6,917	5,297

注１：平成31（2019）年３月31日現在の数値。
　２：同一箇所で２種類以上の保安林に指定されている場合、それぞれの保安林に計上している。
　３：国有林には、林野庁所管以外の国有林を含む。
　４：計の不一致は四捨五入による。
資料：林野庁業務資料

12　気象災害、林野火災

		H12年 (2000)	17 (05)	22 (10)	24 (12)	25 (13)	26 (14)	27 (15)	28 (16)	29 (17)	30 (18)
気象災害	被　害　面　積（ha）	14,645	2,516	2,087	1,227	7,023	4,831	5,686	14,575	3,766	3,985
	風　　　　　害	3,402	364	23	249	5,322	326	3,858	12,879	907	3,233
	水　　　　　害	2,633	526	208	67	176	79	39	482	686	198
	雪　　　　　害	1,863	920	1,440	222	584	3,095	1,414	383	1,412	111
	干　　　　　害	6,161	656	342	202	872	1,063	319	155	617	228
	凍　　　　　害	585	48	73	486	69	243	57	676	144	216
	潮・雹害	…	3	…	1	…	25				
林野火災	出　火　件　数（件）	2,805	2,215	1,392	1,178	2,020	1,494	1,106	1,027	1,284	1,363
	焼　損　面　積（ha）	1,455	1,116	755	372	971	1,062	538	384	938	606
	被　害　額（億円）	7	9	1	2	2	14	3	2	9	2

注1：気象災害は、私・公有林の被害である。
　2：林野火災は、私・公、国有林（林野庁所管外も含む。）の被害である。
資料：林野庁業務資料、消防庁業務統計

13　森林保険事業実績

	年度末契約保有高			損害補填補償額			
	件数 （件）	面積 （千ha）	責任保険金額 （百万円）	件数 （件）	面積 （ha）	損害額 （百万円）	支払額 （百万円）
H12（2000）年度	137,479	1,203	863,007	7,884	2,502	3,587	1,374
17　（05）	184,670	1,296	1,345,535	7,543	2,161	3,622	2,246
22　（10）	135,861	969	965,327	2,419	611	938	456
24　（12）	128,980	907	935,819	3,229	1,032	2,108	783
25　（13）	121,646	847	896,369	2,480	1,197	2,175	767
26　（14）	131,390	787	852,741	2,143	1,184	2,133	974
27　（15）	108,859	742	807,708	1,956	872	1,508	587
28　（16）	102,161	704	769,831	2,077	876	1,709	737
29　（17）	97,525	673	741,946	1,779	729	1,504	591
30　（18）	93,253	652	718,837	1,865	883	1,468	701

注：平成26（2014）年度までは森林国営保険によるもの、平成27（2015）年度以降は国立研究開発法人森林研究・整備機構（平成27（2015）年度及び平成28（2016）年度は、国立研究開発法人森林総合研究所）が行う森林保険によるものである。
資料：平成26（2014）年度までは林野庁業務資料、平成27（2015）年度以降は国立研究開発法人森林研究・整備機構（平成27（2015）年度及び平成28（2016）年度は、国立研究開発法人森林総合研究所）調べ。

14　野生動物による森林被害

（単位：千ha）

		合計	サル	ノネズミ	ノウサギ	カモシカ	シカ	イノシシ	クマ
H12　（2000）年度		8.2	0.7	0.3	0.6	1.0	4.6	0.5	0.6
17　（05）		5.8	0.0	0.3	0.3	0.8	3.5	0.4	0.4
22　（10）		6.2	0.0	0.4	0.1	0.3	4.0	0.2	1.2
24　（12）		9.1	0.0	1.2	0.1	0.5	6.5	0.2	0.6
25　（13）		9.0	0.0	0.8	0.1	0.4	6.8	0.1	0.8
26　（14）		8.9	0.0	0.6	0.1	0.4	7.1	0.1	0.7
27　（15）		7.9	0.0	0.7	0.1	0.3	6.0	0.1	0.7
28　（16）		7.1	0.0	0.5	0.1	0.3	5.6	0.1	0.6
29　（17）		6.4	0.0	0.6	0.1	0.3	4.7	0.1	0.6
30　（18）		5.9	0.0	0.7	0.1	0.2	4.2	0.1	0.6

注1：国有林（林野庁所管）、民有林の合計。
　2：森林及び苗畑の被害。
　3：東日本大震災の影響により、平成22（2010）年度については未計上の県がある。
資料：林野庁業務資料

参考付表

15 森林・林業に関する専門技術者

（単位：人）

	H12年度 (2000)	17 (05)	22 (10)	27 (15)	28 (16)	29 (17)	30 (18)	R1 (19)
技術士（森林部門）	555	711	960	1,260	1,340	1,398	1,465	1,535
林 業 技 士	8,024	9,322	11,341	12,983	13,240	13,448	13,700	13,932
森 林 総 合 監 理 士	…	…	…	717	982	1,169	1,274	1,397
森林インストラクター	1,132	2,261	2,926	3,104	3,099	3,112	3,135	3,091
樹 木 医	778	1,332	1,909	2,464	2,562	2,661	2,749	2,834

注1：技術士（森林部門）：技術士法に基づく資格（21部門のうち森林部門）を有し、科学技術に関する高等の専門的応用能力を必要とする事項についての計画、研究、設計、分析、試験、評価又はこれらに関する指導の業務を行う者。数値は毎年度3月末現在のもの。
 2：林業技士：一般社団法人日本森林技術協会が認定する資格を有し、森林土木等の技術的業務に関する専門知識の実践を行う者。数値は毎年度4月1日現在の延べ認定者数。
 3：森林総合監理士：林業普及指導員資格試験の地域森林総合監理区分に合格し、市町村等へ技術的支援を行う者。数値は毎年度3月末現在のもの。
 4：森林インストラクター：一般社団法人全国森林レクリエーション協会が認定する資格を有し、一般の人々に、森林や林業に関する知識の提供、森林の案内、森林内での野外活動の指導等を行う者。令和元（2019）年度は、令和2（2020）年2月末現在の数値。
 5：樹木医：一般財団法人日本緑化センターが認定する資格を有し、「ふるさとのシンボル」として親しまれている巨樹・古木林等の保護や樹勢回復・治療等を行う者。令和元（2019）年度は、令和元（2019）年12月1日現在の数値。
資料：林野庁業務資料、技術士は公益社団法人日本技術士会、林業技士は一般社団法人日本森林技術協会調べ。

16 林業普及指導職員等の数

（単位：人）

	H12年度 (2000)	17 (05)	22 (10)	25 (13)	26 (14)	27 (15)	28 (16)	29 (17)	30 (18)	R1 (19)
林業専門技術員（SP）	336	…	…	…	…	…	…	…	…	…
林業改良指導員（AG）	1,862	…	…	…	…	…	…	…	…	…
林 業 普 及 指 導 員	…	1,811	1,398	1,350	1,324	1,304	1,310	1,287	1,288	1,283
計	2,198	1,811	1,398	1,350	1,324	1,304	1,310	1,287	1,288	1,283

 注：平成17（2005）年度の制度改正により、林業専門技術員と林業改良指導員の2つの資格を「林業普及指導員」に一元化している。
資料：林野庁業務資料

17 森林・林業関係の教育機関数

区 分	学 校 数
森林・林業関係学科（科目）をもつ 高等学校	72
森林・林業関係学科（科目）をもつ 大学	29
森林・林業関係学科（科目）をもつ 都道府県立農林大学校等	18

注：平成31（2019）年4月現在の数値。
資料：林野庁業務資料

18　所有形態別林野面積（民有）

	H27(2015)年	
	所有林野面積（ha）	比率（%）
総　　　数	17,626,761	100.0
私　　　　　　有	13,563,827	77.0
公　　　　　　有	3,370,380	19.1
都　道　府　県	1,271,571	7.2
森　林　整　備　法　人	391,189	2.2
市　区　町　村	1,406,063	8.0
財　　産　　区	301,557	1.7
独　立　行　政　法　人　等	692,554	3.9

注1：計の不一致は四捨五入による。
　　2：独立行政法人等とは、独立行政法人、国立大学法人、特殊法人が所有しているものである。
資料：農林水産省「2015年農林業センサス」

19　林業経営体数及び保有山林面積

(単位：経営体、ha)

	合計		3ha 未満		3〜5ha		5〜20ha		20〜50ha		50〜100ha		100ha 以上	
	経営体数	面積	経営体数	面積	経営体数	面積	経営体数	面積	経営体数	面積	経営体数	面積	経営体数	面積
総　　　数	(1,257) 87,284	4,373,374	(1,257) 2,247	1,170	23,767	85,988	41,885	389,986	12,193	348,521	3,572	235,747	3,620	3,311,962
法　人　経　営	5,599	1,470,626	1,065	237	397	1,495	1,315	14,029	894	27,849	658	45,473	1,270	1,381,544
農事組合法人	145	9,226	10	1	16	60	50	472	23	650	17	1,176	29	6,868
会　　　　社	2,456	774,282	707	144	193	706	538	5,481	333	9,838	196	12,829	489	745,285
各　種　団　体	2,337	497,968	304	85	109	425	480	5,559	448	14,529	379	26,598	617	450,772
農　　協	87	19,669	÷	-	4	16	9	101	21	779	14	1,041	39	17,732
森　林　組　合	1,819	304,008	263	83	74	287	342	4,083	341	11,085	317	22,336	482	266,135
その他の各種団体	431	174,291	41	2	31	123	129	1,376	86	2,665	48	3,221	96	166,905
その他の法人	661	189,150	44	7	79	304	247	2,518	90	2,832	66	4,871	135	178,619
法人でない経営	80,396	1,349,519	1,181	933	23,329	84,334	40,417	374,113	11,129	315,103	2,768	180,050	1,572	394,985
個人経営体	77,692	1,215,213	1,073	901	22,922	82,773	39,327	362,792	10,575	298,201	2,494	160,726	1,301	309,821
地方公共団体・財産区	1,289	1,553,229	1	-	41	159	153	1,844	170	5,570	146	10,224	778	1,535,432

注1：（ ）は保有山林のない経営体数で内数。
　　2：「-」は事実のないもの。
　　3：林業経営体とは、①保有山林面積が3ha以上かつ過去5年間に林業作業を行うか森林経営計画又は森林施業計画を作成している、②委託を受けて育林を行っている、③委託や立木の購入により過去1年間に200㎥以上の素材生産を行っている、のいずれかに該当する者である。
資料：農林水産省「2015年農林業センサス」

20　林業経営体（林家）の林業経営

項　　　目	単位	H16年度 (2004) 平均	17 (05) 平均	18 (06) 平均	19 (07) 平均	20 (08) 平均	25 (13) 平均	30 (18) 平均	保有山林規模別（ha）			
									20-50	50-100	100-500	500-
林　業　粗　収　益	千円	2,497	2,396	2,603	1,904	1,784	2,484	3,780	2,168	5,549	7,803	14,415
立　木　販　売　収　入	〃	300	266	409	275	206	233	207	140	122	575	2,256
素　材　生　産　収　入	〃	1,786	1,667	1,635	1,246	1,041	1,744	2,144	1,126	3,212	4,775	8,973
そ　の　他	〃	412	464	559	383	537	507	1,429	902	2,215	2,453	3,186
林　業　経　営　費	千円	2,081	2,109	2,125	1,613	1,681	2,371	2,742	1,497	4,235	5,640	9,781
雇　用　労　賃	〃	379	339	345	270	300	300	306	168	640	272	1,056
原　　木　　費	〃	230	248	308	125	130	112	298	116	849	91	495
機　械　修　繕　費	〃	201	208	209	117	169	279	465	362	683	488	1,226
賃　借　料・料　金	〃	202	195	194	174	150	192	185	95	249	427	1,367
請　負　わ　せ　料　金	〃	613	707	626	539	557	982	1,065	502	1,092	3,810	3,566
そ　の　他	〃	455	409	443	389	375	506	423	254	722	552	2,071
林　業　所　得	千円	417	287	478	291	103	113	1,038	671	1,314	2,163	4,634
投　下　労　働　量	時間	698	609	632	571	536	645	807	702	1,031	824	1,348
家　　　族	〃	496	426	447	422	380	447	653	614	745	664	407
雇　用　労　働	〃	202	183	185	149	156	198	154	88	286	160	941

注1：数値は1経営体当たりの数値である。
　　2：調査の対象は、平成25年度調査は、保有山林面積が20〜50haの経営体は世帯員等による30日以上の施業労働日数を要件としたが、平成30年調査では保有山林面積20ha以上で世帯員等による30日以上の施業労働日数を要件としたほか、30日未満であっても、(a)主伐面積1ha以上、(b)植林又は利用間伐面積が2ha以上、(c)保育面積5ha以上のいずれかに該当する経営体を対象とした。このため平成25年度以前の調査と平成30年調査は接続しない。
　　3：林業粗収益＝現金収入＋林産物の林業外仕向額＋林産物の在庫増加（減少）額
　　4：林業粗収益のその他とは、特用林産物収入や受託収入等である。なお、平成30年調査より林業粗収益に造林補助金を含めた。
　　5：林業経営費＝現金支出＋減価償却費＋処分差損益＋生産資材の在庫減少（増加）額
　　6：雇用労賃には、労働災害保険を含む。
　　7：林業経営費のその他とは、種苗費、肥料費、薬剤費、諸材料費、器具費、建物維持費、企画管理費、負債利子、租税公課諸負担等である。
　　8：林業所得＝林業粗収益－林業経営費
　　9：計の不一致は四捨五入による。
　　10：平成19(2007)年度・20(2008)年度の結果のうち、減価償却費については、平成19(2007)年度税制改正における減価償却計算の見直しを踏まえ以下のとおり算出した。
　　　（1）平成19(2007)年3月31日以前に取得した資産
　　　　ア　償却中の資産　：1か年の減価償却費＝（取得価額－残存価額）÷耐用年数
　　　　イ　償却済みの資産　：1か年の減価償却費＝（取得価額－1円（備忘価額））÷5年
　　　（2）平成19(2007)年4月1日以降に取得した資産
　　　　　　1か年の減価償却費＝（取得価額－1円（備忘価額））÷耐用年数
資料：農林水産省「林業経営統計調査報告」

21　林業機械の普及台数

（単位：台）

		H12年度 (2000)	17 (05)	22 (10)	25 (13)	26 (14)	27 (15)	28 (16)	29 (17)	30 (18)	対前年 増減率（%）
高性能林業機械	フェラーバンチャ	42	25	85	123	143	145	156	166	161	▲ 3.0
	ハーベスタ	379	442	836	1,174	1,357	1,521	1,572	1,757	1,849	5.2
	プロセッサ	854	1,002	1,312	1,484	1,671	1,802	1,851	1,985	2,069	4.2
	スキッダ	164	163	141	142	131	126	118	123	115	▲ 6.5
	フォワーダ	509	722	1,213	1,724	1,957	2,171	2,328	2,474	2,650	7.1
	タワーヤーダ	190	174	148	149	144	152	151	150	152	1.3
	スイングヤーダ	134	340	708	851	950	959	1,012	1,059	1,082	2.2
	その他の高性能林業機械	13	41	228	581	736	810	1,014	1,225	1,581	29.1
	小　　　計	2,285	2,909	4,671	6,228	7,089	7,686	8,202	8,939	9,659	8.1
在来型林業機械	大 型 集 材 機	8,013	6,009	5,042	4,613	4,241	3,951	3,774	3,493	3,295	▲ 5.7
	小 型 集 材 機	7,525	5,460	4,276	3,718	3,397	3,103	2,893	2,631	2,359	▲ 10.3
	チェーンソー	300,300	245,998	211,869	191,856	181,439	170,361	157,197	130,544	123,031	▲ 5.8
	刈 払 機	350,765	298,718	243,468	215,719	207,623	186,528	167,232	134,860	126,427	▲ 6.3
	ト ラ ク タ	3,290	2,630	2,039	1,719	1,630	1,486	1,460	1,299	1,265	▲ 2.6
	運 材 車	22,238	18,083	14,024	12,620	12,152	11,477	10,750	8,818	8,622	▲ 2.2
	モ ノ レ ー ル	981	859	793	716	688	657	578	611	560	▲ 8.3
	動 力 枝 打 機	12,695	10,077	7,465	6,950	6,064	5,182	4,725	3,792	3,422	▲ 9.8
	自 走 式 搬 器	1,991	1,757	1,563	1,448	1,384	1,342	1,240	1,147	1,134	▲ 1.1

注1：国有林野事業で所有する林業機械を除く。
　2：「その他の高性能林業機械」に計上されている機械の種類は、主にフォーク収納型グラップルバケット及びフェリングヘッド付きフォーク収納型グラップルバケットである。
資料：林野庁業務資料

22　総人口及び就業者数

（単位：万人）

	総人口	就　業　者　数				うち雇用者数				
		全産業総数	農林業	うち林業	非農林業	全産業総数	農林業	うち林業	非農林業	うち製造業
H12（2000）年	12,688	6,446	297	7	6,150	5,356	34	4	5,322	1,205
17　（05）	12,766	6,356	259	6	6,097	5,393	36	4	5,356	1,059
22　（10）	12,739	6,257	234	8	6,023	5,463	53	6	5,410	996
24　（12）	12,763	6,280	225	8	6,055	5,513	52	7	5,461	981
25　（13）	12,741	6,326	218	8	6,109	5,567	52	7	5,514	991
26　（14）	12,723	6,371	210	8	6,162	5,613	53	7	5,560	990
27　（15）	12,705	6,401	209	7	6,193	5,663	53	6	5,610	988
28　（16）	12,694	6,465	203	6	6,262	5,750	54	5	5,696	999
29　（17）	12,673	6,530	201	6	6,330	5,819	57	5	5,762	1,006
30　（18）	12,648	6,664	210	7	6,454	5,936	58	6	5,877	1,014

注1：日本標準産業分類の改訂に伴い、平成15（2003）年以降の製造業の結果は平成14（2002）年以前の結果と時系列接続していない。
　2：表章単位未満の位で四捨五入してある。また、総数に分類不能又は不詳の数を含むため、総数と内訳の合計とは必ずしも一致しない。
資料：総務省「労働力調査」

23　産業別、年齢階層別就業者数

（単位：万人）

	総数	15歳〜19歳	20〜24	25〜29	30〜34	35〜39	40〜44	45〜49	50〜54	55〜59	60〜64	65歳以上
全　産　業	6,664	112	450	535	585	646	790	826	709	623	525	862
農　　　業	203	1	4	5	7	8	10	11	12	15	24	106
林　　　業	7	0	0	0	0	1	1	1	1	1	1	2
鉱業, 採石業, 砂利採取業	3	-	0	0	0	0	0	0	0	0	0	0
建　設　業	503	4	21	31	38	47	65	68	54	48	49	78
製　造　業	1,060	11	62	91	102	114	135	150	125	101	75	94
そ　の　他	4,888	96	363	408	438	476	579	596	517	458	376	582

注1：平成30（2018）年の平均値。
　2：表章単位未満の位で四捨五入してある。また、総数に分類不能又は不詳の数を含むため、総数と内訳の合計は必ずしも一致しない。
資料：総務省「労働力調査年報」（平成30（2018）年）

24　林業への新規就業者の就業先

（単位：人）

	H12年度 (2000)	17 (05)	21 (09)	22 (10)	24 (12)	25 (13)	26 (14)	27 (15)	28 (16)	29 (17)	30 (18)
総　　　数	2,314	2,843	3,941	4,014	3,190	2,827	3,033	3,204	3,055	3,114	2,984
民 間 事 業 体	864	1,149	2,024	2,296	1,972	1,764	1,944	2,005	2,051	2,108	2,059
森 林 組 合	1,450	1,694	1,917	1,718	1,218	1,063	1,089	1,199	1,004	1,006	925

資料：林野庁業務資料

25 林業労働者の賃金

(単位：円／日)

	H12年度 (2000)	17 (05)	22 (10)	27 (15)	28 (16)	29 (17)	30 (18)
造　　林	12,082	11,795	11,728	12,237	12,591	12,709	13,039
伐　　出	13,648	13,119	12,921	13,197	13,442	13,655	13,974

注：全国農業会議所が作成した調査票に基づき、都道府県農業会議の指導の下、市町村農業委員会が行った調査であり、農外諸賃金のうち都道府県別平均の造林（新植、撫育作業）、伐出を抜粋したものである。
資料：全国農業会議所「農作業料金・農業労賃に関する調査結果」

26 労働災害の発生率

		H12年 (2000)	17 (05)	22 (10)	24 (12)	25 (13)	26 (14)	27 (15)	28 (16)	29 (17)	30 (18)
死傷年千人率	全　　　産　　　業	2.8	2.4	2.1	2.3	2.3	2.3	2.2	2.2	2.2	2.3
	林　　　　　　業	28.7	26.8	28.6	31.6	28.7	26.9	27.0	31.2	32.9	22.4
	木材・木製品製造業	11.5	9.9	7.4	13.1	11.4	12.3	11.2	11.0	9.9	10.9
	建　　　設　　　業	6.3	5.8	4.9	5.0	5.0	5.0	4.6	4.5	4.5	4.5
	製　　　造　　　業	3.6	3.3	2.6	3.0	2.8	2.9	2.8	2.7	2.7	2.8
	鉱　　　　　　業	17.4	18.8	13.9	9.9	12.0	8.1	7.0	9.2	7.0	10.7

注：死傷年千人率とは、1,000人当たり1年間に発生する労働災害による死傷者数（休業4日以上）を表したもの。
　　（死傷年千人率＝1年間の死傷者数（休業4日以上）÷1年間の平均労働者数×1,000）
　　平成24（2012）年より千人率の計算に用いる資料が「労働者災害補償保険事業年報」及び「労災保険給付データ」から「労働者死傷病報告書」及び「労働力調査」に変更されている。
資料：厚生労働省ホームページ「職場のあんぜんサイト」

27 森林組合の事業活動等

	H12年度 (2000)	17 (05)	22 (10)	25 (13)	26 (14)	27 (15)	28 (16)	29 (17)	30 (18)	対前年 増減率(%)
森　林　組　合　数（A）	1,174	846	679	644	631	629	624	621	617	▲ 0.6
組　合　員　数（千人）	1,669	1,618	1,567	1,546	1,537	1,531	1,525	1,512	1,503	▲ 0.6
1組合当たり払込済出資金（千円）	42,133	61,261	78,418	83,777	86,006	86,286	87,346	87,570	87,997	0.5
主要事業量　新植面積（ha）	25,648	18,722	15,273	14,751	15,032	15,323	15,085	15,829	16,870	6.6
丸太生産量（千㎥）	2,835	2,818	3,612	4,520	4,946	5,433	5,674	6,146	6,513	6.0

資料：林野庁「森林組合統計」

28 森林組合の主要事業別の取扱高

(単位：百万円)

	販売・林産	加　工	購　買	森林造成	その他	合　計
H12 (2000)年度	77,555	40,441	16,434	167,376	40,325	342,131
17　　(05)	57,190	34,290	12,221	111,287	40,685	255,673
22　　(10)	67,371	32,988	10,832	114,020	45,449	270,661
25　　(13)	81,140	36,245	10,898	99,007	42,147	269,437
26　　(14)	90,090	34,937	9,906	100,470	42,382	277,785
27　　(15)	91,224	33,848	9,183	94,954	41,077	270,286
28　　(16)	95,154	35,190	9,010	89,367	40,742	269,463
29　　(17)	98,684	34,152	9,019	90,878	39,315	272,048
30　　(18)	103,034	34,112	8,646	87,222	38,037	271,051

資料：林野庁「森林組合統計」

参考付表

林産物

29　丸太生産量

(単位：千㎥、％)

			H12年(2000)	17(05)	22(10)	24(12)	25(13)	26(14)	27(15)	28(16)	29(17)	30(18)	対前年増減率(%)
		総　　数	17,034	16,166	17,193	18,479	19,646	19,916	20,049	20,660	21,408	21,640	1.1
樹種別	針葉樹	計	13,707(80)	13,695(85)	14,789(86)	16,062(87)	17,246(88)	17,743(89)	17,815(89)	18,470(89)	19,258(90)	19,462(90)	1.1
		ス　　ギ	7,671	7,756	9,049	9,956	10,902	11,194	11,226	11,848	12,276	12,532	2.1
		うち、製材用	7,258〈57〉	6,737〈58〉	6,695〈63〉	7,295〈64〉	7,825〈65〉	7,872〈64〉	7,869〈66〉	8,095〈66〉	8,200〈65〉	8,237〈66〉	0.5
		ヒ　ノ　キ	2,273	2,014	2,029	2,165	2,300	2,395	2,364	2,460	2,762	2,771	0.3
		アカマツ・クロマツ	1,034	783	694	661	624	674	779	678	641	628	▲2.0
		カラマツ・エゾマツ・トドマツ	2,410	2,910	2,816	3,098	3,275	3,327	3,268	3,325	3,380	3,366	▲0.4
		そ　の　他	319	232	201	182	145	153	170	153	198	165	▲16.7
	広葉樹		3,327(20)	2,471(15)	2,404(14)	2,417(13)	2,400(12)	2,173(11)	2,236(11)	2,188(11)	2,153(10)	2,178(10)	1.2
用途別	製　材		12,798(75)	11,571(72)	10,582(62)	11,321(61)	12,058(61)	12,211(61)	12,004(60)	12,182(59)	12,632(59)	12,563(58)	▲0.5
	合　板		138(1)	863(5)	2,490(14)	2,602(14)	3,016(15)	3,191(16)	3,356(17)	3,682(18)	4,122(19)	4,492(21)	9.0
	木材チップ		4,098(24)	3,732(23)	4,121(24)	4,556(25)	4,572(23)	4,514(23)	4,689(23)	4,796(23)	4,654(22)	4,585(21)	▲1.5

注1：（ ）は総数に対する割合。
　2：〈 〉は製材用に対する割合。
　3：生産量には、林地残材は含まれていない。
　4：総数は製材用、合板用、木材チップ用の計である。なお、「木材需給報告書」の平成12（2000）年の丸太生産量にはパルプ用及びその他用が含まれており、これを除いて掲載した。
　5：計の不一致は四捨五入による。
　6：平成29年調査から、素材需要量のうち「合板用」を新たにLVL用を含めた「合板等用」に変更した。また、素材供給量は、素材需要量（製材工場、合単板工場及び木材チップ工場への素材の入荷量）をもって供給量としている。このため、国産材である素材についてその入荷元である都道府県で生産されたものとして各都道府県値を集計した。
資料：農林水産省「木材需給報告書」

30　木材需給表（丸太換算）

(単位：千㎥)

供給＼需要	総-計	総-用材小計	総-製材用材	総-チップ・パルプ用材	総-合板用材	総-その他用材	総-しいたけ原木	総-燃料材	国-計	国-用材小計	国-製材用材	国-チップ・パルプ用材	国-合板用材	国-その他用材	国-しいたけ原木	国-燃料材小計	国-木炭材	国-薪材	国-燃料用チップ等	輸-計	輸-用材小計	輸-丸太	輸-製材品	輸-木材パルプ・チップ	輸-合板等	輸-その他	輸-燃料材小計	輸-木炭材	輸-薪材	輸-燃料用チップ等
総供給量　計	(19,710) 82,478	73,184	25,708	(6,792) 32,009	11,003	4,465	274	(12,918) 9,020	(19,710) 79,643	70,353	25,477	(6,792) 30,777	10,791	3,307	274	(12,918) 9,016	881	48	(12,918) 8,087	2,836	2,831	1,136	230	1,232	211	22	4	3	1	0
総供給量　用材　丸太	(6,792) 27,990	27,990	16,290	(6,792) 4,860	5,287	1,553			(6,792) 25,159	25,159	16,060	(6,792) 3,628	5,076	395						2,831	2,831	1,136	230	1,232	211	22				
総供給量　用材　林地残材	230	230		230					230	230		230																		
総供給量　用材　輸入木材製品	44,964	44,964	9,418	26,919	5,716	2,912			44,964	44,964	9,418	26,919	5,716	2,912																
総供給量　しいたけ原木	274						274		274						274															
総供給量　燃料材	(12,918) 9,020							(12,918) 9,020	(12,918) 9,016							(12,918) 9,016	881	48	(12,918) 8,087	4							4	3	1	0
国内生産　計	30,201	23,660	12,563	5,089	4,492	1,536	274	6,248	27,371	20,854	12,334	3,657	4,285	377	274	6,244	61	47	6,135	2,830	2,826	1,136	229	1,232	207	22	4	3	1	0
国内生産　用材　丸太	23,450	23,450	12,563	4,859	4,492	1,536			20,624	20,624	12,334	3,627	4,285	377						2,826	2,826	1,136	229	1,232	207	22				
国内生産　用材　林地残材	230	230		230					230	230		230																		
国内生産　しいたけ原木	274						274		274						274															
国内生産　燃料材	6,248							6,248	6,244							6,244	61	47	6,135	4							4	3	1	0
輸入　計	52,277	49,505	13,145	26,920	6,511	2,930		2,772	52,271	49,493	13,143	26,920	6,506	2,930		2,772	820	0	1,952	6	6		1		5	0				
輸入　用材　丸太	4,541	4,541	3,727	1	795	18			4,535	4,535	3,726	1	790	18						6	6		1		5	0				
輸入　用材　木材製品　小計	44,964	44,964	9,418	26,919	5,716	2,912			44,964	44,964	9,418	26,919	5,716	2,912																
輸入　用材　木材製品　製材品	9,418	9,418	9,418						9,418	9,418	9,418																			
輸入　用材　木材製品　木材パルプ	5,548	5,548		5,548					5,548	5,548		5,548																		
輸入　用材　木材製品　木材チップ	21,371	21,371		21,371					21,371	21,371		21,371																		
輸入　用材　木材製品　合板等	5,716	5,716			5,716				5,716	5,716			5,716																	
輸入　用材　木材製品　その他	2,912	2,912				2,912			2,912	2,912				2,912																
輸入　燃料材	2,772							2,772	2,772							2,772	820	0	1,952											

注1：大中角・盤等の輸入半製品については、「輸入」の「製材品」に含めた。
　2：パルプ・チップ用材及び燃料用チップ等用材の（ ）書は、工場残材及び解体材・廃材から生産された木材チップ等であり、製材用材、合板用材、その他用材に含まれるので、「総需要量」及び「国内消費」の「用材小計」には含めていない。
　3：輸出の用材のその他は、改良木材、再生木材、加工材、枕木、のこくずである。
　4：「林地残材」とは、立木を伐採した後の林地に残されている根株、枝条等のうち、利用を目的に工場に搬入されたものである。
　5：国内の丸太等から生産されたペレットについては、国内生産の燃料材に計上している。
　6：計の不一致は四捨五入による。
　7：平成26（2014）年から木質バイオマス発電施設等においてエネルギー利用された燃料用チップを新たに計上し、項目名を「薪炭材」から「燃料材」に変更。
　8：平成29（2017）年から輸出の「その他」について、「丸太」と丸太以外の「その他」に分割。
資料：林野庁「木材需給表」（平成30（2018）年）

31　木材需要（供給）量（丸太換算）

(単位：千㎥)

	総需要（供給）量				部門別用材需要量				形態別用材供給量		
	計	用　材	燃料材（薪炭材）	しいたけ原木	製材用	パルプ・チップ用	合板用	その他用	国内生産	輸入丸太	輸入製品
S30（1955）年	65,206	45,278	19,928	…	30,295	8,285	2,297	4,401	42,794	1,969	515
35　（60）	71,467	56,547	14,920	…	37,789	10,189	3,178	5,391	49,006	6,674	867
40　（65）	76,798	70,530	6,268	…	47,084	14,335	5,187	3,924	50,375	16,721	3,434
45　（70）	106,601	102,679	2,348	1,574	62,009	24,887	13,059	2,724	46,241	43,281	13,157
50　（75）	99,303	96,369	1,132	1,802	55,341	27,298	11,173	2,557	34,577	42,681	19,111
55　（80）	112,211	108,964	1,200	2,047	56,713	35,868	12,840	3,543	34,557	42,395	32,012
60　（85）	95,447	92,901	572	1,974	44,539	32,915	11,217	4,230	33,074	31,391	28,436
H2　（90）	113,242	111,162	517	1,563	53,887	41,344	14,546	1,385	29,369	33,861	47,932
7　（95）	113,698	111,922	721	1,055	50,384	44,922	14,314	2,302	22,916	25,865	63,141
12（2000）	101,006	99,263	940	803	40,946	42,186	13,825	2,306	18,022	18,018	63,223
17　（05）	87,423	85,857	1,001	565	32,901	37,608	12,586	2,763	17,176	12,119	56,562
22　（10）	71,884	70,253	1,099	532	25,379	32,350	9,556	2,968	18,236	6,044	45,974
24　（12）	72,189	70,633	1,119	437	26,053	31,010	10,294	3,275	19,686	5,634	45,312
25　（13）	75,459	73,867	1,204	388	28,592	30,353	11,232	3,690	21,117	5,970	46,780
26　（14）	75,799	72,547	2,940	313	26,139	31,433	11,144	3,830	21,492	5,342	45,712
27　（15）	75,160	70,883	3,962	315	25,358	31,783	9,914	3,829	21,797	4,824	44,262
28　（16）	78,077	71,942	5,807	328	26,150	31,619	10,248	3,925	22,355	5,019	44,567
29　（17）	81,854	73,742	7,800	311	26,370	32,302	10,667	4,403	23,312	4,666	45,764
30　（18）	82,478	73,184	9,020	274	25,708	32,009	11,003	4,465	23,680	4,541	44,964

注1：その他用には、輸出の丸太、改良木材、再生木材、加工材、枕木、のこくずを含む。
　2：計の不一致は四捨五入による。
　3：平成26（2014）年から木質バイオマス発電施設等においてエネルギー利用された燃料用チップを「薪炭材」に新たに計上することとし、これを踏まえ、項目名を「薪炭材」から「燃料材」に変更した。このため、平成25（2013）年以前については「薪炭材」の数量を、平成26（2014）年からは「燃料材」の数量を記載している。
資料：林野庁「木材需給表」

32　木材自給率の動向

(単位：千㎥)

		H12年（2000）	17（05）	22（10）	24（12）	25（13）	26（14）	27（15）	28（16）	29（17）	30（18）	対前年増減率（%）
総需要（供給）量		101,006	87,423	71,884	72,189	75,459	75,799	75,160	78,077	81,854	82,478	0.8
用　材		99,263	85,857	70,253	70,633	73,867	72,547	70,883	71,942	73,742	73,184	▲ 0.8
燃料材（薪炭材）		940	1,001	1,099	1,119	1,204	2,940	3,962	5,807	7,800	9,020	15.6
しいたけ原木		803	565	532	437	388	313	315	328	311	274	▲ 11.9
国内生産		19,058	17,899	18,923	20,318	21,735	23,647	24,918	27,141	29,660	30,201	1.8
輸入		81,948	69,523	52,961	51,870	53,724	52,152	50,242	50,936	52,194	52,277	0.2
自給率（%）		18.9	20.5	26.3	28.1	28.8	31.2	33.2	34.8	36.2	36.6	0.4
用材部門別	計　総需要量	99,263	85,857	70,253	70,633	73,867	72,547	70,883	71,942	73,742	73,184	▲ 0.8
	国内生産	18,022	17,176	18,236	19,686	21,117	21,492	21,797	22,355	23,312	23,680	1.6
	輸入	81,241	68,681	52,018	50,947	52,750	51,054	49,086	49,586	50,430	49,505	▲ 1.8
	自給率（%）	18.2	20.0	26.0	27.9	28.6	29.6	30.8	31.1	31.6	32.4	0.8
	製材用　総需要量	40,946	32,901	25,379	26,053	28,592	26,139	25,358	26,150	26,370	25,708	▲ 2.5
	国内生産	12,798	11,571	10,582	11,321	12,058	12,211	12,004	12,182	12,632	12,563	▲ 0.5
	輸入	28,148	21,330	14,797	14,732	16,534	13,928	13,354	13,968	13,738	13,145	▲ 4.3
	自給率（%）	31.3	35.2	41.7	43.5	42.2	46.7	47.3	46.6	47.9	48.9	1.0
	パルプ・チップ用	(6,537)	(7,974)	(6,192)	(6,708)	(7,972)	(6,922)	(6,667)	(6,853)	(7,107)	(6,792)	
	総需要量	42,186	37,608	32,350	31,010	30,353	31,433	31,783	31,619	32,302	32,009	▲ 0.9
	国内生産	4,749	4,426	4,785	5,309	5,177	5,047	5,202	5,266	5,193	5,089	▲ 2.0
	輸入	37,437	33,181	27,565	25,702	25,176	26,386	26,581	26,353	27,110	26,920	▲ 0.7
	自給率（%）	11.3	11.8	14.8	17.1	17.1	16.1	16.4	16.7	16.1	15.9	▲ 0.2
	合板用　総需要量	13,825	12,586	9,556	10,294	11,232	11,144	9,914	10,248	10,667	11,003	3.1
	国内生産	138	863	2,490	2,602	3,255	3,346	3,530	3,876	4,122	4,492	9.0
	輸入	13,687	11,723	7,066	7,692	7,977	7,798	6,384	6,372	6,545	6,511	▲ 0.5
	自給率（%）	1.0	6.9	26.1	25.3	29.0	30.0	35.6	37.8	38.6	40.8	2.2
	その他用　総需要量	2,306	2,763	2,968	3,275	3,690	3,830	3,829	3,925	4,403	4,465	1.4
	国内生産	337	316	379	454	627	889	1,061	1,031	1,365	1,536	12.5
	輸入	1,969	2,447	2,589	2,821	3,063	2,942	2,767	2,894	3,038	2,930	▲ 3.6
	自給率（%）	14.6	11.4	12.8	13.9	17.0	23.2	27.7	26.3	31.0	34.4	3.4

注1：自給率＝国内生産量÷総需要量×100
　2：その他用には、輸出の丸太、改良木材、再生木材、加工材、枕木、のこくずを含む。
　3：（　）は、製材工場等の残材及び解体材・廃材による木材チップで、外書。
　4：計の不一致は四捨五入による。
　5：平成26（2014）年から木質バイオマス発電施設等においてエネルギー利用された燃料用チップを「薪炭材」に新たに計上することとし、これを踏まえ、項目名を「薪炭材」から「燃料材」に変更した。このため、平成25（2013）年以前については「薪炭材」の数量を、平成26（2014）年からは「燃料材」の数量を記載している。
　6：対前年増減率のうち、自給率における数値は、前年との差である。
資料：林野庁「木材需給表」

参考付表

33 我が国への産地別木材（用材）供給量（丸太換算）

（単位：千㎥、%）

			H12年 (2000)	17 (05)	22 (10)	24 (12)	25 (13)	26 (14)	27 (15)	28 (16)	29 (17)	30 (18)
輸入材	米材	計	(28.9) 28,700	(18.8) 16,129	(19.2) 13,506	(18.6) 13,108	(18.9) 13,942	(17.9) 13,013	(17.5) 12,415	(17.2) 12,377	(16.8) 12,352	(16.3) 11,898
		米　　国	14,460	6,844	5,838	5,560	6,225	6,153	6,057	6,083	6,233	6,273
		カ　ナ　ダ	14,240	9,285	7,668	7,548	7,717	6,860	6,359	6,294	6,119	5,625
	南洋材	計	(13.7) 13,569	(12.2) 10,511	(8.9) 6,287	(8.8) 6,235	(8.7) 6,439	(9.2) 6,718	(8.3) 5,848	(7.7) 5,525	(7.8) 5,751	(7.4) 5,421
		マ レ ー シ ア	6,690	5,888	3,773	3,543	3,518	3,293	2,917	2,709	2,778	2,514
		インドネシア	5,858	4,137	2,304	2,506	2,787	3,328	2,804	2,698	2,887	2,759
		そ の 他	1,021	486	209	186	134	97	127	117	85	148
	北洋材	ロ シ ア	(7.5) 7,429	(8.6) 7,411	(3.3) 2,343	(3.1) 2,196	(3.2) 2,380	(3.1) 2,221	(2.9) 2,081	(3.3) 2,366	(3.3) 2,398	(3.3) 2,411
	欧州材	ヨーロッパ州	(4.7) 4,675	(6.9) 5,937	(7.1) 4,967	(7.8) 5,509	(9.1) 6,754	(7.6) 5,554	(7.6) 5,374	(8.5) 6,135	(8.7) 6,450	(8.0) 5,880
	その他の輸入材	ニュージーランド	(4.4) 4,374	(3.4) 2,878	(3.9) 2,720	(3.6) 2,570	(3.0) 2,217	(2.6) 1,858	(2.3) 1,638	(2.4) 1,749	(2.1) 1,545	(2.0) 1,484
		チ　　リ	(3.8) 3,795	(4.6) 3,952	(6.7) 4,726	(7.3) 5,189	(6.3) 4,617	(6.2) 4,468	(5.6) 3,987	(5.9) 4,234	(5.7) 4,236	(5.5) 4,055
		オーストラリア	(8.7) 8,604	(10.2) 8,729	(11.0) 7,722	(7.5) 5,323	(5.6) 4,106	(5.8) 4,203	(6.6) 4,662	(5.7) 4,067	(6.4) 4,684	(6.3) 4,604
		中　　国	(2.5) 2,445	(3.0) 2,544	(3.0) 2,084	(3.4) 2,396	(3.4) 2,483	(3.4) 2,434	(2.8) 1,967	(2.7) 1,912	(2.7) 1,982	(2.6) 1,901
		ベ ト ナ ム							(7.6) 5,418	(6.9) 4,946	(6.7) 4,917	(8.1) 5,911
		そ の 他	(7.7) 7,651	(12.3) 10,591	(10.9) 7,663	(11.9) 8,421	(13.3) 9,810	(14.7) 10,585	(8.0) 5,696	(8.7) 6,275	(8.3) 6,116	(8.1) 5,939
	計		(81.8) 81,241	(80.0) 68,681	(74.0) 52,018	(72.1) 50,947	(71.4) 52,750	(70.4) 51,054	(69.2) 49,086	(68.9) 49,586	(68.4) 50,430	(67.6) 49,505
国 産 材			(18.2) 18,022	(20.0) 17,176	(26.0) 18,236	(27.9) 19,686	(28.6) 21,117	(29.6) 21,492	(30.8) 21,797	(31.1) 22,355	(31.6) 23,312	(32.4) 23,680
合 計			(100.0) 99,263	(100.0) 85,857	(100.0) 70,253	(100.0) 70,633	(100.0) 73,867	(100.0) 72,547	(100.0) 70,883	(100.0) 71,942	(100.0) 73,742	(100.0) 73,184

注1：この表の数値は、国産丸太及び輸入丸太の供給量に、丸太材積に換算した輸入製品品、パルプ・チップ、合板等の値を加えて、各国別の供給量を算出したもの。
　2：南洋材のその他とは、フィリピン、シンガポール、ブルネイ、パプア・ニューギニア、ソロモン諸島からの輸入である。
　3：欧州材のヨーロッパ州とは、ロシアを除くヨーロッパ各国からの輸入である。
　4：その他の輸入材のその他とは、アフリカ諸国等からの輸入である。
　5：ベトナムについては、平成26（2014）年以前はその他の輸入材のその他に含む。
　6：計の不一致は四捨五入による。
　7：（　）は、合計に占める割合。
資料：林野庁「木材需給表」、財務省「貿易統計」を基に試算。

34 我が国への製材用木材供給量（丸太換算）

（単位：千㎥）

産　地　・　国			H12年 (2000)	17 (05)	22 (10)	24 (12)	25 (13)	26 (14)	27 (15)	28 (16)	29 (17)	30 (18)
輸入製材品	米材	計	8,233	5,187	4,266	4,278	4,457	3,677	3,635	3,483	3,417	3,207
		米　　国	1,112	268	624	674	737	558	511	438	410	393
		カ　ナ　ダ	7,121	4,919	3,642	3,604	3,720	3,119	3,124	3,045	3,007	2,814
	南洋材	計	1,289	579	215	230	200	210	187	175	162	147
		マ レ ー シ ア	651	311	170	174	148	159	137	121	110	105
		インドネシア	622	259	34	44	38	38	36	39	38	37
		そ の 他	16	9	11	12	14	13	14	15	14	5
	北洋材	ロ シ ア	878	1,695	1,174	1,218	1,397	1,225	1,218	1,393	1,335	1,338
	欧州材	ヨーロッパ州	3,448	4,528	3,558	3,831	5,021	3,913	3,746	4,293	4,436	4,022
	その他の輸入材	ニュージーランド	433	273	195	156	121	126	117	108	104	104
		チ　　リ	778	660	454	447	437	558	449	394	430	500
		そ の 他	854	384	273	211	201	167	119	122	94	99
輸 入 製 材 品 計			15,913	13,305	10,136	10,371	11,835	9,876	9,472	9,968	9,978	9,418
輸入製材用丸太	米　　　　材		7,311	4,927	3,402	3,336	3,764	3,244	3,151	3,382	3,156	3,136
	南　洋　材		425	237	83	80	70	71	63	52	73	40
	北　洋　材		3,259	1,938	355	181	218	188	119	79	79	92
	ニュージーランド材		1,058	744	763	727	612	473	427	420	394	387
	そ の 他		182	179	58	37	35	76	124	64	61	72
輸 入 製 材 用 丸 太 計			12,235	8,025	4,661	4,361	4,699	4,052	3,882	4,000	3,760	3,727
国 産 材 製 材 用 丸 太			12,798	11,571	10,582	11,321	12,058	12,211	12,004	12,182	12,632	12,563
合 計			40,946	32,901	25,379	26,053	28,592	26,139	25,358	26,150	26,370	25,708

注1：輸入製材品の値は、貿易統計の結果を丸太材積に換算したものである。
　2：南洋材のその他とは、フィリピン、シンガポール、ブルネイ、パプア・ニューギニア、ソロモン諸島からの輸入である。
　3：欧州材のヨーロッパ州とは、ロシアを除くヨーロッパ各国からの輸入である。
　4：その他の輸入材のその他とは、中国、オーストラリア、アフリカ諸国等からの輸入である。
　5：輸入製材用丸太は、「木材需給報告書」の値から半製品を差し引いたものである。
　6：国産材製材用丸太は、「木材需給報告書」の値である。なお、同報告書（資料）のデータは製材工場に入荷する時点をとらえたものである。
　7：計の不一致は四捨五入による。
資料：財務省「貿易統計」、農林水産省「木材需給報告書」を基に試算。

35 木材の主な品目別輸入量

(単位：千㎥)

		H12年(2000)	17(05)	22(10)	25(13)	26(14)	27(15)	28(16)	29(17)	30(18)	R1(19)
丸太	総数	15,949	10,654	4,757	4,556	4,152	3,450	3,652	3,266	3,278	3,019
	米材	4,786	3,453	2,980	3,413	3,109	2,622	2,832	2,586	2,574	2,372
	南洋材	3,032	1,409	554	277	267	233	210	141	157	135
	北洋材	5,605	4,689	447	228	214	147	155	137	141	129
	ニュージーランド材	1,843	922	737	605	534	422	432	378	382	355
	チリ材	110	106	…	0	…	…	…	…	…	…
	欧州材	70	36	30	20	19	18	17	17	17	20
	アフリカ材	231	12	3	5	4	5	4	4	4	4
	中国	43	9	5	2	2	1	1	1	1	1
	その他	230	18	2	6	3	2	2	2	2	2
製材品	総数	9,951	8,395	6,415	7,498	6,249	5,997	6,315	6,323	5,968	5,700
	米材	5,223	3,293	2,709	2,829	2,330	2,305	2,209	2,167	2,034	1,727
	南洋材	721	319	119	111	117	103	97	90	81	79
	北洋材	559	1,078	747	889	779	775	887	850	852	916
	ニュージーランド材	276	174	124	77	80	74	69	66	66	67
	チリ材	496	420	289	278	355	286	251	274	319	294
	欧州材	2,189	2,878	2,264	3,194	2,489	2,383	2,730	2,821	2,558	2,565
	アフリカ材	4	1	2	5	3	4	4	2	3	4
	中国	375	155	104	83	65	46	38	35	34	33
	その他	109	77	56	33	30	19	29	18	21	15
合板	総数	4,609	4,118	2,654	3,026	2,844	2,274	2,156	2,242	2,275	1,916
	米材	186	32	5	7	6	2	2	2	2	0
	南洋材	4,280	3,795	2,300	2,550	2,381	1,947	1,867	1,947	1,923	1,630
	その他	142	291	348	469	457	325	286	292	351	285

注1：合板は集成材等の積層木材を含まない。
　2：南洋材はフィリピン、インドネシア、マレーシア、パプア・ニューギニア、シンガポール、ソロモン諸島、ブルネイの7か国より輸入された材。
　3：欧州材は、ロシアを除くヨーロッパ各国より輸入された材。
　4：計の不一致は四捨五入による。
資料：財務省「貿易統計」

36 近年の丸太価格

(単位：円/㎥)

年・月	国産材			米材		北洋材
	スギ中丸太 径14～22cm 長3.65～4.0m	ヒノキ中丸太 径14～22cm 長3.65～4.0m	カラマツ中丸太 径14～28cm 長3.65～4.0m	ベイツガ丸太 径30cm上 長6.0m上	ベイマツ丸太 径30cm上 長6.0m上	北洋エゾマツ丸太 径20～28cm 長3.8m上
H24（2012）年	11,400	18,700	10,700	24,000	23,800	23,900
25 （13）	11,500	19,700	10,700	23,000	29,300	25,400
26 （14）	13,500	20,000	11,700	25,100	30,100	26,900
27 （15）	12,700	17,600	11,700	24,800	32,100	25,600
28 （16）	12,300	17,600	11,800	25,000	31,000	23,300
29 （17）	13,100	18,100	11,900	23,000	32,600	24,400
30 （18）	13,600	18,400	11,800	26,800	40,200	26,300
R1 （19）	13,500	18,100	12,400	26,900	25,600	26,400
H31年 1月	14,100	19,000	12,100	26,800	41,900	26,300
2月	13,900	18,800	12,100	26,800	41,400	26,300
3月	13,700	18,600	12,400	26,800	34,000	26,300
4月	13,400	18,200	12,100	26,800	21,900	26,300
R1年 5月	13,200	17,800	12,200	26,800	22,000	26,300
6月	12,900	17,400	12,300	26,800	21,600	26,300
7月	12,900	17,500	12,300	26,800	21,300	26,300
8月	13,200	17,400	12,600	26,800	20,900	26,300
9月	13,400	17,500	12,600	26,800	20,600	26,300
10月	13,700	18,100	12,800	27,200	20,700	26,800
11月	13,600	18,700	12,800	27,200	20,500	26,800
12月	13,500	18,700	12,800	27,200	20,600	26,800

注1：価格は、各工場における工場着購入価格。
　2：スギ中丸太から北洋エゾマツ丸太までいずれも平成29（2017）年までは平成22（2010）年の調査対象都道府県別の年間の素材の消費量による加重平均値、平成30（2018）年からは平成28（2016）年の調査対象都道府県別の年間の消費量による加重平均値である。
　3：平成25（2013）年から調査対象等の見直しを行ったことから、スギ中丸太、ベイツガ丸太、ベイマツ丸太のデータは、平成24（2012）年以前のデータとは連続しない。
　4：平成30（2018）年から調査対象等の見直しを行ったことから、平成29（2017）年以前のデータと連続しない。
資料：農林水産省「木材需給報告書」

37 近年の製材品価格

(単位：円/㎥、合板は円/枚)

年・月	国産材 スギ正角 厚 10.5cm 幅 10.5cm 長 3.0m 2級	スギ正角 (乾燥材) 厚 10.5cm 幅 10.5cm 長 3.0m 2級	ヒノキ正角 厚 10.5cm 幅 10.5cm 長 3.0m 2級	ヒノキ正角 (乾燥材) 厚 10.5cm 幅 10.5cm 長 3.0m 2級	米材 ベイツガ正角 (防腐処理材) 厚 12.0cm 幅 12.0cm 長 4.0m 2級	ベイマツ平角 厚 10.5～12cm 幅 24.0cm 長 3.65～4.0m 2級	針葉樹合板 厚 1.2cm 幅 91.0cm 長 1.82m 1類
H24 (2012) 年	46,600	62,400	64,600	82,100	67,000	60,800	1,060
25 (13)	48,600	62,700	73,000	85,200	70,900	65,700	1,140
26 (14)	58,200	69,400	82,600	96,100	74,100	70,100	1,200
27 (15)	58,100	65,100	78,600	84,600	75,300	70,400	1,090
28 (16)	57,400	65,100	79,300	83,000	75,400	69,900	1,190
29 (17)	57,600	66,200	80,300	84,900	75,600	70,200	1,270
30 (18)	61,200	66,500	76,600	85,600	82,600	66,200	1,290
R1 (19)	61,900	66,700	76,900	85,900	83,100	66,000	1,290
H31年 1月	61,600	67,000	76,500	85,700	82,900	66,600	1,290
2月	61,600	67,000	76,500	85,700	82,900	66,600	1,290
3月	61,600	66,400	76,500	85,700	82,900	66,600	1,290
4月	61,600	66,400	76,500	85,700	82,900	66,300	1,290
R1年 5月	61,600	66,300	76,500	85,500	82,700	66,300	1,280
6月	61,600	66,300	76,500	85,400	82,700	66,200	1,290
7月	61,600	66,300	76,500	85,400	82,700	66,000	1,290
8月	61,600	66,300	76,500	85,400	82,600	65,900	1,290
9月	61,600	66,300	76,500	85,400	82,600	64,800	1,290
10月	62,700	67,500	77,900	87,000	84,100	65,900	1,310
11月	62,700	67,500	78,100	87,000	84,100	65,700	1,310
12月	62,700	67,500	78,100	87,000	84,100	65,600	1,310

注1：価格は、木材市売市場にあってはせり又は入札による取引価格、木材センター及び木材販売業者にあっては店頭渡し販売価格。
　2：スギ正角、スギ正角(乾燥材)、ヒノキ正角、ヒノキ正角(乾燥材)、ベイツガ正角(防腐処理材)、ベイマツ平角、針葉樹合板のいずれも平成24(2012)年までは平成17(2005)年における年間の推定販売量による加重平均値、平成25(2013)年から平成29(2017)年までは平成23(2011)年における年間の推定販売量による加重平均値、平成30(2018)年からは平成28(2016)年における年間の販売量による加重平均値である。
　3：平成25(2013)年から調査対象等の見直しを行ったことから、スギ正角(乾燥材)、針葉樹合板のデータは、平成24(2012)年以前のデータと連続しない。
　4：平成30(2018)年から調査対象等の見直しを行ったことから、平成29(2017)年以前のデータと連続しない。
資料：農林水産省「木材需給報告書」

38 山元立木価格、丸太価格、製材品価格、山林素地価格

(単位：円/㎥、ホワイトウッド集成管柱は円/本)

	山元立木価格 スギ	ヒノキ	マツ	丸太価格 スギ 中丸太 径14～22cm 長3.65～4.0m	ヒノキ 中丸太 径14～22cm 長3.65～4.0m	カラマツ 中丸太 径14～28cm 長3.65～4.0m	製材品価格 スギ正角 厚10.5cm 幅10.5cm 長3.0m	スギ正角 (乾燥材) 厚10.5cm 幅10.5cm 長3.0m	ヒノキ 正角 厚10.5cm 幅10.5cm 長3.0m	ヒノキ 正角 (乾燥材) 厚10.5cm 幅10.5cm 長3.0m	ホワイト ウッド 集成管柱 厚10.5cm 幅10.5cm 長3.0m	全国平均 用材林地 価格 （10a 当たり）
S30(1955)年	4,478	5,046	2,976	8,400	9,300	…	14,100	…	20,800	…	…	8,927
35 (60)	7,148	7,996	4,600	11,300	12,000	…	17,800	…	26,400	…	…	16,005
40 (65)	9,380	10,645	5,743	14,300	18,000	…	22,900	…	35,600	…	…	20,586
45 (70)	13,168	21,352	7,677	18,800	37,600	10,600	35,500	…	80,100	…	…	32,705
50 (75)	19,726	35,894	10,899	31,700	66,200	14,500	61,200	…	122,900	…	…	64,797
55 (80)	22,707	42,947	11,162	39,600	76,400	19,100	72,700	…	146,700	…	…	85,990
60 (85)	15,156	30,991	7,920	25,500	54,000	14,500	52,800	…	91,700	…	…	86,820
H2 (90)	14,595	33,607	7,528	26,600	67,800	14,300	61,700	…	120,200	…	…	83,038
7 (95)	11,730	27,607	5,966	21,700	53,500	12,900	56,800	…	100,600	…	…	75,633
12(2000)	7,794	19,297	4,168	17,200	40,300	11,000	47,400	60,400	75,700	93,700	…	68,659
17 (05)	3,628	11,988	2,037	12,400	25,500	9,400	41,800	55,000	67,200	80,300	2,000	59,991
22 (10)	2,654	8,128	1,496	11,800	21,600	10,600	41,600	60,100	64,900	80,200	2,200	50,899
25 (13)	2,465	6,493	1,376	11,500	19,700	10,700	48,600	62,700	73,000	85,200	2,400	45,733
26 (14)	2,968	7,507	1,638	13,500	20,000	11,700	58,200	69,400	82,600	96,100	2,600	44,844
27 (15)	2,833	6,284	1,531	12,700	17,600	11,700	58,100	65,100	78,600	84,600	2,600	44,277
28 (16)	2,804	6,170	1,681	12,300	17,600	11,800	57,400	65,100	79,300	83,000	2,700	43,478
29 (17)	2,881	6,200	1,705	13,100	18,100	11,900	57,600	66,200	80,300	84,900	2,600	42,800
30 (18)	2,995	6,589	1,733	13,600	18,400	11,800	61,200	66,500	76,600	85,600	2,500	42,262
R1 (19)	3,061	6,747	1,799	13,500	18,100	12,400	61,900	66,700	76,900	85,900	2,500	41,930

注1：山元立木価格は、利用材積1㎥当たり平均価格(各年3月末現在)。
　2：丸太価格は、各工場における工場着購入価格。
　3：製材品価格は、木材市売市場にあってはせり又は入札による取引価格、木材センター及び木材販売卸売業者にあっては店頭渡し販売価格。
資料：一般財団法人日本不動産研究所「山林素地及び山元立木価格調」、農林水産省「木材需給累年報告書」、「木材需給報告書」

39 特用林産物の生産量及び生産額

		単位	H12年 (2000)	17 (05)	22 (10)	25 (13)	26 (14)	27 (15)	28 (16)	29 (17)	30 (18)	対前年 増減率(%)
食用	乾しいたけ	トン	5,236	4,091	3,516	3,499	3,175	2,631	2,734	2,544	2,635	3.6
		百万円	13,106	13,484	15,064	8,974	9,238	12,730	13,801	12,116	10,931	▲ 9.8
	生しいたけ	トン	67,224	65,186	77,079	67,946	66,872	67,869	69,100	69,006	69,804	1.2
		百万円	69,375	68,837	72,146	66,519	68,477	69,973	72,693	72,319	67,570	▲ 6.6
	な め こ	トン	24,942	24,801	27,261	23,383	21,796	22,897	22,935	23,504	23,350	▲ 0.7
		百万円	11,848	9,375	10,141	8,020	8,740	9,731	10,481	10,694	10,554	▲ 1.3
	えのきたけ	トン	109,510	114,542	140,951	133,647	135,919	131,683	133,297	135,745	140,168	3.3
		百万円	38,438	30,583	32,842	32,476	33,980	34,238	31,325	27,692	30,697	10.9
	ひらたけ	トン	8,546	4,074	2,535	2,290	2,327	3,263	3,449	3,828	4,001	4.5
		百万円	3,718	1,552	1,080	893	940	1,436	1,462	1,631	1,853	13.6
	ぶなしめじ	トン	82,414	99,787	110,486	117,363	115,751	116,152	116,271	117,712	117,966	0.2
		百万円	44,586	42,310	54,138	53,635	51,972	52,152	48,717	48,615	50,607	4.1
	ま い た け	トン	38,998	45,111	43,446	45,453	49,541	48,852	48,523	47,739	49,687	4.1
		百万円	29,833	27,969	32,628	29,635	33,886	31,656	35,034	36,377	45,314	24.6
	く り	トン	17,488	12,370	23,500	21,000	21,400	16,300	16,500	18,700	16,500	▲ 11.8
		百万円	6,873	5,208	8,860	10,794	9,544	8,525	13,464	13,988	9,471	▲ 32.3
	そ の 他	百万円	58,613	59,313	49,613	42,179	44,900	44,503	44,814	43,751	46,360	6.0
	計	百万円	276,390	258,631	276,512	253,125	261,677	264,944	271,791	267,183	273,357	2.3
非食用	生 う る し	kg	1,808	1,340	1,580	1,045	1,003	1,182	1,292	1,434	1,845	28.7
		百万円	68	48	73	49	48	56	61	69	96	39.1
	竹 材	千束	2,008	1,290	963	1,196	1,178	1,235	1,272	1,197	1,143	▲ 4.5
		百万円	1,994	1,181	790	767	741	780	772	2,637	1,895	▲ 28.1
	桐 材	㎥	3,213	1,757	817	647	669	599	492	465	404	▲ 13.1
		百万円	261	141	66	52	54	48	39	37	32	▲ 13.5
	木 炭 (竹炭を含む)	トン	56,456	35,029	25,888	22,528	20,881	18,222	17,180	16,467	15,233	▲ 7.5
		百万円	6,556	5,356	3,416	2,997	2,779	2,493	2,309	2,238	2,103	▲ 6.0
	そ の 他	百万円	11,781	11,523	3,928	4,542	5,013	4,871	5,594	5,439	5,348	▲ 1.7
	計	百万円	20,660	18,249	8,273	8,407	8,635	8,248	8,775	10,420	9,474	▲ 9.1
合 計		百万円	297,050	276,880	284,785	261,532	270,312	273,192	280,566	277,603	282,831	1.9

資料：林野庁「特用林産基礎資料」、農林水産省「作物統計」

参考付表

40 木質バイオマスの利用量（燃料用）

都道府県	平成30（2018）年				
	（絶乾トン）	（トン）			
	木材チップ	木質ペレット	薪	木粉（おが粉）	左記以外の木質バイオマス
全　　　国	9,304,316	732,872	54,588	368,697	477,871
北　海　道	548,408	4,360	3,507	6,799	-
青　　森	59,964	1,826	811	-	780
岩　　手	273,074	5,434	1,362	5,321	35,392
宮　　城	295,132	141,392	3,035	2,332	2,800
秋　　田	451,766	8,101	2,885	13,779	80,761
山　　形	85,223	50,727	53	1,251	6,251
福　　島	419,002	131,667	608	22,082	25,707
茨　　城	756,242	-	100	66,244	576
栃　　木	298,027	367	1,050	3,671	990
群　　馬	121,083	1,487	1,783	6,016	25,156
埼　　玉	70,780	1,254	-	-	4,145
千　　葉	326,033	-	-	-	-
東　　京	210	-	63	60	-
神　奈　川	147,069	150,000	100	10	-
新　　潟	447,526	2,567	488	12,876	-
富　　山	115,665	621	-	18,000	15,000
石　　川	30,782	312	273	2,151	340
福　　井	x	x	-	x	-
山　　梨	14,636	962	614	250	1,480
長　　野	20,785	1,454	1,053	506	5,398
岐　　阜	278,068	3,226	2,813	4,616	5,480
静　　岡	614,733	3,144	3,294	8,761	7,911
愛　　知	341,758	155,046	127	127	1,252
三　　重	243,485	3,006	120	140	1,161
滋　　賀	27,435	-	184	10	-
京　　都	19,400	-	-	5,590	1,380
大　　阪	66,108	-	-	-	-
兵　　庫	228,650	160	3	-	-
奈　　良	82,891	178	416	13,977	1,840
和　歌　山	2,923	80	404	1,610	7,692
鳥　　取	168,782	238	165	600	4,106
島　　根	145,370	278	396	2,361	7,727
岡　　山	184,869	7,505	1,174	1,765	-
広　　島	112,083	553	317	70,421	2,439
山　　口	266,691	9,546	150	2,000	47,776
徳　　島	190,782	11	717	7,712	6,242
香　　川	13,879	39	276	8,291	-
愛　　媛	135,374	23	1,050	7,422	22,499
高　　知	198,280	6,242	385	7,424	-
福　　岡	42,446	14,199	700	-	17,272
佐　　賀	x	-	-	x	-
長　　崎	4,354	-	-	-	5,683
熊　　本	158,167	1,680	671	4,902	91,122
大　　分	277,423	-	-	-	22,526
宮　　崎	486,188	5,111	19,840	37,707	17,657
鹿　児　島	203,297	-	3,601	4,328	1,330
沖　　縄	-	x	-	-	-

注1：木質バイオマスエネルギーを利用した発電機及びボイラーを有する事業所における利用量である。
　2：調査対象者数が2事業体以下の都道府県については、調査結果の秘匿保護の観点から、「×」表示とする秘匿措置を施している。なお、全体からの差引きにより、秘匿措置を講じた結果が推定できる場合には、本来秘匿措置を施す必要のない箇所についても「×」表示としている。
資料：林野庁「木質バイオマスエネルギー利用動向調査」

41 木材チップの由来別利用量（燃料用）

（単位：絶乾トン）

都道府県	平成 30（2018）年						
	計	間伐材・林地残材等	製材等残材	建設資材廃棄物（解体材、廃材）	輸入チップ	輸入丸太を用いて国内で製造	左記以外の木材（剪定枝等）
全　　国	9,304,316	2,744,774	1,808,006	4,110,052	329,234	5,000	307,250
北　海　道	548,408	339,449	97,438	84,259	23	-	27,239
青　　森	59,964	40,776	11,590	7,478	-	-	120
岩　　手	273,074	161,724	89,684	14,549	-	-	7,117
宮　　城	295,132	36,322	119,891	132,819	-	-	6,100
秋　　田	451,766	106,255	192,656	152,441	-	-	414
山　　形	85,223	59,287	22,671	1,689	1,253	-	323
福　　島	419,002	104,535	27,152	287,315	-	-	-
茨　　城	756,242	61,185	99,442	573,817	-	-	21,798
栃　　木	298,027	26,644	45,933	214,500	-	-	10,950
群　　馬	121,083	50,925	30,844	32,338	-	-	6,976
埼　　玉	70,780	-	-	70,780	-	-	-
千　　葉	326,033	22,131	7,907	292,464	-	-	3,531
東　　京	210	-	210	-	-	-	-
神　奈　川	147,069	4,795	114	142,160	-	-	-
新　　潟	447,526	94,530	17,435	283,838	-	-	51,723
富　　山	115,665	34,385	19,215	57,664	-	-	4,401
石　　川	30,782	5,121	18,243	518	-	-	6,900
福　　井	x	x	x	x	162,000	-	9,200
山　　梨	14,636	3,751	8,545	54	-	-	2,286
長　　野	20,785	13,116	3,736	3,933	-	-	-
岐　　阜	278,068	52,934	30,058	177,568	-	-	17,508
静　　岡	614,733	16,133	229,743	330,300	-	-	38,557
愛　　知	341,758	19,334	35,948	132,886	152,060	-	1,530
三　　重	243,485	95,252	32,051	116,182	-	-	-
滋　　賀	27,435	2,338	-	15,805	-	-	9,292
京　　都	19,400	903	18,497	-	-	-	-
大　　阪	66,108	-	-	61,237	-	-	4,871
兵　　庫	228,650	71,993	3,016	131,580	13,898	-	8,163
奈　　良	82,891	30,784	38,913	-	-	5,000	8,194
和　歌　山	2,923	127	2,780	3	-	-	13
鳥　　取	168,782	66,917	67,740	31,985	-	-	2,140
島　　根	145,370	96,061	31,989	17,220	-	-	100
岡　　山	184,869	39,338	52,188	92,826	-	-	517
広　　島	112,083	21,466	66,258	24,359	-	-	-
山　　口	266,691	45,712	17,942	165,268	-	-	37,769
徳　　島	190,782	47,459	47,212	96,111	-	-	-
香　　川	13,879	-	155	13,724	-	-	-
愛　　媛	135,374	36,400	48,859	50,115	-	-	-
高　　知	198,280	104,073	32,692	60,315	-	-	1,200
福　　岡	42,446	2,819	5,178	34,449	-	-	-
佐　　賀	x	x	x	x	-	-	-
長　　崎	4,354	609	3,745	-	-	-	-
熊　　本	158,167	66,765	47,181	31,710	-	-	12,511
大　　分	277,423	208,534	38,980	24,102	-	-	5,807
宮　　崎	486,188	282,354	97,118	106,716	-	-	-
鹿　児　島	203,297	191,229	12,068	-	-	-	-
沖　　縄	-	-	-	-	-	-	-

注1：木質バイオマスエネルギーを利用した発電機及びボイラーを有する事業所における利用量である。
　2：調査対象者数が2事業体以下の都道府県については、調査結果の秘密保護の観点から、「×」表示とする秘匿措置を施している。なお、全体からの差引きにより、
　　　秘匿措置を講じた結果が推定できる場合には、本来秘匿措置を施す必要のない箇所についても「×」表示としている。
資料：林野庁「木質バイオマスエネルギー利用動向調査」

木材産業等

42 製材、合板、集成材、CLT及び木材チップの工場数及び生産量等

		単位	H12 (2000)	17 (05)	22 (10)	23 (11)	24 (12)	25 (13)	26 (14)	27 (15)	28 (16)	29 (17)	30 (18)
製材	工場数	工場	11,692	9,011	6,569	6,242	5,927	5,690	5,469	5,206	4,934	4,814	4,582
	素材入荷量	千㎥	26,526	20,540	15,762	16,426	16,247	17,271	16,661	16,182	16,590	16,802	16,672
	製材品出荷量	千㎥	17,231	12,825	9,415	9,434	9,302	10,100	9,595	9,231	9,293	9,457	9,202
合板	工場数	工場	354	271	192	203	197	195	186	185	183	181	180
	素材入荷量	千㎥	5,401	4,636	3,811	3,858	3,837	4,181	4,405	4,218	4,638	5,004	5,287
	普通合板生産量	千㎥	3,218	3,212	2,645	2,486	2,549	2,811	2,813	2,756	3,063	3,287	3,298
	特殊合板生産量	千㎥	1,534	1,037	647	703	640	654	584	524	642	623	580
集成材	工場数	工場	281	259	182	181	174	166	165	157	150	165	165
	生産量	千㎥	892	1,512	1,455	1,455	1,524	1,647	1,555	1,485	1,549	1,971	1,923
CLT	工場数	工場	-	-	-	-	-	-	-	-	-	7	9
	生産量	千㎥	-	-	-	-	-	-	-	-	-	14	14
木材チップ	工場数	工場	2,657	2,040	1,577	1,545	1,536	1,510	1,477	1,424	1,393	1,364	1,303
	生産量	千トン	-	6,005	5,407	5,633	5,861	6,452	5,850	5,745	5,826	5,954	5,706
		(千㎥)	10,851										

注1：製材工場数は、12月31日現在の工場数（3か月未満休業中のものを含む）であり、製材用動力の出力数が7.5kW未満の工場を除く。
　2：製材品出荷量は、出力7.5kW以上の製材工場の数値。
　3：合板工場数は、12月31日現在の工場数（3か月未満休業中のものを含む）。
　4：合板等用素材の入荷量は、平成29年調査から、素材需要量（製材工場、合単板工場及び木材チップ工場への素材の入荷量）のうち「合板用」を新たにLVL用を含めた「合板等用」に変更した。このため、平成28（2016）年以前の数値とは比較ができない。
　5：集成材工場数は、平成28（2016）年までは3月時点の数値。平成29（2017）年からは、12月31日現在の工場数（3か月未満休業中のものを含む）。
　6：集成材生産量は、平成29（2017）年値から、出典資料を変更した。このため、平成28（2016）年以前の数値とは比較できない。
　7：木材チップ工場数は、12月31日現在の工場数（3か月未満休業中のものを含む）。
　8：木材チップ工場数は、平成28（2016）年までは「木材チップ専門工場」に集成材工場、LVL工場、CLT工場との兼営工場が含まれていたため平成28（2016）年以前の数値とは比較ができない。
　9：木材チップ生産量は、燃料用チップを除く。
資料：製材、合板、CLT、木材チップは、農林水産省「木材需給報告書」。集成材は、日本集成材工業協同組合調べ（平成12（2000）～平成28（2016）年）、農林水産省「木材需給報告書」（平成29（2017）～平成30（2018）年）。

43 ラミナ消費量

(単位：千㎥)

	計			集成材用			CLT用		
	合計	国産材	輸入材	小計	国産材	輸入材	小計	国産材	輸入材
H29 (2017)年	2,775	928	1,847	2,755	908	1,847	20	20	0
H30 (2018)年	2,711	1,071	1,640	2,691	1,051	1,640	20	20	0

資料：農林水産省「木材需給報告書」

44 プレカット工場数とシェア

	H13年 (2001)	18 (06)	23 (11)	24 (12)	25 (13)	26 (14)	27 (15)	28 (16)	29 (17)	30 (18)
プレカット工場数	757	664	659	…	…	…	…	730	…	…
木造軸組構法住宅のうちプレカットのシェア（%）	55	81	88	88	90	90	91	92	92	93

資料：プレカット工場数は農林水産省「木材流通構造調査報告書」、プレカットのシェアは一般社団法人全国木造住宅機械プレカット協会調べ。

45 木材市売市場・木材センター数及び取扱量

(単位：千㎥（㎥）)

			S59年 (1984)	H3 (91)	13 (2001)	18 (06)	23 (11)	28 (16)	30 (18)
事業所数		計	613	624	567	516	465	413	…
		木材市売市場	556	574	523	…	…	378	…
		木材センター	57	50	44	…	…	35	…
木材市売市場・木材センター	素材流通業者	事業所数	482	480	425	…	…	…	…
		素材仕入量	8,785	9,128	8,907	9,039	9,557	11,183	…
		1事業所当たり取扱量	(18,226)	(19,017)	(20,958)				
	製品流通業者	事業所数	315	309	274	…	…	…	…
		製品販売量	6,951	7,600	5,092	4,288	4,049	2,687	…
		1事業所当たり取扱量	(22,067)	(24,595)	(18,584)				

注1：木材市売市場とは、市売売買と称される売買方式によって木材の売買を行わせる事業所をいう。
　2：木材センターとは、二つ以上の売手を同一の場所に集め、買手を対象として相対取引によって木材の売買を行わせる事業所をいう。
資料：農林水産省「木材流通構造調査報告書」

46　木材販売業者数及び取扱量

（単位：千㎥（㎥））

			S59年 (1984)	H3 (91)	13 (2001)	18 (06)	23 (11)	28 (16)	30 (18)
事業所数	計		17,085	15,584	10,578	9,430	8,404	7,487	…
	卸　　　売		4,887	4,693	…	…	…	…	…
	小　　　売		12,198	10,891	…	…	…	…	…
木材販売業者	総数	事業所数	13,998	13,198	9,695	…	…	…	…
		製材品販売量	31,051	35,530	21,225	18,069	21,081	16,628	…
		1事業所当たり取扱量	(2,218)	(2,692)	(2,189)				
	国産材	事業所数	12,792	11,762	8,852	…	…	…	…
		製材品販売量	10,970	10,188	6,340	6,822	7,799	7,697	…
		1事業所当たり取扱量	(858)	(866)	(716)	…	…	…	…
	輸入材	事業所数	12,485	11,616	8,442	…	…	…	…
		製材品販売量	20,081	25,342	14,886	11,248	13,282	8,931	…
		1事業所当たり取扱量	(1,608)	(2,182)	(1,763)	…	…	…	…

注：木材販売業者とは、木材を購入して販売する事業所をいう。
資料：農林水産省　「木材流通構造調査報告書」

47　新設住宅着工戸数及び床面積

			H12年 (2000)	17 (05)	22 (10)	25 (13)	26 (14)	27 (15)	28 (16)	29 (17)	30 (18)	R1年 (19)	対前年 増減率(%)
新設住宅着工戸数（戸）	総数		1,229,843	1,236,175	813,126	980,025	892,261	909,299	967,237	964,641	942,370	905,123	▲ 4.0
	資金別	民間資金	752,205	1,044,946	690,736	864,411	792,283	806,400	861,669	866,552	842,197	809,933	▲ 3.8
		公的資金	477,638	191,229	122,390	115,614	99,978	102,899	105,568	98,089	100,173	95,190	▲ 5.0
	利用関係別	持家	451,522	353,267	305,221	354,772	285,270	283,366	292,287	284,283	283,235	288,738	1.9
		分譲住宅	345,291	369,067	201,888	263,931	237,428	241,201	250,532	255,191	255,263	267,696	4.9
		貸家	421,332	504,294	298,014	356,263	362,191	378,718	418,543	419,397	396,404	342,289	▲ 13.7
		給与住宅	11,698	9,547	8,003	5,059	7,372	6,014	5,875	5,770	7,468	6,400	▲ 14.3
	構造別	木造率(%)	(45.2)	(43.9)	(56.6)	(56.1)	(54.9)	(55.5)	(56.5)	(56.5)	(57.2)	(57.8)	0.6
		木造	555,814	542,848	460,134	549,971	489,463	504,318	546,336	545,366	539,394	523,319	▲ 3.0
		非木造	674,029	693,327	352,992	430,054	402,798	404,981	420,901	419,275	402,976	381,804	▲ 5.3
新設住宅着工床面積（千㎡）	総数		119,879	106,593	72,910	87,210	75,681	75,059	78,183	77,515	75,309	74,876	▲ 0.6
	資金別	民間資金	65,116	88,446	61,641	76,274	66,572	65,654	68,498	68,592	66,523	66,346	▲ 0.3
		公的資金	54,763	18,147	11,268	10,936	9,108	9,405	9,686	8,923	8,786	8,530	▲ 2.9
	利用関係別	持家	63,009	47,320	38,533	44,371	35,342	34,825	35,662	34,328	33,967	34,388	1.2
		分譲住宅	33,520	34,995	19,023	24,245	21,765	21,502	22,451	23,246	22,619	23,840	5.4
		貸家	22,526	23,616	14,849	18,182	18,062	18,334	19,639	19,549	18,245	16,228	▲ 11.1
		給与住宅	823	662	505	412	512	397	432	392	477	420	▲ 11.9
	構造別	木造率(%)	(53.8)	(53.0)	(64.8)	(64.6)	(63.5)	(64.3)	(65.2)	(65.0)	(66.6)	(67.2)	0.6
		木造	64,531	56,494	47,278	56,342	48,068	48,279	50,992	50,346	50,144	50,298	0.3
		非木造	55,347	50,100	25,632	30,868	27,613	26,780	27,191	27,168	25,165	24,578	▲ 2.3
1戸当たり床面積（㎡）	総数		97.5	86.2	89.7	89.0	84.8	82.5	80.8	80.4	79.9	82.7	3.5
	資金別	民間資金	86.6	84.6	89.2	88.2	84.0	81.4	79.5	79.2	79.0	81.9	3.7
		公的資金	114.7	94.9	92.1	94.6	91.1	91.4	91.8	91.0	87.7	89.6	2.2
	利用関係別	持家	139.5	133.9	126.2	125.1	123.9	122.9	122.0	120.8	119.9	119.1	▲ 0.7
		分譲住宅	97.1	94.8	94.2	91.9	91.7	89.1	89.6	91.1	88.6	89.1	0.5
		貸家	53.5	46.8	49.8	51.0	49.9	48.4	46.9	46.6	46.0	47.4	3.0
		給与住宅	70.4	69.3	63.1	81.4	69.5	66.0	73.5	67.9	63.9	65.6	2.7
	構造別	木造	116.1	104.1	102.7	102.4	98.2	95.7	93.3	92.3	93.0	96.1	3.4
		非木造	82.1	72.3	72.6	71.8	68.6	66.1	64.6	64.8	62.4	64.4	3.1

注1：資金別で公的資金と民間資金を併用した住宅は、公的資金に含めて計上した。
　2：対前年増減率のうち、木造率における数値は、前年との差である。
　3：計の不一致は四捨五入による。
資料：国土交通省「住宅着工統計」

48　工法別新設木造住宅着工戸数

（単位：戸、%）

	H12年 (2000)	17 (05)	22 (10)	25 (13)	26 (14)	27 (15)	28 (16)	29 (17)	30 (18)	R1 (19)	対前年 増減率(%)
木造軸組構法住宅	(80.3) 446,359	(78.5) 426,299	(76.0) 349,865	(75.1) 412,892	(74.2) 362,994	(74.4) 375,357	(74.8) 408,632	(75.5) 412,004	(76.0) 409,873	(76.7) 401,583	▲ 2.0
ツーバイフォー工法住宅	(14.2) 79,114	(17.7) 95,824	(20.9) 96,104	(21.8) 120,111	(22.8) 111,503	(22.7) 114,617	(22.6) 123,713	(22.0) 120,059	(21.7) 116,988	(20.9) 109,625	▲ 6.3
木質系プレハブ工法住宅	(5.5) 30,341	(3.8) 20,725	(3.1) 14,165	(3.1) 16,968	(3.1) 14,966	(2.8) 14,344	(2.6) 13,991	(2.4) 13,303	(2.3) 12,533	(2.3) 12,111	▲ 3.4
合計	555,814	542,848	460,134	549,971	489,463	504,318	546,336	545,366	539,394	523,319	▲ 3.0

注1：（　）は、新設木造住宅着工戸数に占める割合。
　2：計の不一致は四捨五入による。
資料：国土交通省「住宅着工統計」

海外の森林

49　世界各国の森林面積

国　名	土地面積 （千ha）	森林面積 （千ha）	人工林面積 （千ha）	森林率 （%）	国　名	土地面積 （千ha）	森林面積 （千ha）	人工林面積 （千ha）	森林率 （%）
オーストリア	8,244	3,869	1,692	46.9	アンゴラ	124,670	57,856	125	46.4
ベルギー	3,028	683	394	22.6	カメルーン	47,271	18,816	26	39.8
チェコ	7,722	2,667	2,643	34.5	コートジボワール	31,800	10,401	427	32.7
デンマーク	4,243	612	464	14.4	コンゴ民主共和国	226,705	152,578	60	67.3
エストニア	4,239	2,232	174	52.7	エチオピア	109,631	12,499	972	11.4
フィンランド	30,390	22,218	6,775	73.1	マダガスカル	58,154	12,473	312	21.4
フランス	54,766	16,989	1,967	31.0	モザンビーク	78,638	37,940	75	48.2
ドイツ	34,861	11,419	5,295	32.8	スーダン	186,665	19,210	6,121	10.3
ギリシャ	12,890	4,054	140	31.5	タンザニア	88,580	46,060	290	52.0
ハンガリー	9,127	2,069	1,652	22.7	ザンビア	74,339	48,635	64	65.4
アイスランド	10,025	49	38	0.5	ジンバブエ	38,685	14,062	87	36.4
アイルランド	6,889	754	683	10.9	アフリカ計	2,986,544	624,103	16,325	20.9
イタリア	29,414	9,297	639	31.6	中　　国	942,530	208,321	78,982	22.1
ラトビア	6,220	3,356	612	54.0	インド	297,319	70,682	12,031	23.8
リトアニア	6,268	2,180	570	34.8	インドネシア	171,857	91,010	4,946	53.0
ルクセンブルグ	259	87	28	33.6	イラン	184,806	10,692	941	5.8
オランダ	3,375	376	376	11.1	イスラエル	2,164	165	89	7.6
ノルウェー	30,427	12,112	1,529	39.8	日　　本	36,450	24,958	10,270	68.5
ポーランド	30,622	9,435	8,957	30.8	マレーシア	32,855	22,195	1,966	67.6
ポルトガル	9,026	3,182	891	35.3	ミャンマー	65,755	29,041	944	44.2
ロシア	1,637,687	814,931	19,841	49.8	韓　　国	9,710	6,184	1,866	63.7
スロバキア	4,809	1,940	960	40.3	タ　　イ	51,089	16,399	3,986	32.1
スロベニア	2,014	1,248	34	62.0	トルコ	76,963	11,715	3,386	15.2
スペイン	49,880	18,418	2,909	36.9	ベトナム	31,007	14,773	3,663	47.6
スウェーデン	41,034	28,073	13,737	68.4	アジア計	3,117,641	593,362	128,546	19.0
スイス	4,000	1,254	172	31.4	アルゼンチン	273,669	27,112	1,202	9.9
英　　国	24,193	3,144	…	13.0	ボリビア	108,330	54,764	26	50.6
ヨーロッパ計	2,213,947	1,015,482	82,006	45.9	ブラジル	835,814	493,538	7,736	59.0
カナダ	909,351	347,069	15,784	38.2	チ　　リ	74,353	17,735	3,044	23.9
メキシコ	194,395	66,040	87	34.0	コロンビア	110,950	58,502	71	52.7
米　　国	916,192	310,095	26,364	33.8	エクアドル	24,836	12,548	55	50.5
北央アメリカ計	2,134,366	750,653	43,320	35.2	ペルー	128,000	73,973	1,157	57.8
オーストラリア	768,230	124,751	2,017	16.2	ベネズエラ	88,205	46,683	557	52.9
ニュージーランド	26,331	10,152	2,087	38.6	南アメリカ計	1,746,599	842,011	15,022	48.2
オセアニア計	849,680	173,524	4,381	20.4	世　界　計	13,048,777	3,999,134	289,599	30.6

注１：OECD加盟国（2019年１月時点）、及び、森林面積が1,000万ha以上でかつ人口が1,000万人以上の国を対象。
　２：「…」はデータ無し。
　３：土地面積は内水面面積を除く。
資料：FAO「世界森林資源評価2015」

50 世界の木材生産量と木材貿易量

① 木材生産量

（単位：木質パルプは千トン、その他は千㎥）

地域		丸　太	産業用材	薪炭用材	製　材	合板等	木質パルプ
世　界　計		3,970,872	2,027,507	1,943,364	492,543	407,950	187,758
大陸別	アフリカ	778,747	78,676	700,072	10,827	2,689	2,329
	北　米	590,987	518,903	72,083	128,970	48,072	65,755
	中南米	528,969	260,816	268,153	31,516	18,851	30,707
	アジア	1,160,672	442,184	718,488	141,517	245,364	37,389
	ヨーロッパ	824,487	649,901	174,586	170,247	89,892	48,624
	オセアニア	87,009	77,027	9,982	9,466	3,081	2,953

② 木材輸出量

地域		丸　太	産業用材	薪炭用材	製　材	合板等	木質パルプ
世　界　計		143,058	135,463	7,595	157,787	92,024	65,576
大陸別	アフリカ	8,445	7,550	895	2,799	419	1,133
	北　米	19,393	19,039	353	37,605	10,652	17,576
	中南米	4,715	4,691	24	7,321	5,953	22,623
	アジア	4,185	4,139	46	8,863	30,841	5,911
	ヨーロッパ	73,908	67,656	6,252	98,948	43,266	17,444
	オセアニア	32,412	32,388	24	2,251	893	890

③ 木材輸入量

地域		丸　太	産業用材	薪炭用材	製　材	合板等	木質パルプ
世　界　計		145,893	140,674	5,219	151,458	89,801	66,294
大陸別	アフリカ	1,567	657	910	8,802	2,609	1,075
	北　米	5,713	5,694	19	28,449	19,474	5,911
	中南米	290	290	0	3,021	3,749	1,897
	アジア	78,035	77,968	67	65,537	24,838	37,358
	ヨーロッパ	60,266	56,043	4,223	44,640	37,964	19,690
	オセアニア	22	22	1	1,008	1,167	363

注1：2018年の数値。
　2：輸出入量における産業用材については、チップ、残材を含む。
　3：製材は、枕木を含む。
　4：合板等とは、単板、合板、パーティクルボード及びファイバーボードである。
　5：計の不一致は四捨五入による。
資料：FAO「FAOSTAT」（2020年2月17日現在有効なもの）

51 産業用材の主な生産・輸出入国 （単位：千㎥）

主な生産国	生産量	主な輸出国	輸出量	主な輸入国	輸入量
米　国	368,189	ニュージーランド	21,407	中　国	59,799
ロシア	219,569	ロシア	19,197	オーストリア	10,033
中　国	180,237	米　国	12,814	スウェーデン	9,479
ブラジル	158,081	チェコ	8,303	ドイツ	8,825
カナダ	150,714	カナダ	6,226	フィンランド	6,935
世界計	2,027,507	世界計	135,463	世界計	140,674

注1：2018年の数値。
　2：輸出量及び輸入量については、チップ、残材を含む。
　3：生産量、輸出量、輸入量について、それぞれ上位5か国及び世界計を計上した。
　4：中国はChina, mainland の数値。
資料：FAO「FAOSTAT」（2020年2月17日現在有効なもの）

52 製材の主な生産・輸出入国 （単位：千㎥）

主な生産国	生産量	主な輸出国	輸出量	主な輸入国	輸入量
中　国	90,252	ロシア	31,664	中　国	37,553
米　国	82,112	カナダ	30,224	米　国	26,666
カナダ	46,858	スウェーデン	12,464	英　国	7,830
ロシア	42,701	ドイツ	8,994	日　本	5,980
ドイツ	23,743	フィンランド	8,701	ドイツ	5,494
世界計	492,543	世界計	157,787	世界計	151,458

注1：2018年の数値。
　2：生産量、輸出量、輸入量について、それぞれ上位5か国及び世界計を計上した。
　3：中国はChina, mainland の数値。
資料：FAO「FAOSTAT」（2020年2月17日現在有効なもの）

53 合板等の主な生産・輸出入国 （単位：千㎥）

主な生産国	生産量	主な輸出国	輸出量	主な輸入国	輸入量
中　国	203,432	中　国	14,465	米　国	16,434
米　国	35,413	カナダ	8,752	ドイツ	5,903
ロシア	17,334	ドイツ	6,134	日　本	4,038
ドイツ	12,713	ロシア	5,940	ポーランド	3,686
カナダ	12,659	タイ	5,467	英　国	3,387
世界計	407,950	世界計	92,024	世界計	89,801

注1：2018年の数値。
　2：生産量、輸出量、輸入量について、それぞれ上位5か国及び世界計を計上した。
　3：中国はChina, mainland の数値。
資料：FAO「FAOSTAT」（2019年2月17日現在有効なもの）

54 木質パルプの主な生産・輸出入国 （単位：千トン）

主な生産国	生産量	主な輸出国	輸出量	主な輸入国	輸入量
米　国	48,965	ブラジル	15,190	中　国	24,419
ブラジル	21,695	カナダ	9,741	米　国	5,565
カナダ	16,790	米　国	7,835	ドイツ	4,717
中　国	13,272	チリ	4,688	イタリア	3,503
スウェーデン	11,942	インドネシア	4,226	韓　国	2,241
世界計	187,758	世界計	65,576	世界計	66,294

注1：2018年の数値。
　2：生産量、輸出量、輸入量について、それぞれ上位5か国及び世界計を計上した。
　3：中国はChina, mainland の数値。
資料：FAO「FAOSTAT」（2020年2月17日現在有効なもの）

参考付表

55 JICAを通じた森林・林業分野の技術協力プロジェクト

地域	国名	プロジェクト名等	活動の内容
アジア	ラオス	持続可能な森林管理及びREDD＋支援プロジェクト 2014年9月～2020年9月	持続可能な森林管理及びREDD＋に必要な関連情報やデータを包括的に運用管理するシステムの構築と人材育成を実施。
	ベトナム	持続的自然資源管理プロジェクト 2015年8月～2020年8月	持続的自然資源管理に必要な国家能力を強化するため、政策、持続的森林管理・REDD＋、生物多様性の活動を実施。
	東ティモール	持続可能な天然資源管理能力向上プロジェクトフェーズⅡ 2016年6月～2020年6月	中山間地の貧困農民を対象とした住民参加型の土地利用計画と天然資源管理を実践。
	インド	ウッタラカンド州山地災害対策プロジェクト 2017年3月～2022年3月	円借款事業「ウッタラカンド州森林資源管理事業」と連携して、山地災害を防止するため治山技術を確立・普及。
	ミャンマー	持続可能な自然資源管理能力向上支援プロジェクト 2018年6月～2023年6月	森林減少や環境悪化が深刻化する同国において、森林保全、インレー湖統合流域管理、生物多様性保全の基盤整備の強化を図る。
大洋州	ソロモン諸島	ソロモン国における持続的森林資源管理能力強化プロジェクト 2017年9月～2022年9月	森林研究省の持続的森林資源管理の促進に係る能力強化。
中南米	ホンジュラス	ラ・ウニオン生物回廊プロジェクト 2016年1月～2021年1月	ラ・ウニオン生物回廊における管理計画の策定、パイロットコミュニティにおける持続的利用・保全計画の実施。これらによる生物回廊管理モデルの確立。
	ペルー	森林保全及びREDD＋メカニズム能力強化プロジェクト 2016年3月～2021年3月	森林保全、REDD＋の推進のための国家森林モニタリングシステムの強化など中央政府の能力強化を実施するとともに、地方政府におけるシステムの活用支援を実施。
欧州	マケドニア旧ユーゴスラビア共和国	持続的な森林管理を通じた、生態系を活用した防災・減災（ECO-DRR）能力向上プロジェクト 2017年12月～2022年12月	GIS情報システム整備や森林管理計画強化、治山技術導入などを通じ、森林生態系の有する多様な機能を活用した防災・減災（Eco-DRR）のモデル開発を行い、同国の災害リスクの軽減を指向。
中東	イラン	カルーン河上流域における参加型森林・草地管理能力強化プロジェクト 2018年6月～2023年6月	住民参加型の森林草地管理の実施や治山技術の導入による政府関係者の流域管理に関する能力強化。
アフリカ	エチオピア	REDD＋及び付加価値型森林コーヒー生産・販売を通じた持続的な森林管理支援プロジェクト 2014年7月～2020年1月	森林コーヒー認証プログラムを通じた参加型森林管理の確立。
	SADC（南部アフリカ開発共同体）	南部アフリカ地域持続可能な森林資源管理・保全プロジェクト 2015年6月～2020年8月	地域の森林情報管理、森林火災対策及び参加型森林管理の3分野に関し、森林保全と持続的な森林資源管理を推進するための能力向上。
	COMIFAC（中部アフリカ森林協議会）	COMIFAC諸国における生物多様性保全・利用および気候変動対策促進プロジェクト 2015年8月～2020年8月	森林経営・生物多様性保全等における、COMIFACの能力強化。
	ケニア	持続的森林管理のための能力開発プロジェクト 2016年6月～2021年6月	政策支援、パイロット事業、REDD＋準備支援、林木育種研究、地域協力に係る協力を行うことにより、中央及び郡政府の持続的森林管理のための能力を強化。
	マラウィ	ザラニヤマ森林保護区の持続的な保全管理プロジェクト 2016年8月～2021年8月	薪炭生産を主な原因として森林減少が加速している、首都リロングエの水源林であるザラニヤマ森林保護区での森林保全。
	カメルーン	持続的森林エコシステム管理能力強化プロジェクト 2019年1月～2024年1月	温室効果ガス排出量削減活動の促進のため、REDD＋等の主要な政策・計画の策定や実施、排出削減シナリオの策定等の実施を通じて、政府及び関係機関の能力を強化。
	モザンビーク	持続可能な森林管理及びREDD＋プロジェクト 2019年3月～2024年3月	REDD＋及び持続可能な森林管理を促進するため、国家森林モニタリングシステムの運用、州政府の森林管理計画プロセスの推進等を通じて、国・州政府等の能力を強化。
	コンゴ民主共和国	国家森林モニタリングシステム運用・REDD＋パイロットプロジェクト 2019年4月～2024年3月	持続可能な森林管理のため、国家森林モニタリングシステムの運用やクウィル州におけるREDD＋パイロット事業の実施等を通じて、国・州政府等の能力を強化。

注：令和元(2019)年12月末日現在実施中のプロジェクト。
資料：林野庁業務資料

56 森林・林業分野の有償資金協力事例

地域	国名	案件名	交換公文署名日	概要
アジア	インド	シッキム州生物多様性保全・森林管理計画	2010/3/29	シッキム州に位置する国立公園及び野生生物保護区の管理能力強化、森林局の活動基盤の強化・整備などを実施するもの。
		タミル・ナド州生物多様性保全・植林計画	2011/2/17	インド南部タミル・ナド州において、繁殖力の強い外来種の除去や在来種の植栽等の生物多様性保全活動、植林活動及び実施機関の組織強化等を行うもの。
		ラジャスタン州植林・生物多様性保全計画（フェーズ2）	2011/6/6	インド北西部ラジャスタン州において、植林活動及び生物多様性保全活動を実施するもの。
		西ベンガル州森林・生物多様性保全計画	2012/3/29	西ベンガル州において1）植林、2）人間と野生動物の接触被害の防止や保護区の生息環境改善、3）地域開発・生計向上活動及び4）実施機関の組織強化等を実施するもの。
		ウッタラカンド州森林資源管理計画	2014/1/25	ウッタラカンド州において、植林活動、地域住民の生計向上活動、防災・災害対策の実施を通じ、植林面積の増大、住民組織の育成、雇用創出を図るもの。
		ナガランド州森林管理計画	2017/3/31	ナガランド州において、移動焼畑耕作地における森林の回復を行い、生計向上手段を提供するもの。
		オディシャ州森林セクター開発計画（フェーズ2）	2017/3/31	オディシャ州（オリッサ州）において、持続的な森林管理、生物多様性保全活動及びコミュニティ開発支援を実施するもの。
		ヒマーチャル・プラデシュ州森林生態系保全・生計改善計画	2018/3/29	ヒマーチャル・プラデシュ州において、持続的な森林生態系管理及び生物多様性保全、地域住民の生活基盤強化支援、活動実施体制・能力強化を実施するもの。
		トリプラ州持続的水源林管理計画	2018/10/29	トリプラ州において、持続的森林管理、水土保全活動、生計向上活動を実施するもの。
	フィリピン	森林管理計画	2011/9/27	ルソン島及びパナイ島において、住民参加型の森林管理及び生計改善活動（組織化された住民が、苗木栽培、植林、森林の維持管理、小規模ビジネス（農産物や林産物売買、キノコ栽培、林産物加工）等を行うもの）を実施することにより、森林の再生及び地域住民の生計向上を図るもの。
	ベトナム	保全林造林・持続的管理計画	2012/3/30	中部沿岸部の11地方省において、流域保全林の造林、林業インフラの建設及び地方省行政機関と地域住民の森林管理能力強化、住民の生計向上支援等を実施するもの。
中東	トルコ	チョルフ川流域保全計画	2011/6/22	トルコ北東部に位置するチョルフ川流域において、住民参加型手法を取り入れた土壌保全、劣化森林の植生回復及び自然災害防止のための事業を支援することにより、流域住民の生計向上を図るもの。
アフリカ	チュニジア	総合植林計画（Ⅱ）	2008/3/28	チュニジアの5県（ベジャ県、ジェンドゥーバ県、ケフ県、シリアナ県、ザグアン県）において、植林、森林火災対策、地域住民の生計支援等の包括的な森林保全活動を行うことにより、森林再生やその持続的管理、同地域における自然環境改善を図るもの。

注：令和元(2019)年12月末時点で、計画を実施中の案件。
資料：林野庁業務資料

57 森林・林業分野の無償資金協力事例

地域	国名	案件名	交換公文署名日	概要
アジア	インドネシア	森林保全計画	2010/3/18	森林資源現況の把握及び適切な森林管理計画の策定により持続可能な森林経営に資するとともに、森林分野における気候変動対策として温室効果ガス排出削減に貢献。
中南米	ボリビア	森林保全計画	2010/7/5	森林資源現況の把握及び適切な森林管理計画の策定により持続可能な森林経営に資するとともに、森林分野における気候変動対策として温室効果ガス排出削減に貢献。
アフリカ	コートジボアール	森林保全計画	2010/4/19	森林資源現況の把握及び適切な森林管理計画の策定により持続可能な森林経営に資するとともに、森林分野における気候変動対策として温室効果ガス排出削減に貢献。
	モザンビーク	森林保全計画	2010/4/28	

注：令和元(2019)年12月末時点で、計画を実施中の案件。
資料：林野庁業務資料

参考付表

国有林野事業

58 国有林野事業における主要事業量

		H12年度 (2000)	17 (05)	22 (10)	24 (12)	25 (13)	26 (14)	27 (15)	28 (16)	29 (17)	30 (18)
収穫量 (千㎥)	総　数	4,910	5,744	7,763	7,617	7,962	8,085	8,228	8,277	8,654	8,589
	立木販売	4,212	3,796	4,044	2,250	2,710	2,627	3,223	3,301	3,459	3,520
	丸太販売	698	1,948	3,720	5,367	5,252	5,458	5,004	4,976	5,195	5,069
更新面積 (ha)	総　数	34,036	11,830	9,984	8,709	9,406	8,183	8,513	9,197	10,373	10,367
	人工造林	4,592	2,992	5,372	5,083	5,117	3,665	5,745	5,944	8,143	8,614
	天然更新	29,444	8,838	4,612	3,626	4,289	4,518	2,768	3,253	2,230	1,753
林道 (km)	新　設	99	138	97	420	411	293	175	147	163	129
	改　良	866	653	958	508	1,077	369	354	353	185	117
治山 (百万円)	国有林治山	48,054	20,618	18,470	15,082	14,529	16,016	17,141	18,369	16,391	16,889
	災害復旧	12,473	24,317	6,858	4,181	16,065	24,165	18,140	13,669	4,995	11,556

注1：収穫量は、立木材積であり、内部振替並びに分収造林及び分収育林民収分を含む。
　2：丸太販売は、丸太を生産した時点で年度区分した。
　3：更新面積には、森林災害復旧造林事業費による実行分を含む。
　4：人工造林には、新植のほか改植、人工下種を含む。
　5：災害復旧は、国有林野内直轄施設災害復旧事業、国有林野内直轄治山災害関連緊急事業及び国有林野内直轄特殊地下壕対策災害関連事業の額である。
　6：計の不一致は四捨五入による。
資料：林野庁業務資料

59 保護林区分別の箇所数及び面積

保護林区分	箇所数	面積（万ha）	特　徴	代表的な保護林（都道府県）
森林生態系保護地域	31	70.1	我が国の気候帯又は森林帯を代表する原生的な天然林を保護・管理	知床（北海道）、白神山地（青森県、秋田県）、小笠原（東京都）、屋久島（鹿児島県）
生物群集保護林	96	23.7	地域固有の生物群集を有する森林を保護・管理	八ヶ岳（長野県）、剣山（徳島県）、普賢岳（長崎県）
希少個体群保護林	540	4.0	希少な野生生物の生育・生息に必要な森林を保護・管理	狩場山雪田植生（北海道）、千手ヶ原ミズナラ・ハルニレ（栃木県）、高野山コウヤマキ（和歌山県）
合　　　計	667	97.8		

注：平成31（2019）年4月1日時点の数値である。
資料：農林水産省「国有林野の管理経営に関する基本計画の実施状況」

60 レクリエーションの森の整備状況及び利用者数

区　　分	箇所数	面積 （千ha）	利用者数（百万人）										代表的なレクリエーションの森（都道府県）
			H12年度 (2000)	22 (10)	23 (11)	24 (12)	25 (13)	26 (14)	27 (15)	28 (16)	29 (17)	30 (18)	
自然休養林	83	96	27	29	26	24	18	18	12	10	11	11	高尾山（東京）、赤沢（長野）、剣山（徳島）、屋久島（鹿児島）
自然観察教育林	107	26	19	13	11	9	8	7	7	6	16	16	白神山地・暗門の滝（青森）、ブナ平（福島）、金華山（岐阜）
風景林	246	103	48	27	49	46	65	64	61	73	83	84	えりも（北海道）、芦ノ湖（神奈川）、嵐山（京都）
森林スポーツ林	32	9	1	1	1	1	1	1	1	1	3	3	御池（福島）、滝越（長野）、扇ノ仙（鳥取）
野外スポーツ地域	173	50	40	32	29	27	25	26	23	23	18	15	天狗山（北海道）、裏磐梯デコ平（福島）、向坂山（宮崎）
風致探勝林	86	15	21	13	12	9	10	9	6	8	8	8	温身平（山形）、駒ヶ岳（長野）、虹ノ松原（佐賀）
合　　　計	727	292	157	116	127	117	127	124	110	122	140	137	

注1：箇所数及び面積は平成31（2019）年4月1日現在の数値であり、利用者数は各年度の参考値である。
　2：計の不一致は四捨五入による。
資料：農林水産省「国有林野の管理経営に関する基本計画の実施状況」

61 遊々の森等の箇所数及び面積

		H21年度 (2009)	22 (10)	23 (11)	24 (12)	25 (13)	26 (14)	27 (15)	28 (16)	29 (17)	30 (18)
遊々の森	箇所数	162	172	175	173	172	168	165	160	154	153
	面積（ha）	7,277	7,219	7,382	7,344	7,232	7,073	7,047	7,006	6,569	6,351
ふれあいの森	箇所数	132	137	137	140	143	140	137	137	131	126
	面積（ha）	3,544	4,325	4,152	4,334	4,229	4,257	4,343	4,406	4,320	4,254
木の文化を支える森	箇所数	22	22	22	25	23	24	24	25	25	24
	面積（ha）	565	565	565	1,617	1,610	1,625	1,625	1,638	1,638	1,635

注：箇所数及び面積は、各年度末現在の国と実施主体が協定を締結している箇所の数値である。
資料：林野庁業務資料

62 林業等に対する金融機関別の貸付残高

（単位：十億円、%）

		H12年度 (2000)	17 (05)	22 (10)	24 (12)	25 (13)	26 (14)	27 (15)	28 (16)	29 (17)	30 (18)	対前年 増減率(%)
総計	合計	4,659 (100)	3,132 (100)	3,210 (100)	3,083 (100)	3,042 (100)	3,011 (100)	2,975 (100)	2,950 (100)	3,014 (100)	3,066 (100)	2
	一般金融機関	2,931 (63)	1,849 (59)	2,080 (65)	2,015 (65)	2,016 (66)	2,015 (67)	1,997 (67)	1,983 (67)	2,053 (68)	2,118 (69)	3
	系統金融機関	394 (8)	234 (7)	223 (7)	189 (6)	188 (6)	173 (6)	172 (6)	180 (6)	188 (6)	185 (6)	▲2
	政策金融機関	1,334 (29)	1,049 (33)	907 (28)	879 (29)	838 (28)	823 (27)	807 (27)	787 (27)	773 (26)	763 (25)	▲1
林業	小計	1,262 (100)	1,036 (100)	1,513 (100)	1,466 (100)	1,435 (100)	1,437 (100)	1,450 (100)	1,479 (100)	1,562 (100)	1,620 (100)	4
	一般金融機関	193 (15)	144 (14)	698 (46)	703 (48)	717 (50)	749 (52)	779 (54)	817 (55)	902 (58)	972 (60)	8
	系統金融機関	93 (7)	48 (5)	68 (4)	43 (3)	42 (3)	31 (2)	36 (2)	47 (3)	62 (4)	66 (4)	6
	政策金融機関	976 (77)	844 (81)	747 (49)	720 (49)	676 (47)	657 (46)	636 (44)	615 (42)	598 (38)	582 (36)	▲3
木材・木製品製造業	小計	3,396 (100)	2,096 (100)	1,697 (100)	1,617 (100)	1,608 (100)	1,575 (100)	1,527 (100)	1,471 (100)	1,453 (100)	1,447 (100)	▲0
	一般金融機関	2,738 (81)	1,705 (81)	1,382 (81)	1,312 (81)	1,299 (81)	1,266 (80)	1,218 (80)	1,166 (79)	1,151 (79)	1,147 (79)	▲0
	系統金融機関	301 (9)	186 (9)	155 (9)	146 (9)	146 (9)	142 (9)	136 (9)	133 (9)	126 (9)	119 (8)	▲6
	政策金融機関	357 (11)	205 (10)	160 (9)	159 (10)	163 (10)	167 (11)	173 (11)	172 (12)	176 (12)	181 (13)	3

注1：各年度末現在の数値。
　2：系統金融機関とは、商工組合中央金庫、農林中央金庫である。
　3：政策金融機関とは、日本政策金融公庫、沖縄振興開発金融公庫、日本政策投資銀行である。
　4：（　）は、合計、小計に対する割合。
　5：平成21（2009）年度以降の一般金融機関及び系統金融機関の林業欄の数字は、農・林業合計の貸付残高である。
　6：平成17（2005）年度以降の政策金融機関には、日本政策投資銀行の貸付残高を含まない。
　7：計の不一致は四捨五入による。
資料：一般金融機関は「日本銀行統計」（日本銀行調査統計局）、商工組合中央金庫、農林中央金庫は各金庫の資料、日本政策金融公庫、沖縄振興開発金融公庫は各公庫の資料、日本政策投資銀行は同銀行の資料による。

参考付表

用語の索引

※複数ページに掲載されている用語については、主な掲載ページとした。

用語の索引

英字（アルファベット順）